Tranen over Kashmir

George Mastras

Tranen over Kashmir

De Fontein

Voor Hope, Sophia en Alexandra

Oorspronkelijke titel: *Fidali's Way*
Oorspronkelijke uitgever: Scribner, a division of Simon & Schuster, Inc.
© 2009 by George Mastras
© 2009 voor de Nederlandse vertaling: Uitgeverij De Fontein, Baarn
Vertaald uit het Engels door: Lilian Caris
Omslagontwerp: Wil Immink Design
Omslagillustratie: Jonathan Blair / Corbis
Fotobewerking omslag: Rex Bonomelli
Zetwerk: ZetSpiegel, Best
ISBN 978 90 261 2568 3
NUR 302

www.defonteinboeken.nl

Birds make great sky-circles
of their freedom.
How do they learn it?
They fall, and falling,
They are given wings.

— Rumi

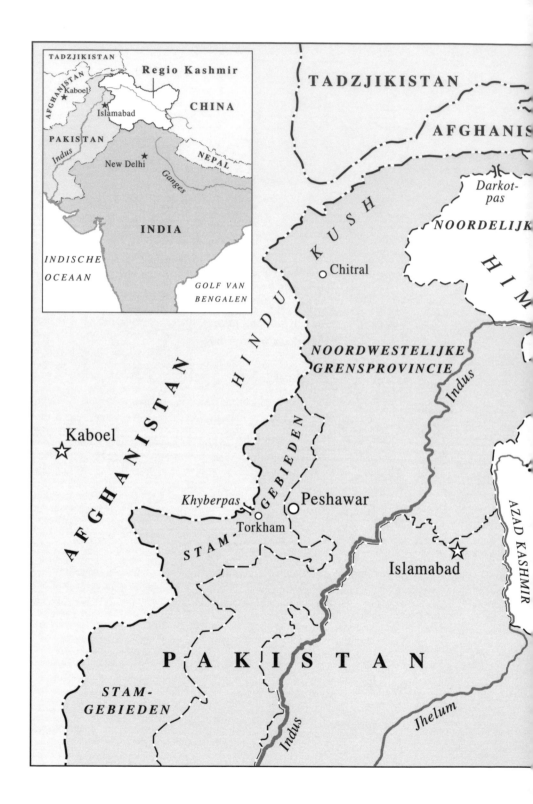

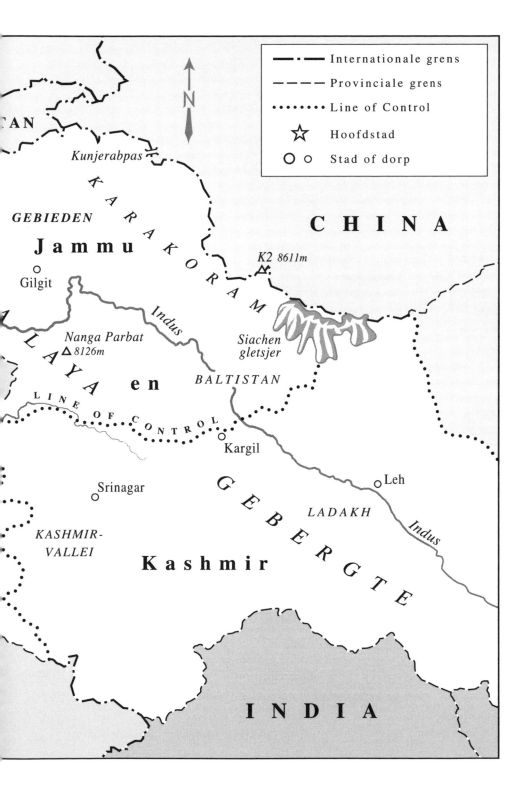

—··—··—	Internationale grens
— — —	Provinciale grens
·········	Line of Control
☆	Hoofdstad
O o	Stad of dorp

N

CAN

Kunjerabpas

K A R A K O R A M

GEBIEDEN

Jammu

o
Gilgit

CHINA

K2 *8611m*

Indus

Nanga Parbat
△ *8126m*

*Siachen
gletsjer*

A L A Y A **en**

BALTISTAN

L I N E O F C O N T R O L

o
Kargil

o
Srinagar

oLeh

LADAKH

G E B E R G T E

Indus

*KASHMIR-
VALLEI*

Kashmir

I N D I A

Verklarende woordenlijst

Allah haq	uitroep, 'Grote God'
Allah-o-Akhbar	God is groot
azadi	onafhankelijkheid, vrijheid
bahik	hut met stenen muren en een dak van boomstammen
baksjisj	fooi, smeergeld
bidi	dunne sigaret bestaande uit een kleine hoeveelheid tabak opgerold in bladeren
bindi	traditionele stip op het voorhoofd (bij hindoes)
chapati	Indiaas brood
dhal	Indiaas gerecht van linzen
djinn	onzichtbaar wezen, dat volgens islamitische overleveringen bezit kan nemen van mensen
drone	onbemand vliegtuigje
dua	persoonlijk islamitisch gebed zonder vaste regels
hafiz	iemand die de Koran uit zijn hoofd kent
inshallah	als Allah het wil
jawan	Indiase soldaat
jihad	heilige islamitische oorlog
khuda hafiz	afscheidsgroet; 'Moge God je beschermen'
la ilaha illa Allah	'Niemand behalve Allah heeft het recht om aanbeden te worden.'
madrassa	Koranschool
medina	centrum van de stad
mehmaan-moedjahedien	buitenlandse moedjahedien
mirwaiz	godsdienstig leider
moedjahid/moedjahedien	opstandeling(en), jihadstrijder(s), islamitische vrijheidsstrijder(s)

moellah	islamitische geestelijke die de Koran intensief heeft bestudeerd; de moellah wordt door moslims beschouwd als expert op elk gebied van het islamitische geloof
mukhbir	verrader, verklikker
naan	Indiaas brood
naka	wegblokkade
nallah	kloof
oemma	wereldwijde gemeenschap van moslims
paan	licht bedwelmend mengsel van betelnoot, tabak en specerijen
pakol	traditionele Afghaanse muts
pakora	Indiase gefrituurde snack van kikkererwtenmeel en verschillende groenten en/of aardappelen
pheran	lange shirtachtige overjas uit Kashmir
purdah	afzondering van vrouwen
qalb	hart
sadhoe	hindoeïstische asceet
sahid	martelaar
salam aleikum	begroeting, letterlijk 'vrede zij met u'
salat	het rituele gebed binnen de islam dat vijf keer per dag gebeden wordt
salope	Frans woord voor slons, slet
sepoy	soldaat in Brits-Indisch leger
shalwar kamiz	kleding, bestaande uit een broek (shalwar) en een wijd lang hemd of jurk (kamiz)
sharia	islamitische wetgeving
shirk	grootste zonde binnen de islam, die inhoudt dat de gelovige andere goden naast Allah erkent
shukria	dankjewel
soera	hoofdstuk uit de Koran
tariqah	het ware pad
tuktuk	gemotoriseerde riksja
vindaloo	scherp Indiaas gerecht
wah aleikum salam	begroeting, het antwoord op salam aleikum
wudu	kleine rituele wassing
yatra	optocht, processie
yatri	deelnemer aan optocht, bedevaartganger
zakat	voor islamieten verplichte aalmoezen aan de armen

Deel I

Proloog

Stamgebieden, grensgebied Pakistan-Afghanistan

Overal was zon.

Uren geleden had hij gebeden dat die zou opkomen. De bijtende nachtelijke kou had hem bijna de das omgedaan, en alleen adrenaline en angst hadden het bloed in zijn aderen in beweging gehouden. Maar nu hadden zelfs de taaie woestijndieren bescherming gezocht voor de dodelijke zonnestralen door zich onder het zand te verschuilen en in holen weg te kruipen, of spleten in opgewarmde rotsen binnen te glijden.

Voor hem was er nergens plek om te schuilen. Hij was alleen in een woestenij die zich uitstrekte zo ver hij kon zien, tot de verdorde uitlopers van de Hindu Kush, die door de opstijgende warmte aan de horizon werden versluierd. Zijn benen waren loodzwaar, zijn keel voelde net zo uitgedroogd aan als de aarde onder zijn voeten, en zijn huid, allang beroofd van het vermogen te transpireren, schrijnde onder zijn gescheurde *shalwar kamiz*. Maar zijn geest was nooit eerder zo scherp geweest, en hij had nooit een dwingender gedachte gehad dan de gedachte die hem nu beheerste: zijn zoektocht naar beschutting was er een geworden naar een geschikte plaats om te sterven.

Uiteindelijk kwam hij bij een groot rotsblok. Het was niet optimaal, maar een betere plek zou hij in dit dorre landschap niet kunnen vinden. Hij gaf zich over aan de hitte en aan een lot waarvan hij voelde dat hij het had verdiend, en plofte in de zandoven neer. Hij legde zijn hoofd tegen de rots, zijn gezicht naar de folterende zon gekeerd. Hij kon bijna voelen hoe de hete aarde het leven uit zijn lichaam schroeide. Tot hij niets meer voelde...

1

Nicholas Sunder had zich niet hoeven verbazen toen hij hoorde dat er op de deur van zijn hotelkamer werd geklopt. Nick was nooit een geluksvogel geweest. Er zat niets anders op dan open te doen, want Shahid, de receptionist, had ongetwijfeld tegen de persoon op de gang – wie dat ook mocht zijn – gezegd dat hij er was.

Hij wierp een blik op zijn horloge en stelde zich voor dat hij anoniem in een met rauwe Pakistani volgestouwde minibus zat, op weg naar het oosten, en vervloekte zichzelf omdat hij niet een halfuur eerder was weggegaan. Hij sloot zijn ogen en haalde diep adem om moed te verzamelen. Toen deed hij open.

Voor de deur stond een dikzak met een plat hoofd dat op een nek als een boomstam rustte. Een paar zwarte ogen accentueerden zijn donkere, pokdalige gezicht dat door een woeste snor in tweeën werd gedeeld. Hij droeg het kenmerkende blauwe uniform van de politie van Peshawar.

'Ja?' Nick schoot door in zijn poging betrouwbaar over te komen; zijn stem klonk geforceerd en geïrriteerd. Dat bleef niet onopgemerkt en de agent nam Nick even kritisch op voordat hij opzijstapte om blijk te geven van de aanwezigheid van een collega. Bebrild, elegant, met gevoelige ogen, was deze tweede man minstens tien jaar jonger dan de grotere – misschien halverwege de dertig, niet veel ouder dan Nick. Maar zijn donkere huid en gitzwarte haar staken sterk af bij het pastelblauw van zijn uniform en maakten dat hij er nog jonger uitzag.

'Meneer Sunder?' zei de gezette agent in het Engels met een Punjabs accent. 'Ik ben inspecteur Rasool Muhammad Akhtar van de afdeling Recherche van de politie van Peshawar.' Zijn barse, doorrookte stem miste de kalmerende zangerigheid die kenmerkend was voor bewoners van het subcontinent. 'En dit is adjudant Abdul Shiraz.' Hij gebaarde naar zijn jongere collega, die Nick begroette met een glimlach die te sympathiek was om gemeend te kunnen zijn.

Het bleef lang stil – te lang, vond Nick – terwijl hij wachtte tot de inspecteur verder sprak. 'Nou?' zei Nick uiteindelijk. 'U spreekt toch Engels?'

'We zouden graag even met u willen praten, meneer,' zei Akhtar op een toon die duidelijk maakte dat het geen verzoek was.

Nick aarzelde. 'Oké,' antwoordde hij, 'maar ik heb nu iets te doen. Als u wat later terug kunt komen... over een paar uur of zo, zou ik u graag –'

'Het is dringend,' klonk de stem van Shiraz van achter zijn baas.

Nick aarzelde en veegde het zweet van zijn voorhoofd. Hij knikte en stapte de gang in om ervoor te zorgen dat ze niet zijn kamer binnen zouden gaan. Maar Akhtar kwam als een bulldozer op Nick af en dwong hem bruusk naar achteren te stappen. Toen Akhtar de deur door was hield hij hem open voor Shiraz.

De rechercheurs speurden door de kamer; hun blik bleef op Nicks ingepakte rugzak rusten. 'Waar gaat u naartoe, meneer?' vroeg Akhtar. 'Terug naar Amerika?'

'Nee. Naar India, Amritsar.'

'Wanneer?'

'Mijn bus vertrekt over veertig minuten, om precies te zijn.'

Akhtar trok zijn wenkbrauwen op. 'En toch vraagt u ons over een paar uur terug te komen? Dan bent u ofwel erg ongemanierd, ofwel u hoopt Pakistan te verlaten zonder met ons te praten.'

Nick zag zijn fout in en voelde dat hij rood aanliep. 'Mijn excuses. Dat was een vergissing. Het komt door de hitte, die maakt me gek.' Hij deed een vergeefse poging vriendelijk te glimlachen.

Akhtar keek hem onderzoekend aan, wees toen op een houten bagagerek waarover kleren lagen uitgespreid – vrouwenkleren: ondergoed, sokken, een afgeknipt T-shirt. 'Van wie zijn die?'

'Van een kennis.'

Akhtar trok een panty van de stapel. Hij stak zijn arm stijf naar voren en liet de kousen tussen duim en wijsvinger bungelen.

'Een vriendin,' verduidelijkte Nick.

'Vriendin,' mompelde Akhtar. 'In Pakistan hebben we geen vriendinnen. We hebben echtgenotes. En we hebben dochters die spoedig iemands echtgenote zullen zijn. Alle andere vrouwen zorgen alleen maar voor problemen.'

Nick knikte halfhartig, niet helemaal zeker of die opmerking als grap was bedoeld. Toen haalde hij zijn schouders op. 'Ik heb mijn kaartje vooruitbetaald. Ik zou het op prijs stellen als u me vertelt waar het over gaat, zodat ik mijn bus niet hoef te missen.'

Inspecteur Akhtar stapte op de Amerikaan af met een zwier die aangaf dat zijn omvang een voordeel was, en geen belemmering. 'In feite gaat het om uw vriendin.'

'Ze is niet míjn vriendin.'

De inspecteur reageerde met een ongelovige blik op Nicks opmerking. Voor Akhtar belichaamde de handvol onverschrokken rugzaktoeristen met hun lange haar of modieus geschoren hoofden, strakke kleren en behoefte aan hasj, die ondanks het explosieve politieke klimaat nog steeds elk jaar naar Peshawar kwamen, de verdorvenheid van het Westen. Nick en het meisje deelden een kamer, dus waren ze intiem met elkaar.

'Uitstekend,' zei hij. 'Haar naam is... Yvette De...'

'DePomeroy,' vulde Nick aan.

'Dank u. Mijn Engels gaat nog, maar Frans... Zoveel letters die nergens voor dienen. En waar is het meisje dus nu?' vroeg Akhtar op een manier die suggereerde dat hij het antwoord al wist.

'Gisterochtend heb ik haar voor het laatst gezien. Waarom, is er iets aan de hand?'

'U bent degene die haar sinds gisteren niet meer heeft gezien. Zegt u het maar.'

Nick voelde zich slap worden. Hij zakte op het bed neer en staarde uitdrukkingsloos naar de muur. Toen Shiraz hem uiteindelijk uit zijn trance haalde had hij geen flauw benul hoe lang hij daar had gezeten. 'Waarom, meneer, bent u niet naar de politie gegaan toen ze niet naar de kamer terugkwam?'

'Eh... Dat weet ik niet... Ik nam aan dat ze bij een vriend was — misschien een andere reiziger,' zei Nick. 'Ik was niet haar enige vriend.'

'Ziet u wel? Problemen,' zei Akhtar, snuivend van zelfgenoegzaamheid. 'Komt u met ons mee — voor u gaat er vandaag geen bus.'

De penetrante geur van lijken in staat van ontbinding drong door in Nicks neusgaten toen Akhtar de dubbele deuren opendeed. Het lijkenhuis was niet meer dan een grote kamer met cementen muren waar lichamen in vreemde hoeken op de vloer waren neergelegd. De lijken waren in witte doeken gewikkeld die boven het gezicht waren dichtgeknoopt; op sommige zaten bloedvlekken. Andere, waar de meeste vliegen omheen gonsden, waren vochtig van de grote stukken smeltend ijs die eronder waren geschoven.

'Kom mee,' zei Akhtar, terwijl hij nonchalant over de lijken heen stapte. Nick wilde niet meekomen, en dat was niet alleen omdat hij zich er op een of andere manier ongelukkig bij voelde om over de doden heen te stappen, wat hij respectloos vond. Maar toen hij zich omdraaide en Shiraz achter zich zag, die hem met een besliste knik vooruit dwong, wist Nick dat hij hun moest laten zien dat hij dit wel aankon, wilde hij nog hoop houden snel uit Pakistan weg te komen.

Nick veegde het koude zweet van zijn gezicht, bedekte zijn neus en mond in een vergeefse poging de stank te weren en stapte toen over de lichamen naar Akhtar toe. Aan diens voeten lag een omwikkelde bundel waarop een stuk plakband zat met een rood opschrift in het Urdu. Akhtar hurkte neer om de doek los te wikkelen.

Nick voelde de kamer draaien. Hij wankelde. 'Meneer...' zei Shiraz achter hem, en hij stak zijn arm naar Nick uit.

Nick greep Shiraz' elleboog en kon maar net voorkomen dat hij viel. Braaksel kwam achter in zijn keel omhoog. Hij slikte het weg, bijna kokhalzend. Hij haalde een paar keer diep adem tot hij er zeker van was dat hij zijn benen weer onder controle had. 'Moet dit... nu echt?'

'Ik vrees van wel,' antwoordde Akhtar. 'We hebben geprobeerd met behulp van de Franse ambassade in Islamabad haar ouders op te sporen, maar de zoektocht van de autoriteiten verloopt erg traag. We zijn bang dat tegen de tijd dat ze gevonden worden het lichaam niet meer zal... zijn wat het geweest is. We gaan het lichaam overbrengen naar het centrale mortuarium in Islamabad, maar... Nou, dat zal even duren. Dus... tenzij u weet waar haar ouders wonen?'

Nick wreef over zijn slapen in een poging zich te concentreren. Hij sprak van achter zijn hand, die hij dicht voor zijn neus en mond hield. 'Ze heeft in Parijs gewoond, heeft ze me verteld. Maar ik weet niets over haar ouders. Misschien komt ze uit een kleine stad. Ik denk niet dat ze een sterke band met hen had... Althans, dat was mijn indruk.'

Met één wenkbrauw opgetrokken keek Akhtar Nick doordringend aan. 'Dan zit er niets anders op.' Met tamelijk ongepaste animo trok hij stevig aan de uiteinden van de doek om die open te pellen en de inhoud te onthullen.

Nick kneep zijn ogen stijf dicht. Hij had wel meer doden gezien in zijn leven, en niet alleen het goedverzorgde lichaam van zijn vader in de open kist bij diens begrafenis, waarbij alle tekenen van zijn langzame dood door kanker onder een dikke laag cosmetica waren verborgen. In het Oosten was de dood alomtegenwoordig, zo duidelijk aanwezig dat hij die eerder als een deel van het leven beschouwde dan als het einde ervan. Om een of andere reden, misschien uit morbide nieuwsgierigheid, mogelijk ook vanuit een diepgaander verlangen om die vreemde, fatalistische wereld te begrijpen, had hij zich op zijn reizen aangetrokken gevoeld door plaatsen waar de wereld van de levenden en die van de doden samenkwamen. Hij was van zijn route afgeweken om in Kathmandu lichamen te zien branden op houtstapels, mee te maken hoe door slangenbeten opgezwollen lijken ritueel in de heilige Ganges werden neergelaten en Tibetaanse luchtbegrafenissen bij te wonen, waarbij nomaden met een leerachtige huid hun gestorven familieleden in vuistgrote stukken hakten om ze door gieren te laten verslinden. Maar dit was anders. Dit was een leven dat hij had begeerd, een lichaam dat hij intiem had gekend, waarover hij zijn vingers had laten gaan zodat elk sproetje, elk lijntje en elke huidplooi in zijn geheugen stonden gegrift. Hij probeerde zijn emoties de baas te blijven en zijn geest ertoe te brengen datgene wat hij te zien zou krijgen enkel als een verschijnsel waar te nemen. Gewoon nog een moment van zijn reis dat hij wilde proberen te begrijpen.

Toch kon hij, toen hij uiteindelijk zijn ogen dwong om naar het lichaam te kijken, niets anders dan staren, sprakeloos, met het gevoel dat het lege plekje in zijn borst dat er altijd had gezeten zich had uitgebreid en zijn hele wezen had verzwolgen. Het voelde alsof hij niets was. Alsof hij dood was.

'Nou?' vroeg Akhtar, terwijl hij Nick van dichtbij opnam. 'Is dit uw vriendin?'

Nick lette niet op de woorden van de inspecteur. Yvette zag er precies zo uit als hij zich haar herinnerde. Haar romp, zichtbaar door de scheuren in haar besmeurde T-shirt, was niet opgezwollen; haar borsten, hoewel in omvang toegenomen, waren nog steeds zacht en gaaf. Een warrige blonde haarlok lag over haar wang. Haar voeten, waarop geelbruine strepen te zien waren van de bandjes van sandalen, waren nog steeds getooid met de lavendelkleurige nagellak die Nick enkele dagen eerder voor haar had aangebracht. En haar ogen, als heldere poelen gevangen lucht, waren rustig en mooi zoals ze bij haar leven waren geweest. Je had kunnen denken dat ze vredig was gestorven, als de diepe zwarte snee over haar keel er niet was geweest.

'Meneer... Is dit... mevrouw DePomeroy?'

'Ja,' zei Nick uiteindelijk, terwijl hij bijna in zijn woorden stikte. Zijn ogen liepen vol met tranen. 'Ja, zij is het.'

'Zo'n mooi meisje,' merkte Shiraz melancholisch op. 'Geitenhoeders hebben haar gevonden in de Stamgebieden, in de buurt van een jeep-spoor naast de weg van Landi Koral – in een gebied dat verboden is voor westerlingen. Weet u hoe ze daar terechtgekomen zou kunnen zijn?'

Nick schudde zijn hoofd: nee. Hij bette zijn ogen en keerde zich van het lichaam af. 'Alstublieft... Ik heb genoeg gezien.'

'Zoals u wilt,' zei Shiraz.

Maar toen Nick op weg ging naar de deur, riep Akhtar hem plotseling een halt toe: 'Nog één ding.'

'Wat maakt u hieruit op?' Akhtar gebaarde naar Shiraz, die het lichaam op de zij rolde. De zachte, smalle rug was bezaaid met diepe, blauwige bloeduitstortingen, alsof iemand Yvette herhaaldelijk met een metalen voorwerp had gestoken.

Nick kon er maar even naar kijken en wendde al snel zijn ogen af. 'Ik zou het niet weten,' zei hij. Hij bleef een ogenblik staan, afgeleid door een luid gebonk achter zijn oren, alsof iemand bezig was zijn achterhoofd in te slaan. Tot hij besefte dat het zijn eigen bloed was dat hem naar het hoofd steeg.

Adjudant Shiraz liep achter Nick aan het mortuarium uit. 'Alstublieft, meneer, nog een paar vragen,' zei hij, terwijl ze wachtten tot Akhtar het lichaam weer in de doek had gewikkeld en zich bij hen zou voegen. Doordat hij jonger was had Shiraz – in tegenstelling tot zijn meerdere, Akhtar, die in de vele jaren dat hij te maken had gehad met drugssmokkelaars, terroristen en corrupte ambtenaren van elk gevoel van mededogen was beroofd – zijn inlevingsvermogen nog niet verloren. Dat bleek uit de manier waarop hij naar Nick keek, met ogen vol medelijden, alsof hij hem smeekte te bekennen omwille van zijn zielenheil.

'Vragen...' herhaalde Nick. Hij had het gevoel dat Shiraz' woorden door hem heen naar de bodem van een diepe put sijpelden, waar hij worstelde om zijn hoofd boven ijzig zwart water te houden.

'Meneer, er is een jonge vrouw vermoord. We hebben meer informatie nodig... voor ons onderzoek. Haar familie zal vragen stellen, wanneer we hen hebben gevonden. Ze hebben er recht op dingen te weten.'

'Ja... ja, natuurlijk,' antwoordde Nick ten slotte. 'Ik zal alles doen om u te helpen. Maar... ik ben bang dat ik haar niet zo goed heb gekend. We deelden de kamer alleen omdat dat goed uitkwam. Reizigers met een klein budget doen dat wel vaker: ze sluiten zich onderweg bij elkaar aan, delen de accommodatie om de kosten te drukken. Ik denk dat ik u al tamelijk veel heb verteld van wat ik van haar weet... Ik moet vrijdag naar Delhi om terug naar huis te vliegen. Er zitten mensen op me te wachten,' voegde hij eraan toe. Dat was een leugen. Nick was niet van plan terug naar Amerika te gaan, tenminste niet meteen. Zijn vader was gestorven toen hij nog een tiener was en zijn moeder was hem vlak voordat Nick had besloten te gaan reizen achternagegaan. Hij had geen broers en zussen of andere naaste familie die via politieke kanalen ophef konden veroorzaken, zelfs geen dierbaren die zouden merken dat hij er niet was. Hij was een uitgewekene in de diepste zin van het woord, alleen op de wereld. En nu maakte die totale onafhankelijkheid hem voor het eerst eerder kwetsbaar dan vrij. Zijn intuïtie zei hem dat hij de rechercheurs beter kon doen geloven dat hij mensen kende die de autoriteiten onder druk konden zetten als hij te lang werd opgehouden.

'Het is een kwestie van voorschrift. Het gaat om een korte verklaring. Dan kunt u gaan.'

Verklaring. Het juridische karakter van het woord beviel Nick niet. 'Dan ben ik vrij, bedoelt u... Als ik nu de deur uit probeerde te lopen, zou u me dan vasthouden?'

Adjudant Shiraz zuchtte. 'Kom op, meneer. Het is voor iedereen beter als u meewerkt. Ik hoef u er zeker niet aan te herinneren hoe eenvoudig het voor ons is om ervoor te zorgen dat u geen uitreisvisum krijgt.'

Ze brachten Nick naar een zogenoemde vergaderruimte — een kil vertrek met een betonnen vloer en muren van B2-blokken die gedeeltelijk bedekt waren met afbrokkelend pleisterwerk. In een hoek stond een houten tafel met grof gevormde stoelen. Het enige andere meubilair was een stalen wc-pot die aan de muur was bevestigd. Die werd omgeven door vliegen, en zat zo onder de schimmel en uitwerpselen dat hij sinds de dagen van de Britse heerschappij niet leek te zijn schoongemaakt. In een dikke stalen deur zat het enige raam, en de hele kamer stonk naar urine.

Shiraz verzocht Nick te gaan zitten en vroeg hem om zijn paspoort.

Tijdens zijn meer dan twee jaar durende trektocht door afgelegen, soms gevaarlijke delen van Azië had Nick de gewoonte aangenomen zijn paspoort nooit uit handen te geven. Als een soldaat die bang was zijn talisman te verliezen voelde hij dat hij grote tegenslagen kon trotseren zolang het in zijn bezit was: in zijn geldgordel, om zijn nek of verstopt in zijn ondergoed. Zonder zijn paspoort voelde hij zich naakt. Maar dit was de politie – hij moest zijn identiteitsbewijs wel laten zien. Nick legde zijn paspoort open op de pagina met de foto, schoof het over de tafel en hield het met zijn vingers zo voor de rechercheurs vast dat zij het konden bekijken. Maar Akhtar pakte het gewoon op, nadat hij eerst door de open deur een derde politieagent had gewenkt, die binnenkwam en ermee wegliep.

'Wacht!' protesteerde Nick. 'Waar gaat hij met mijn paspoort naartoe?'

'Het wordt veilig bewaard, meneer,' zei Shiraz, 'dat kan ik u verzekeren.'

Shiraz kwam tegenover Nick zitten. Akhtar nam met zijn armen over elkaar links van Nick plaats. Hoewel Shiraz degene was die sprak, bleek uit de manier waarop deze Akhtar vragend aankeek, dat de oudere agent de leiding had.

'Wanneer hebt u de overledene voor het laatst gezien?' vroeg Shiraz.

'Rond tien uur gisterochtend. We hebben in het hotel ontbeten. Daarna gingen we ieder onze eigen weg. Ik heb haar niet meer gezien tot... nou, tot daarnet.'

'Wat hebben het meisje en u tijdens het ontbijt besproken?' vroeg hij.

Nick haalde zijn schouders op. 'Van alles en nog wat – onze ervaringen in Peshawar, dat soort dingen. We hebben het over onze reisplannen gehad. Ik heb haar verteld dat ik naar Lahore zou gaan, en daarna naar India. Zij zei dat ze in Peshawar wilde blijven.'

'En u hebt daar ruzie over gemaakt?'

'Nee. Zo ging het niet.'

'Maar het heeft u vast geërgerd dat ze niet met u mee wilde gaan?'

Nick keek Shiraz in de ogen. 'Ik weet niet wat u probeert te suggereren... maar het bevalt me niet.'

'Niemand beschuldigt u ergens van, meneer,' antwoordde Shiraz zonder een krimp te geven. 'We proberen alleen maar een wrede misdaad tot op de bodem uit te zoeken. Het is voor ons van belang te weten hoe het met de geestesgesteldheid van het slachtoffer stond. Of ze verdrietig was, of opgewonden, of in paniek.'

Nick haalde weloverwogen adem. 'Het spijt me. Maar het is allemaal — dat ze vermoord is, dat ik haar moest identificeren — een enorme schok voor me. En dat ik me nu voel alsof ik verhoord word of zoiets... Dat is niet zoals je als bezoeker verwacht te worden behandeld,' zei hij, in de hoop het Pakistaanse gevoel van gastvrijheid op te roepen, waarvan hij gemerkt had dat het een soort geloofsovertuiging was. De gezichtsuitdrukking van de rechercheurs veranderde echter niet.

'Zoals ik al heb gezegd,' vervolgde Nick, terwijl zijn woorden er van de zenuwen in afgemeten zinnen uitkwamen, 'was onze relatie oppervlakkig. We hebben elkaar in Kashgar leren kennen. We waren allebei van plan via de Karakoram Highway naar Islamabad te gaan en dan naar Peshawar. Het leek zinnig een tijdje samen op te trekken. Je maakt onderweg gemakkelijk vrienden. Je ontmoet iemand, reist een of twee weken samen. En daarna zie je elkaar nooit meer. Even goede vrienden. Dat gebeurt voortdurend.'

'Toch leek u, toen u haar lichaam zag, erg... geëmotioneerd,' zei Shiraz. 'Alsof u haar veel beter kende dan u ons wilt doen geloven.'

Nick boog zijn hoofd. 'Nee,' zei hij haperend. Hij kneep in de brug van zijn neus, in een poging zijn kalmte te herwinnen. 'Maar het is... Het is vreselijk wat er met haar is gebeurd. Ook al kende ik haar niet zo goed.'

Shiraz en Akhtar wisselden een blik uit, in hun eigen woordeloze taal. 'Heeft het meisje gezegd wat ze na het ontbijt van plan was?' vroeg Shiraz door.

'Ze zei dat ze naar het hotel terug zou komen.'

'En na het ontbijt, wat hebt u toen gedaan?'

'Door de wijk gestruind, de bazaars bezocht. Ik kwam pas tegen de avond terug. Toen ik in het hotel kwam was ze er niet.'

'Toen ze 's nachts niet terugkwam was ze volgens u bij een vriend?'

Nick aarzelde. 'Nou, dat nam ik aan. De dag ervoor had ze verteld dat ze in de bazaar een paar mensen was tegengekomen — andere rugzaktoeristen die ze enkele maanden geleden ergens had ontmoet — in Goa, Kathmandu, dat weet ik niet precies. Bij het ontbijt zei ze zoiets van dat ze die avond met iemand ging eten. Toen het laat werd, ging ik ervan uit dat ze besloten had bij degene met wie ze had afgesproken te blijven, in plaats van in haar eentje in het donker terug te gaan. Ze zeggen dat het geen goed idee is om als westerse vrouw 's avonds alleen door de bazaar te lopen.'

'Weet u een naam of nationaliteit?' vroeg Shiraz.

Nick schudde zijn hoofd. 'Ik ben wat ouder dan de meeste rugzak-toeristen. Ik ben niet geïnteresseerd in reislustige gesjeesde studenten. Dus ik heb er niet naar gevraagd.'

Peinzend over wat Nick had gezegd tikte Shiraz met zijn balpen op de tafel. 'Mogen we vragen wat u in Peshawar doet, meneer? Uw land is nu al jaren bezig net over de grens in Afghanistan bommen te gooien. En soms ook aan deze kant. In Bajaur, bijvoorbeeld, nog geen tweehonderd kilometer hiervandaan, heeft uw luchtmacht een raket afgevuurd op een *madrassa* en achttien kinderen gedood. Ze zeiden dat oudere Al Qaida-strijders het doelwit waren. In een school voor jongens? Er zat niet eens een piloot in het vliegtuig om te kijken waar hij op schoot. Het was een van uw... hoe noemt u die... *drones*. Alsof het een soort computerspelletje is.'

Nick herinnerde zich de bloederige nieuwsbeelden van de Pakistaanse televisie van de verpletterde kinderen met hun blauwe lippen, de jammerende, gesluierde moeders die bij de lichamen neerknielden, zich op de borst sloegen en hun haren uittrokken. De Amerikaanse regering had de aanval op Pakistaans grondgebied ontkend. Yvette was op dat moment bij hem. Ze was in tranen door de beelden van dode en stervende kinderen en vervloekte Nick alsof hij op een of andere manier verantwoordelijk was voor de daden van de regering van zijn land. 'De Fransen vechten ook in Afghanistan, hoe weet je nou dat het niet de Fransen waren?' had hij ter verdediging uitgeroepen. Ze schopte hem die nacht het bed uit. Een paar weken later werd de officiële ontkenning van de regering herroepen. Naar het incident was 'een onderzoek ingesteld', wat meestal de inleiding vormde tot een mogelijke erkenning van verantwoordelijkheid die onder druk van onomstotelijk bewijs was afgedwongen.

Hij sloeg zijn ogen neer. 'Dat wist ik niet,' loog hij.

Shiraz fronste. 'U hoeft de kranten niet te lezen,' zei hij sardonisch. 'Veel mensen hier zijn op de vlucht geslagen voor de gevechten. Ze hebben nog altijd familie over de grens. Ze zijn boos dat ze door uw land worden gebombardeerd vanwege de daden van een paar mensen. Daarom hebben ze een hekel aan Amerika. Een grote hekel. En ik kan me niet herinneren wanneer ik in Peshawar voor het laatst een Amerikaanse toerist heb gezien. Een paar Europeanen, Japanners, Australiërs — zelfs die maar heel weinig. De enige Amerikanen in Peshawar waren spionnen.'

'Ik weet niet wat ik hierop moet zeggen,' zei Nick na een korte stilte. 'Ik bedoel... Ik was alleen maar benieuwd. Ik wilde Peshawar zien. En er was geen enkele regel die me dat verbood. Misschien zijn sommige mensen hier tegen Amerika en de oorlog. Dat kan ik begrijpen. Maar ik dacht dat Amerika en Pakistan bondgenoten waren, dat is toch zo? Hoor eens, het enige wat ik momenteel wil is weggaan. Alstublieft.'

Shiraz glimlachte ironisch. Hij pakte zijn aantekeningen bij elkaar.

'Zijn we klaar?' vroeg Nick. De rechercheurs negeerden zijn vraag en begaven zich naar de deur, die ze achter zich dichtsloegen. Nick hoorde de grendel dichtschuiven.

'Hé!' riep hij en hij rende naar de deur, bonkte met zijn vuist op het dikke staal. Hij gluurde door het raampje in het midden van de deur, een plexiglazen kijkglas dat groot genoeg was voor een gezicht. Hij zocht oogcontact met iemand – wie dan ook – die aan de andere kant stond. Maar de enige die terugkeek was zijn spiegelbeeld.

Hij bestudeerde de weerspiegeling van zijn gezicht. Spiegels waren een zeldzame luxe in de lowbudgethotels en pensions waar hij had verbleven, en hij was geschokt toen hij zag hoe hij veranderd was sinds hij maanden geleden naar Pakistan was gekomen. Hij was pas vierendertig, maar met de stoppelbaard die hij had laten groeien leek hij wel veertig. Zijn donkere haar hing tot op zijn schouders. Lijntjes trokken sporen vanaf zijn ooghoeken. Hij was vroeger behoorlijk gespierd geweest, maar het afgelopen jaar was hij bijna tien kilo afgevallen en onder de strakke huid van zijn handen waren zijn gezwollen aderen zichtbaar. Hij bewoog met zijn vingertoppen langs de groeven van de pezen die naar zijn nek liepen. Zijn baard bedekte dan wel zijn door de zon gebruinde gezicht, maar kon de angst in zijn ogen niet verhullen.

Hij wendde zich van het raampje af. Terwijl zijn rug langs de deur gleed gaf hij toe aan de zwaartekracht en zakte op zijn hurken. Een kakkerlak schoot over de vloer. Zweet gutste van zijn schedel en prikte in zijn ogen. Hij legde zijn hoofd in zijn handen en wachtte.

Terwijl hij daar alleen in de cel zat spookte de aanblik van Yvettes lijk door Nicks hoofd. Haar lichaam had er gezond uitgezien, ongeschonden, ondanks de stank in het lijkenhuis. Als de afschuwelijke wond in haar nek er niet was geweest, had hij zich kunnen voorstellen dat ze uit een lange sluimering zou ontwaken. Het feit dat hij het beeld niet van zich af kon zetten, zelfs na haar vreselijke dood, vormde voor Nick het bewijs dat Yvettes schoonheid een vloek voor haar was geweest.

Hij herinnerde zich de eerste keer dat hij haar had gezien. In India had hij over de rituele lijkverbrandingsplaats langs het heilige meer in Pushkar gelopen toen hij haar opmerkte tussen een troep zenuwachtige apen die met bloemenslingers zwaaiden. Met haar lichtblonde haar, kortgeknipt in een androgyne boblijn, had ze op het eerste gezicht voor een jongen kunnen doorgaan, als ze niet die smalle taille en meisjesachtige heupen had gehad. Een flits van haar profiel onthulde hoge jukbeenderen en een smalle neus, iets te lang voor haar amandelvormige gezicht met volle lippen. Ze droeg een rood topje dat stevige borsten omsloot en een kaki kuitbroek waaronder enkelbandjes te zien waren, en die nauw om haar bovenbenen sloot, die net zo slank en zacht waren als haar kuiten.

'Ze krabben me! Haal ze weg!' had ze naar de jonge Rajastani geroepen, een van de vele sjacheraars die hun apen leerden toeristen net zolang lastig te vallen met goudsbloemen tot ze ermee instemden die tegen exorbitante prijzen te kopen. Haar vriend Simon, een broodmagere Engelsman van halverwege de twintig met schouderlang haar en een donzig puntbaardje, rolde bijna over de grond van het lachen toen Yvette in het Frans vloekte en naar de krijsende apen sloeg die op haar schouders sprongen. Maar voor Nick was haar paniek te echt om lachwekkend te zijn. Hij rende naar haar toe en bekogelde de beesten met stenen. De Rajastani, verbolgen over de aanslag op zijn broodwinning, stapte met een knuppel op Nick af en ging pas opzij toen Nick, veel groter dan hij, met zijn vuist dreigde. Naderhand bedankte Yvette Nick, misschien om Simons minder ridderlijke reactie te vergelden, door hem op een Kingfisher te trakteren bij een van de bars aan de oever van het meer.

Nick had zich meteen aangetrokken gevoeld door het met een dunne sluier van sigarettenrook en anti-Amerikaans sarcasme bedekte joie de vivre van het stel. Tegen de tijd dat hij in India arriveerde had hij al door Australië en Zuidoost-Azië getrokken. Australië was weinig opmerkelijk geweest, gewoon een soort Amerika met buideldieren en meer woestijn. Maar hij was helemaal in de ban geraakt van Zuidoost-Azië, vooral Cambodja en Vietnam, met overwoekerde tempels, door vele lantaarns verlichte stegen en prachtige bruine meisjes. Soms dacht hij dat hij eeuwig kon blijven reizen, nu eens in het ene land, dan weer in een ander, tot hij behoefte kreeg aan een nieuwe omgeving. Maar na ongeveer zes maanden begon hij het reizen beu te worden, zich ontheemd te voelen, en had hij er genoeg van in taalgidsterminologie en geïmproviseerde gebarentaal te communiceren. En het ergste van alles was dat hij leed onder de angst dat de onbestemde leegte waarvoor hij was gevlucht, die hij op een of andere manier had gehoopt in Amerika achter te kunnen laten, nog steeds in hem aanwezig was, een wond die weer zou gaan bloeden zodra de korst van afleiding eraf was getrokken.

Toen Nick Yvette en Simon in Pushkar leerde kennen, merkte hij dat hun energie aanstekelijk werkte, hem stimuleerde en de leegte die door zijn eenzaamheid werd veroorzaakt opvulde. Het maakte voor Nick niet uit dat ze een stel waren dat al meer dan een jaar samen reisde. Nadat hij zo lang niemand had gehad met wie hij ervaringen kon uitwisselen, snakte hij naar hun gezelschap, ook al was hij ruim tien jaar ouder. Dus toen ze hem uitnodigden zich bij hen aan te sluiten, ging hij daar verheugd op in; ze reisden gedrieën verder door India, Nepal en Tibet.

Yvette en Simon hadden overal vrienden gemaakt en stuitten regelmatig op mensen die ze onderweg hadden leren kennen – in Kathmandu, Varanasi, Yangshao, Hanoi, Bangkok; iedereen kwam door Bangkok. Bij een biertje en een joint praatten ze de hele avond, en wisselden avonturen en levensfilosofieën uit, terwijl ze steeds naar de volgende reis uitkeken, of het er nu een voor het plezier was of om te werken. Omdat Simon en Yvette voortdurend geldgebrek hadden reisden ze zo goedkoop mogelijk – met vrachtwagens meeliftend, boven op bussen geperst of in zweterige treinstellen samengepakt in de mensenmassa. Nick daarentegen beschikte over genoeg geld om comfortabeler te kunnen reizen. Zijn metgezellen namen dat tenminste aan, vanwege zijn gelegenheidsbezoekjes aan banken en American Express-kantoren om contant geld te halen wanneer ze in grotere steden kwamen. Zijn spaarsaldo, dat hij had overgehouden aan zijn goedbetaalde baan als advocaat in Amerika, was echter lager dan hem lief was en bleef maar slinken. Desondanks voelde hij zich nooit gebruikt wanneer hij, de lowbudgetaccommodaties beu, voor hen de kosten van wat meer luxe op zich nam – een degelijke maaltijd, een comfortabele trein, een hotel met warm water. Wanneer Simon en Yvette 's nachts met elkaar vreeën verborg Nick zijn jaloezie zo goed mogelijk. Het was gemakkelijk genoeg seksueel aan zijn trekken te komen met andere vrijdenkende rugzaktoeristen, wat – tot voldoening van Nick – Yvette op haar beurt een beetje jaloers maakte.

Ondanks alle tijd die hij met hen doorbracht kwam Nick weinig te weten over hun verleden, afgezien van waar ze vandaan kwamen en waar ze op hun reizen waren geweest. Wat iemand in zijn land van herkomst deed was onder westerlingen die lange reizen maakten irrelevant en kwam zelden ter sprake. Hij ontdekte juist dat veel reizigers, vooral de jongeren onder hen, in hun thuisland praktisch niets hadden uitgevoerd voordat ze gingen reizen. Ze hadden geen baan gehad, geen kinderen gekregen, geen universitaire studie gevolgd. Tijdens hun reizen was het leven dat zij thuis hadden geleid volstrekt onbelangrijk geworden. Dat zou het geval kunnen zijn geweest met Simon en Yvette. Maar anderzijds, wat had Nick eigenlijk gedaan dat van enige betekenis was geweest?

Nick, die zichzelf altijd te voorzichtig van aard had gevonden, benijdde Simon om zijn niet-aflatende hang naar avontuur en de schijnbare moeiteloosheid waarmee hij cultuurverschillen wist te overbruggen met niet veel meer dan een welgemeend schouderklopje en het aanbieden van een sigaret. En Yvette was heel anders dan de vrouwen die hij in Amerika had gekend, die zichzelf als 'onafhankelijk' beschouwden maar dat absoluut niet waren. Ze was een buitenbeentje, erop gericht haar eigen weg uit te stippelen, met geen ander doel voor ogen dan de reis op zich. Altijd bezig, nooit zwichtend voor druk of schuldgevoel, leek ze alleen te worden teleurgesteld als ze een gelegenheid had gemist om iets nieuws uit te proberen, een onbekende plaats te bezoeken, iets van de dynamiek van het leven te ervaren. Op een dag in Lhasa ging Simon, om onverklaarbare redenen, er met een Israëlisch meisje vandoor naar Zuidoost-Azië. Ondanks al Yvettes door het boeddhisme geïnspireerde verklaringen over niet gehecht raken aan wat dan ook in het leven, zat ze dagenlang te piekeren. Tot ze enkele weken later, tijdens hun eerste nacht in Kashgar, Nicks kamer binnenglipte.

Nick en Yvette bleven samen reizen en deelden drie maanden lang het bed voordat ze in het Chinar Bagh Hotel in Kashgar een telegram van Simon kregen. Het kwam uit Rangoon en er stond in dat ze elkaar in Peshawar moesten ontmoeten.

De stalen deur zwaaide open, waardoor Nick met een schok in het heden werd teruggebracht. Hij krabbelde overeind toen Akhtar en Shiraz de cel in stapten. 'Ik wil mijn ambassade bellen,' zei Nick vastberaden.

'Dat is niet mogelijk,' antwoordde Akhtar. 'Ga zitten.'

Nicks ogen gingen van Akhtar naar Shiraz. 'Er moeten toch bepaalde regels bestaan in dit land?' wierp hij tegen. 'U kunt me hier niet zomaar opsluiten.'

'Ga zitten!' blafte Akhtar, zijn woorden uitstotend met een vleug slechte adem.

Nick zakte langzaam terug op zijn stoel. Hij richtte zijn ogen op de tafel en wachtte tot Akhtars woede was weggeëbd. Toen, uit pure wanhoop en vrees, deed hij het enige wat hij op dat moment kon bedenken: hij blufte.

'Het spijt me,' zei Nick met trillende stem. 'Gelooft u me alstublieft. Ik probeer te helpen. Ik begrijp alleen niet wat u nog meer van me wilt.' Nick keek op naar Akhtar. Die keek terug, met zwarte, ongeduldige ogen.

'Vat u dit alstublieft niet verkeerd op,' vervolgde Nick voorzichtig, 'maar... Nou, ik heb het idee dat ik u iets moet vertellen. Iets wat u graag zou willen weten. Ik ken een heleboel mensen — belangrijke mensen in Amerika. Als ik vandaag Peshawar niet verlaat en mijn vlucht mis, gaat er iemand een hoop heibel maken. Als dat gebeurt, nou, dan zou het kunnen dat het er voor u niet zo goed uitziet... voor uw beider carrière.'

Akhtar gaf hem een klap. Zijn enorme hand schoot over de tafel en kwam hard tegen Nicks slaap. Nick zag dwarrelende lichtjes voorbijflitsen en toen hij weer normaal kon zien lag hij op de grond, met de stoel op zijn benen. Akhtars gezicht zweefde boven hem, gezwollen van woede, zijn open mond vol speeksel.

'Denkt u soms dat we u een speciale behandeling geven omdat u Amerikaan bent!' schreeuwde hij.

'Loop naar de hel,' hoorde Nick zichzelf zeggen, maar zijn eigen woorden waren door het suizen in zijn oren nauwelijks hoorbaar. Het drong niet tot hem door hóé hij de woorden uitsprak, alleen maar dát ze werden uitgesproken. Het was alsof iemand anders tijdelijk bezit van hem had genomen, in een impuls had gehandeld en toen was verdwenen, om hem de gevolgen in zijn eentje te laten verduren.

Er was verward geroezemoes. Nick voelde dat hij werd weggesleept en vervolgens omlaaggeduwd, terwijl zijn achterhoofd als door een bankschroef werd omkneld. Duisternis omhulde hem. Zijn ogen brandden toen hij tegen de vloer smakte, zijn nekspieren spanden zich in een poging zijn hoofd weg te trekken van de stinkende leegte van de wc. Maar de kracht en het gewicht die het naar beneden drukten waren te sterk.

Hij voelde dat zijn neustussenschot met een dof geluid knakte. Bloed stroomde achter in zijn keel. Drabbig bezinksel sijpelde zijn mond binnen. Zijn armen werden zwaar. Hij voelde zich wegzakken in duisternis, verdrinkend in pis en stront en zijn eigen bloed.

Nick was vrijwel bewusteloos toen Akhtar zijn hoofd op het cement liet vallen. Druipend van smerig water braakte hij tot er niets anders naar boven kwam dan bloed en speeksel.

De rechercheurs keken toe terwijl Nick op de vloer naar adem lag te snakken. Akhtar trapte hem hard tegen zijn ribben. Hij schreeuwde het uit van de pijn. Hij probeerde weg te kruipen, maar Akhtar greep hem beet en hees hem op zijn knieën.

Akhtar haalde een zakdoek uit zijn zak en bond die om zijn knokkels. Toen hij daarmee klaar was, greep hij Nick bij de kin en hield zijn hoofd omhoog terwijl hij zijn vuist balde.

Nick deed zijn ogen dicht en zette zich schrap voor de klap. Hij zou ter plaatse worden vermoord, dacht hij, en niemand zou het ooit te weten komen. De gedachte dat hij in die cel anoniem en alleen zou sterven was net zo angstaanjagend als het vooruitzicht van de dood zelf.

Net op dat moment legde Shiraz zijn hand op Akhtars schouder. 'Inspecteur... alstublieft,' zei hij. Akhtar keek Shiraz even aan en spuugde toen op de vloer voor Nicks knieën. 'Laat mij met hem praten.' Shiraz' stem klonk bijna smekend.

Akhtars ogen schoten heen en weer van Shiraz naar Nick, terwijl hij Nick stevig vasthield. Uiteindelijk pakte hij Nick bij zijn haar en verdraaide zijn hoofd. 'De laatste keer,' hoonde hij. Hij gaf Nick een zet en drukte hem weer tegen de vloer. Toen wendde hij zich tot Shiraz. 'Als je hem als een baby wilt koesteren, doe je dat maar alleen.'

2

'De inspecteur heeft niet veel op met dreigementen,' zei Shiraz, terwijl Nick het bloed van zijn gezicht veegde met een handdoek die Shiraz hem had gegeven. 'Die irriteren hem alleen maar. Maar ik neem aan dat je niet anders kunt verwachten... van een jurist.'

Nick nam ontzet nota van Shiraz' opmerking. Hij had hun niet verteld dat hij jaren geleden in Amerika advocaat was geweest. De rechercheurs moesten in zijn verleden zijn gedoken, wat betekende dat de Amerikaanse ambassade naar alle waarschijnlijkheid al op de hoogte was van zijn aanhouding. Had de ambassade haar handen van zijn zaak af getrokken? Yvettes lichaam was per slot van rekening gevonden in de Stamgebieden – het wetteloze oord langs de Afghaanse grens dat berucht was vanwege de drugssmokkel, een streek die voor buitenlanders verboden was. Nick wist van zijn dagen als advocaat dat de Amerikaanse ambassade weinig of niets deed om bij de plaatselijke politie te bemiddelen wanneer Amerikaanse burgers beschuldigd werden van het schenden van drugswetten in vreemde landen, tenzij het – uiteraard – zonen of dochters van invloedrijke personen betrof. Ondanks zijn mislukte poging de rechercheurs van het tegendeel te overtuigen, behoorde Nick daar niet toe.

'Als voormalig advocaat moet u het met me eens zijn. Als u ons een onwaarheid vertelt, kunnen we alleen maar aannemen dat u over alles hebt gelogen. Dat maakt ons erg achterdochtig.' Shiraz klakte verwijtend met zijn tong. 'Achtte u ons niet in staat de Engelsman te achterhalen?'

Nick schudde zijn hoofd, waardoor er een nieuw straaltje bloed uit zijn neus drupte. 'Ik heb het u verteld. Ik dacht dat ze op de avond voor haar verdwijning met iemand had afgesproken.'

'U kende de man, en toch hebt u nagelaten zijn identiteit bekend te maken,' repliceerde Shiraz. 'De inspecteur... is een goede moslim,' fluisterde hij. 'Maar soms denk ik dat er een duivel in hem verborgen zit. Ik kan u niet beschermen als u me niet wilt helpen. We weten dat het meisje en u meer dan kennissen waren. Bovendien hebben we informatie dat een voertuig met daarin een beeldschoon meisje en een westerse man gisteren een doortocht heeft gekocht langs de controlepost naar de Stamgebieden. Volgens ons was de man haar moordenaar. En dat was óf de Engelsman... óf u.'

'Nee,' zei Nick. 'Ik geloof u niet. U wilt alleen maar een westerling ervoor op laten draaien in plaats van een landgenoot, omdat u de weinige toeristen die nog zo dom zijn hierheen te komen niet wilt afschrikken. De mannen hier veranderen zo ongeveer in hondsdolle honden bij de aanblik van een westers meisje – vooral als ze zo aantrekkelijk is als Yvette. Ze is waarschijnlijk ontvoerd door een van die zwendelaars die zich als gids voordoen.'

Shiraz fronste bij die beschuldiging. 'Het is waar dat een westerse vrouw hier beter niet in haar eentje kan rondlopen, vooral niet in de Stamgebieden, waar het grotendeels verboden is voor buitenlanders. Maar meestal veroorzaken westerlingen, die hier komen om drugs te halen en met wapens te spelen, zelf problemen. Maar uw reactie, meneer, spreekt boekdelen. Die geeft te kennen dat u – iemand die zo achterdochtig en cynisch over Pakistaanse mensen denkt – nooit een vrouw zonder geleide naar de Stamgebieden zou laten gaan.'

Shiraz stond op. Hij legde een hand op Nicks schouder. 'Ongelukkig genoeg voor u hebben we geen bewijs gevonden dat u ten tijde van de moord door de bazaars zwierf... Maar er is iets wat ik nog steeds niet helemaal begrijp,' zei hij, terwijl hij plechtig zijn hoofd schudde. 'De verwondingen. Waar ze ook door zijn veroorzaakt, het meisje moet een bijzonder pijnlijke dood zijn gestorven. Hoe kon u, zelfs als afgewezen minnaar, zoiets doen?'

Nick deed zijn mond open, maar sloot hem vervolgens krachtig, uit vrees voor wat hij zou kunnen gaan zeggen.

'Weet u wat de hoogste straf voor moord is, meneer Sunder?'

Nick schudde zijn hoofd, hoewel hij aardig op de hoogte was van de strenge straffen onder de islamitische wetgeving, die wat de doodstraf betreft net zo allesverslindend was als die in zijn eigen land.

'U zult worden opgehangen,' zei Shiraz. 'De ontrouw van een vrouw geldt echter als een verzachtende omstandigheid. Als u tenminste bekent. Denk eens na over uw hachelijke situatie. Maar niet al te lang. Het geduld van de inspecteur raakt een keer op.'

Shiraz leidde Nick door een rokerige gang en bracht hem naar een bewaringscel. Die was voorzien van een traliehek en je kon er vanaf de begane grond naar binnen kijken. Daar bevond zich een aantal cipiers in shalwar kamiz met baretten op. Van achter hun bureau gaapten ze de buitenlander die ze moesten bewaken geamuseerd en nieuwsgierig aan, met uit hun mond bungelende sigaretten. Langs de wanden van de cel waren houten banken opgesteld. In de oostelijke muur vormde een enkel getralied smal raampje, boven ooghoogte geplaatst, een verbinding met de buitenwereld. Shiraz begroette de cipiers, sloot Nick op en vertrok.

Nick ging op een van de banken zitten en bekeek de schemerige omgeving. Links van hem zat een in elkaar gedoken gedaante tegen de wand van B2-blokken. De gevangene was gekleed in een T-shirt en een spijkerbroek vol vlekken. Hij had zijn armen om zijn knieën geslagen, boven de gekruiste schenen. Toen Nicks ogen gewend raakten aan de duisternis, zag hij dat de man zijn hoofd had omgedraaid. Het zwakke zonlicht dat door het raam kwam scheen op zijn gezicht en onthulde zandkleurig haar en een bekend profiel. Zijn halfopen ogen staarden Nick vanuit de schaduw aan.

'Simon?' zei Nick, geschokt door de aanblik van de man die hij een paar dagen eerder nog had gezien. Zijn blik was ondoorgrondelijk. Zijn lange, ooit goed verzorgde haar hing nu slap als een vettige vaatdoek over zijn schouders. Simons ruige en onverwoestbare energie leek zijn lichaam te hebben verlaten. Toen Nick hem aansprak rolde hij op zijn zij en liet zijn bloederige, rauwe voetzolen zien.

'Mijn god... Simon, gaat het wel?'

Simon grinnikte. 'Pakistaanse pedicure. Prima tot de medicijnen uitgewerkt raken.' Hij haalde zijn benen van elkaar, waarbij zijn voeten op de vloer kwamen en zijn sarcastische grijns veranderde in een pijnlijke grimas.

Nick stapte naar hem toe. 'Laat me je helpen...'

'Blijf uit mijn buurt!' snauwde Simon.

'Hè?' zei Nick. Hij keek over zijn schouder. 'Zachtjes, man.' Een paar cipiers keken op van achter hun bureau voor ze verdergingen met hun papierwerk.

'Luister naar me,' vervolgde Nick fluisterend. 'We moeten samenwerken. Ze proberen ons tegen elkaar uit te spelen, om ons op leugens te betrappen.'

'Ik heb nergens over gelogen,' wierp Simon tegen, opnieuw te hard.

Nick wreef gefrustreerd over zijn voorhoofd. 'Luister, Simon, wat er met Yvette is gebeurd, dat is... Ik kan niet eens geloven dat het echt is gebeurd, het is verschrikkelijk. Maar het is zo. En hoe vreselijk het ook is, hoe kwaad we ook zijn en hoe we ook walgen van degene die haar dit heeft aangedaan, we kunnen niets doen om haar terug te krijgen. Nu moeten we ons op onszelf concentreren.'

'Ons? Je durft wel. Wie denk je verdomme dat –'

'Simon, hou op,' onderbrak Nick hem, en hij legde zijn vinger op zijn lippen. 'We kunnen het ons niet veroorloven ruzie te maken over wie wat had moeten doen om te voorkomen wat er is gebeurd... Vertel me alleen wat je tegen de politie hebt gezegd. Dat is het enige wat op dit moment belangrijk is.'

Ondanks de pijn stond Simon op. 'Jij klerelijer. Ik ga niet voor je liegen! Ik heb ze de waarheid verteld. Dat jij degene was die met haar is meegegaan.'

'Waar heb je het over?' vroeg Nick. 'Het was jouw idee daarheen te gaan. Jij hebt de chauffeur geregeld.'

'Ze zeggen dat ze een getuige hebben,' antwoordde Simon. 'Iemand die haar enkele uren voordat ze is vermoord langs de controlepost de Stamgebieden in heeft zien gaan met een blanke man. Ik weet dat ik het niet was. En ze had hier geen andere vrienden.'

Nick stapte dichterbij. 'Als ze een getuige hadden – een échte getuige die de identiteit van degene die die dag bij haar was zou kunnen bevestigen – dan zouden ze nu allang iemand hebben beschuldigd. Je moet niets geloven van wat ze zeggen, Simon,' zei Nick met zachte stem. 'Je kent me. Je weet dat ik nooit iemand zoiets zou aandoen. En zeker Yvette niet.'

'Ik weet niets van jou. We hebben – hoe lang? – hoogstens een paar maanden samen gereisd. Zo close waren we niet met elkaar. Wat ik wel weet is wat Yvette me heeft verteld: dat je –'

'Zachtjes!' beet Nick hem toe. Hij begon kwaad te worden. 'Misschien luisteren ze mee...' Hij keek weer over zijn schouder. Dit keer zat Akhtar bij de cipiers.

'Luister,' ging Simon verder, Nicks verzoek negerend. 'Het kan me geen moer schelen wat je tegen ze zegt. Maar als je wilt dat ik me voor jou van de domme hou, moet je er eerlijk voor uitkomen. Ik wil het je horen zeggen: toegeven wat je hebt gedaan. Zo niet, dan zal ik hun alles vertellen wat ze willen horen...'

'Ik zei: hou je mond!'

'Jij hebt haar vermoord, Nick. Ik weet dat je het hebt gedaan!'

Verblind van woede greep Nick Simon bij zijn shirt en trok hem overeind. Simon smakte tegen de muur. Nick hoorde iets op de grond vallen. Hij keek omlaag en zag het omhulsel van een miniatuurrecorder. 'Verdomme, wat...?'

Nick haalde uit en ramde zijn vuisten in Simons uitgedroogde lichaam, dat als een baal rijst in elkaar zakte. Telkens weer sloeg hij Simon in zijn gezicht en tegen zijn achterhoofd. Die draaide van hem weg en zocht dekking. Tot Nick ineens iets hards tegen zijn hals voelde en hij onderuit werd gehaald. Wanhopig worstelend probeerde hij zich te bevrijden van de wapenstok die op zijn keel drukte. Maar het was tevergeefs. Hij voelde een scherpe stoot in zijn buik, en toen lag hij op de grond te kronkelen van de pijn.

Terwijl hij naar adem lag te snakken zag hij een blote arm uit het niets tevoorschijn komen om de recorder, die nog op de grond lag, te grijpen. Instinctief graaide hij ernaar, in de hoop het apparaatje te verbergen, zonder ook maar enigszins te beseffen hoe zinloos dat was. Hij trok aan de knokige pols van de man, waarbij zijn oog op een stel blauwe striemen in de kromming van diens elleboog viel.

Zijn blik ging langs de arm omhoog en kwam bij Simon uit, die op hem neerkeek terwijl tranen en bloed langs zijn kin stroomden. Toen herinnerde hij zich wat Simon had gezegd – 'tot de medicijnen uitgewerkt raken' – wat hij als een van Simons typische sarcastische opmerkingen had opgevat.

Nick kromp in elkaar toen hij voelde dat er hardhandig handboeien om zijn polsen werden gedaan. 'Houden ze jouw verdomde verslaving in stand?' zei hij ongelovig tegen Simon. 'Is dat alles wat er voor nodig is om je te laten praten?'

'Nee, Nick, het komt door jou,' zei Simon, met van emotie verstikte stem. 'Je liet me geen keus.'

Terwijl hij Simon in de ogen keek, werd Nick door twee Pakistaanse cipiers bij zijn benen gegrepen en naar achteren getrokken.

'Geloof hem niet!' schreeuwde Nick. Hij probeerde zich los te worstelen toen zijn gezicht over het vuil op de vloer gleed. 'Hij is godverdomme een junkie! Hij zal alles zeggen!'

3

Nick bleef vijf dagen opgesloten in de kleine verhoorcel. Elke ochtend bracht een tandeloze, kromme oude man hem een blikken schaal met muffe *chapati*, *dhal* en water. Dat laatste waarschijnlijk verontreinigd, want hij kreeg al snel dysenterie, die de hele beproeving aanhield. Bij gebrek aan privéfaciliteiten moest hij zijn darmen legen voor de ogen van zijn ondervragers.

En dan waren er de afstraffingen, die eerst nog vrij basaal waren – een trap tegen de ribben, wat klappen op het hoofd en, wat het pijnlijkst was, tegen zijn gebroken neus – maar geleidelijk overgingen in het afranselen van zijn dijen en kuiten met een lat. Akhtar bracht de slagen toe met de mechanische vakkundigheid van iemand die marteling als ambachtelijk instrument had leren toepassen. Hoewel Shiraz er niet aan meedeed, keek hij toe met een trieste uitdrukking die, alhoewel sympathiek, Nick bijna net zo leerde verafschuwen als Akhtars kille geweld. Soms vreesde hij dat met de afranselingen zijn breekpunt was bereikt en dat hij welke bekentenis dan ook zou tekenen. Maar op een of andere manier, misschien meer uit ziedende haat en wrok dan uit principe, weigerde Nick hun te vertellen wat ze wilden horen.

Op zekere dag, toen Nick alle gevoel van tijd had verloren, hielden de afranselingen ineens op. Twee agenten brachten hem terug naar de cel waar hij met Simon was geconfronteerd. De visachtige stank van ongewassen lichamen drong door tot Nicks met bloedklonters verstopte neusgaten, maar de cel leek leeg te zijn.

Nadat zijn ogen gewend waren geraakt aan de schemerige omgeving, trok echter een lichte beweging zijn aandacht naar het uiterste einde van de cel, waar hij vaag twee voorovergebogen figuren kon onderscheiden in de lichtbundel die door het raampje naar binnen kwam. Hun wiegende gedaanten, geknield op wollen matjes en gehuld in wijde shalwar kamiz, werden versluierd door de duizenden stofdeeltjes in het schemerige licht. Op blote voeten wierpen zij zich ter aarde terwijl ze met gesloten ogen reciteerden, hun handen voor zich uitgestrekt. Wat Nick in zijn uitgeputte toestand bijna voor een spookritueel had aangezien, was gewoon een islamitisch gebed.

Vanwege hun platte *pakol*-petten in Chitrali-stijl en hun woeste voorkomen vermoedde Nick dat ze uit de bergen afkomstig waren. Hun gezichten waren getekend door armoede, hun kleren zaten vol vlekken; ze zagen eruit alsof ze altijd buiten sliepen. De een was vrij klein, de ander stevig gebouwd, en ze waren van verschillend ras. De kleinere van het stel had een rond, Aziatisch gezicht en grote ogen, wijde neusgaten en een sprietige baard die spits toeliep. De grote man had de langgerekte neus van een blanke en een dichte zwarte klittenbaard die tot aan zijn jukbeenderen kwam. Hun bewegingen – knielen, zich voorover werpen, staan – leken mechanisch en gedachteloos te worden uitgevoerd. Nick had de *salat* talloze keren gezien sinds hij door Pakistan reisde, maar had zich niet eerder gerealiseerd hoe vreemd het ritueel hem voorkwam, hoe absurd het leek. Hij verlangde naar een bekend gezicht, een wésters gezicht.

Ineens werd Nick om onverklaarbare redenen overweldigd door minachting. Hij barstte uit in sardonisch gelach. De biddende mannen moesten het hebben gehoord. Toch negeerden ze hem. Antipathie en frustratie hoopten zich in Nick op, tot hij zich uiteindelijk wentelde in de verbittering van iemand die besefte dat hij niet eens in staat was anderen te beledigen. Hij boog voorover en begroef zijn gezicht in zijn handen, vechtend om in zijn verdriet niet in tranen uit te barsten.

Uren later werd Nick wakker. Verschrikt tastte hij de duisternis af. Had iemand hem aangeraakt? Of had hij gedroomd? Zijn tong smaakte zoutig. Er zat zwart bloed op zijn overhemd en hij was – tot zijn verrassing – in een deken gewikkeld. Nieuwsgierig wreef hij met de rug van zijn hand over de stof. De schurende textuur leek meer op die van een tapijt, concludeerde hij.

Plotseling hoorde hij geschuifel achter zich. Gealarmeerd rolde hij zich om en zag een groot, vaag silhouet boven zich opdoemen. Hij schoof van de bank en probeerde zijn armen te bevrijden. Maar die zaten vast in het tapijt, dat strak om hem heen gewikkeld was; hij leek wel een mummie. Hij raakte in paniek, trapte met zijn voeten tegen de cementen vloer en probeerde zich zo van de indringer die over hem heen hing weg te bewegen.

'Niks aan de hand, meneer...' De woorden, nadrukkelijk uitgesproken met zachte, zangerige stem, deden Nick denken aan iemand die probeerde een paard op zijn gemak te stellen. 'Niks aan de hand.'

De stem kwam echter niet van de gedaante die zich over hem heen boog, maar van de andere kant van de cel. Nick tuurde de duisternis in. Het was nacht en de enige verlichting bestond uit een tl-lamp die aan het plafond in de gang hing. Buiten de cel heerste stilte.

Het silhouet bij Nick bewoog. Hij zag dat het de grootste van de twee moslims was die aan het bidden waren geweest voor hij in slaap was weggezonken. Bang dat de man uit was op vergelding voor zijn minachtende uitbarsting, wist Nick zich uit het tapijt te bevrijden.

'Alstublieft, meneer... Fidali wil u geen kwaad doen.' Deze keer hoorde Nick waar het geluid vandaan kwam, al was de kleinere man die in elkaar gedoken tegen de muur zat nauwelijks te onderscheiden. De man schuifelde behendig zijwaarts in gehurkte toestand over de vloer. Nick verstarde toen hij de schaduw van de grotere man voor zich opmerkte.

'U lag te rillen van de kou, meneer. Dus wij bedekten u met onze gebedsmat. Begrijpt u?' De gehurkte gedaante wees op het kleed dat nu op de grond lag. Nick kon nog steeds geen reden bedenken waarom de grotere man zich over hem heen had gebogen terwijl hij sliep, behalve dat hij hem de schedel wilde inslaan.

'Ga weg!' snauwde Nick. De hurkende man gebaarde, om zijn langere metgezel te beduiden dat hij zich terug moest trekken.

'U hebt naar gedroomd, meneer,' zei degene op de vloer. 'U schreeuwde het uit, sloeg in de lucht. U viel van de bank en uw neus begon te bloeden. Begrijpt u?'

Nick dacht na over het bloed, het kleed en de woorden van de man. Ten slotte kwam hij tot de conclusie dat als ze hem werkelijk kwaad hadden willen doen, ze hem zouden hebben aangevallen zonder hem eerst wakker te maken. 'We dachten dat u misschien een *djinn* zag,' voegde de man eraan toe.

Nick betastte zijn gevoelige neus en kromp in elkaar. 'Een wat?' vroeg hij, terwijl hij zijn neusgaten dichtkneep om de bloeding te stelpen.

De man stond op en kwam naar Nick toe. Toen hij het licht in stapte werd zijn bolle gezicht omspoeld door een fluorescerende gloed. Hij grijnsde en zijn grote ogen glinsterden onder zijn pet. Zijn warrige baard strekte zich uit van oor tot oor. Vergeleken met hem was zijn zwijgzame metgezel met zijn grote handen en zijn zwarte baard een soort mythische kolos.

'Het is net als een engel. Maar soms zijn ze slecht en bezoeken mensen in dromen,' antwoordde de man.

Terwijl hij nog steeds zijn neus dichtkneep schudde Nick zijn hoofd. 'Bedankt voor de waarschuwing, maar ik geloof niet in engelen, of hoe jullie ze ook noemen.'

'Djinns, meneer,' zei hij, op een toon die aangaf dat hij niet kon geloven dat iemand het bestaan van zoiets in twijfel trok. 'In de bergen in de buurt van ons dorp zitten er veel,' voegde hij er ernstig aan toe. 'Ook engelen en elfen.'

'Jullie hebben veel elfen, nietwaar?' mompelde Nick, niet in staat zijn sarcasme in te houden.

'O, ja,' antwoordde de man alsof dat vanzelfsprekend was. 'Je hebt de elf Bajdan, die in de wolken woont en ijs en sneeuw op de vreemdelingen gooit die de toppen van de hoge bergen proberen te beklimmen. En er zijn elfen die in de *nallahs* wonen, en andere die in hun ijskastelen diep onder de gletsjers zitten te brommen. En er zijn natuurlijk veel engelen – zoals de aartsengel Jibreel, die jullie Gabriël noemen, en Israfil, de trompetter, en Isra'il, de engel van de dood... en je hebt een genezende engel. Zij zou uw neus beter kunnen maken, *inshallah*.'

'Typische god – nooit aanwezig wanneer je hem nodig hebt,' zei Nick.

'Er is geen andere god dan God, meneer,' verbeterde hij, terwijl hij als een schoolmeester met zijn vinger naar Nick zwaaide. 'Ik zei dat ze een éngel is.'

'En u hebt die engel gezien, of niet?'

'Nee,' antwoordde de man direct. 'Maar ze bestaat. We horen veel verhalen van handelaars die door onze nallah komen. Ze neemt zieke mensen mee naar haar geheime huis van genezing. Het maakt niet uit of ze moslim, hindoe of boeddhist zijn – ze geneest ze allemaal "zelfde zelfde". Kijk, meneer, Allah is bedroefd om de mensen omdat ze onwetend zijn en altijd vechten, dus Hij heeft een prachtige engel naar beneden gestuurd om de gewonden te helpen. Hij is de Genadige – *Allah-o-Akhbar*.'

Nick knikte eerbiedig bij de woorden van de vreemde man, in de hoop een einde te maken aan zijn geklets. Op dat moment merkte hij dat de reusachtige vriend van de man bezig was met de vingers van zijn ene hand iets in de tot een kommetje gevormde palm van zijn andere hand te bewerken. Toen hij daarmee klaar was kwam hij naar Nick toe, met twee dicht in elkaar gerolde proppen stof.

'Fidali heeft iets om in neus te stoppen, meneer,' gaf de zittende man hem te kennen. 'Als u het wilt. Het zal het bloeden stoppen. Te veel bloeden is niet goed.'

De man die Fidali heette gebaarde met duim en wijsvinger naar zijn eigen, dik besnorde neusgaten. Op zijn hoede voor zijn bedoelingen hield Nick zijn hand op. Maar voor hij hem weg kon wuiven, had de wonderbaarlijke figuur hem bij zijn achterhoofd vastgegrepen en met verrassende precisie de twee proppen ingebracht, in elk bloederig neusgat een. Bijna meteen, na een pijnscheut in het begin, verstevigden de vullingen zijn losse neustussenschot en stelpten ze het bloeden.

'Nu zal het genezen, inshallah.'

Het gebeurde allemaal zo snel dat het hem overdonderde. Maar de proppen leken heilzaam en hij voelde ze nauwelijks. Hij bedankte de mannen met nasale stem en voelde zich een beetje beschaamd vanwege de manier waarop hij uren geleden de spot met hen had gedreven. Net toen hij zich begon af te vragen of hij zijn excuses moest aanbieden...

'Niet meer praten – slapen nu,' zei het breedsprakige type. 'In het nachtelijk donker verlaat Allah u niet – zo staat het geschreven.'

Nick ging op de bank liggen en viel in slaap, te uitgeput om nog verder over de vreemde stamleden en hun bijgeloof te kunnen nadenken. Maar ditmaal bleven zijn djinns weg.

4

Adjudant Shiraz stapte de volgende ochtend de cel binnen. Hij droeg Nicks in beslag genomen rugzak. 'Het is tijd,' zei hij, terwijl hij hem voor Nicks voeten liet neervallen. 'Kom.'

Verward pakte Nick zijn rugzak op en hing hem over zijn schouder. Terwijl hij achter Shiraz aan de cel uit liep, zocht hij naar de vreemde stamleden die hem die nacht hadden geholpen. Ze waren weg.

Shiraz bracht Nick door een gang naar een open deur. Hij leidde hem naar binnen, waar inspecteur Akhtar op hen zat te wachten. Akhtar wees op de tafel en stoelen. Nick ging zitten.

'We zijn tot een conclusie gekomen,' zei Akhtar. 'U wordt vrijgelaten.'

Nick geloofde hem niet. Hij zei niets, ervan overtuigd dat er in zijn ondervraging een nieuwe fase van psychologische marteling was ingetreden. Akhtar stak geamuseerd zijn onderlip naar voren.

'Op één voorwaarde. Dat u tegen de Engelsman getuigt. Tijdens zijn proces voor de moord op het Franse meisje.'

Nick staarde Akhtar aan en het begon tot hem door te dringen dat hij het meende. 'Maar ik... heb hem niemand zien vermoorden.'

'U hoeft alleen maar te verklaren dat u erbij was toen de Engelsman de noodzakelijke omkooptransacties en het vervoer naar de Stamgebieden regelde. En dat de laatste keer dat u het slachtoffer hebt gezien, zij u vertelde dat ze met hem had afgesproken. U verklaart ook dat hij jaloers was vanwege haar genegenheid voor u. Hij heeft haar helemaal vanuit Myanmar opgespoord, toch? Samen met zijn drugsgebruik — dat de zwakte van zijn karakter aantoont — denkt de officier van justitie genoeg aanwijzingen te hebben om hem te kunnen laten veroordelen.'

Nick schudde verontwaardigd zijn hoofd. 'U zult hem executeren.'

'Waarom maakt u zich daar in vredesnaam druk over?' vroeg Akhtar.

'Hij heeft uw vriendin vermoord, of niet soms? Of wilt nu ineens nog iets bekennen?'

Nick sloot zijn ogen en ademde diep uit. 'Nee.'

'Uitstekend,' zei Akhtar. 'Dan kunt u nu kiezen. Ermee instemmen tegen uw vriend te getuigen en vandaag vrijgelaten worden. Of anders, aangezien u nog steeds geldt als een mogelijke verdachte, houden we u voor onbepaalde tijd gevangen tot we een veroordeling hebben – wat werkelijk heel lang kan gaan duren.'

Akhtar boog zich dichter naar hem toe. 'En vervolgens komen er, na verloop van tijd en met wat *baksjisj*, getuigen over de brug – zelfs in de Stamgebieden, waar de Pakistaanse politie niet bepaald geliefd is. Herinneringen komen soms ineens terug. Er zou zich iemand kunnen melden. Misschien iemand die zich plotseling goed herinnert hoe de westerling eruitzag die naar men zegt bij het slachtoffer was toen ze haar doortocht langs de controlepost kocht, vlak voordat ze werd vermoord. Of, wie weet, misschien wel iemand die getuige is geweest van de gewelddaad. Dan zou uw getuigenis een discutabele kwestie kunnen zijn.'

Nick dacht na. Hij deed zijn ogen dicht, haalde diep adem en bewoog toen zijn lippen. Hoewel zijn geest de weg van de woorden naar zijn oren had geblokkeerd, wist hij door de walgelijke smaak in zijn mond dat hij had toegestemd.

Shiraz wees op Nicks rugzak, die tegen de muur stond. 'Alles bevindt zich op de plaats waar u het had gelaten. Inclusief uw geld.'

Nick liep erheen en begon zijn spullen te onderzoeken. 'En hoe zit het met mijn paspoort?'

'Dat houden we in bewaring, voor het geval u erover denkt Pakistan te verlaten, wat erg stom zou zijn. U krijgt het over enkele weken terug wanneer u, zoals afgesproken, bij het proces van de Engelsman hebt getuigd. Kom, we brengen u naar uw hotel.'

Vanwege de pure, onvervalste mistroostigheid bezette het Khyber Hotel de eerste plaats in de lange reeks smerige hotels die Nicks thuis waren geweest gedurende de tweeënhalf jaar dat hij door alle uithoeken van Azië had gezworven. Kakkerlakken ter grootte van muizen kropen over de vloeren, ratten renden over de trapleuningen en de lakens waren versleten en vertoonden bloedvlekken op de plaatsen waar bedwantsen stukjes uit het vlees van onfortuinlijke bewoners hadden gebeten.

Het enige wat in het voordeel van de plek sprak waren de schamele zestig roepies per nacht en het principe van Shahid, de receptionist, om geen vragen te stellen. Shahid, een Pasjtoe van begin twintig met een donzige kin, die dol was op karatefilms met Jean-Claude Van Damme en op hasj, kneep een oogje dicht voor de hang naar drugs en onwettige seks van zijn gasten. Dat was een duidelijk voordeel voor jonge westerlingen die rondreisden in een streek die overvloeide van de meest uitgelezen opiaten ter wereld en tegelijkertijd op de rand van een fundamentalistische revolutie balanceerde.

Shiraz parkeerde de politieauto dubbel voor het hotel, waarmee hij de monotone voortsukkelende verkeersstroom transformeerde tot een echte opstopping. Akhtar sommeerde Nick uit te stappen. Hoewel hij gehoorzaamde, was hij niet van plan in dit hotel een kamer te nemen. Hij kon het niet verdragen op de plaats te verblijven waar hij en Yvette haar laatste dagen hadden doorgebracht. Maar in plaats van hem op het trottoir achter te laten, zoals hij had gehoopt, brachten Shiraz en Akhtar hem naar binnen.

Shahid zat achter de balie, zijn ogen gefixeerd op de welvende rondingen van mollige Indiase aankomende filmsterren op de televisie – een tijdverdrijf waar hij zelden van afweek. Hij merkte niet dat ze naar de balie waren gekomen, tot Akhtar een klap gaf op de blikkerige bel van de receptie. Verschrikt sprong Shahid op en koos snel met de afstandsbediening een ander kanaal, als een jongen die betrapt wordt op porno kijken. Hij was stoned.

'Weer naar hindoetroep aan het kijken?' voer Akhtar tegen hem uit.

'Het spijt me, meneer, ik –'

'Hou je mond en geef me de sleutel, voor ik besluit je aan te geven bij de zedenpolitie. Ze zouden met alle plezier dit bordeel van jou te gronde richten.'

Shahid boog gehoorzaam zijn hoofd. Zonder Nick een teken van herkenning te geven haalde hij een sleutel uit het kastje achter de balie en overhandigde die aan Akhtar. Toen die van de ene hand in de andere overging, zag Nick 4-E staan op het houten blokje dat als sleutelhanger fungeerde. Hij kromp in elkaar.

'Nee, bedankt,' zei Nick. 'Ik loop de straat af en zoek een ander hotel. Een met airconditioning die het doet,' voegde hij eraan toe als voorwendsel.

'U blijft hier,' antwoordde Akhtar, 'waar we een oogje op u kunnen houden. We hebben uw oude kamer gereserveerd – zodat u zich thuis voelt.'

'Nee,' zei Nick huiverend. 'U kunt me niet dwingen hier te blijven. Niet in die kamer...'

'Terug naar de gevangenis dan maar,' zei Akhtar en hij greep Nick bij zijn elleboog.

Nicks ogen schoten naar Shiraz, die licht knikte – een aanwijzing dat het geen zin had in discussie te gaan. Nick vroeg zich af of het een soort psychologische tactiek was – machtsvertoon misschien, om duidelijk te maken dat de politie hem van nu af aan elke beweging zou voorschrijven. Hij dacht even na, overwegend of hij zou protesteren. Uiteindelijk zag hij ervan af, griste de sleutel uit Akhtars hand en sjokte met zijn rugzak naar de trap.

'Meneer,' riep Shiraz toen Nick de eerste tree nam. Nick draaide zich om. 'Denk aan de afspraak, voor uw bestwil.'

Nick ging de kamer in en deed de deur achter zich op slot. Hij beende naar het enige raam met het houten kozijn en duwde het hardhandig zo wijd mogelijk open. Wazig licht spreidde zich uit over de groezelige vloer en wierp een zacht schijnsel op het bed dat hij met Yvette had gedeeld.

Hij liet zich op de houten stoel onder het raam neervallen en keek naar het bed. Zijn lichaam was bont en blauw en smerig, zijn uitgeputte geest beneveld door verdriet en rouw. Er was zoveel dat hij had kunnen voorzien. Dat hij hád voorzien. Zoveel gelegenheden om het pad dat tot Yvettes dood had geleid te verlaten. Maar toch was hij willens en wetens doorgegaan.

Terwijl zijn geest op de rand van de slaap balanceerde, dwaalden zijn gedachten af naar een tijd verscheidene maanden terug, kort voor Yvette en hij vanuit China naar Pakistan waren gegaan. Hij had een jonge Kirgizische herder met de naam Izzat ingehuurd om hen naar het Karakulmeer te brengen, een ongerept bergmeer hoog in het Pamirgebergte langs de grens tussen China en Tadzjikistan. 'Uw vriendin, zij is goed kameelrijder, erg snel,' had Izzat gezegd, waarbij zijn woorden werden onderbroken door het natte, slurpende geluid van zijn gesabbel op een grasspriet.

Nick had Izzat voor zichzelf Smiley genoemd vanwege diens gretige, vaak wellustige grijns die hij voortdurend tentoonspreidde onder zijn puntige, met bont gevoerde hoofddeksel. Izzat spreidde zijn wijs- en middelvinger en liet ze naar beneden wijzen als een omgekeerd vredesteken. 'Als jongen,' voegde hij eraan toe, terwijl hij veelbetekenend zijn wenkbrauwen fronste, verwijzend naar haar schrijlingse zit, als een man, in plaats van de zediger amazonezit.

Nick had er al spoedig nadat hij hem in Kashgar had ingehuurd, de stoffige handelsstad in het uiterst westelijke gebied van China aan de oude Zijderoute, spijt van gekregen dat hij de jonge Kirgies in dienst had genomen. In feite verdacht hij Izzat ervan dat hij Yvette opzettelijk het snelste rijdier had gegeven, zodat hij naar haar hobbelende achterste kon loeren. Op een bepaald moment was Izzat, onder het voorwendsel dat hij het dier in bedwang moest houden, achter haar aan gegaan en had haar stiekem bij haar heupen vastgehouden tot Nick hem had toegebeten dat hij moest ophouden. Sinds dat incident had er een onaangename spanning tussen hen geheerst – Izzat zat te broeien vanwege de smadelijke reprimande van Nick, en Yvette was geïrriteerd door wat zij als een overdreven reactie beschouwde. Nick, van zijn kant, was bang dat Izzat hen in de woestijn in de steek zou laten en zocht wanhopig het landschap af in een poging op een of andere manier hun positie te bepalen.

'Ze is Frans, uit Parijs,' had Nick geantwoord, alsof dat een hang naar snelheid zou verklaren.

'Ah, ik begrijp,' zei Izzat. 'Slechte ruiters, net als Chinezen.'

Izzats ogen waren twee keer zo groot geworden toen Yvette haar blouse losknoopte en haar gebruinde bovenlichaam alleen nog in een strak kokertopje was gehuld dat ze in de hippiebuurt van Rishakesh op de kop had getikt. Vloekend had Nick zijn kameel aangedreven en een povere uitbarsting van energie uit de flanken van zijn rijdier weten te persen. Sinds ze in het islamitische westelijke deel van China waren gekomen, had Yvettes Europese voorliefde voor schaarse kleding Nick redenen tot bezorgdheid gegeven. Hoewel ze niet hulpeloos naïef was, had haar afkeuring van Nicks reactie op wat hij beschouwde als een doorzichtige poging van Izzat om haar op de kameel te betasten, hem het gevoel gegeven dat ze iets aan hem probeerde te bewijzen – maar wat precies, dat wist hij niet.

'Wauw,' zei Nick toen zijn kameel haar inhaalde. 'Normaal gesproken zou ik niet klagen. Maar volgens mijn laatste gegevens zijn we hier niet bepaald in de Rivièra.'

'Waar maak je je druk om, Nicholas? Ik ben nog steeds aangekleed. Het is te warm om iets met mouwen te dragen.'

'Dat kan wel zijn, maar je maakt het er voor Smiley daarginds niet koeler op.'

Yvette gluurde over haar schouder, om te ontdekken dat Izzat naar de omtrek van haar pronte borsten onder de strakke stof van haar topje zat te loeren. Ze snoof geërgerd. 'Ga je me de hele tijd vertellen wat ik moet doen? Simon deed dat nooit.'

'Simon is ervandoor gegaan met dat Israëlische meisje, weet je nog?' Hoe heette ze ook alweer – Talya?'

'Talya, Talya, Talya... Waarom moet je altijd die *salope* met haar grote tieten erbij halen? Hij is ook bij jou weggegaan. Ik denk dat jij hem meer mist dan ik.'

Nick keek inmiddels niet vreemd meer op van zulke opmerkingen van Yvette, die bedoeld waren om het feit te verdoezelen dat ze sinds Simon haar maanden geleden in de steek had gelaten in een prikkelbare, mistroostige stemming was geraakt. Misschien alleen omdat ze haar jaloezie zo keihard ontkende, vond Nick het niet al te wreed haar zo nu en dan aan Simons verraad te herinneren.

'Ik betwijfel het,' antwoordde Nick. 'Ik ben niet degene die met hem sliep.'

'Dat had je moeten doen, Nick. Hij was erg goed.'

Ze zei het uitdrukkingsloos en met een licht sarcastische ondertoon. Haar gevoel voor humor had ze vaak op deze manier laten blijken. Met een stalen gezicht en lastig te doorgronden, een van de vele typische karaktertrekken waarop Nick gesteld was geraakt, maar die hem ook in verwarring brachten. In dit geval was hij er bijzonder op gebrand erachter te komen of ze het als grap had bedoeld. Yvette was een sensueel type, openhartig over haar seksualiteit, absoluut in geen enkel opzicht aan conventies gehecht. Hij vermoedde dat ze seks met een vrouw geen taboe vond, vooropgesteld dat de omstandigheden het 'natuurlijk' deden lijken, een bijvoeglijk naamwoord dat ze vrijelijk gebruikte om dingen te beschrijven die haar gelukkig maakten, met inbegrip van haar genoegens. (De horden nieuwsgierige kinderen die haar overal waar ze kwamen volgden, waren bijvoorbeeld 'natuurlijk', net als hasj en seks in de namiddag.) Waarom zou ze van anderen niet dezelfde niet-discriminerende seksualiteit verwachten?

'Ik maak maar een grapje,' zei ze uiteindelijk. 'Ik weet dat je daarvoor het type niet bent.' Ze trok haar volle lippen samen tot een pruilmondje, een meisjesachtige uitdrukking die Nick vertederend vond, maar waarvan hij – voor zulke signalen op zijn hoede geraakt – wist dat die ook erotisch kon overkomen.

'Je zegt het op een toon alsof je teleurgesteld bent,' antwoordde hij. 'Alsof ik voor jou niet avontuurlijk genoeg ben. Wou je beweren dat Simon er wel het type voor was?'

'Uiteraard. Bedoel je dat je niet weet hoe graag hij seks met je wilde?'

Nick keek Yvette nieuwsgierig aan. Ze beantwoordde zijn blik, volkomen zelfverzekerd, en liet hem een lang moment op hete kolen zitten voordat ze uiteindelijk in gegiechel uitbarstte. 'Dat is twee keer achter elkaar. Je bent zo gemakkelijk voor de gek te houden, Nicholas, gewoon belachelijk,' zei ze en ze klakte met haar tong. 'Jij en Simon zijn erg verschillend. Simon kende me bijvoorbeeld goed genoeg om te weten wanneer ik een grapje maakte.'

'Ik wist het wel,' loog Nick schouderophalend. 'Ik speelde het spelletje gewoon mee.'

Eerlijk gezegd had Simon Yvette inderdaad beter gekend dan hij. Het jaar dat ze samen hadden gereisd voor hij zich bij hen had gevoegd, had daar wel voor gezorgd. In feite had het Nick toegeschenen dat niets wat hij met Yvette deed ooit nieuw voor haar was. En hoewel hij de tijd die hij met haar had doorgebracht nergens voor zou willen ruilen, kon hij niet ontkennen dat Simon beschikte over een energie, een uitstraling, die hen beiden had gestimuleerd.

'Oké, ik mis hem wel een beetje,' had hij toegegeven, terwijl hun kamelen sputterden en bromden toen ze tegen een steile helling op zwoegden. 'Maar het punt is dat we midden in de woestijn zitten. En onze gids – die we maar een paar uur geleden hebben leren kennen – heeft een geweer en een hakmes bij zich. Het laatste wat we moeten doen is hem op stang jagen. Hij heeft je al betast toen hij je kameel achternaging.'

Yvette schudde kregelig haar hoofd. 'Typisch Amerikaans. Altijd het slechtste van mensen denken. Ik zal mijn blouse weer aandoen. Maar alleen omdat ik geen zin heb er ruzie over te maken.'

Terwijl ze haar blouse dichtknoopte bereikten ze de heuvelkam. Ze troffen er een uitgestrekt keteldal aan dat van alle kanten werd omgeven door de besneeuwde toppen van het Pamirgebergte. In het midden lagen twee saffierblauwe kristallen meren. De ovale kustlijn was bezaaid met puntige joerten en er graasden groepjes kamelen en jaks op weelderige, drassige grasvlakten. 'Dat is Karakul,' zei Izzat, terwijl hij zijn kameel over de kam dreef.

Tegen de schemering leek de zon onmogelijk groot toen hij achter de bergen van Tadzjikistan onderging. Ze keken naar de bultige silhouetten van kamelen die langs de waterlijn door het meer waadden. Yvette zat, met haar zachte heupen tegen die van Nick, op een uit hout gehouwen bank voor een joert die ze voor de nacht hadden gehuurd. Ze rookten om beurten samen van een joint en inhaleerden de koele, dichte rook terwijl de zoete geur van de hasj in hun neusgaten prikte.

Ze zoenden. Toen Nick zich terugtrok, keek zijn spiegelbeeld hem aan uit haar pupillen. Hij had een vreemd gevoel van bevrijding toen hij zichzelf in haar ogen zag. Hij wist niet precies waarom. Misschien was het de gewaarwording dat er een nieuwe versie van hemzelf in haar geest bestond. Het hield een belofte van verandering in.

Later, toen ze schrijlings op hem zat, was hij dronken van haar geur, de zilte smaak van haar huid, haar warme adem die de haartjes van zijn armen kietelde. Met haar gezicht tegen zijn borst aan gedrukt staarden ze door de van geitenvellen gemaakte uitgang van de joert naar buiten. De ochtend daalde neer over de met ijs bedekte toppen.

'Ik weet het nog niet wat Pakistan betreft,' zei Nick. 'Er wordt dringend voor gewaarschuwd erheen te reizen.'

'Amerika waarschuwt overal voor,' zei ze geïrriteerd.

'Ik vermoed dat dat terecht is. Niemand mag ons.'

'Je bent arrogant. Natuurlijk mogen ze je niet.'

Yvette beschikte over de eerlijkheid van de jeugd. Dat maakte Nick gevoelig voor elke vorm van kritiek van haar kant, zelfs stompzinnige.

'Dat klinkt nogal bescheiden.' Hij pakte haar polsen met zijn ene hand vast en kietelde haar met de andere. Giechelend probeerde ze zich los te worstelen, maar haar dunne armpjes waren geen partij voor zijn greep. Terwijl Nick haar vasthield, bleef hij doen alsof het een spelletje was. Maar het was zijn diepste verlangen te laten zien dat hij haar in fysiek opzicht de baas was – wat hij, bepaald tot haar genoegen, bij het vrijen ook deed.

'Ik heb genoeg van China,' zei ze toen hij haar uiteindelijk losliet. 'Te veel toeristen. Pakistan is ongerept. En ze hebben er een heleboel uitstekende hasj.'

'Ik denk dat je mijn gezelschap alleen maar wilt tot Simon daar opduikt.'

Ze wuifde het weg. 'Daar heb je hem weer. "Ik denk, ik denk." Je zit alleen maar in je hoofd. Hou daarmee op. Dat is die stomme advocaat in jou. Ik wil naar Pakistan omdat het weer eens iets anders is. Ja, het zal prettig zijn Simon weer te zien. Maar nu ben ik samen met jou. Kun je dat alsjeblieft accepteren en met me meegaan? Laat me er niet om hoeven smeken.'

Nick pakte haar stevig bij de kin en kuste haar hartstochtelijk. Terwijl hij haar in de ogen keek dacht hij na. Ze had een punt.

'Ik vertrek morgen, met of zonder jou,' zei ze. 'Wat doe je?'

Zuchtend liet Nick zijn vingers langs haar ruggengraat glijden. 'Denk je dat er voor mij iets te kiezen is?' vroeg hij, zonder het als vraag te willen laten klinken.

Ze drukte haar lippen tegen zijn oor. 'Ik denk dat je nog geen genoeg van mij hebt,' fluisterde ze. Ze sloeg haar armen om hem heen, verplaatste haar gewicht en liet zich op hem zakken. Nick omarmde haar bovenlichaam gretig, alsof het deel van haar waar hij het meest naar hunkerde op een of andere manier bij hem naar binnen zou stromen, als hij haar maar stevig genoeg vastgreep, zodat hij er uiteindelijk aanspraak op kon maken als zijn eigendom.

Toen Nick de volgende ochtend wakker werd, was zijn schedel doordrongen van een borende pijn. Het enige wat hij kon doen was overeind gaan zitten, over zijn slapen wrijven en wachten tot zijn geest helderder werd.

De hotelkamer was precies zoals hij hem zich herinnerde: spartaans, smerig, benauwd. Het leek wel alsof die sinds zijn arrestatie, bijna een week geleden, niet meer was gebruikt – iets wat heel goed mogelijk was, gezien de schaarse toeristen. Yvette was overal aanwezig – de geur van haar haar in de lakens, haar geparfumeerde zeep op het schoteltje boven de schimmelige wasbak, zelfs de as van haar sigaretten op het blad van het theetafeltje. Hij herinnerde zich de laatste keer dat Yvette voor het enige raam in de kamer had gezeten, op driehoog boven de bestrate steeg die te smal was voor ander verkeer dan voetgangers, *tuktuks* en motorfietsen. Ze had sjekkies gedraaid en gerookt, zich in de stoel genesteld na het vrijen, met haar knieën tot aan haar borst opgetrokken, terwijl ze naar de kinderen keek die vliegers oplieten vanaf de daken. 'Ik denk dat ik van je hou,' had hij toen tegen haar gezegd.

Ze nam een trek van haar sigaret en blies een lange rookpluim uit die als een slang uit haar mond kronkelde. '*Oui*, Nicholas,' verzuchtte ze zonder naar hem te kijken. 'Dat weet ik.'

Nick schudde zijn hoofd tot zijn gedachten op hun plaats vielen. Hij stond op en liep naar hetzelfde raam waar Yvette doorheen had zitten staren. Een groepje straatjongens was bezig hun dhal voor de ochtend klaar te maken op een kerosinetoestel in de steeg beneden. Hun armoede bracht Nick als een soort reukzout in de werkelijkheid terug. Hij schrok van zijn weerspiegeling in de ruit – de gezwollen neusbrug, zijn door geronnen bloed verstopte neusgaten, de vermoeidheid in zijn ogen. Maar zijn verwondingen waren niets vergeleken bij de enorme druk van de omstandigheden waarin hij verkeerde.

Zelfs nadat Simon met de rechercheurs had samengewerkt in een poging de schuld op hem af te wentelen, wist Nick dat hij niet kon getuigen om zijn vroegere vriend naar de galg te sturen. Maar hij was ook niet zo gespeend van zelfzucht dat hij zijn eigen vrijheid op het spel ging zetten door Simon te verdedigen. Naar zijn idee had hij slechts één keuze. En daarvoor moest hij Masood zien te vinden – de enige die hem misschien kon helpen.

5

Nick trok een shalwar kamiz aan zodat hij van een afstand niet zo gemakkelijk als een vreemdeling kon worden herkend. Hij zette de platte
pakol-pet op die Yvette in Hunza voor hem had gekocht, en toen liep hij
de trap af.

Hij had verwacht een politieagent in de lobby aan te treffen, en was
verrast toen hij alleen Shahid zag. 'Meneer Nick, ik vind het zo erg,' zei
Shahid bedroefd. 'Voor mevrouw Yvette en voor u...' Vervolgens trok
hij steels een borstelige wenkbrauw op om door het erkerraam naar de
hoek van de straat aan de overkant te wijzen. Daar stond een magere,
besnorde man met een straatventer te marchanderen, in een geelbruine shalwar kamiz met opvallende laarzen in plaats van de goedkope sandalen die door de meeste mannen in Peshawar werden gedragen. Nick
gaf Shahid waarderend een nauwelijks merkbaar knikje.

'De hele nacht zit die agent in mijn lobby,' zei Shahid met gedempte
stem. 'Hij rookt al mijn sigaretten, drinkt al mijn thee. Nu gaat hij naar
buiten om meer te kopen. U denkt dat hij aanbiedt wat voor Shahid te
kopen? De politie, die zijn een stelletje lelijke wormen – ze stelen het
eten recht uit je maag. U gaat, meneer Nick?' vroeg Shahid bezorgd.
'Waar moet ik zeggen dat u naartoe bent? Ik moet iets tegen ze zeggen.'

Het was Nick duidelijk dat de politie Shahid in haar macht had. Die
kon veel doen om zijn medewerking af te dwingen – met name zijn ho-
telvergunning intrekken. 'Wat je maar wilt, Shahid. Zeg ze maar dat ik
honger had.'

Shahids gezichtsuitdrukking bevroor. Nick vroeg zich af hoe hij tegen
de moord op Yvette aan keek. Verdacht hij Simon? Of Nick? Of een
plaatsgenoot? Tijdens zijn verblijf in het Khyber Hotel waren ze bevriend
geraakt; ze rookten en praatten tot diep in de nacht terwijl ze de erva-

ringen van twee buitenbeentjes uit twee totaal verschillende werelden uitwisselden. De keerzijde van Shahids passie voor westerse popmuziek was zijn voortdurende angst dat fundamentalistische pro-talibanpartijen de macht zouden overnemen. Bendes 'moraliteitspolitie' deden, onofficieel gesanctioneerd door de gewone politie, al enige tijd de ronde door de stad, verbrandden videobanden en cd's, bekladden reclameborden waarop vrouwen stonden afgebeeld en vernielden meisjesscholen. Wanneer de nationale regering de fundamentalisten probeerde te beteugelen, reageerden deze daarop met bommen, moordaanslagen en openlijke rebellie. Zelfs president Musharraf – een voormalige generaal en een almachtige militaire dictator tot een wijdverbreide politieke revolte en massaoproer hem uiteindelijk dwongen een groot deel van zijn macht af te staan – was er ooit voor bezweken een wapenstilstand te sluiten in Noord-Waziristan, een van de meer opstandige streken in de Stamgebieden. Het was algemeen bekend dat velen in de nationale regering en het leger banden hadden met de radicale islamieten. In feite nam een grote meerderheid van de Pakistani aan dat delen van het Pakistaanse leger met de islamisten hadden samengezworen bij de moord op Benazir Bhutto, de vrouwelijke oppositieleider en voormalige premier die bij de armen geliefd was en die had beloofd veel meer dan Musharraf met harde hand op te treden tegen pro-talibanradicalen. Het was duidelijk dat de lokale autoriteiten in het conservatieve Peshawar, waar de fundamentalisten veel steun genoten, niet over de wil of over de middelen beschikten om hen te bestrijden. 'Shitmensen,' zei Shahid altijd. 'Ze zijn dodelijk voor mijn zaak, mijn geest. Daarna gaan ze proberen de hasj af te pakken.'

Nick verliet het hotel en liep in oostelijke richting naar de Andar Sehr – oftewel 'oude stad' – met de rommelige bazaars en winkels met houten puien, het afbrokkelende fort Bala Hisar en aan de westerse kant ervan het oude kantonnement dat was gebouwd toen Peshawar nog een afgelegen buitenpost van het Britse bestuur was. Hij bleef staan bij een kruising met een dichte drom mensen en keek snel achterom. Hij verwachtte dat de man in de geelbruine kleding hem was gevolgd. Maar de man was gebleven waar hij was en keek naar Nick in het verstikkende verkeer terwijl hij door zijn mobiele telefoon sprak. Ervan overtuigd dat een andere politieagent hem verder zou volgen, probeerde Nick een motorriksja aan te houden. Enkele seconden later stopte er een, die de politieman even het zicht ontnam. In plaats van in de riksja te stappen glipte Nick op dat moment een smal steegje in. De bestuurder vloekte en reed weg.

Nick ging meteen op in de jachtige verkeersaders van de *medina*. Terwijl hij moeizaam zijn weg zocht door de kronkelige doorgangen, concentreerde hij zich om de lastige draaien en bochten in zijn hoofd te prenten. Want de weg vinden in het donker, wanneer er geen straatlantaarns en oriëntatiepunten waren, zou van cruciaal belang zijn. Die opgave werd bemoeilijkt door het verwarrende gekrioel van mensen en dieren – Baluchistani met hun groene tulbanden, langbaardige Hazara's met hun loshangende witte doeken, herders uit Chitral en Swat die kuddes geiten en bultige zeboes voor zich uit dreven. Hij stapte over bedelaars zonder ledematen heen die als kreupele krabben voortkropen op hun stompen, en over bedelende kinderen uit Afghanistan – vluchtelingen met opvallende groene ogen en rossig haar – die mantels en broeken aftasten op iets wat ze konden stelen.

Het had Nick weken gekost om de weg te leren vinden door de kronkelende straten, en nog steeds verdwaalde hij vaak. Hij wist dat hij bij de slagerijen met de opgestapelde geiten- en schapenkoppen naar het zuiden moest afslaan, en vervolgens naar het oosten bij de specerijenverkopers met hun rijen jutezakken vol felgele en groene kerrie, rode pepers en koriander. Na ongeveer twintig minuten van bochten en kronkels stapte hij een tapijtwinkel binnen. Daar bleef hij een tijdje zitten theedrinken terwijl een kleine Oejgoerse jongen tapijten voor Nicks voeten uitrolde. Nick deed alsof hij ze bekeek, terwijl hij een wakend oog hield op de stroom mensen die langs de open winkelpui kwam. Toen hij ervan overtuigd was dat hij iedereen die hem had kunnen volgen had afgeschud, liep hij de winkel uit en vervolgde zijn slingerende weg door de ingewanden van de oude stad, tot hij bij een kleine zijstraat in de buurt van het kantonnement kwam.

Nauwelijks breed genoeg voor twee man naast elkaar slingerde het geplaveide steegje langs een reeks winkels die naar de straatkant open waren, geflankeerd door glanzend gepoetste koperen potten, theeketels, ijzerwaren en stapels bladmetaal. Baardige metaalbewerkers zaten in kleermakerszit op de vloer met houten hamers luidruchtig op blikmetaal te beuken. Nick liep langs een van de winkels toen zijn oog in een flits op heldere kleuren viel. Hij bleef staan en zag bij nadere inspectie het rood-wit-blauw van de geconfedereerde vlag op een Amerikaans militair kentekenschild dat op een olijfgrijs stuk staal was geschilderd. Nick besefte dat hij naar de stabilisator van een legerhelikopter uit de Verenigde Staten stond te kijken. Het metaal zat vol deuken en krassen door granaatscherven of stenen die bij het neerstorten in de lucht waren geslingerd. Hij zag ook een grijsgeverfd stuk vleugel of geschut met Duitse tekst erop, een portier van een Humvee dat doorzeefd was met kogels, stapels gebruikte artilleriegranaten en zelfs een paar die niet waren afgegaan, waarin in het midden gaten waren geboord om ze te demonteren – allemaal opgescharreld uit de oorlog in Afghanistan en over de bergpassen vervoerd om als waardevol blikmetaal te worden verkocht.

'Hé, English,' zei de winkelier, die Nick deed schrikken. Hij had hem niet zien aankomen van achter een deken die achter in de winkel hing. De eigenaar was een Pasjtoe met een zwarte baard en een diep litteken dwars over zijn gezicht en een witte klont littekenweefsel in plaats van zijn rechteroogbol. 'U wilt souvenir?' Hij wees met open hand naar de verwrongen helikopterstabilisator met het VS-kentekenschild. 'Amerikaanse Chinook.' Hij maakte twee vuisten, deed alsof hij vanaf zijn schouder een raket afvuurde en imiteerde toen het geluid van een explosie. 'Taliban geschoten. Voor u twintig Amerikaanse dollars.'

'Nee, bedankt,' antwoordde Nick, terwijl hij zich afvroeg wat de winkelier dacht dat hij met zo'n enorm ding moest, zelfs als hij tot de aankoop bereid was geweest. Hij groette de man en liep verder.

Na ongeveer tien minuten kwam de steeg uit op een klein plein, waar groepjes Pasjtoes aan houten tafels zaten te roken en thee te drinken. Ruim een week eerder had Nick in dit verborgen hoekje van de bazaar aan Masood gevraagd vervoer naar de bazaar in Darra te regelen om de beruchte wapenwerkplaatsen van de Stamgebieden te bekijken.

De Afghaanse vluchteling Masood bedreef een illegale handel in het verzorgen van transport voor journalisten en bij gelegenheid drugstoeristen die naar streken in de Stamgebieden wilden reizen die voor buitenlanders verboden waren. Maar zijn voornaamste bron van inkomsten, zo had hij Nick openlijk bekend, bestond uit mensensmokkel.

Nick wist dat hij, nu de politie hem zo strak in de gaten hield, niet onopgemerkt uit Peshawar weg kon komen als hij een gewone bus of trein nam. En zelfs als hij het op een of andere manier voor elkaar kreeg de stad uit te sluipen en de Pakistaanse grens zou weten te bereiken, zou hij zonder zijn paspoort bij geen enkele officiële controlepost worden doorgelaten. De Stamgebieden waren zijn enige echte kans om te ontsnappen. Wemelend van de oorlogsvluchtelingen en bestuurd door leiders die eerder geïnteresseerd waren in afscheiding van Pakistan dan in het handhaven van Pakistaanse wetten, waren de Stamgebieden een cen-

trum van mensensmokkel. De Pakistaanse legereenheden die daar gestationeerd waren, hadden hun handen al meer dan vol aan het bestrijden van Al Qaida en de taliban. Ze waren niet in staat de aanhoudende
stroom vluchtelingen tegen te houden die in de uitgestrekte regio hun
kamp opsloegen en uit Afghanistan kwamen of daarheen op weg waren,
of naar Iran, of naar de dunbevolkte streken in het noordoosten van Pakistan, waar ze de grens naar India over konden steken in de hoop verder vervoer te vinden naar Europa, Australië of ergens anders waar ze
een bestaan konden regelen.

Voor Nick was India de enige plausibele bestemming. Een blanke
kwam niet ver in Afghanistan, dat kampte met de voortdurende strijd
tegen Amerika en zijn bondgenoten. Hij zou in de ruige, door de taliban
beheerste gebieden aan weerskanten van de Pakistaans-Afghaanse grens
gevangengenomen en vermoord worden. En in het totalitaire Iran, dat
ook op de rand van oorlog met Amerika stond, zou een westerling al snel
worden aangehouden en – in Nicks geval – worden teruggestuurd naar
Pakistan of als spion in de gevangenis worden gezet. In India zou hij niet
opvallen tussen de andere westerlingen – toeristen, expats en dergelijke –
tot hij had uitgezocht hoe hij zonder paspoort naar huis zou kunnen
gaan, of naar een andere veilige plek.

Het was niet moeilijk Masood te vinden. Hij had een arm verloren bij
een luchtaanval op zijn dorp. Vanwege zijn ondefinieerbare leeftijd was
onmogelijk te zeggen of dat aan een Russische of Amerikaanse bom te
wijten was geweest, hoewel er tussen beide indringers vijftien jaar had
gezeten. Zijn hoofd was ernstig beschadigd – een schedelfractuur veroorzaakt door de explosie die hem zijn arm had gekost – maar de verwonding had zijn scherpe geest niet aangetast.

De Afghaan herkende Nick direct en bood hem een sigaret aan, die
Nick wijselijk accepteerde. 'Waar is de schone dame?' vroeg hij, waarmee hij Nick overrompelde. Masood had als kind in een vluchtelingen-
kamp een beetje Engels geleerd op een school die met Zweeds ontwik-
kelingsgeld was gebouwd, voordat het door de taliban was platgebrand.
Hij had een vriendelijke maar krachtige stem, en toen hij naar Yvette
informeerde wekte hij de indruk oprecht te zijn, niet nieuwsgierig of
wellustig.

'Ik heb haar teruggestuurd, om voor de kinderen te zorgen,' antwoordde Nick en hij vroeg zich af of Masood wist dat Nick had gelogen
over hun huwelijk. Het was een leugen die Yvette en hij vaak hadden

verkondigd tijdens hun verblijf in Peshawar, niet in de laatste plaats omdat deze uitleg allerlei lastige vragen voorkwam.

'Dat is verstandig, mijn vriend. Nou, hoe kan ik je behulpzaam zijn?'

'Ik heb weer vervoer nodig... Deze keer naar Torkham.'

Nick draaide zich om vanwege een plotseling tumult. Twee mannen aan de overkant stonden luid ruzie te maken, allebei geruggesteund door een aantal clangenoten. Masood merkte Nicks onrust op. 'Torkam is erg riskant voor u,' zei hij. 'Veel taliban. Niet nodig helemaal daarheen te gaan. Deze tijd van het jaar is de hasj in Peshawar net zo goed.'

'Daar gaat het niet om,' antwoordde Nick.

De Afghaan fronste. Hij had meer openheid verwacht. Maar Nick had weinig zin om wie dan ook zijn eindbestemming te laten weten. Het was niet zo dat hij Masood wantrouwde. Integendeel. Masood was een Afridi-Pasjtoe. Dat betekende dat zijn naam, zijn woord en zijn eer alles voor hem betekenden, en hij had een hekel aan de politie. Maar Nick ging ervan uit dat hoe minder mensen wisten waar hij heen ging, hoe beter zijn kansen waren. Wanneer hij eenmaal in Torkham was, een centrum van smokkelarij aan de Afghaanse grens, wilde hij zelf verder vervoer regelen.

Masood knikte, hoewel hij gekrenkt was. 'Een verstandig man schrijft zijn bedoelingen niet op zijn voorhoofd. Wanneer wilde u gaan?'

'Vannacht. Na middernacht.'

'Dat is een goede tijd.' De Pasjtoe grenswachten die bij de controleposten voor de Stamgebieden waren gestationeerd, eisten gewoonlijk steekpenningen van transporteurs om de stroom vluchtelingen door te laten, van wie velen officieel gezocht werden door de Pakistaanse autoriteiten op verdenking van lidmaatschap van de milities. Laat in de nacht reizen was gunstiger, omdat er dan minder bewakers waren en ze te moe en te lui waren om lang over de prijs te steggelen. 'Dat kan geregeld worden.'

'Waar halen ze me op?'

'Alstublieft... heb geduld, meneer,' antwoordde Masood. 'U bent een gast in mijn land, dus moet ik u eerst dit vertellen. Als u van plan bent bij Torkham de grens naar Afghanistan over te steken: dat is te gevaarlijk. Doe het niet. De grens is dicht voor alle buitenlanders. En zelfs als u erover komt, door genoeg smeergeld te betalen – of misschien als vrouw verkleed in een boerka – de weg naar Jalalabad is in handen van de taliban. Ze zullen u tegenhouden. Die klootzakken van de taliban fouilleren zelfs de vrouwen. Ze doden alle Amerikanen. Zelfs journalisten schieten ze neer.'

'Bedankt voor de waarschuwing,' zei Nick. 'Ik ben niet van plan de grens over te gaan.'

Nieuwsgierig stak Masood zijn kin omhoog. 'De enige andere weg die u zou kunnen interesseren is die naar het noorden, naar Chitral. Van daar kan men naar het westen reizen, door te voet de Hindu Kush over te trekken naar Noord-Afghanistan, de route van de opiumsmokkelaars. Of anders kunt u naar het oosten gaan: de route die de *moedjahedien* nemen naar Kashmir om tegen India te vechten. Maar... als u naar India gaat, waarom neemt u dan niet de bus over de hoofdweg van Peshawar naar Lahore? De grensovergang bij Amritsar is open.'

Masood trok zijn conclusies uit Nicks stilzwijgen en keek hem onderzoekend aan. 'Maar dat weet u natuurlijk. En u moet een goede reden hebben om niet door de officiële grenscontrole te gaan. Waarom zou u anders bij mij komen?'

Nick verschoof op zijn stoel. Masood legde zijn hand stevig op Nicks schouder. 'Geen zorgen, meneer.' Masood keek Nick recht in de ogen. 'U kunt erop vertrouwen dat ik het aan niemand vertel. Het is mijn plicht u te beschermen.'

'Dat stel ik op prijs,' zei Nick.

'India is erg ver. De weg die u uitkiest is lastig. In de plaatsen waar u doorheen moet zijn veel gevaarlijke mensen. En de grenzen worden bewaakt door leger en politie. Als de tocht niet van tevoren door mij is geregeld – met genoeg baksjisj betaald aan de juiste mensen – zult u het niet redden. Laat me u helpen, inshallah. Het is de enige manier.'

Ze kwamen een prijs overeen van tweeduizend dollar contant, inclusief al het nodige smeergeld, vervoer en een gids om Nick over de Line of Control te leiden, de onder zware militaire bewaking staande feitelijke grens die de scheiding vormde tussen het door Pakistan en het door India bezette deel van Kashmir. De helft van het geld ontving Masood vooraf, de rest zou Nick betalen wanneer hij in Gilgit aankwam, de stoffige handelsstad midden in de Noordelijke Gebieden, de delen van het betwiste Kashmir die door Pakistan werden bezet.

Masood zei dat de vrachtwagen hem om één uur 's nachts op een geheime plek bij het kantonnement zou oppikken en hem langs de controlepost van de Stamgebieden zou brengen, waar de politie van tevoren door Masood zou worden omgekocht om de andere kant op te kijken. Vervolgens zou Nick bij een dorp aan de voet van de Khyberpas op een andere vrachtwagen overstappen en doorgaan naar Torkham. In plaats van de grens naar Afghanistan over te steken zou hij in een jeep naar het noorden naar het dorp Chitral worden gebracht, en daarna oostwaarts over de Hindu Kush naar Gilgit. Daar zou Nick op een vrachtwagen stappen en over de weg in zuidoostelijke richting naar de streek reizen die de Pakistani Azad ('Vrij') Kashmir noemden, waar een gids hem te voet naar het door India bezette deel van Kashmir zou brengen. Het was een lange omweg, maar een rustige route met weinig politiecontrole vergeleken met de meer zuidelijke, directere alternatieven, die allemaal door dichtbevolkt gebied voerden. Als alles volgens plan verliep zou hij over ongeveer tien dagen in India zijn.

's Nachts het hotel uit sluipen zou nog wel eens een lastige opgave kunnen zijn. Door de lobby wegkomen was onmogelijk. De politieagent die daar steeds de nacht had doorgebracht zou, zelfs als hij in slaap was gesukkeld, wakker worden van het gekraak van de trap wanneer Nick naar beneden ging. Afgezien van de deur van de lobby vormde het raam van zijn kamer de enige andere uitgang. Maar dat was op de derde verdieping boven de bestrate steeg – te hoog om te springen. Er was een brandtrap bij het balkon van de aangrenzende kamer, maar het zou lastig zijn om daar te komen. Eenmaal beneden zou Nick snel moeten zijn, waarbij het gebrek aan straatverlichting tegelijkertijd een zegen en een vloek betekende.

Nadat hij Masood de duizend dollar voor de eerste helft van de reis vooruit had betaald, had Nick slechts negenhonderd Amerikaanse dollar op zak en nog geen honderd dollar aan Pakistaanse roepies – niet genoeg om de tweede helft van de vervoerskosten te betalen, laat staan dat er enige reserve was voor eten en onderdak en onverwachte uitgaven gedurende de reis. Hij moest onmiddellijk zoveel mogelijk contant geld van zijn Amerikaanse bankrekening halen, bij voorkeur in dollars, die door de plaatselijke bewoners als begeerlijker werden beschouwd dan roepies, en die hij ook in India kon gebruiken wanneer hij daar zou zijn aangekomen. Uit ervaring wist Nick dat hij als buitenlander zonder zijn paspoort geen reischeques kon verzilveren of telegrafisch geld kon laten overmaken bij een Pakistaanse bank. Bleven de pinautomaten over; geen ideale keuze gezien de beperkte opnamemogelijkheden.

Alvorens terug te keren naar het Khyber Hotel liep Nick naar drie verschillende internationale banken in het financiële centrum en haalde uit de geldautomaten het maximale bedrag aan contant geld dat de machines toestonden (tweehonderd dollar in roepies per keer, een groot bedrag in Pakistan). Bij de vierde bank werd zijn pinpas geweigerd, een teken dat het elektronische veiligheidssysteem eindelijk in werking was getreden en dat hij de eerstkomende achtenveertig uur, zo niet langer, geen geld meer kon opnemen. Daarna ging hij met een dik pak roepies ter waarde van zeshonderd dollar weer naar de bazaar en kocht Amerikaanse dollars van een Iraanse tapijthandelaar. Hij herinnerde zich dat tapijtverkopers, die vaak grote partijen aan buitenlanders verkochten, hun zaken dikwijls in vreemde valuta afhandelden vanwege de gunstige wisselkoersen. Nadat hij een forse commissie van zestien procent had betaald, had hij iets meer dan vijfhonderd dollar over. Het was bij lange na niet zo veel contant geld als hij prettig zou hebben gevonden alvorens aan een lange reis door onherbergzame gebieden te beginnen waar helemaal geen banken waren, maar het was het maximaal haalbare zonder paspoort in zo'n korte tijd.

Laat in de middag kwam Nick terug in het hotel. Hij glimlachte gemaakt beleefd naar de politieagent in de lobby. Toen, nadat hij duidelijk in het zicht had staan eten bij het kebabstalletje aan de overkant van de straat, trok hij zich op zijn kamer terug om zijn spullen uit te zoeken. Hij moest lichte bagage meenemen, dus pakte hij alleen het hoogstnoodzakelijke in zijn kleine rugzak – genoeg gedroogd fruit, crackers en blikjes sardines om het een paar dagen uit te kunnen zingen, een wollen trui, extra sokken, een hoed en handschoenen, een zakmes, jodium om water mee te zuiveren, een zonnebril, lucifers en sigaretten. Hij verborg zijn geld op zijn lichaam. In zijn geldriem, bij zijn pinpas en zijn rijbewijs uit Massachusetts, zijn enig overgebleven identiteitsbewijs, stopte hij de duizend dollar die hij aan de vrachtwagenchauffeur in Gilgit moest betalen, en in zijn schoenen de reserve van vijfhonderd dollar en kleingeld – bij elkaar een fortuin in Pakistan, veel meer dan de meeste Pakistani in een heel jaar verdienen. Ten slotte bond hij een fles water aan de rugzak en zat hij de laatste uren van de dag uit in de hotelkamer, piekerend over alles wat er fout zou kunnen gaan.

De donkere steeg lag in de nacht te lonken. Nick vocht tegen de verleiding om vroeg te vertrekken. De extra tijd op straat zou de kans om gepakt te worden alleen maar vergroten. Om die reden had hij niet meer dan tien minuten uitgetrokken boven op het halfuur dat het volgens zijn berekening zou kosten om naar de afgesproken plek te komen, voor het geval dat hij in het donker verkeerd afsloeg of gedwongen was een omweg te maken om een verdachte achtervolger af te schudden.

Met trillende vingers bond hij een donker T-shirt bij wijze van tulband om zijn hoofd en hing toen zijn rugzak om. Hij wachtte tot zijn horloge de laatste paar minuten had weggetikt tot de gestelde tijd – kwart over twaalf. Ten slotte opende hij het raam en stak zijn hoofd naar buiten.

Hij tuurde naar de steeg beneden, tot hij er zeker van was dat daar niemand was. Daarna klom hij, niet wetend of de uren die voor hem lagen vrijheid of zijn ondergang zouden betekenen, door het raam de ongewisse duisternis in.

6

Volgens de dorpsoverlevering had Aisha een aangeboren gave om te genezen. Maar de meeste dorpelingen die haar als kind hebben gekend, weten dat haar genezingsdrang zich pas later openbaarde, namelijk toen ze zeven was.

De uitgestrekte berggebieden die Noord-Pakistan, India en westelijk China – waar van het ene dal op het andere een compleet andere taal, godsdienst en ras kan worden aangetroffen – getuigen van de hermetische effecten van een uitzonderlijke geografische gesteldheid. Het dorp Gilkamosh lag als een verloren sieraad midden in dit ondoordringbare landschap van ijs en rotsen.

Tot voor kort was de streek nooit goed in kaart gebracht. Toen cartografen het dorp uiteindelijk ontdekten, zeiden sommige dat het in Zuid-Baltistan lag. Anderen beweerden dat het als een onderdeel van Kashmir moest worden beschouwd, en weer anderen zagen het dorp als een stuk van Ladakh. Maar de meesten die hun mening erover gaven waren er nooit geweest. Als dat wel het geval was geweest, dan hadden ze het geweten: Gilkamosh was een wereld op zich.

Het dorp lag onder in een diep dal dat was uitgeslepen door de rivier de Gilkamosh, waarvan de machtige stroom door het smeltende ijs van de enorme gletsjers van de Karakoram in het noorden werd gevoed. Ommuurd door bergen die zo steil waren dat er geen sneeuw op bleef liggen, ademde de Gilkamoshvallei een kloosterachtige sfeer uit. Niet alleen door de opvallende zwarte spitsen van schist en basalt die een natuurlijk altaar voor de hemel leken te vormen, maar ook vanwege het gevoel van insluiting en afzondering, dat niet beklemmend was maar tot meditatieve bezinning inspireerde. Het dal was een grazig gebied. Elk jaar barstten in mei de appel- en abrikozenbomen uit in witte en rode bloesems, terwijl de bergwanden werden opgefleurd door wilde bloemen. In oktober was de lucht vervuld van het zoete aroma van geoogste appels, moerbeien en gerst.

De mensen die er woonden stamden uit verschillende etnische groepen die, door oorlog of hongersnood uit het land van oorsprong verdreven, op een of andere manier de verraderlijke passen hadden overleefd en er toevallig terecht waren gekomen. Tegen de tijd dat Aisha er werd geboren was, net als in vele dorpen in de noordelijke gebieden van het door India beheerste Jammu en Kashmir, de meerderheid islamitisch – een nagenoeg evenwichtige mengeling van soennieten en sjiieten en wat ismaïlieten. Ongeveer een derde bestond uit hindoes van verschillende kasten en stammen met hier en daar wat sikhs en boeddhisten. Ondanks die verschillen hield elke groep zich op zijn manier aan zijn gebruiken. De rust van de vallei leek elke agressie op te lossen bij hen die verkondigden 'de waarheid' voor zich op te eisen.

Zoals gebruikelijk in langdurig geïsoleerde dorpen in de Himalaya gaven de inwoners van Gilkamosh, vooral de ouderen, hun geloof in mysterieuze zaken niet snel op. Af en toe leken er nog steeds geheimzinnige dingen te gebeuren.

Aisha Fahad was het zevende van twaalf kinderen – vier dochters en acht zonen: zelfs naar islamitische maatstaven een groot gezin. Haar vader, Naseem, een wolverkoper, was net zo trots op zijn viriliteit en zijn stevige boerenhanden als op zijn vermogen zijn nageslacht te voeden. Een eigenschap die hij verworven had dankzij de door hemzelf in gang gezette transformatie van geitenhoeder tot handelaar. Naseem had zich een tweede vrouw kunnen veroorloven, zowel wat geld als wat libido betreft, maar hij had het hart of het geduld niet om rivaliteit zijn huis binnen te halen. Hij was te zeer op zijn vrouw gesteld om het risico te lopen dat ze teleurgesteld raakte. Fatima was erg aantrekkelijk en beslist vruchtbaar, en hechtte groot belang aan de zorg voor huis en haard. Hij had niets te klagen.

Aisha was Naseems vierde dochter. Ze was een knap meisje, gezegend met hoge jukbeenderen, een lichte gelaatskleur en zijdeachtig haar dat wees op een Mongoolse, Tadzjiekse of zelfs Perzische afkomst. Ondanks haar schoonheid was ze verlegen, hoewel ze heel gevat kon zijn. Zoals veel intelligente kinderen kon ze zichzelf urenlang vermaken – door met haar tamme geiten te spelen, wilde bloemen te plukken in de hooggelegen weiden of langs de oever van de rivier te banjeren en naar de bruisende patronen te kijken die door de weerspiegeling van het zonlicht op het stromende water ontstonden. Vanwege haar onafhankelijkheid werd ze niet opgemerkt door haar ouders, die geheel in beslag werden genomen door haar veeleisender broers en zussen. Dat kon Aisha niet schelen, want ze was tevreden met de eigenschappen die, zoals ze later zou gaan beseffen, haar excentriek en uniek maakten. De wetenschap dat ze anders was dan andere meisjes maakte dat ze, tot ongerustheid van haar ouders, de neiging had zich als een kluizenaar te gedragen.

De komst van haar broertje Sahib haalde Aisha uit haar isolement. Sahib werd toevallig geboren op Aisha's zevende verjaardag. Misschien droeg de mystiek van hun gezamenlijke geboortedag bij tot hun band. Wat ook de reden was, het werd algauw duidelijk dat hun band hechter en dieper was dan die tussen de meeste broers en zussen.

Sahib was ziekelijk vanaf zijn geboorte. De bleke gelaatskleur van het kind was voor zijn ouders zelfs aanleiding geweest om hem de naam Sahib te geven, een woord van koloniale oorsprong dat op het subcontinent soms nog steeds wordt gebruikt om blanken aan te duiden. Als pasgeborene was hij lusteloos en zijn toestand verslechterde alleen maar. Toen hij zeven maanden was ondernamen de ouders de lange reis naar een dokter in Srinagar, die hun vrees bevestigde: Sahib was besmet met 'lui bloed'.

Sahib was een ernstig geval. Het vermogen van zijn bloed om zuurstof op te nemen was door de ziekte zo sterk afgenomen dat hij vóór zijn eerste verjaardag zou sterven, zei de dokter. Er waren dure medicijnen die zijn leven met een paar maanden konden verlengen, maar die zouden slechts uitstel van het onvermijdelijke betekenen.

In die tijd was Naseem absoluut niet rijk. Nu zijn nest al uitpuilde met elf handenbinders, nam hij het moeilijke besluit zijn zegeningen te tellen en zijn geld te bewaren voor de gezonde kinderen, in de verwachting dat Allah Zijn wil zou laten geschieden volgens de prognose van de dokter.

Fatima kon het niet verdragen naar het grauwe gezichtje van haar zoontje te kijken zonder dat haar moederlijke gevoel voor rechtvaardigheid in opstand kwam tegen haar voorheen rotsvaste geloofsovertuiging. 'Waarom heeft Allah mij zo gestraft? Hij is zo barmhartig, zegt het Boek. Waarom heeft hij het kind niet bij de geboorte tot zich genomen en mij de pijn bespaard het lief te hebben?' Niet in staat het geluid van

Sahibs gehuil te verdragen deed ze proppen in haar oren en hield ze op hem te voeden, biddend voor de snelle en pijnlijke dood die Allah hem niet leek te willen schenken.

Aisha was woedend. Hoe konden haar ouders haar kleine broertje zomaar opgeven? Gebeurden er dan geen wonderen in de wereld, vooral in Gilkamosh? Misschien vanuit kinderlijk geloof en niet zozeer uit opstandigheid, weigerde ze werkeloos toe te zien. Tenslotte waren zij en Sahib op dezelfde dag jarig. Had de aartsengel Michaël, de verzorgende, haar Sahib niet gezonden als een geschenk, en tevens als een wilsbeproeving?

Wanneer Fatima niet keek sloop Aisha stilletjes naar Sahibs hangmat en voedde hem met verse geitenmelk uit een tuitzak gemaakt van een geitenblaas. Fatima ontdekte het uiteindelijk en waarschuwde Aisha dat haar inspanningen tevergeefs zouden zijn en het lijden van het kind alleen maar langer deden duren. Maar Sahib werd toch sterker en overschreed de maximale levensduur die de dokter hem had gegeven.

'Je bent een wonderdoener, Aisha,' zei Fatima. 'Allah heeft je een gave geschonken.' Fatima begon weer voor Sahib te zorgen zodra hij tekenen van verbetering begon te vertonen en voelde zich erg schuldig over haar berusting. Maar Aisha was degene die Sahib zijn kracht had teruggegeven toen iedereen hem had afgeschreven en die voortaan voor hem zou zorgen alsof zij hem zelf in haar nog onontwikkelde baarmoeder had gedragen.

Hoewel hij zwak bleef en niet meer dan een paar meter kon voortsjokken voor hij door zijn knieën zakte, groeide Sahib op tot een gelukkige, intelligente jongen. Op vierjarige leeftijd kon hij hele *soera's* uit de Koran uit het hoofd opzeggen en wist hij de namen van alle geiten in zijn vaders kudde. Aisha en hij speelden uren achtereen, lieten bootjes varen in de plassen van de irrigatiekanalen, lachten samen tot Sahib moe werd en niet meer kon hebben. 'Allah heeft je zo gemaakt zodat je grote zus meer van je kan houden,' zei Aisha altijd tegen hem wanneer zijn dunne beentjes uitgeput raakten. En Sahib geloofde haar, want Aisha had een zekere ernst over zich die elk woord van haar tot een waarheid maakte.

Toen, op een ochtend na Sahibs vierde verjaardag, een feest dat uitbundig was gevierd en misschien te veel opwinding had betekend voor zijn overbelaste hart, lukte het Aisha niet Sahib wakker te krijgen. Haar gezicht raakte verwrongen van verdriet. Ze wiegde zijn levenloze lichaam, nog in dekens gewikkeld, en droeg het naar de oever van de rivier. Ze waadde tot borsthoogte door de verraderlijke stroom. Ineenkrimpend van de kou hield ze het lichaampje op naar de hemel en vroeg Allah, terwijl ze haar longen uit haar lijf schreeuwde, om háár tot zich te nemen in plaats van haar broertje.

De verklaringen van de dorpelingen over wat er daarna gebeurde lopen uiteen. De meer mystiek ingestelden – de meesten van hen in de tachtig of nog ouder – zeggen dat Aisha, die nog steeds het lijkje krampachtig vasthield, zichzelf in de ijzige diepte stortte en stroomafwaarts op een oever werd uitgebraakt in een mysterieuze watergolf, mogelijk een oprisping van een reusachtige vis die door de aartsengel Gabriël zelf was opgeroepen. Anderen zagen Aisha verstijfd van ontzag in de rivier staan, bezield door de Heilige Geest. Ze reciteerde in het Arabisch, als de Profeet zelf, en op dat moment was door goddelijke tussenkomst de aard van Aisha's gave aan haar onthuld. In de voorstelling die door de pragmatici uit het dorp – met inbegrip van Naseem – werd gesteund, was het Naseem zelf die Aisha uit het water haalde en haar van een wisse dood redde.

De uiteenlopende versies hebben echter één wezenlijk aspect gemeen, waarvan door die gemeenschappelijkheid misschien kan worden gezegd dat het een kern van waarheid bevat. Het was op de ochtend dat Sahib haar werd ontnomen dat Aisha zwoer haar leven voortaan te wijden aan het genezen van haar volk. Vanaf die dag werd Aisha voor de dorpelingen van Gilkamosh hun eigen engel, geschonken door Allah, begiftigd met het vermogen te genezen. Per slot van rekening had de dure dokter in Srinagar, met al zijn buitenissige medicijnen en zijn moderne opleiding, gezegd dat Sahib onmogelijk langer dan een jaar kon leven, en toch had Aisha hem vier keer zo lang in leven gehouden. Een wonder, op een plaats waar wonderen niet hoefden te worden bewezen.

7

Toen Aisha nog een kind was, was Gilkamosh slechts toegankelijk via een enkel, onverhard jeepspoor. Wanneer de weg begaanbaar was kostte de rit naar Kargil of Drass, de dichtstbijzijnde steden waar levensmiddelen en andere benodigdheden verkrijgbaar waren, op z'n minst twee dagen. Gilkamosh was echter van november tot eind juni volkomen afgesneden van de rest van de wereld, totdat de sneeuw smolt en rotsblokken die door lawines waren achtergelaten met dynamiet, houwelen en schoppen van de weg konden worden verwijderd.

Tegen de tijd dat Aisha tiener werd bevond Gilkamosh zich midden in een ontwikkeling die het dorp voor altijd zou veranderen. Er was al enige tijd toerisme in de naburige Kashmirvallei. Dat was gericht op Srinagar en de omliggende dorpen. Maar sommigen van de meer avontuurlijk ingestelde reizigers – jonge rugzaktoeristen uit Europa die naar minder begane paden verlangden – hadden op een of andere manier hun weg naar Gilkamosh gevonden door rond te trekken of achter op Indiase legerjeeps mee te liften. Het was te verwachten dat ze verliefd werden op de plaats. De meesten waren zo verstandig het afgelegen dorp als een ongeschonden geheim te bewaren. Maar het lekte uit. Binnen enkele jaren nadat de eerste westerlingen het hadden ontdekt, was een selecte groep zoekenden begonnen Gilkamosh tot hun eeuwige mekka te maken. Het stroompje bezoekers deed algauw nieuwe nering ontstaan. Leveranciers openden winkels om buitenlandse trekkers van proviand te voorzien. Er werden verscheidene hotels, restaurants en kunstnijverheidswinkels gebouwd, allemaal opgepropt langs de hoofdweg die het plaatsje in tweeën deelde.

De prikkelende geur van roepies die voor het grijpen lagen zweefde zuidwaarts over het subcontinent en deed – net als het aroma van versgebakken *naan* dat zich in een bar in New Delhi verspreidde – mensen het water in de mond lopen. Migranten, meest hindoes uit het zuiden, grepen de gelegenheid gretig aan en volgden het spoor van de toeristen. Het deed er niet toe dat ze nog nooit van Gilkamosh hadden gehoord of dat het in Indiaas gebied lag. In feite had de regering dat zelfs niet eens geweten tot ze er vanwege de rivaliteit met Pakistan een punt van maakte en de streek opeiste.

De dorpelingen hadden profijt van de migranten, van wie velen er bijzonder handig in waren geworden aan onoplettende westerlingen in drukke toeristische steden als Manali, Pushkar en Mumbai geld te verdienen. De familie Fahad was geen uitzondering. Naseems handel bloeide; hij leverde pasjminawol aan de nieuwe groep ambachtslieden en ondernemers. Een van deze nieuwkomers was Advani Sharma.

Advani en zijn vrouw waren vanuit de Indiase provincie Jammu naar Gilkamosh gekomen en hadden verscheidene fabrieksweefgetouwen geïnstalleerd om handgeweven sjaals, truien en omslagdoeken te produceren. In tegenstelling tot de meeste andere hindoemigranten was Advani niet onbemiddeld. Zijn voorouders waren pandits, leden van de kaste van bestuurders die meer dan een halve eeuw geleden naar Kashmir waren verhuisd om regeringsfuncties te bekleden toen dat nog een onafhankelijk prinsdom onder hindoebestuur was. Zijn afkomst getrouw zag hij eruit als een Indiase bureaucraat: welvarend rond het middenrif, kalend, besnord. En daar gedroeg hij zich ook naar. Hij had een joviale manier van doen, maar was opvallend geslepen.

Advani nam plaatselijke meisjes in dienst als weefster. Hoewel het loon bepaald niet overdadig was, hielp het inkomen dat ze daardoor verwierven veel gezinnen in Gilkamosh de eindjes aan elkaar te knopen. Voor de familie Fahad was het belangrijker dat Advani grote hoeveelheden wol van Naseem kocht, waardoor zijn handel minstens verviervoudigde. Advani had niet hoeven inkopen via een handelaar als Naseem. Hij had tegen een lagere prijs rechtstreeks van de geitenhoeders kunnen afnemen. Maar Advani was geen hebzuchtig mens en hij was op het gebied van politiek net zo ambitieus als wat zaken betreft. Hij besloot van Naseems diensten gebruik te maken omdat hij tot een grote clan van vermogende moslims in het dorp behoorde. Er ontstond een symbiose tussen de Sharma's en de Fahads. Naseem en zijn clan profiteerden (net als andere families, maar geen daarvan in zo sterke mate als die van Naseem) van Advani's bedrijf, terwijl Advani in de ogen van zowel hindoes als moslims een status van belangrijkheid verwierf.

Nieuwkomers als Advani merkten algauw dat Aisha Fahad niet zomaar een meisje uit het dorp was. Sinds ze op wonderbaarlijke wijze Sahibs leven had weten te verlengen, waren Aisha's genezende vermogens in het dorpsleven ingebed. Wanneer iemand in het dorp ziek werd deed men een beroep op Aisha. Ze aanvaardde die functie zowel uit plichtsgevoel als uit medeleven.

Aisha was zich voldoende bewust van haar beperkingen om erop aan te dringen dat patiënten met ernstige aandoeningen naar Srinagar of Leh werden gebracht om door een 'echte' dokter te worden behandeld. Of ze wilde, als de patiënten niet vervoerd konden worden, beslist dat er een dokter werd gehaald, in welk geval ze altijd als hulp aanwezig was. Ze leerde veel van die bezoeken, net als door haar zelfstudie, die indrukwekkend was, maar toch werd beperkt door de ontoegankelijkheid van medische literatuur. Wanneer dorpelingen een stad in Kashmir en omstreken bezochten, deden ze vaak moeite medische boeken of medicijnen voor haar te bemachtigen.

In de loop van tijd begon Aisha behalve puur fysieke kwalen – verkoudheden, koorts, snijwonden, enkelvoudige botbreuken en lichte aangeboren afwijkingen – ook problemen van meer psychologische aard te behandelen. Ze werd een soort therapeut voor de vrouwen van het dorp. Daardoor was ze veel volwassener dan andere meisjes van haar leeftijd. Ze had genoeg sappige kletspraatjes gehoord om de hardnekkigste dorpsroddelaarsters jaloers te maken. Ze kwam kostelijke pareltjes te weten, zoals welke echtgenoten niet met hun vrouwen sliepen, en welke vrouwen niets van hun man wilden weten, en wie van haar klasgenootjes nog in bed plasten. Ze was zelfs op de hoogte van smeuïge roddels, zoals van welke jongens de moeders vreesden dat ze neigden tot sodomie en welke mannen zich te buiten gingen aan 'Gilkamoshwater', illegale sterkedrank gestookt van moerbeien die voor moslims verboden was. Aisha bewaarde de vertrouwelijkheden van de vrouwen met intense waakzaamheid. Nooit liet ze een geheim uitlekken, hoe verleidelijk het ook was, en nooit maakte ze misbruik van wat ze wist, hoewel ze dat gemakkelijk had kunnen doen.

Tegen de tijd dat Aisha vijftien werd was ze van een bescheiden, verstandig meisje opgebloeid tot een adembenemende schoonheid. Vanwege haar steile ravenzwarte haar, doordringende groene ogen, welgevormde neus en slanke lichaam werd ze door de dorpelingen graag 'onze smaragd' genoemd. Maar de verering maakte haar niet verwaand. Integendeel, ze schonk er geen aandacht aan, misschien om het afschrikkende effect dat haar schoonheid, in samenhang met haar status van heldin, op het zelfvertrouwen van potentiële aanbidders had. De dorpsjongens hadden zelden de moed haar aan te spreken. Het was dan ook niet verrassend dat een buitenstaander, een leerling van de nieuwe madrassa, haar genegenheid won.

8

De nieuwe madrassa was naast de grootste moskee van het dorp gebouwd, tegenover de Shivatempel. Alle dorpelingen – moslims en hindoes – verwelkomden de school. Advani Sharma leidde als dorpshoofd
de inwijdingsplechtigheid, bijgestaan door de nieuwe *moellah* van de
moskee, moellah Yusuf, de belangrijkste leraar en hoofdmeester van de
madrassa. Advani hield een toespraak waarin hij Yusuf en zijn madrassa
prees als voorboden van de zo noodzakelijke geletterdheid van de plaatselijke jeugd en als symbool van de langdurige traditie van godsdienstige
verdraagzaamheid.

Het was een weinig opvallend gebouw, bescheiden van omvang, met
een klein kantoor voor de moellahs dat aan een groter klaslokaal grens-
de, waar de leerlingen op de grond zaten tijdens de dagelijkse lessen.
Niemand deed moeite om uit te zoeken hoe en waarom de madrassa er
ineens was gekomen, als door goddelijke bemiddeling, en niemand stelde vragen over de financieringsbron. Waarom zouden ze ook? Wie zou
op het idee komen een school die door een religieuze liefdadigheidsinstelling werd gedreven in twijfel te trekken?

Als de dorpsbewoners een meer dan gewone nieuwsgierigheid hadden gekoesterd naar de plotselinge verschijning, hadden ze het misschien vreemd gevonden dat de fondsen voor de school van islamitische
liefdadigheidsorganisaties uit Pakistan en Saoedi-Arabië afkomstig waren
– niet van de gebruikelijke groeperingen in Kashmir, of eigenlijk India –
en zouden ze mogelijk verrast zijn door de scherpe retoriek van de
nieuwe moellah. Ze zouden ook vraagtekens hebben gezet bij het tijd-
stip waarop de school was opgedoken. Bijvoorbeeld: waarom staken
deze madrassa en andere in Gilkamosh en naburige dorpen juist de kop
op in de tijd dat er weer iets in Srinagar leek te broeien?

Misschien waren de dorpelingen waakzamer geweest als de problemen die de Kashmirvallei tientallen jaren lang hadden geteisterd voor hen meer hadden betekend dan alleen maar geruchten van voorbijgaande aard die door de bergen waren komen sijpelen. Sinds de opdeling van het subcontinent in 1947, waarna de hindoe maharadja Hari Singh van het prinsdom Jammu en Kashmir de doorslaggevende beslissing had genomen zich met zijn voornamelijk islamitische onderdanen aan te sluiten bij het hindoeïstische India in plaats van het islamitische Pakistan, had Pakistan meer dan eens gewelddadig geprobeerd Kashmir van India los te rukken. Maar Gilkamosh was altijd ver buiten het bereik van beide staten gebleven en was volkomen afgesloten geweest van alle gevechten. Naar het idee van de dorpsbewoners waren ze geen Indiërs en geen Pakistanen, wat hun goed uitkwam.

Maar de stroom migranten bracht het wereldnieuws met zich mee, met inbegrip van nieuws over oplopende spanningen in de vallei. Politiek werd, voor het eerst, hét gespreksonderwerp tijdens het eten. Dorpelingen – volwassenen licht ongerust en kinderen met ontzag – keken toe terwijl konvooien Indiase troepen boven op angstaanjagende legervoertuigen door Gilkamosh heen begonnen te rijden, over wegen naar afgelegen voorposten van de Line of Control in het noorden. De dorpsbewoners raakten bedreven in het bespreken van de 'kwestie-Kashmir', en het Verenigde Front van Moslims, een door theocraten geleide islamitische partij met jeugdleiders die onafhankelijkheid van Delhi predikten, begon zelfs vertegenwoordigers naar Gilkamosh te sturen om steun te krijgen.

'Waarom moeten die onruststokers in ons dorp hun propaganda komen verspreiden?' vroeg Advani Naseem bezorgd op een avond bij de thee met *pakora's*. 'We zouden ze naar Srinagar terug moeten sturen. Samen met de nieuwe moellah.'

'Maak je geen zorgen, Advani,' zei Naseem. 'Gilkamosh is niet zoals de rest van India. De mensen hier hebben nooit om politiek gegeven. Er is geen reden waarom ze dat nu wel zouden gaan doen. En wat de moellah betreft – ik ben het met je eens dat hij een stokebrand is. Maar hij is geliefd, vooral bij de jongens van buiten. Hij doet veel goed door de jongens te leren lezen en schrijven. Dat is heel wat meer dan de Indiase regering voor ze doet.'

'Dat is waar,' stemde Advani in. 'De regeringsschool is te duur voor de armen.'

Naseem knikte. 'Alles is verdomme te duur, met dank aan die oplichters in New Delhi. Wij hebben er niet zo veel last van – wij zijn succesvolle handelaren. Zolang de toeristen komen zijn het goede tijden. Maar de geitenhoeders en de deelpachters krijgen niet genoeg mee van de bedrijvigheid. Ik zie de afgunst in hun ogen naarmate onze buik dikker wordt. Dat, Advani, voedt eerder de wrevel tegen India dan een of andere heethoofdige moellah die zedenpreken houdt en het over de terugkeer van het kalifaat heeft.'

Advani wreef zachtjes over zijn kale knikker alsof hij naar haren zocht, wat hij altijd deed wanneer hij zich zorgen maakte. 'Ja,' gaf hij toe, 'ongelijkheid kan een serieuze voedingsbodem zijn voor onrust. Maar er zijn altijd armen en rijken geweest in India – dat alleen drijft mensen niet tot waanzin. Je onderschat de macht van fanatici op de juiste plaats, mijn vriend. Hier zat je afgezonderd van de gruwelen van de scheiding. In Gujarat zijn twee van mijn ooms door hun buren in stukken gehakt. Mijn tante werd door een hele groep verkracht, ze sneden haar borsten af en lieten haar stervend op een veld achter. Ik ben naar dit paradijs hier gekomen om aan die geesten uit het verleden te ontsnappen. Ik hou van dit dal, deze bergen, de mensen die ik dien alsof Gilkamosh mijn geboorteplaats is. Ik ben helemaal voor tolerantie, Naseem. Maar wanneer mensen godsdienst en vrijheid in één en dezelfde zin gaan gebruiken, veranderen ze gemakkelijk in beesten.'

'Je maakt je te veel zorgen, Advani. We zijn geen Indiërs en ook geen Pakistani. Als relschoppers en politici ruzie willen maken over etiketten, laat ze. We weten wie en wat we zijn, en niemand van ons is van plan daarvoor bloed te vergieten.'

Naseem stak zijn arm uit en sloeg Advani met zijn brede sterke hand op de rug. 'We kunnen er toch weinig aan doen, mijn vriend,' zei hij. 'India is immers een democratie. De moellahs mogen zeggen wat ze willen.'

Advani zuchtte geërgerd en wreef opnieuw over de glimmende huid op zijn schedel. 'O, Advani, nog één ding,' vervolgde Naseem, terwijl hij zijn pet opzette. Advani keek naar hem op. 'Je hebt nog steeds geen haar.' Naseem grinnikte, zwaaide naar zijn vriend en liep de deur uit.

De tijd verstreek en Naseem leek gelijk te hebben gehad dat hij zich geen zorgen maakte. De politici preekten in de moskee en eisten afwerping van het Indiase juk en invoering van de fundamentalistische versie van de islamitische wetgeving. Niemand leek hen serieus te nemen, afgezien van enkele jongeren van een leeftijd waarop elke oproep tot rebellie als waarachtig geldt. En wat dan nog als moellah Yusuf zijn leerlingen leerde dat de *jihad* de zesde zuil van de islam was? Of dat hun armoede werd veroorzaakt doordat de hindoemigranten werk en land van de moslims stalen? De mensen van Gilkamosh dachten niet zo.

Er was geen reden te geloven dat één enkele moellah een hele geestesgesteldheid die berustte op een eeuwenoude cultuur van tolerantie kon veranderen. In Gilkamosh ging het leven verder, idyllisch en vredig als het altijd was geweest.

Dat kon niet worden gezegd van de Kashmirvallei. Sinds twijfelachtige uitslagen van landelijke verkiezingen in de jaren tachtig het schrikbeeld van stemfraude hadden opgeroepen, was de moslimjeugd in het dal ervan overtuigd dat ze onder het Indiase juk nooit een eerlijke kans zouden krijgen. Terwijl de Indiase democratie geen indruk op hen had gemaakt, deed de AK-47 dat wel. Op 31 juli 1988 verwoestte een bom het kantoor van de *Srinagar Telegraph*, een krant die pro-Delhi was, waarbij tientallen doden vielen. In de vallei was de opstand in Kashmir al begonnen.

9

Haar haren. Het zwart ervan maakte haar ogen lichter, soms turkoois, andere keren zuiver smaragd. Ze was te mooi om van deze wereld te zijn, dacht Kazim, ze was bovennatuurlijk, als de djinn waarover hij had gelezen in de Koran.

Op zijn vijftiende was Kazim Ullah Baig lang en mager, zijn lichaam strak gespierd. Zijn donkere baard, hoewel nog niet vol, zag er veelbelovend uit. Ondanks zijn opvallende uiterlijk was hij verlegen, en toch ook vastbesloten. Het soort kind dat de trap naar de moskee met twee treden tegelijk nam.

Kazims vader, Raza, was een geitenhoeder uit Passtu, een van de vele kleine gehuchten in de omgeving van Gilkamosh die alleen met elkaar verbonden waren door een oud netwerk van woeste voetpaden. Raza, zijn vrouw, Kazim en drie dochters leefden van geitenmelk en -yoghurt die ze zelf maakten, en de weinige groenten die ze konden telen op het kleine lapje grond achter hun lemen huisje. Van het moment dat de sneeuw smolt tot laat in de herfst dreven Raza en Kazim de kudde naar de hooggelegen weiden, waar ze met de andere mannen van hun dorp in stenen hutten woonden terwijl de vrouwen, die door Raza nogal werden verwend, achterbleven om voor het huis en de grond te zorgen, blij dat de mannen weg waren.

Toen Kazim acht was moest hij van de regeringsschool, omdat Raza zijn opleiding niet meer kon betalen en hem nodig had voor zijn kudde. Als Raza meer zonen had gehad, had hij Kazim misschien nog een tijdje kunnen ontzien. Mogelijk was hij dan ook opgehouden met werken. Helaas was het Raza's lot te werken tot hij dood tussen zijn geiten neerviel of doodgetreiterd werd door zijn feeks van een vrouw, die hij ondanks de raad van zijn buren niet durfde te slaan. Om die redenen was Raza bepaald niet enthousiast toen de vreemde, Urdusprekende moellah Yusuf hem op een dag bezocht en aanbood Kazim gratis te onderwijzen op de nieuwe madrassa in Gilkamosh.

'Waarom zou mijn zoon niet de hele dag samen met zijn vader hoeven werken? Dat heb ik ook gedaan, vanaf het moment dat ik kon lopen,' zei Raza vol minachting tegen de vreemde moellah.

Maar moellah Yusuf was een volhouder; hij kwam telkens terug om Raza met argumenten en zedepreken over te halen. 'Kazim is een pientere jongen,' slijmde de moellah. 'En hij wil het liefst van alles leren lezen. Daar zou je trots op moeten zijn.'

Raza sloeg zijn ogen ten hemel, maar hij wist dat de moellah gelijk had. Kazim gaf blijk van een ongebruikelijke nieuwsgierigheid naar de wereld. Hij bestookte zijn vader voortdurend met vragen over hoe alles in elkaar zat. Raza wist dat alle antwoorden zich in de Koran bevonden, maar hij was niet in staat die zelf te lezen, laat staan dat hij de wijsheid eruit op zijn zoon kon overdragen.

Moellah Yusuf herinnerde Raza eraan dat hij drie dochters had, die het zware werk konden doen wanneer Kazim er niet was. 'Allah heeft vrouwen geschapen om kinderen te baren en om te werken. Waarom zou je hen vertroetelen door ze thuis te laten zitten met niets anders te doen dan schoonmaken en koken? Stuur de meisjes de velden in en naar de weiden hier om met de geiten te helpen! Sleep ze er zo nodig aan hun haren naartoe!'

Uiteindelijk was voor Raza alleen de spirituele invalshoek reden om zich te laten vermurwen. 'Iedere man heeft de plicht om te leren lezen, zodat hij de Koran kan bestuderen,' vertelde de moellah bij diens vijfde bezoek aan zijn huis. 'Voor jou, Raza, is het te laat – want het verstand bevriest, net als water, in de winter van het leven. Hoewel jij het vermogen om te leren hebt verloren, bewijs je Allah de grootst mogelijke dienst door je zoon dat in jouw plaats te laten doen. Als je dat doet,' verklaarde de moellah, 'zal Hij je zeker genadig zijn en je toegang tot het paradijs verlenen op de Dag des Oordeels.'

Raza plukte aan zijn grijzende baard. Paradijs? De moellah zag eruit alsof hij daar alles van wist. Hij leek het toonbeeld van rechtschapenheid. Hij was geleerd en was een weldoener, met zijn lange eerbiedwaardige baard, zijn indrukwekkende littekens van zijn kin naar zijn oog en zijn gezaghebbende manier van spreken, die zijn woorden een morele zuiverheid verleende. Hij is heel overtuigend, die moellah Yusuf, gaf Raza stilzwijgend toe. Het vooruitzicht van een beter eeuwig leven bleef nadrukkelijk aanwezig in Raza's vermoeide geest en ten slotte zwichtte hij voor de wens van de moellah om zijn zoon te rekruteren, en die van zijn zoon om te leren.

Kort daarop liep Kazim elke ochtend naar school langs het lange, steile voetpad van Passtu naar Gilkamosh. Tot verrassing van Yusuf, die Kazim eerder had gekozen vanwege zijn brede schouders en zijn zware opvoeding in de bergen dan omdat hij enige verwachting had een intelligente leerling voort te brengen, was Kazims opleiding meteen succesvol. Zijn snelle geest nam de lessen in zich op als de uitgedroogde plateaus van Baltistan de septemberregens opslokten. Hij werd algauw de beste leerling van de school.

Daarbij werd Kazim, die de grootste jongen van zijn klas was, vanzelfsprekend als leider geaccepteerd, vanwege zowel zijn fysieke gestalte als zijn verstandelijke capaciteiten. Terwijl de andere leerlingen moeite hadden met lastige passages in de Koran en de Hadith, ging het uit het hoofd leren van de prachtige verzen Kazim gemakkelijk af. Hij was verrukt van het klassieke Arabisch en hij reciteerde het zo gepassioneerd en geïnspireerd dat zelfs de moellahs jaloers werden. Algauw verleenden de moellahs hem de eer de andere jongens voor te gaan in de lange sessies van het ochtendgebed.

Naast de gewone Koranlessen begon moellah Yusuf Kazim extra leerstof toe te wijzen, die ze na schooltijd bespraken. Kazim leerde alles over de heilige plicht van de jihad en de eer van het martelaarschap. Voor het eerst van zijn leven hoorde hij over de onderdrukking van moslims door ongelovige Indiërs in Kashmir. Die lessen vervulden Kazim met groot verdriet, want hij had nooit geweten dat er vlak voor zijn neus in zijn eigen vaderland genocide op moslims was gepleegd. Hoe had hij zo blind kunnen zijn? Kazims hart vond iets om zich mee bezig te houden. Niet alleen met Allah, aan wie hij zoals de moellah zijn vader had beloofd zijn tijd zou gaan wijden, maar ook met de vrijheid.

Moellah Yusuf was verrukt van het vermogen van zijn protegé om zijn lessen in zich op te nemen. Dat is iemand die we kunnen gebruiken, dacht hij, niet zoals die andere idiote, slome Kashmiri. Want Yusuf was de mening toegedaan dat Kashmiri, vooral bergvolk zoals de inwoners van Gilkamosh, de schaapachtige eigenschappen van hun alomtegenwoordige vee hadden overgenomen. Wat de moellah echter niet kon voorzien, was dat een sterke rivaal het spoedig in de strijd om Kazims toekomst tegen hem zou opnemen.

De eerste keer dat hij haar zag speelde Kazim cricket met een paar jongens uit zijn klas. Hij was weggerend om een bal te vangen die de roodharige Abdul, zijn beste vriend, een heel eind de straat door had geslagen, toen Aisha uit de poort kwam slenteren die van Advani's huis naar het centrum van het dorp leidde. Ze liep dwars door het cricketveld, absoluut niet onder de indruk van de jongens, die verstijfden zodra ze haar zagen. Toen Kazim bij de pitch terugkwam en merkte dat zijn vrienden zich vreemd gedroegen, draaide hij zich nieuwsgierig naar het onderwerp van hun starende blikken om.

Ook hij kon niet anders dan staren. Ze droeg de pastelblauwe rok van het openbareschooluniform en een lichtgroene trui. Ze had een waardigheid over zich die haar onbenaderbaar deed lijken. Haar gitzwarte haar leek vochtig te glanzen, en ze bewoog zich voort met ongedwongen gratie.

Terwijl Kazim daar in vervoering stond, merkte hij niet dat Abdul uit zijn eigen verlamming was gerukt. In een poging indruk op Aisha te maken sloeg Abdul krachtig tegen een bal die door een andere jongen werd geworpen, en richtte die op de provisorische wicket van opgestapelde stenen waar de verblufte Kazim zich bevond. Juist op het moment dat Kazims blik met die van Aisha verstrengeld raakte, trof de bal hem op de brug van zijn neus.

Voor hij het wist lag Kazim op zijn rug. Aisha's gezicht, een en al bezorgdheid, was zo dichtbij dat hij de warmte van haar adem voelde. Hij had het ondenkbare kunnen doen en met zijn hand haar wang kunnen aanraken als hij daar brutaal genoeg voor was geweest. Hij verwonderde zich over haar geur, haar gave huid, de smaragdgroene poelen van haar ogen. Ze bette zijn neus zachtjes met een zakdoek, en hoewel Kazim zijn zilte bloed proefde voelde hij helemaal geen pijn.

'Knijp je neus dicht om druk op het gescheurde weefsel uit te oefenen. Dat zal het bloeden stelpen. Hou je hoofd achterover... Ben je duizelig? Hoeveel vingers steek ik op?'

Kazim hoorde haar woorden, genoot van de warmte die erin doorklonk en van de fijne beweging van de lippen die ze vormden, maar hij begreep ze niet.

'O jee!' zei ze en haar stem klonk dringend maar beheerst. 'Kun je iets zien? ... Zeg iets tegen me.'

Net op dat moment kwam moellah Yusuf door het groepje jongens aangelopen. Hij was tegelijkertijd verrast en ontzet toen hij merkte dat er een meisje over Kazim, zijn beste leerling en klassenleider, gebogen zat. 'Wat is hier aan de hand?' bulderde hij.

Aisha was eraan gewend vertoon van ongerustheid van volwassenen te beschouwen als een psychologische toestand die geanalyseerd of behandeld moest worden, niet als iets waar ze bang voor hoefde te zijn. Ze antwoordde afstandelijk. 'Hij heeft een flinke klap gekregen. Hij heeft een bloedneus en misschien een hersenschudding. Als u me helpt hem naar binnen te brengen, zal ik hem meteen behandelen.'

Moellah Yusuf had direct zijn oordeel klaar over de intelligentie van het meisje: brutaliteit – vrouwelijke brutaliteit, het ergste soort. Er moest een voorbeeld worden gesteld.

'Blijf van hem af, jij ongesluierde slet!' snauwde hij haar met tastbare afschuw toe. 'Hoe durf je een van mijn jongens te bezoedelen met je aanraking!'

Geschokt keek Aisha naar de moellah op. Nog nooit had iemand op die manier tegen haar gesproken. Ze merkte de asgrijze kleur van zijn baard op, zijn gele tanden die door zijn afkeurende grimas zichtbaar waren en de diepe littekens vanaf zijn wenkbrauw over zijn wang. Hij leek haar een afschuwelijke, haatdragende, duivelse man. Hoewel ze niet bang was, voelde ze toch een niet te onderdrukken drang om uit zijn nabijheid weg te komen. Ze draaide zich om en liep kalm dwars door de kring jongens heen, het dorp door, regelrecht naar huis.

Daar sloot ze zich in haar kamer op en huilde, nadat ze zich ervan had vergewist dat niemand het zou merken. Ze huilde niet van woede of angst – want ze had geen hoge dunk van de getulbande tiran – maar van verdriet. Haar enige kans om indruk te maken op de nieuwe jongen met de lichte huid en droevige ogen die haar sterk aan haar kleine broertje Sahib deden denken, was mislukt. Ze had hem enkele dagen eerder in het dorp opgemerkt. Zelfs vanuit de verte had ze gezien dat hij een jongen was – de enig andere dan Sahib – wiens gezicht alle droefgeestigheid en lijden van de mensen in haar opriep. Toen ze dat in hem zag had ze geglimlacht, zonder echt te weten waarom.

Voor Kazim was straf onontkoombaar. 'Sta op!' schreeuwde moellah Yusuf voor de ogen van de andere jongens, waardoor hun afgunst jegens Kazim ineens belachelijk werd. 'Je moest je schamen! Je publiekelijk door een vrouw laten aanraken is al schandelijk... maar je blijft hier gewoon liggen en laat je als een watje verzorgen! Heb je geen eergevoel? Je hebt niet alleen jezelf te schande gemaakt, maar ons allemaal!'

Terwijl hij nog steeds Aisha's bloedige zakdoek tegen zijn neus drukte, krabbelde Kazim op. Moellah Yusuf sloeg hem hard in zijn gezicht en sleurde hem aan zijn oor de madrassa in. Binnen zette hij Kazim geblinddoekt met zijn gezicht naar de muur op een stoel en gaf de anderen opdracht hem te slaan.

10

'Ik heb hem in de rivier gewassen,' zei Kazim, 'en ermee over de stenen gewreven zoals ik mijn moeder dat heb zien doen. Ik heb denk ik te hard gewreven.'

Aisha hield de zakdoek die ze een week eerder had gebruikt om het bloed van Kazims neus te vegen omhoog. Er zat een groot gerafeld gat in het midden. 'Dat is niet erg. Mijn vader verkoopt stoffen. We hebben er genoeg.'

'O,' zei Kazim.

Aisha wachtte terwijl Kazim in het niets staarde, niet wetend wat hij verder moest zeggen. Uiteindelijk draaide ze zich om om weg te gaan.

'Weet je het zeker?' vroeg Kazim. 'Kan ik het op een of andere manier goedmaken?'

Aisha bleef staan. 'Doe niet zo gek. Het is maar een zakdoek. Ik gebruik er zoveel bij mijn werk.'

'Werk?' vroeg Kazim, zonder erbij na te denken.

Aisha keek hem verrast aan. 'Bedoel je dat je het niet weet?'

Natuurlijk wist Kazim van Aisha's unieke positie, maar zijn gewoonlijk spitse geest was afgeleid en nam haar woorden niet op.

'O, nou, ik denk dat je niet uit ons dorp komt,' zei Aisha. 'Ik ben — hoe zal ik het zeggen... Ik help de zieken. Ik ben geen dokter of zo, maar dat is gewoon wat ik doe.'

Er was een lange stilte terwijl Kazim over haar antwoord nadacht. Hij fronste. 'Dus daarom heb je het gedaan.'

'Wat gedaan? Je bedoelt dat ik ben gestopt om je te helpen toen die stomme jongen die bal in je gezicht sloeg? Natuurlijk deed ik het daarom. Wat dacht je dan?'

Kazim wendde zijn blik af. Hij was grootgebracht met het idee dat een man nooit zijn gevoel moest laten blijken. Maar tegenover Aisha voelde hij zich kwetsbaar en bedeesd.

'O, ik begrijp het,' zei ze. 'Je dacht dat ik stopte omdat ik je leuk vind?'

'Natuurlijk niet,' zei hij, terwijl hij voelde dat hij begon te blozen.

'Prima, want er is meer voor nodig dan een knap gezicht om te maken dat ik verliefd word. Ik moet een jongen eerst leren kennen voor ik de conclusie kan trekken dat hij geschikt is,' vervolgde ze, op het gevaar af schaamteloos te klinken. 'De school gaat over een uur uit. Misschien heb je zin straks met me mee te lopen naar huis? Als je wilt.'

'Wat?'

'Lopen. Je lijkt wel hardhorend.'

'Samen? Maar wat zullen de mensen daarvan denken?' vroeg Kazim.

Aisha haalde haar schouders op. 'Misschien denken ze dat je een patiënt van me bent. Wie kan dat nou iets schelen?'

'Moellah Yusuf, om te beginnen,' antwoordde Kazim bezorgd.

Aisha hoefde hier niet langer dan een seconde over na te denken. 'Ja, die zal waarschijnlijk de eerste, en de enige, zijn wie het iets kan schelen. Maar hij is niet de baas.'

Die ene wandeling naar huis werden meer wandelingen naar Aisha's huis, en vervolgens langere wandelingen, door de gemeentelijke rozentuin en door het dal langs de rivier en door het grasland met wilde bloemen en de hooggelegen weidevelden die op het dorp uitkeken. Het landschap kon de groei van het grootse gevoel dat ze in elkaars aanwezigheid ervoeren niet belemmeren. Ook de afkeurende blikken van moellah Yusuf konden hen niet scheiden.

De leegte die ze bij elkaar vulden deed hen vergeten dat ze het grootste deel van hun leven vreemden waren geweest. In Kazim vond Aisha de jongen naar wie ze sinds de dood van Sahib had verlangd, een knappe jongen in het lichaam van een robuuste man, die niemand nodig leek te hebben. Hij rook naar bergen en hard zwoegen.

Aisha's schoonheid trok Kazim net zozeer aan als haar onafhankelijke geest hem verbijsterde. In de besloten microkosmos van het gehucht in de bergen bestond er een duidelijke tweedeling tussen mannelijk en vrouwelijk met betrekking tot alle aspecten van het leven. Van het soort werk dat elke sekse kon doen tot de kamers in huis en de delen van het dorp waar mannen en vrouwen zich konden begeven tot de manier van kleden en van spreken. Elke sekse kende haar plaats en ze vermengden zich alleen in onbesproken, nachtelijke intermezzo's binnen het gesanctioneerde huwelijk, broeierige momenten van hartstocht die de jonge Kazim regelmatig uit de diepe slaap van een uitgeput, overwerkt kind hadden gewekt. In zijn kinderjaren waren ze beangstigend geweest, tijdens zijn puberteit wonden ze hem op. Die manier van leven was voor zijn volk altijd zinvol geweest en hij groeide op zonder dat in twijfel te trekken.

Maar Aisha leek niet belemmerd door de beperkingen die Kazim in verband had gebracht met alle andere vrouwen in zijn leven – zijn moeder, zusjes en nichtjes. Dat bleek uit de vrijpostige manier waarop ze zich tegenover moellah Yusuf had opgesteld op de dag dat ze Kazims neus had verzorgd en uit de grote achting die haar door de dorpsbewoners werd toegedragen vanwege haar rol als genezeres. Misschien was het daarom niet verrassend dat ze al spoedig geen acht sloegen op aspecten van hun eigen gedrag die buiten het wettige huwelijk als schandelijk werden beschouwd.

Op een zomermiddag enkele maanden na hun eerste ontmoeting zaten Kazim en Aisha op de rotsen aan de oever van de rivier onder een overschaduwd prieel van afhangende takken van populieren, vlak bij de plek waar Aisha op de dag dat Sahib was gestorven de verraderlijke stroom in was gelopen en Allah had vervloekt.

De boeren waren voor de hitte gevlucht en hadden de velden verlaten en hen alleen gelaten. Zilveren licht deed het water schitteren. Lange tijd zeiden ze niets, gooiden paardenbloemen in de rivier en vingen muggen in hun vlucht. Kazim wierp steelse blikken op Aisha en keek verwonderd naar de glanzende massa haar die zich als een oosterse waaier over haar schouders uitspreidde, en naar haar delicate kleine voeten toen ze met haar tenen in de koude rivier wiebelende.

'Er komt dit jaar erg veel water van de bergen,' zei Kazim treurig. Hij sprak alleen maar om de stilte te doorbreken, zonder te weten waarom er zo'n banale gedachte in hem opkwam. 'Wat denk je dat daar allemaal mee gebeurt?'

'Wat bedoel je?' vroeg Aisha, in de veronderstelling dat Kazim, die ze terecht als een snuggere jongen beschouwde, beslist het antwoord moest weten. Toen glimlachte ze warm naar hem. Kazims nieuwsgierigheid herinnerde haar aan Sahib. Ook hij stelde haar altijd vragen over hoe de wereld in elkaar zat, alleen maar om haar aandacht te trekken.

'Het stroomt naar de rivier de Jhelum, die op zijn beurt weer op de

Indus uitkomt, die naar de zee loopt, waar het zich vermengt met de wateren van de hele wereld. Dus je ziet dat ons water niet anders is dan ander water – het wordt allemaal deel van hetzelfde geheel.'

Kazim dacht hier even over na. 'Dat is volgens mij niet goed,' zei hij fronsend. 'Dat het van ons weg stroomt betekent nog niet dat het niet meer van ons is. Alles in Gilkamosh is anders dan overal elders. Ik denk dat je het op zijn reis kunt volgen, en je zou het weten: het blijft altijd water uit Gilkamosh.'

'Niets duurt eeuwig, Kazim. Het water gaat deel uitmaken van iets anders – een andere rivier, de oceanen, de wolken, de regen en de gletsjers en de sneeuw. Het verandert steeds. Het enige wat blijft in de wereld is verandering.'

Kazim peinsde over haar woorden. Hij wilde niets over verandering horen. 'Ik geloof dat niet. De dingen die belangrijk zijn veranderen niet. De waarheid verandert niet. Nooit.'

Aisha keek hem schuins aan, alsof ze ineens voor het eerst iets aan hem zag. 'Misschien heb je gelijk,' gaf ze toe. 'De waarheid moet, net als liefde, absoluut zijn. Of anders is ze vals en dus onwaar.'

Door haar woorden begon het hevig te bonzen in zijn borst, wat hij de laatste tijd wel vaker in haar aanwezigheid had gevoeld. Het leek alleen maar erger te worden naarmate hij meer tijd met haar doorbracht. De vorige avond was hij tot de conclusie gekomen dat het nooit weg zou gaan, tenzij hij haar vertelde dat het er was en dat zij degene was die het veroorzaakte. 'Aisha...'

Ze draaide zich om. 'Wat is er?' spoorde Aisha hem aan. 'Zeg het me alsjeblieft.'

Kazim kon haar niet aankijken. In plaats daarvan staarde hij naar haar spiegelbeeld in de zacht wervelende draaikolk aan zijn voeten. Hij zag de omtrek van haar bovenlichaam, gewaagd dicht naar hem toe gebogen. Hij voelde dat haar uitstraling de woorden uit zijn keel trok.

'Ik ben niet zoals jij, Aisha. Ik weet er niets van wat mensen horen te voelen... maar liefde is net als pijn... Een pijn die je in je voelt en die niet weggaat... Ik heb dat gevoel... dat heb ik voor jou.'

Bang dat hij zich verwijfd had gedragen sloeg Kazim zijn ogen neer. Hij trappelde zenuwachtig in het water, waarbij hij zandwolken veroorzaakte die snel in de stroom verdwenen. Hij had het gevoel dat het zand zijn ziel was en nu hij zijn gevoelens aan Aisha had onthuld, zou die weggesleurd worden en verloren raken in een oceaan ver weg, waar iemand anders hem de zijne zou noemen. De stilte leek oneindig en even dacht hij er-over te verdwijnen, weg te rennen van die plek, nooit meer iets tegen haar te zeggen. Hoe kon hij zo dom zijn om zijn hart bloot te geven?

En toen, zonder naar haar op te kijken, voelde hij haar warmte tegen zijn gezicht, het geluid van haar ademhaling boven het geraas van zijn eigen hart. Ze was maar een paar centimeter van hem vandaan en toch kon hij haar niet in de ogen kijken.

Toen deed ze iets ongelooflijks. Ze raakte zijn wang aan. Zachtjes bracht ze zijn hoofd naar het hare. Hoewel hij zijn ogen nog steeds krampachtig dichthield, voelde Kazim dat haar warme adem zijn kin kietelde en hij rook de zoete geur van haar haar. Toen haar vochtige lip-pen zich op de zijne drukten voelde hij een angstige neiging om zich terug te trekken. Maar langzamerhand vermengde de warmte van hun lichamen zich en trok hen dichter naar elkaar toe tot hun kus intenser werd. Ze botsten onhandig met hun tanden tegen elkaar, maar dat kon hun niet schelen, want op dat ene moment smolten alle gedachten aan henzelf weg, zodat ze allebei elkaars adem proefden en de wens van de ander kenden alsof het hun eigen verlangen was.

Toen ze zich van elkaar losmaakten heerste er een bedrukte stilte. Ze richtten hun ogen op de horizon, worstelend met de wetenschap dat ze iets hadden gedaan wat niet mocht, en dat hun leven nooit meer een-voudig zou zijn.

Het beboste valleitje bij de rivier werd hun geheime toevluchtsoord, waar ze samen vrij konden zijn van de beperkingen van een wereld die vereiste dat liefde een overeenkomst was voordat het een passie zou worden. Niemand dan zijzelf wist dat ze het zich hadden veroorloofd elkaar te kussen en het zou waanzin zijn het te vertellen. Ze genoten van hun overtreding met onuitgesproken vurigheid en beiden wisten, zon-der het te zeggen, dat ze erover zouden zwijgen tot in het graf.

Zelfs de tirades van moellah Yusuf konden niet op tegen de hartstocht die Kazim vervulde wanneer hij bij Aisha was. Maar de moellah was een geduldig mens. Hij wist dat hij de jongen voor altijd zou kunnen verlie-zen als hij nu tussenbeide kwam. En hij wist ook dat de tijd onvermijde-lijk de onschuldigen verbitterd maakte. Als hij op het juiste moment zijn troeven uitspeelde zou hij uiteindelijk zegevieren. Hij had zijn werk goed gedaan en had het zaad van de wrok diep genoeg in zijn jonge pupil geplant om ervoor te zorgen dat het na verloop van tijd zou ontspruiten.

11

Het hele dorp behandelde Aisha als een dochter. Net als bij iedere ouder had dat tot gevolg dat de dorpelingen het gevoel hadden dat ze het collectieve recht hadden Aisha's aanbidder goed te keuren en eigenlijk was dat ook het geval.

De dorpsbewoners waren beschermend ingesteld en aarzelden om Kazim te accepteren, ook al verlangden de kinderen nog zo naar elkaar. Ze waren tolerant, maar kleinsteedsheid was hun niet vreemd. Omdat hij uit een gehucht van buiten kwam, was Kazim een buitenstaander. De weinigen die zijn vader kenden bevestigden dat hij een goed moslim was, maar zeiden ook dat hij nogal zonderling was, of zelfs een lomperik. De dorpelingen fluisterden dat hun Aisha beter met een jongen uit Gilkamosh kon trouwen. De meesten waren waarschijnlijk jaloers, niet genegen hun hoop op te geven dat ze op een dag een van hun zoons zou kiezen.

Er was een vraatzuchtig exemplaar van de *Uncia uncia*, de sneeuwluipaard uit de Himalaya, voor nodig om hierin verandering te brengen. In de zomer waarin Aisha zeventien werd voelde een van deze katachtigen de drang af te wijken van zijn normale dieet van steenbokken, markhorgeiten en wilde marcopoloschapen. Sneeuwluipaarden hadden altijd hun deel van de tamme schapen, geiten en jonge jaks genomen, maar deze kat was wel bijzonder gulzig en plaagde de geitenhoeders onophoudelijk. Er werd echter weinig tegen de geitenpikker ondernomen tot hij zijn gastronomische strooptochten uitbreidde tot een nieuw – menselijk – niveau.

Ganu, het zoontje van Nabir Beg, een jongetje dat zelf niet veel groter was dan een volwassen geit, dreef in de schemering zijn vaders kudde van de weidevelden omlaag naar een met stenen muren omgeven kooi in de rivierbedding. Toen hij de dieren langs een smalle berm aan de rand van een bevroren waterval voerde, sprong de kat vanaf de rotsen boven op hem. Hoewel niemand getuige was geweest van het incident (de jongen had een pootafdruk op zijn rug als bewijs van de aanval), beweerde Ganu dat hij ternauwernood aan de dood was ontsnapt doordat het kabaal van een lawine de luipaard deed schrikken, net op het moment dat hij zijn tanden in de hals van de jongen wilde zetten. Waarschijnlijker was echter dat het beest geschrokken was door Ganu's schelle gegil, dat tot in alle uithoeken van het dorp te horen was geweest.

Dagen later ging een jachtgezelschap van vijf van de beste spoorzoekers op weg naar de onherbergzame toppen. Toen ze uiteindelijk terugkwamen konden ze niets anders laten zien dan wat zilverachtige plukken haar en een grote hoektand die uit het borstbeen van een halfverslonden geit was getrokken.

Nu het beest hen te slim af was geweest, wisten de radeloze dorpelingen niet meer wat ze moesten doen. Geitenhoeders ontstaken 's avonds vuren bij hun hutten en ouderen die bedreven waren in het werk van hun sjamaanse voorvaderen werden uit hun teruggetrokken bestaan gehaald. Ze wervelden rond op het ritme van trommels van geitenvel, vergoten plengoffers van moerbeiwijn en spraken bezweringen uit voor gegriefde berggeesten. Dit alles zeer tot afkeer van moellah Yusuf, die hen uitschold voor ongelovige heidenen. Toch bleef de luipaard op zijn gemak prooien bemachtigen en liet hij in de bergen een spoor van verminkte karkassen achter. Voor de bijgelovig ingestelden was deze 'Zomer van de Luipaard' een onheilspellend voorteken dat betekende dat de gelukkige, kalme jaren die Gilkamosh had gekend ten einde liepen.

Toen, op een heldere ochtend in de herfst, kwam Kazim het dorp binnenslenteren met een zilverachtige pels over zijn schouder om die te verkopen in de souvenirwinkel van Ashfaq Muhammad. Het dorp was uitgelaten.

'Hoe heb je de duivel gedood?' vroeg Ashfaq met glinsterende ogen.

'Met geluk, geloof ik,' zei Kazim en hij glimlachte mysterieus.

De mensen in het dorp wilden daar niets van weten. Er werd gezegd dat Kazim de luipaard met zijn blote handen de nek om had gedraaid nadat hij boven op hem was gesprongen. In een andere versie had hij de grote kat vijf weken lang gevolgd, tot in Baltistan en weer terug, totdat hij hem ten slotte op een berghelling had ontdekt. Het was te ver geweest voor een gericht schot, dus had hij heel slim boven het doel gevuurd, waardoor er een rotsblok omlaaggevallen was dat het beest had verpletterd. Weer een ander verhaal vertelde hoe Kazim de woeste kat had verschalkt door een geit met marmottengif te besprenkelen, waardoor het dier net traag genoeg was geworden om Kazim de kans te geven het recht in het hart te schieten.

Op het laatst maakte het niet uit hoe hij het beest had gedood. Hoewel het allerminst duidelijk was dat de pels van het dier in kwestie was, vonden er de volgende zomer geen slachtingen meer plaats. Kazim was een verlosser, zijn daad stond voor altijd in de dorpsoverlevering geschreven.

Ashfaq vulde de pels op en stelde hem tentoon in zijn winkel in de hoop toeristen te trekken. Onder de trofee zette hij een bord met de dramatische tekst MENSEN- EN DIERENSLACHTER — VERSLAGEN DOOR KAZIM, DE LUIPAARDDODER UIT HET DORP PASSTU.

Enige tijd later begon, in het kielzog van Kazims gestegen achting, Naseem diens verkering met zijn dochter serieus in overweging te nemen. De beslissing was waarschijnlijk eerder ingegeven door Naseems wens bij Kazims vader goedkoop aan wol te komen dan door de heldenstatus van de jongen. Naseem stuurde een van zijn zonen over de passen naar Passtu om Raza op de thee uit te nodigen. Hij nodigde ook Advani uit, Naseems beste vriend en vertrouweling. Advani was dorpshoofd en afgevaardigde, en aangezien Aisha het hele dorp aanging, was het verstandig hem erbij te betrekken.

De bijeenkomst verliep niet probleemloos. Raza leek verrast dat Naseem met een hindoe omging en bleef maar naar Advani kijken, niet wetend wat hij tegen hem moest zeggen. Maar na zijn aanvankelijke verwarring raakte Raza — een moeilijke prater met de verderfelijke gewoonte aan één stuk door hele pakjes ongefilterde Pakistaanse sigaretten te roken — meer op zijn gemak. Toch had zijn eenvoud iets ontwapenends en de onderhandelingen bereikten een hoogtepunt toen Raza ermee instemde zijn wol onder de marktprijs aan Naseem te verkopen. Raza deed dat niet zozeer uit zuiver zakelijke motieven, maar meer om zo'n geweldige vrouw voor zijn zoon te krijgen.

Zodra Raza was vertrokken, uitte Advani echter zijn bezwaren. 'Er zullen zich nog andere jongens aandienen, Naseem. Waarom blijf je niet wachten tot je weet wat er nog meer om de hoek komt kijken? Misschien is het iemand die beter bij je verstandige dochter past, uit een familie die meer overeenstemt met jouw status.'

Hoewel Naseem gewoonlijk grote waarde hechtte aan het oordeel van zijn vriend, voelde hij verwantschap met Raza vanwege diens nederige afkomst, die meer op die van hemzelf leek. Hij zag Advani's commentaar als kastegebonden snobisme, iets wat voor hindoes misschien aanvaardbaar was, maar een goed moslim niet betaamde. 'Voor Allah behoren we allemaal tot dezelfde kaste, Advani. Raza is van eenvoudige komaf. Maar van goede mensen,' zei Naseem tactisch.

Advani hield diplomatiek zijn mond, want hij was altijd de politicus.

Vanaf dat moment hadden de jongen en het meisje de zegen van het dorp. Ze brachten een jaar in elkaars gezelschap door, meestal in de afzondering van het prieeltje onder hun boom aan de oever van de rivier waar ze elkaar voor het eerst hadden gekust. Bij een van die gelegenheden, in een tijd dat Aisha dacht dat ze Kazim door en door kende, kwam er een sprankje bezorgdheid in haar op.

'Waarom gaat jouw vader om met die Indiër, die Advani?' vroeg Kazim geërgerd een paar maanden voor zijn achttiende verjaardag.

Aisha keek hem onderzoekend aan. Zijn stemmingen waren de laatste tijd nogal wisselend, vooral wanneer ze hem direct na afloop van zijn lessen zag. Ze had geprobeerd hem zover te krijgen dat hij vertelde waar zijn veelvuldige somberheid vandaan kwam, maar hij weigerde erover te praten. Die dag leek hij onrustiger en veel chagrijniger dan anders.

'Wat bedoel je? Hij is de vriend van mijn vader.'

'Hij hoort hier niet,' zei Kazim.

Onthutst wachtte Aisha even voor ze verder sprak. 'Hoe kun je dat nu zeggen? Hij doet alleen maar goede dingen voor dit dorp. Hij geeft mensen werk, zorgt dat ze te eten hebben.'

'Hij is een parasiet,' schimpte Kazim. 'Hij doet werk dat van ons zou moeten zijn. En hij loopt rond alsof het dorp van hem is, terwijl hij heult met die vette varkens in Delhi die ons vertellen wat we wel en niet mogen doen.'

Aisha keek hem vol ongeloof aan, niet in staat te doorgronden waarom iemand Advani kwade gevoelens kon toedragen. Het moest jaloezie zijn, besloot ze. Aisha had de afgelopen periode veel tijd besteed aan de verzorging van Advani's vrouw, Shanti, die kinkhoest had gekregen. De arme vrouw was er slecht aan toe, te ziek om zich te bewegen, en Aisha had elke dag naast haar bed gezeten en stoombaden voor haar gemaakt van kruiden die ze in de bergen had verzameld om haar benauwdheid te verlichten. Toch was het de eerste keer dat ze vijandigheid in Kazims woorden hoorde, en wat hij zei vond ze betreurenswaardig. 'Je hebt het mis wat hem betreft, Kazim,' zei ze, misschien wat al te stellig.

Kazims gezicht liep rood aan van boosheid. 'Jij denkt dat je zo slim bent,' antwoordde hij. 'Je haalt hoge cijfers op hun school. Je verzorgt ze wanneer ze ziek zijn, rent als een kip zonder kop rond. Maar je begrijpt het niet, hè? Zo slim en toch zo blind. Soms word ik er misselijk van. Ik vind het zelfs beschamend.'

'Wat moet ik begrijpen? Dit is mijn dorp. Het is mijn volk.'

'Ik ben jouw volk. Je ouders, die zijn jouw volk. Niet Advani.'

Aisha begreep waar hij op aanstuurde en het vervulde haar met droefheid.

'Nee, Kazim. Hij is geen moslim. Maar hij doet meer voor moslims dan de meeste moslims die ik ken. Waarschijnlijk meer dan jouw mentor, moellah Yusuf.'

'Wat weet jij nou van moellah Yusuf!' barstte hij uit.

'Niet veel,' gaf ze toe. 'Maar wat ik weet roept niet bepaald het verlangen in me op hem beter te leren kennen.'

Kazim raakte steeds heviger geëmotioneerd en moest uiteindelijk zijn gevoelens beteugelen om iets uit te kunnen brengen. 'Moellah Yusuf is een geweldige man! Hij is een *hafiz* en kent de hele Koran alsof hij in zijn hart gegrift staat. Hij heeft in de jihad tegen de Russen gevochten en heeft zo veel ongelovigen gedood dat hij de tel is kwijtgeraakt. Die goddeloze communisten hebben hem gemarteld. Daarom heeft hij dat litteken op zijn gezicht. Het is een erelitteken... Waag het niet ooit nog oneerbiedig over hem te spreken!'

Wat hij zei schokte Aisha. Ze had Kazim nog nooit zo horen snauwen. Ineens was hij een totaal ander mens geworden, een jongere uitgave van de maniakale moellah Yusuf.

Kazim merkte dat zijn woede haar plotseling ontzag inboezemde. Hoewel hij zich vaak ontwapend voelde door haar schoonheid, was hij nu onder de indruk van de manier waarop hij haar met zijn woede het zwijgen had opgelegd. Moellah Yusuf had gelijk, dacht hij. Hoe slim en trots een meisje ook was, of hoe betoverend haar charme, Allah verleende de man macht over de vrouw. Als Hij het anders had gewild, zou Hij de vrouw als de fysiek gelijke van de man hebben geschapen. Maar dat had Hij niet gedaan.

'Er gaat hier een heleboel veranderen,' zei hij. 'Binnenkort. Je zult het zien.'

'Ik wil niet dat er iets verandert.' Aisha richtte haar blik op de melk-achtige rivier, die er troebel uitzag. Dat was ongebruikelijk voor de tijd van het jaar. 'Ik vind het goed zoals het is.'

12

Haar hele leven had Aisha ervan gedroomd een echte dokter te worden. Maar als de op twee na jongste in een gezin met twaalf kinderen, en bovendien een meisje, had ze zich nooit voorgesteld naar de universiteit te gaan. Daarom was Aisha nergens op bedacht toen Advani, Naseem en enkele dorpsoudsten haar vlak voor haar achttiende verjaardag een verrassingsbezoek brachten.

Advani legde uit dat hij heimelijk de raad van oudsten bij elkaar had geroepen en dat ze tot een gezamenlijk besluit waren gekomen met betrekking tot Aisha's toekomst. Als blijk van dankbaarheid voor alles wat ze in de loop der jaren had gedaan om de dorpsbewoners te helpen, hadden alle families ermee ingestemd wat ze aan roepies konden missen te doneren en hadden genoeg lesgeld bij elkaar geschraapt om haar minstens twee jaar geneeskunde te kunnen laten studeren. Te zijner tijd zou Aisha erachter komen dat Advani had beloofd zelf het leeuwendeel te betalen vanwege de meelevendheid die ze had getoond voor zijn vrouw Shanti toen deze kinkhoest had. Maar de meerderheid van de families had iets toegezegd, zelfs enkele die eigenlijk niets konden missen.

'Geneeskunde?' Tranen van dankbaarheid welden op in haar ogen. Ze omarmde haar vader, die er nooit van zou kunnen dromen haar scholing zelf te betalen. Advani kondigde vol trots een dorpsfeest ter ere van Aisha aan. 'Slacht een geit! Slacht twintig geiten! Gilkamosh zal zijn eerste gediplomeerde dokter krijgen!'

'Maar wacht,' protesteerde Aisha. 'Ik moet eerst worden aangenomen. Bijna alle briljante studenten van India moeten elk jaar toelatingsexamen doen.'

'Klopt,' zei Advani. 'Er is veel competitie en je zult goede resultaten moeten halen bij het examen. Maar ik heb alle vertrouwen in jou, Aisha.

Ik heb met een vriend op de medische faculteit in Delhi gesproken. Hij zei dat ze een of twee plaatsen reserveren voor meisjes uit boerendorpen, en dat hij op basis van mijn aanbeveling een goed woordje voor je zal doen.'

De mogelijkheid haar droom te kunnen waarmaken deed Aisha sidderen van opwinding, en het genereuze besluit van de dorpelingen om haar collegegeld te betalen trof haar diep. Maar het behalen van goede examenresultaten leek nog te ver buiten haar bereik om al plannen te maken voor een verhuizing naar Delhi. Haar kleine school in het afgelegen Gilkamosh was niets vergeleken met de elitaire voorbereidingsscholen van het subcontinent, waar gegoede Indiërs hun kinderen praktisch vanaf hun geboorte klaarstoomden voor de toelatingsexamens. Wat voor kans maakte ze feitelijk in zo'n competitie?

En hoe moest het met Kazim? In het onwaarschijnlijke geval dat ze zou worden toegelaten, kon ze natuurlijk niet van hem verwachten dat hij naar Delhi zou verhuizen, een smerige massa beton die wemelde van dakloze armen, waar geen bergen waren of vee dat hij kon hoeden, en waar de lucht broeierig en bruin was van de smog. Wat voor werk zou hij kunnen vinden in een overbevolkte stad waar moslims een minderheid vormden die met achterdocht werd behandeld?

Haar gevoel voor eerlijkheid gebood haar Kazim over het plan van de dorpelingen te vertellen. Maar de vraag of ze, al dan niet samen met hem, naar Delhi zou gaan was zuiver hypothetisch zolang ze niet was aangenomen, en de gedachte dat ze zelfs maar zou kunnen overwegen hem achter te laten zou hem waarschijnlijk kwetsen. Waarom zou ze het onderwerp voortijdig aankaarten en spanning in hun leven veroorzaken terwijl er nog niet echt een beslissing genomen hoefde te worden? Het leek verstandiger en veel eenvoudiger om af te wachten wat er zou gebeuren. Dus reisde ze met haar vader naar Jammu, legde het landelijk examen af en stuurde haar inschrijvingsformulier naar Delhi zonder Kazim iets te vertellen.

Advani's vriend op de medische faculteit had hem gezegd dat er binnen vijf maanden een beslissing over Aisha's inschrijving te verwachten was. Nadat er zes voorbij waren gegaan zonder dat ze iets had gehoord, was Aisha ervan overtuigd dat ze was afgewezen. Het examen was moeilijk geweest en veel van de onderwerpen waren tijdens de lessen op haar school in Gilkamosh niet uitgebreid genoeg behandeld.

Na zeven maanden hoorde Advani eindelijk iets over de stand van zaken. 'Het spijt me, Aisha,' zei hij teleurgesteld. 'Gezien de tijdsduur zegt mijn vriend dat het er niet goed uitziet. Hij zegt dat de klas al vol is. De officiële afwijzingen zullen over een of twee weken worden verstuurd.' Advani piekerde en wreef over zijn kale hoofd. 'Misschien kun je het examen volgend jaar overdoen en proberen betere cijfers te halen.'

Ontmoedigd fronste Aisha haar voorhoofd. 'Ik weet het niet, Advani. Ik heb al zo mijn best gedaan. Ik zou er nog zoveel meer voor moeten leren.'

'Denk erover na. Je weet dat je het kunt. Ik zorg ervoor dat het aanbod van het dorp blijft gelden.'

Hoewel haar ouders en Advani erg van streek waren door het nieuws, voelde Aisha zich na de eerste golf van teleurstelling opgelucht. In de maanden dat haar inschrijving in behandeling was, waren Kazim en zij nader tot elkaar gekomen. Het vooruitzicht van een leven zonder hem had haar verontrust en haar bijzonder gespannen gemaakt. Ze had slapeloze nachten gehad en vaak had ze niets door haar keel kunnen krijgen. Als ze zou zijn aangenomen, zou ze onder hevige druk van haar ouders, Advani, zelfs het hele dorp, hebben gestaan om naar Delhi te gaan. Dat ze er niet in was geslaagd haar droom te verwezenlijken had een vreselijke last van haar schouders genomen.

De ochtend nadat Advani het slechte nieuws over haar kandidatuur had doorgegeven, werd Aisha vreemd duizelig wakker, alsof de wetenschap dat haar liefde voor Kazim nooit meer in gevaar zou komen door het gewicht van haar verantwoordelijkheidsgevoel haar dronken had gemaakt. Haar hele jeugd, sinds ze de zorg voor haar zieke broertje op zich had genomen toen ze zeven was, was ze altijd een genezeres geweest – een vertrouwelinge van volwassenen met een venster op hun wereld – maar nooit meer kind. Die dag voelde ze zich voor het eerst van haar leven doordrongen van de zorgeloze lichtheid een meisje te zijn.

Later die middag zagen ze elkaar na school bij de rivier. Een zwarte donderwolk dreef plotseling over de bergspitsen naar het noorden en overviel hen. Toen de bui dichterbij kwam, viel er een gordijn van regen in rechte grijze lijnen omlaag en raasde met grote snelheid over de bodem van de vallei. De stortvloed kwam recht op hen af terwijl ze doelloos op hun geheime plek aan de rivieroever zaten, maar het kon hun niets schelen. Sinds hun eerste kus waren ze tot het inzicht gekomen dat het aan hen was de hele wereld af te wijzen. En nu kon niets, zelfs niet de gekartelde bliksemschichten die de ontoegankelijke pieken geselden, hun besluit om alles uit te dagen ongedaan maken.

Een muur van regen kwam over de gezwollen rivier naderbij, het geluid van de neerkletterende druppels opvoerend in een woest crescendo. Ze hadden een gevoel alsof ze voor een aanstormende trein stonden, maar door de angst voor de klap nam hun opwinding alleen maar toe. Met de hoogmoed van de jeugd lachten ze in het aangezicht van de storm. En toen, net op het moment dat de muur van regen en wind hen trof, begonnen ze elkaar te kussen, giechelend onder het spel van hun lippen. In het gewoel van donder en regen en hun eigen wilde vervoering streelde Kazims hand Aisha's borst. Eerst onopzettelijk — de rug van zijn hand kwam tegen het vlees onder de dunne, doorweekte stof van haar blouse toen hij midden in hun onbeheerste lachbui zijn best deed zijn mond op de hare te houden.

Aisha kreeg een tintelend gevoel, alsof er een elektrische prikkel door haar huid ging. Ze week terug, haar mond licht geopend. Kazim merkte dat ze nerveus was en hield op. Maar onverwachts draaide ze zich weer naar hem toe, drukte haar borsten tegen hem aan; haar dijen duwden tegen de zwelling tussen zijn benen. Hun gelach bedaarde toen hun monden elkaar weer omsloten, draaiend, kronkelend, en ze proefden het regenwater dat van hun lippen stroomde terwijl het zware gebulder van de rivier en de kletterende regen alles overstemden behalve het geluid van hun ademhaling. Toen, op het moment dat het leek dat ze geen andere keus hadden dan de hoek naar het ondenkbare om te slaan — op verboden rotsen voorgoed een smet op hun leven te werpen — hield het ineens op met regenen.

Opgeschrikt door deze plotselinge gril van de natuur trokken ze zich terug. Aisha's zwarte haar droop van de regen, haar gezicht vertoonde een diepe blos. Toen ze sprak trilde haar stem en klonk ze schor. 'We kunnen beter gaan. Voor het opnieuw begint.'

Ze aarzelden een ogenblik, alsof ze allebei hoopten dat de ander bezwaar zou maken. Ze bleven even wachten voor ze naar een rij populieren aan het andere eind van de ondergelopen oever begonnen te rennen. Om onverklaarbare redenen versnelden ze hun gang, tot ze renden alsof ze werden achternagezeten door iets wat machtiger was dan de storm of wat dan ook waarmee Moeder Natuur hen maar kon overvallen. En terwijl ze renden kon Kazim het niet laten naar Aisha's borsten te kijken die op en neer deinden onder de plakkende stof van haar natte kamiz. Hij bekeek vol verbazing elke stap van haar lange, naar beneden taps toelopende benen en de donkere kringen van haar kleine tepels die zichtbaar waren onder het natte katoen.

Toen ze de beschuttende bomen bereikten regende het weer, maar nu zachter. Ze schuilden onder abrikozenbomen, hijgend van het lopen. De bomen waren hun vruchten allang verloren, maar de bladerkroon bood genoeg beschutting tegen de regen en wekte de indruk dat wat ze ook deden onder de boom, waar ze zich maar aan waagden, hun geheim zou zijn. Het vocht dat zich onder de takken had verzameld vermengde zich met het zweet uit hun poriën. De zoete geur van hun transpirerende lichamen ging op in de lucht van natte leem. Er hing een grijsgroene schemering. Het was het hete seizoen en de onstuimige lucht wervelde tussen de takken door en bracht de muffe geur met zich mee van verschroeide hooivelden die door de regen waren doordrenkt.

Terwijl ze aan de storm buiten waren ontsnapt, werden ze algauw geconfronteerd met een andere, die nog meedogenlozer was. Kazim, wiens gezicht werd overschaduwd door ongerustheid, worstelde om weerstand te bieden aan ongewone gevoelens – een fysieke pijn die hem op zijn grondvesten deed schudden, een pijn die hij zo lang had bedekt met een laagje goede manieren. Hij pakte haar beet bij haar natte haar en trok haar gezicht tegen zijn borst. Ze duwde hem van zich af, maar tegelijkertijd kon ze niet voorkomen dat haar lippen zich openden om het zout op zijn borst en hals te proeven. Kazim was verrast te merken dat zijn vrije arm onder haar kamiz gleed en weer de soepele ronding van haar borst vond, nu vochtig van het warme regenwater, tot zijn vingertoppen haar hard geworden tepels aanraakten.

'Dit moeten we niet doen,' zei ze. Ze bood weerstand, maar tegelijkertijd leidde ze onwillekeurig zijn hand, die een lijn volgde van het midden van haar buik over haar navel, waar hij friemelde om het koord om haar middel los te maken. Hij legde haar op de grond en terwijl hij boven haar knielde trok hij haar natte broek van haar heupen. Het was allemaal nieuw voor Kazim, want niemand had hem ooit iets verteld over het mysterie dat zich ineens, onverwachts, aan hem ontvouwde.

Maar Aisha, die ingewijd was in zo veel intimiteiten in het leven van de dorpsvrouwen, begreep het heel goed, hoewel zelfs alle roddels en smakeloze onthullingen haar niet hadden kunnen voorbereiden op de opwinding die nu door hun lichamen kronkelde. Ze wist ook dat ze hem niet verder kon laten gaan, hoe hevig ze er ook naar verlangde dat hij dat deed, want de gevolgen van de daad waren zodanig dat ze haar voor altijd zouden bezoedelen. Maar zelfs terwijl ze hem met haar gebalde vuisten op de rug sloeg en haar tranen zich vermengden met de regen die door de takken drupte, merkte ze dat ze hem naar binnen leidde, zich verwonderend over de opluchting die ze door het verdriet heen voelde. Sinds haar kindertijd, toen ze had gehuild bij het bleke lichaam van haar broertje Sahib die levenloos in zijn hangmat lag, had ze gezworen dat ze verdriet altijd zou bestrijden. Op dat moment, toen Kazims hartstocht een nieuwe weg in haar volgde, had ze haar leven ervoor opengesteld.

Naseem en Fatima hadden uren in kleermakerszit op de vloer bij elkaar gezeten, nauwelijks in staat zich te beheersen, toen Aisha eindelijk stilletjes het huis binnenkwam. Haar wangen leken te blozen in het licht van de kerosinelamp, terwijl haar zwarte haar in de war zat en droop van de regen. Naseem nam haar van een afstand op, terwijl ze zachtjes naar de vrouwenvertrekken schuifelde, voor hij – een boom van een man – opstond en haar tegenhield.

Aisha zag de lange gestalte van haar vader uit de schaduw opdoemen en ze verstijfde. Hun blikken raakten gefixeerd. Terwijl Naseem haar indringend aankeek, wendde hij zijn hoofd af. Langzaam maar zeker fronste hij zijn wenkbrauwen, eerst ten teken van afkeuring, toen van woede.

Aisha begon te trillen. Met het gevoel dat ze flauw ging vallen zakte ze op haar knieën. Allah zij me genadig, bad ze inwendig. Hij weet het!

Geschokt sloeg ze haar hand voor haar mond. Een boer moest hen onder de bomen hebben gezien en het Naseem hebben verteld. Of een klasgenoot van Kazim, waarschijnlijk de roodharige Abdul, was hen gevolgd en had hun in zonde verstrengelde naakte lichamen bespied. Ongetwijfeld zou Abdul, van wie ze vermoedde dat hij jaloers was, het in het hele dorp hebben rondverteld, alleen maar om haar vernederen.

In elk geval was haar leven nu voorbij. Doordat ze voor de ogen van het dorp had bewezen onkuis te zijn, had ze niet alleen zichzelf geruïneerd, maar ook de eer van de hele Fahadclan bezoedeld. De naam van haar familie zou nooit meer kunnen worden gezuiverd, behalve volgens een meedogenloze stamtraditie die – hoewel weinigen in Gilkamosh dat zouden willen toegeven – in bepaalde kringen nog steeds bestond: door haar dood, eigenhandig of door toedoen van een familielid. Aisha begon te huilen.

Toen Naseem zijn dochter zag huilen, zuchtte hij diep. 'Advani kan naar de pomp lopen,' bromde hij. 'Ik ben je vader, niet hij! Ik zal hem eens goed duidelijk maken dat ik het je als eerste wilde vertellen!'

Aisha werd in verwarring gebracht door haar vaders woorden, maar haar tranen bleven onafgebroken stromen toen Fatima op haar af kwam en haar vingers door haar vochtige haar haalde. 'O, Naseem,' zei ze, 'Advani voelde zich waarschijnlijk zo vreselijk dat hij zijn vergissing zo snel mogelijk wilde rechtzetten. Denk eraan, dit was zonder hem nooit mogelijk geweest.'

Fatima pakte Aisha's handen vast en trok haar omhoog. 'Ga eens fier rechtop staan, dochter. Net als de lievelingsvrouw van de profeet naar wie je bent genoemd.'

Aisha deed wat haar werd gezegd. Toen ze stond, zag ze dat haar moeder ook huilde.

'Nou... Ik zie dat vreugdetranen erg besmettelijk zijn,' zei Naseem.

Aisha draaide zich om naar haar vader. Naseem glimlachte terwijl hij met zijn wijsvinger in zijn oog wreef. 'Ik wist dat Advani's vriend er het laatste woord nog niet over had gezegd,' zei hij.

Fatima kneep in Aisha's handen. Aisha keek haar alleen maar aan.

'Ik zal je zo missen, Aisha,' zei Fatima, terwijl de tranen nu vrijelijk over haar wangen stroomden. 'Maar ik ben zo trots op je. Een echte dokter.' Fatima schudde ongelovig haar hoofd. 'Wie had gedacht dat zoiets mogelijk zou zijn voor een meisje uit Gilkamosh? Ik wist dat je zou worden aangenomen. Ik zei het al tegen je toen je nog maar tot mijn navel reikte: het is Allahs wil... Dat is het altijd geweest.'

13

Kazim kreeg pas een paar dagen nadat Aisha had gehoord dat ze was aangenomen lucht van het plan van het dorp om haar geneeskunde te laten studeren, toen moellah Yusuf er tijdens een les over begon. Als iemand anders zo venijnig en denigrerend had gesproken over het meisje van wie hij hield zou hij razend zijn geweest.

Maar de moellah was een principieel mens. Hij moest zich wel tegen godslastering uitspreken wanneer hij die ergens constateerde. Kazim moest hem daarom respecteren, ook al troffen de woorden van de moellah hem diep.

Wat moellah Yusuf betreft gaf het voorval hem net wat hij nodig had om tot de ziel van de jonge Kazim door te dringen en die voor zich op te eisen.

'Zie je hoe onwetend ons volk is geworden? Dat gebeurt er wanneer moslims zich door een ongelovige laten leiden. Weer zijn de moslims in Kashmir afgezet door de hindoes. Maar dit keer is het gevolg veel ernstiger dan bij gewone diefstal. De moslims van ons dorp is niet alleen geld afhandig gemaakt – moge Allah hun hun domheid vergeven – maar hun islamitische principes zijn hun afgepakt... het weefsel van hun ziel!'

Moellah Yusuf zweeg even, stil knikkend, terwijl de leerlingen mompelden en onrustig zaten te schuifelen. 'Hoe heeft de ongelovige hindoe dit gedaan, vraag je je af,' vervolgde hij. 'Niet door gewelddadige beroving, zoals gewoonlijk het geval is. Niet door zich onze zaken toe te eigenen, ons land in te pikken, exorbitante belastingen te heffen of onze boeren en arbeiders een hongerloontje te betalen. Nee, die hindoe Advani heeft het met zijn fluwelen tong gedaan – de bedrieglijke, gespleten slangentong van een hindoepandit. Met dit wapen heeft hij die zwakbegaafde dwazen overgehaald om hun zuurverdiende spaarcenten – geld waarmee ze hun familie zouden moeten onderhouden, hun kudde zouden moeten uitbreiden of *zakat* zouden moeten betalen ten gunste van de armen – weg te gooien. En waarom geven ze zo gemakkelijk hun gekoesterde appeltje voor de dorst weg op verzoek van de ongelovige? Om een moslimmeisje, met wie hij ongetwijfeld ontucht wil bedrijven, naar een door ongelovigen geleide opleiding te sturen om dokter te worden. Dókter...? Waar is hun morele besef gebleven?' schreeuwde de moellah sidderend van woede, terwijl hij een staat van hevige opwinding begon te bereiken. 'Heeft dan geen van hen nog gewetensbezwaren in zijn suffe schapenhersenen! Hoe kan een zichzelf respecterende moslim zoiets goedkeuren: een vrouw toestaan haar ogen over het naakte lichaam van duizenden mannen te laten gaan, ze aan te raken, zelfs hun genitaliën te betasten! De vromen hebben hier een naam voor: prostitutie!'

Moellah Yusuf hield op om op adem te komen en de druppels schuimig speeksel van zijn lange warrige baard te vegen. Hij keek zijn leerlingen onderzoekend aan, terwijl ze daar in kleermakerszit in stilzwijgende vervoering op de vloer zaten. Allemaal met wijd opengesperde ogen, gretig naar meer, behalve een: Kazim. Yusuf was verheugd te zien hoe de uitdrukking van zijn veelgeprezen pupil van geschokt veranderde in iets donkerders, diepers.

'De plaats van de vrouw is in het gezin,' vervolgde hij en hij bracht zichzelf tot bedaren zodat hij een nieuw crescendo kon opbouwen. 'Haar verplichtingen zijn haar vader te dienen tot het huwelijk en daarna om haar echtgenoot en zijn zonen te dienen. Dat is de heilige plicht van de vrouw, haar verleend door Allah. Ze kan die niet ontwijden door de wereld in te gaan en tussen mannen te gaan werken. En zeker niet om hun naakte vlees te onderzoeken en te betasten! Een vrouwelijke dokter is een belediging van Allah. Ze is net zo ontaard en onrein als een hoer!'

Moellah Yusuf liet zijn ogen op Kazim rusten, terwijl hij met zijn vinger de lucht doorkliefde en bulderde: 'Iedere man die zijn vrouw toestaat zo'n verfoeilijk pad te volgen verloochent de wil van de Almachtige! Hij zal de pijnlijke dood van een verrader sterven en voor eeuwig branden in het heetst van de hel, samen met de corrupte, door de wormen aangevreten lichamen van de meest gehate vijanden van de islam!'

De stem van de moellah weergalmde tegen de muren, tot er een overweldigende stilte ontstond. Toen barstte de klas, na een korte aarzeling, uit in een overdonderend applaus.

Terwijl Kazim zichzelf dwong met de anderen mee te klappen, keek hij omlaag om moellah Yusufs blik te ontwijken, die hij door zich heen voelde boren. Hij bewonderde zijn leraar meer dan wie dan ook en net als de andere leerlingen ontkwam hij er niet aan zich geïnspireerd, soms verlamd, te voelen door de heftigheid en hartstocht van de schimpredes van de moellah. Zelfs deze keer.

Maar hij had de Koran eindeloos vaak gelezen en had nergens zien staan dat het vrouwen verboden was te werken. Het Heilige Boek zei dat vrouwen bescheiden moesten zijn en hun man moesten gehoorzamen en geen overspel mochten plegen of op andere wijze hun huwelijk in opspraak brengen. Maar het zei veel van dezelfde dingen over mannen. Zou moellah Yusuf ook mannen de gelegenheid ontzeggen om dokter te worden? Waren kwesties als afscheiding van India, gelijke rechten voor moslims en vereniging met de andere Kashmiri aan de overkant van de Line of Control niet veel belangrijker dan vrouwen thuis opgesloten te houden? Maar bij moellah Yusuf waren de grotere onderwerpen die Kazim in vervoering brachten altijd misleidend verpakt in termen van moraliteit en zonde.

'Kazim! Luister je wel?'

'Ja, moellah,' antwoordde Kazim, in gedachten verzonken.

'Wat heb ik dan gezegd? Vooruit, zeg het maar!' drong hij aan, eropuit de jongen te straffen.

'Het is voor een vrouw een zonde om dokter te worden... Het is een zonde voor een vrouw om te werken... Het is een zonde voor een vrouw om zonder boerka over straat te gaan...' Kazims stem werd luider, gloedvoller, terwijl hij de tirades van de moellah uitspuwde. 'Het is een zonde voor een vrouw te praten met een man die niet haar echtgenoot is! Het is een zonde voor een man om een vrouw aan te raken die menstrueert! Dat zijn allemaal zonden! Allemaal zonden!' Kazim sloeg met zijn vuisten op de vloer en sprong op. Er sprak heftige geestdrift uit zijn ogen.

Een dodelijke stilte viel over de madrassa. Verbluft bleef de moellah zwijgend voor Kazim staan. Toen, na enkele lange ogenblikken, brak er een zelfvoldane glimlach door op zijn gezicht. Een zegevierende glimlach.

'Goed... heel goed, mijn jongen... Je bent veelbelovend.'

Hoewel Kazim het niet eens was met moellah Yusufs smaadrede, had Aisha's verraad hem tot slechts een leeg omhulsel gemaakt van de zelfverzekerde jongeman die hij een paar dagen eerder nog was geweest. Hij was er zeker van dat er een duidelijke afspraak om te trouwen tussen hen was. Hij wachtte alleen op het geschikte moment, wanneer hij zich een naar zijn idee onmiskenbaar veelbelovende positie zou hebben verworven, voordat hij Naseem om haar hand zou vragen. Nu had hij van iemand anders vernomen dat ze de hele tijd plannen had gehad om hem te verlaten, zelfs terwijl ze zich zo overtuigend aan hem had gegeven. Blijkbaar was zijn liefde niet goed genoeg voor haar, zelfs niet om alleen maar haar respect te verdienen. Ze had hem voor schut gezet. En door dat te doen had ze zijn trots gekrenkt, die hem bij de pijnlijke overgang van jongen naar man dierbaarder was dan het leven zelf.

Kazim ontliep Aisha drie hele dagen, terwijl zij wanhopig Gilkamosh en de omliggende weidevelden afzocht voordat ze hem wist op te sporen.

Oktober. De heldere lucht was volkomen onbeweeglijk. Ze stapten stevig door over het pad dat de berghelling boven het dorp doorsneed en uitzicht bood over de hele vallei aan beide zijden van de meanderende rivier. De boomgaarden waren bedekt met een laagje versgevallen sneeuw, de takken van de fruitbomen, zwaar en bevroren, bogen door naar de aarde. Aisha en Kazim hadden hier al dwalend vele avonden doorgebracht, terwijl ze over hun toekomst praatten. Maar die dag heerste tussen hen de stilte van een impasse tussen twee mensen die allebei weten dat de ander iets gaat zeggen wat grote gevolgen zal hebben.

Uiteindelijk kon Kazim het niet langer uithouden. 'Ik kan het niet geloven, Aisha!' schreeuwde hij. 'Wat ben jij een hypocriet! Hoe kon je het voor me verzwijgen? Beteken ik dan niets voor je?'

Aisha trok diepe rimpels in haar voorhoofd toen ze bevestigd kreeg wat ze al had vermoed: dat hij erachter was gekomen dat ze op de universiteit was aangenomen. Haar ogen smeekten hem om vergeving. Maar misschien omdat ze voelde dat ze die niet verdiende bleven haar woorden in haar keel steken.

Kazim pakte haar stevig bij haar elleboog. 'Ik wil verdorie antwoord! Kijk me aan. Zeg me waarom je me nooit hebt verteld dat je me zou verlaten en naar Delhi zou gaan!'

Aisha keek op. 'Omdat ik dat niet doe.'

Verward keek Kazim haar van opzij aan. 'Wat bedoel je, dat je niet gaat? Je hebt altijd dokter willen worden. En het is wat ze willen... wat ze verwachten.'

'Dat weet ik. Daarom heb ik het zover laten komen. Ik heb er een rommeltje van gemaakt. Het spijt me, Kazim, alsjeblieft. Ik heb het je niet verteld, nou... omdat ik dacht dat ik toch niet zou worden aangenomen.' Aisha drukte haar hand tegen zijn borst. 'Ik hou van jou, Kazim. En als ik ga en jou kwijtraak, ben ik liever dood.'

Kazims blik verzachtte. De afgelopen drie dagen, toen Aisha hem had proberen te vinden, had hij zich erop voorbereid dat hun wegen zich zouden scheiden. Aisha's andere keuze – bij hem blijven in Gilkamosh – was nooit als mogelijkheid in hem opgekomen. In zijn zelfmedelijden had hij haar gevoelens onjuist beoordeeld en zichzelf te laag gewaardeerd. Hij wendde zich van haar af, bang in verlegenheid te worden gebracht doordat er een traan uit zijn oog kwam rollen.

'Kazim...' Ze pakte hem bij zijn bovenarm, legde haar hand op de stevige biceps. Hij keek er vluchtig naar, bang dat ze door hem vast te houden zijn innerlijke besluit ongedaan zou maken. Tranen begonnen langs Aisha's gezicht te stromen. 'Zeg iets tegen me, Kazim, alsjeblieft! Zeg me dat je blij bent dat ik blijf.'

Kazim tuurde over het met sneeuw bedekte dal. Geiten zochten op de berghellingen naar voedsel, onder de sneeuw neuzend naar groen. Een herdersjongen die een lammetje stevig vasthield rende terug naar zijn kudde. Hij zag in de jongen iets van zichzelf, tien jaar terug, en het vervulde hem met weemoed. Alles was nu veel ingewikkelder. Het leven was niet langer een kwestie van zijn vaders kudde hoeden, verliefd worden en kinderen krijgen. Er waren principes en idealen waarvoor je moest vechten. De strijd had de Kashmirvallei al bijna bereikt. Echte moedjahedien waren al bezig de Indiase troepen aan te vallen. Soms vervulde alleen al de gedachte eraan hem met uitzinnige trots.

Telkens weer had hij in gedachten gerepeteerd wat er zou gaan gebeuren. Zij zou hem vertellen dat ze wegging naar Delhi en hij zou doen alsof het hem niks kon schelen. Maar nu Aisha een onverwachte keuze had gemaakt, ging niets zoals hij het zich had van tevoren voorgesteld. Inmiddels had hij besloten een hogere roeping te volgen. De afspraken waren al gemaakt. Het was te laat om er nu nog iets aan te veranderen.

'Ik hou ook van jou, Aisha. Ik wilde de eerste keer dat ik je zag al met je trouwen.'

'O, Kazim, alsjeblieft… Laten we het meteen doen!'

'Nee,' onderbrak hij haar. 'Dat probeerde ik niet te zeggen.'

'Wat dan wel?'

'Je moet naar Delhi gaan, Aisha.'

'Wat…? Ga je met me mee?' Er sprankelde hoop in haar ogen.

'Alsjeblieft, luister naar me. We kunnen later samen zijn. Wanneer je klaar bent.'

'Dat kan nog vijf jaar duren. Zou je zo lang willen wachten?'

Kazim knikte somber.

'Maar… ik wil niet wachten, Kazim,' zei ze met wanhoop in haar stem.

'Je zult wel moeten. Zelfs als je in Gilkamosh zou blijven, zou je wel moeten.'

'Wat bedoel je?'

'Ik ga ook weg,' zei Kazim. 'Ik kan niet zeggen waarheen. Ik zal lange tijd wegblijven.'

'Kun je niet zeggen waarheen? Waarom dan niet?'

'Je zou het niet begrijpen,' antwoordde Kazim.

'Luister, ik weet dat het niet aan mij is om te klagen. Maar als ik jaren moet wachten voordat ik je vrouw kan worden, zul je me op z'n minst moeten vertellen wat je tot die tijd gaat doen.'

Hij dacht na. Ze had gelijk, hij kon het niet geheimhouden. Niet voor zijn geliefde. 'Je moet me zweren dat je het nooit aan iemand zult vertellen. Dat meen ik.'

Ze zweeg, verbijsterd. 'Ik bewaar altijd zo veel geheimen van andere mensen. Dat van mijn toekomstige echtgenoot kan ik beslist voor me houden.'

'Het is niet zomaar een geheim. Als je het doorvertelt ben ik mijn leven niet zeker.'

Aisha's ogen werden groot van angst. Hij staarde vastberaden terug.

'Dat zal ik nooit doen,' zei ze. 'Ik zweer het. Op mijn liefde voor jou.'

Kazim aarzelde. 'Ik ga over de Line of Control naar Pakistan. Ik krijg een training om *moedjahid* te worden.'

Aisha keek hem ongelovig aan. Wat ze in de kranten had gelezen over de opstand die de vallei teisterde had haar beangstigd. Hoe iemand, laat staan haar Kazim, daar deel van zou willen uitmaken ging haar begrip te boven.

'Wiens idee was dat? Van moellah Yusuf?' Haar stem was vervuld van vijandigheid.

'Wat is dat voor vraag?' viel Kazim uit. 'Denk je dat ik te dom ben om mijn eigen ideeën te hebben?'

'Mensen besluiten niet uit eigen beweging om zichzelf te doden! Dat is net zoiets als... besluiten om kanker te krijgen!' schreeuwde Aisha, terwijl ze haar handen tegen haar slapen drukte.

'Ik zei het toch, Aisha!' tierde Kazim. 'Ik heb je al gezegd dat je het niet zou begrijpen. Maar je... je smeekte me. Dus ga me nu niet kleineren zoals je altijd doet, nu ik gedaan heb wat je vroeg!'

Zijn woorden staken haar. Het was de 'andere' Kazim die nu tegen haar praatte – de Kazim die ze een jaar geleden had gezien, toen hij al die hatelijke dingen over Advani had gezegd. Ze veegde de tranen weg die nu vrijelijk uit haar ogen stroomden.

'Dus je gaat voor die... guerrillastrijders vechten. En als de politie of het leger jou niet eerst doodt, wanneer het ooit ophoudt – over twee jaar, of vijf, of tien – dan zullen we trouwen. Is dat je plan?'

'Zo lang zal het niet duren... Maar om eerlijk te zijn, Aisha, ik zeg je dat je naar Delhi moet gaan. Word dokter. Doe wat je altijd al hebt gewild.'

'Eerlijk?' Aisha sloeg met haar vuist op zijn borst. 'Wat is er eerlijk aan verliefd zijn op een man die ervoor kiest zijn dood tegemoet te gaan?'

Aisha zakte op haar knieën en begroef haar gezicht in haar armen. Het vorige moment had Kazim haar wel kunnen slaan om haar arrogantie. Nu werd hij verscheurd door zijn eigen verdriet en wrok dat hij haar liefde verkeerd had beoordeeld. Hij wilde alleen maar dat dit voorbij was.

'Ik kom bij je terug, Aisha, ik beloof het,' zei hij zachtjes en hij streelde over haar zijdezachte haar, terwijl ze als een klein kind aan zijn voeten knielde.

Kazim hief haar kin met zijn vingers. Voor het eerst zag hij dat ze net zo pijnlijk onzeker was als hij zich altijd in haar aanwezigheid had gevoeld en hij merkte tegen wil en dank dat een vreemde, bitterzoete voldoening dat hij haar schoonheid vervolmaakte door haar te laten lijden, bezit van hem nam.

'Wie weet,' zei Kazim ten slotte, 'is Kashmir vrij tegen de tijd dat je klaar bent met je studie. Wanneer je thuiskomt, zul je het eerste ziekenhuis in een vrij Kashmir openen.'

'Hou op, Kazim! Het enige wat ik wil ben jij. Niet die vervloekte vrijheid van jou.'

Hij schudde zijn hoofd. 'Het spijt me, Aisha. Ik moet dit doen. Ik moet gaan.'

14

Nicholas Sunder klom eerst met zijn ene, daarna met zijn andere knie op de vensterbank. Langzaam draaide hij zich om, zodat zijn hoofd en schouders naar het interieur van zijn hotelkamer waren gericht. Zijn volle rugzak, waarmee hij geen rekening had gehouden, dwong hem zijn rug te krommen en zich voorover te buigen om te voorkomen dat hij er- mee vast bleef zitten. Daardoor gleden zijn knieën onder hem vandaan. Zijn benen bungelden omlaag.

Hij reikte naar de onderste rand van het raamkozijn, waarbij zijn knie- schijven tegen de buitenmuur klapten. Hij klauwde zich met zijn vingers vast, worstelend met het extra gewicht. Hij begon langzaam zijn greep te verliezen.

Draaiend en kronkelend als een worm aan een haak zwaaide hij zijn benen in een wijde boog. Zijn schoenen schuurden langs de buiten- muur, waardoor er een brok pleisterwerk losraakte dat met veel lawaai naar beneden op de straatkeien viel. Op het uiterste punt van zijn zwaai kreeg de neus van zijn rechterschoen greep op de brandtrap. Door zijn heupen opzij te gooien bracht hij zijn gewicht over naar het houvast van zijn voet en stak zijn beide armen uit, en slaagde er maar net in om de metalen leuning met zijn vingers vast te grijpen voor de zwaartekracht hem naar beneden kon trekken.

Hij hees zichzelf op de brandtrap. Ervan overtuigd dat iemand het val- lende pleisterwerk had gehoord, verstijfde hij in afwachting van de ver- blindende zoeklichten. Maar het moment ging voorbij. Hij klom de lad- der af en verdween in de donkere steeg.

Nick haastte zich langs het hotel, waarbij hij zich onder het lopen tegen de muren drukte. Een flauw schijnsel van sterren vormde de enige ver-

lichting. Hij liep snel maar met afgemeten passen, de duisternis door-
vorsend op struikelblokken: stinkende goten, grote gaten, losse stenen
die uit afbrokkelende muren waren gevallen, de lompen van slapende
daklozen. Een misstap kon een val op de scherpe straatstenen veroorzaken of hem in een open riool doen belanden.

Toen hij het centrum van de oude stad bereikte was de vochtige lucht
vol van de stank van ongewassen lichamen. Hele families sliepen op
straat, bij elkaar gekropen onder omslagdoeken of onder smalle alkoven
bij winkelpuien. Die waren nu tegen mogelijke dieven beveiligd door
stukken ijzeren golfplaat afgesloten met enorme, middeleeuws ogende
hangsloten. Maar afgezien van nu en dan het staccato van een ziekelijk
gehoest heerste onder het zwijgende straatvolk de stilte van het graf.

Hij sloeg rechts af, langs het kronkelende voetpad dat naar de sector
landbouwproducten van de bazaar leidde. Toen stopte hij even om te
controleren of er niemand achter hem aan was gekomen voordat hij de
penetrante stank van verrotting langs de gesloten groente- en brood-
kramen volgde. De tekenen van een darwiniaanse strijd tussen mens en
ongedierte waren alomtegenwoordig. Troepen ontheemde kinderen
– Afghaanse oorlogsvluchtelingen – scharrelden in het donker rond, in
goten en bergen afval dat buiten de bakkerijen was opgehoopt, terwijl
ze met stokken de ratten wegjoegen bij oudbakken stukken brood die
de vorige dag waren weggegooid.

Toen hij het met maanlicht overgoten silhouet van Bala Hisar Fortress
met zijn balustrades zag, wist Nick dat hij in de buurt was. Achter de
moskee van Mahabat Khan schoot hij het voetpad in naar de vervallen
karavanserai die als een atrium voor de westelijke ingang van het fort
dienstdeed. Hij bleef staan voor de donkere parabool van de stenen poort
die naar de binnenplaats leidde waar de vrachtwagen geparkeerd zou
worden.

Hij speurde de duisternis af naar tekenen van politie – niets – en keek
toen op zijn horloge. Het was één minuut voor een. Hij kon zichzelf er
met moeite van weerhouden te gaan rennen.

Hij liep onder de poort door en langs de binnenberm van het oude
fort, en kwam bij de andere kant van de ruïne, waar de overblijfselen van
de voormalige koloniale brandweerkazerne stonden. De wielen van de
antieke door paarden getrokken brandweerwagen met hun enorme spa-
ken – een eerbetoon voor het nageslacht gericht op de handvol toeristen
die Peshawar in veiliger tijden bezochten – wierpen een spookachtige,

gestreepte schaduw op de grond. Hij kroop achter de afbrokkelende muren van de kazerne langs, waar een paar afgebeulde ezels in de doorgang stonden te slapen, en stuitte op een groepje jeneverbesstruiken.

Voorbij de heesters zag hij een open ruimte vol opgehoopte rotzooi, gedeeltelijk verborgen door de muren om het terrein – de plek waar de vrachtwagen zou moeten staan. Maar er was geen vrachtwagen.

Omdat hij zich onbeschut voelde liep Nick de bosjes in, waarbij hij over een gedaante struikelde die in kleermakerszit in de schaduw zat. 'Allah!' fluisterde de in een donker gewaad gehulde man met schorre stem.

'Sorry,' antwoordde Nick gedempt, stom genoeg in het Engels.

De zittende figuur, wiens gezicht schuilging achter zijn sjaal, verschoof een beetje. 'Geen probleem,' antwoordde hij, ook in het Engels, voor hij weer naar de open plek begon te turen. Terwijl Nick in het donker rondspeurde ontdekte hij dat de beweeglijke schaduwen die hij eerst voor struiken had aangezien de gehurkte gedaanten waren van andere mannen die zich met sjaals hadden bedekt.

Er gingen kostbare minuten voorbij zonder enig teken van de vrachtwagen en Nick werd steeds nerveuzer. Zou hij al weg zijn? Op zijn hurken, omgeven door de geur van jeneverbessen, tabak en ongewassen lichamen, bad hij dat de vrachtwagen nog moest komen.

Een halfuur later kwam er eindelijk een vrachtwagen. Het was een oude Bedford, die in Pakistan heel gangbaar waren: door de Britten gefabriceerd, met hoge houten overkapping en cabines die met helder gekleurde geometrische motieven waren beschilderd en versierd met zilverkleurige tierelantijnen en lovertjes. De lichten waren gedoofd, hoewel het lawaai van de motor de doden tot leven zou hebben gewekt.

Toen de Bedford halt hield nam Nick een voorbeeld aan de anderen, die onder dekking van de bosjes wachtten in plaats van er naartoe te rennen. Het portier van de cabine zwaaide open en er klom een man uit, zijn gezicht onzichtbaar in het donker. Toen hij bij de struiken kwam zette hij zijn handen aan zijn mond en zei iets in het Pasjtoe. De Afghanen stonden allemaal ineens op en bestormden de vrachtwagen zonder de moeite te nemen de laadklep open te maken.

Nick aarzelde, onzeker of dit de vrachtwagen was die hij moest hebben – die waarvoor hij Masood had betaald. Hij draafde naar de chauffeur, die alweer in de cabine klom. 'Gaat u naar Torkham?' vroeg hij op gedempte toon.

De chauffeur keek hem verward aan, wees met zijn hand naar zijn oor ten teken dat hij hem niet verstond en begon op te trekken.

'Hé, wacht!' schreeuwde Nick en hij bonkte op het portier.

Kwaad stak de chauffeur zijn hoofd uit het zijraam, vervloekte hem in het Pasjtoe en wuifde hem weg. Een glimp van zijn gezicht onthulde een sproetige, vlekkerig-witte albinohuid en lichtroze muizenogen. Zijn zuiver witte shalwar kamiz en geweven kalotje leken zelfs in het donker zijn genetische eigenaardigheid te accentueren.

'Stop... alstublieft,' smeekte Nick. 'Ik moet naar Torkham.'

De chauffeur remde, toen wendde hij zich tot een Pasjtoe die naast hem zat. Ze spraken kort met elkaar. 'English?' vroeg de chauffeur.

'Amerikaan,' zei Nick na een lichte aarzeling. 'Ik heb vervoer naar Torkham geregeld – via Masood.'

'Masood?' herhaalde de chauffeur, terwijl hij aan zijn snor plukte.

'Ja, ja, Masood!' zei Nick opgelucht. 'Kent u Masood?'

De man knikte vaag. 'Oké, oké,' zei hij, met zijn duim naar de achterkant van de vrachtwagen wijzend, een signaal dat Nick er niet van verzekerde dat dit het voertuig was dat hij verondersteld werd te nemen. De truck begon weg te rijden. Nick aarzelde, besefte toen dat hij geen andere keus had dan erop te springen. Een snelle sprint bracht hem bij de uitgestoken handen van de Afghanen die tegen de laadklep zaten en ze hesen hem aan boord.

De laadbak zat barstensvol samengeperste lijven – vijftig of zestig man boven op elkaar gepakt. Nick ging op weg naar het midden, waarbij het onmogelijk was niet over de andere passagiers te kruipen. Maar de mannen hielpen hem vooruit, tilden hem op en gaven zijn volle gewicht aan elkaar door, maakten ruimte voor hem.

Hij kwam niet ver van de achterkant te zitten. Hij had uitzicht naar achteren door een gat in het canvas dat van de bovenkant van de overkapping naar beneden hing en dat de opening bij de anders onbeschutte lage laadklep bedekte. Hij trok zijn bandana laag over zijn ogen en kroop in elkaar, met zijn ellebogen op zijn knieën. Terwijl de vrachtwagen in flinke vaart onder de poort van de karavanserai door reed, waardoor een ezel begon te balken, staarde hij naar het oude fort dat in een waas verdween.

De Bedford stoof in westelijke richting door de smalle straten van de oude stad tot die plaatsmaakten voor de stoffige lanen van de modernere buitenwijken, waar de weg breder werd. Uitgestrekte, van cementblokken opgetrokken appartementengebouwen flankeerden de straat. De vrachtwagen meerderde meteen vaart en sloeg een noordelijke richting in. Nick stak opgelucht zijn vuist op toen hij het bord zag met daarop, deels in het Engels: AUTONOOM STAMGEBIED KHYBER — 40 KM — VERBODEN VOOR VREEMDELINGEN.

Enkele minuten later kwamen ze bij de rand van de stad en veranderde de laan in een weg van gebarsten asfalt. De Afghanen trokken hun dekens over hun hoofd tegen de bijtende wind. Een dikke laag stof had zich op hun schouders en baarden verzameld, zodat alleen hun ogen nog zichtbaar waren. Nick hield zijn hoofd tussen zijn knieën, terwijl het oorverdovende lawaai van de motor elke zintuiglijke gewaarwording verdrong, behalve de kou die tot in zijn botten doordrong.

Later, toen de maan opkwam en de aarde in donkere grijze en geelbruine tinten hulde, veranderde het kapotte asfalt in een modderige grindweg vol kuilen. Sporadische lemen hutten en uitgemergeld vee vormden de enige tekenen van bewoning.

Ondanks de wind en kou en de misselijkmakende dieseldampen was Nick opgetogen. Hij raakte steeds verder verwijderd van Peshawar en alle gruwelen daar. Als hij dit overleefde, bezwoer hij, zou hij op een of andere manier de eenarmige Afghaan terugbetalen, boven op de commissie die hij moest hebben gekregen voor het geld dat Nick hem had gegeven. Geen prijs zou hem te hoog zijn. Maar het zou een tijd duren voor hij dat kon doen. Na de geldopnamen bij de pinautomaten in Peshawar stond er nog maar tweeduizend dollar op zijn spaarrekening, nauwelijks voldoende om een vliegticket terug naar Amerika te kopen. Hij zou algauw volkomen blut zijn, al zijn spaargeld hebben opgebruikt, alles wat er over was van het geld dat hij als advocaat in Amerika had verdiend – een baan waarin hij naar hij wist nooit zou kunnen terugkeren.

Twee jaar en vier maanden geleden was hij in Azië aangekomen, op zoek naar iets ondefinieerbaars. Hij wist alleen dat het nodig was uit zijn leven in Amerika te stappen, dat hem om redenen die hij niet helemaal begreep had benauwd. Hij was in Boston bijna zeven jaar advocaat geweest bij een gerenommeerd kantoor dat gespecialiseerd was in zaken op het gebied van witteboordencriminaliteit. De lange werkdagen waren geen probleem voor hem. Hij had vanaf zijn twaalfde tot hij naar de universiteit ging op het tuinarchitectenbureau van zijn vader gewerkt, en als voormalig worstelaar op de middelbare school had hij de competitieve vechtersmentaliteit ontwikkeld waarover een goede advocaat hoorde te beschikken. Toen hij promotie maakte had hij een reputatie opgebouwd bekwaam te zijn in de rechtszaal en overtuigend tegenover jury's — een gewone vent die met 'de gewone mensen' in verband kon worden gebracht. Hoewel het kantoor niet de exorbitante salarissen van de elitekantoren aan State Street betaalde, had hij rond zijn zesde jaar als associé zijn studieschuld afbetaald en de bezittingen verzameld die jonge advocaten verondersteld worden graag te willen aanschaffen in de eerste jaren dat ze in onpersoonlijke kantoren weggestopt zitten: een tweekamerflat in Black Bay, een Audi en een Whaler met een ligplaats in Marblehead, hoewel hij nooit tijd had om er gebruik van te maken.

Terwijl hij het onderzoek en het schrijfwerk van de wetspraktijk had verfoeid, genoot hij van de krachtmeting van het pleidooi voor een jury in een duur pak. Daarbij overdreef hij zijn anders lichte noordkust-accent zodat ze zouden weten dat hij een van hen was, en hij maakte korte metten met arrogante advocaten van grote kantoren die niet konden tippen aan zijn faam bij de jury en betreurden dat ze geen schikking hadden getroffen. Kortom, Nick was de ideale associé geweest: onverzettelijk, hardwerkend, geknipt voor het partnerschap.

Maar binnen een jaar veranderde alles. Zijn neergang leek te beginnen met zijn grootste overwinning in de rechtszaal: de verdediging van Leonard Hannon, een van de rijkste klanten van het kantoor. Hannon was de eigenaar van een dertig jaar oud themapretpark over de Amerikaanse Revolutie met de naam Libertyland, even buiten Hyannis op Cape Cod, dat hij van de vorige eigenaars had overgenomen. De attracties waren verouderd en gammel, een ongeluk kon niet uitblijven. Toen een zeventienjarige jongen uit de Cannon Coaster viel en verscheidene botbreuken en een zware hersenschudding opliep, wezen de partners Nick als Hannons verdediger aan in zijn proces op de aanklacht van verwijtbare nalatigheid die de staat tegen hem had ingediend vanwege Hannons vermeende verzuim om de achtbaan in goede staat te houden. De partners presenteerden de zaak als Nicks grote kans om zichzelf als toekomstig partner te bewijzen, maar in feite ging het om een zaak waaraan weinig eer te behalen viel en die niemand op zich wilde nemen.

Nick deed echter iedereen versteld staan. Door pure ijver en zorgvuldig onderzoek vond hij een getuige, een politieagent buiten dienst met een bijverdienste als parkeerwacht, die verklaarde dat hij de tiener met zijn vrienden zeer waarschijnlijk paddo's had zien gebruiken voordat ze het park binnen waren gegaan. Hoewel hij geen bewijs had om harde beweringen te kunnen doen, had Nick tenminste enige twijfel bij de jury kunnen oproepen of de tiener niet roekeloos zijn veiligheidsgordel kon hebben losgemaakt en zelf het ongeluk had veroorzaakt. Geen enkele jury wil zich achter een gedrogeerde tiener scharen, vooral wanneer hij ervan wordt verdacht alleen op geld uit te zijn. Nick voerde een perfect geval van karaktermoord op. Hannon werd op alle aanklachten vrijgesproken en het park bleef open.

Vervolgens, precies drie maanden na de uitspraak, vloog een van de karretjes van diezelfde achtbaan uit de rails, waardoor drie bezoekers – Bob en Linda Cole en hun achtjarige dochter Susie – werden onthoofd. Een heel gezin in een mum van tijd uit het bestaan weggevaagd. Een schoolfoto van Susie met haar fietsenrekglimlach prijkte op de voorpagina van alle plaatselijke kranten en werd in het geheugen van alle ingezetenen van de staat gegrift. Vooral dat van Nick.

Hem trof geen blaam. Hij had alleen maar zijn werk goed gedaan. Dat hadden alle partners tegen hem gezegd. Zijn collega's sloegen hun ogen ten hemel bij de onontkoombare nieuwsberichten die zijn 'verachtelijke' verdedigingstactiek hekelden. Hoewel zijn werkwijze volgens de normen van de beroepsethiek volkomen toelaatbaar was geweest, was aantoonbaar voorkomen dat de staat het park had gesloten. Daardoor had de tragedie kunnen plaatsvinden. En het feit dat de zaken van het kantoor alleen maar beter waren gegaan na Nicks succesvolle verdediging van Hannon, had hem – misschien voorspelbaar – tot zondebok van een anti-advocatenstemming in de hele staat gemaakt. De partners begonnen echter een afname van zijn in rekening te brengen uren te bespeuren. Hij haalde zelfs een paar belangrijke deadlines niet. Nick beloofde er weer hard aan te gaan trekken, en inderdaad wist hij een aantal degelijke maanden van tweehonderdvijftig in rekening te brengen uren op rij te maken. Maar toen kreeg zijn moeder haar derde beroerte in twee jaar, waardoor ze van een matig demente toestand in een permanent coma terechtkwam. Na bijna een maand besluiteloos te zijn geweest, waarin hij al zijn zaken verloor, tekende hij uiteindelijk de papieren om het systeem waarmee ze kunstmatig in leven werd gehouden stop te zetten. Een paar dagen later reed hij met zijn Audi tegen een boom. De politie kwam ter plaatse en het resultaat van de bloedtest wees op een twee keer zo hoog promillage als de toegestane limiet.

Nadat hij zichzelf schuldig had verklaard aan rijden onder invloed en de forse boete had betaald, moest hij voor de verplichte hoorzitting van de tuchtcommissie van de orde van advocaten verschijnen, waarin zou worden bepaald of zijn vergunning werd opgeschort vanwege alcoholmisbruik. Opschorten was geen serieuze dreiging. Het was zijn eerste overtreding; een proeftijd en het bijwonen van enkele bijeenkomsten van de Anonieme Alcoholisten zouden volstaan. In feite hadden betere advocaten dan hij hun lever geolied terwijl ze carrière maakten. Toch zag Nick met niet-aflatende ontzetting tegen de hoorzitting op.

Tijdens praatjes bij de koffieautomaat op kantoor werd verondersteld dat hij was ingestort, dat hij zich schuldig voelde – die zeurende emotie die onverenigbaar is met de principes van op succes beluste advocatuur – over de tragedie in Liberty Land. Maar Nicks toestand was slechts gedeeltelijk toe te schrijven aan de doden die er waren gevallen (per slot van rekening had hij alleen maar zijn werk gedaan en had hij Hannon aangeraden het park te renoveren). Het weggevaagde gezin van drie personen, zijn besluit zijn moeder uiteindelijk te laten sterven, de afkeer die hij voelde omdat hij zo'n groot percentage van zijn productieve uren en talenten besteedde aan het veiligstellen van de rijkdom en status van cliënten die dat niet waard waren – dat alles bij elkaar maakte hem stuurloos en verward. Het bestaan dat hij voor zichzelf had opgebouwd, waarvoor hij zo hard had gewerkt, leek ineens betekenisloos en in het slechtste geval een kwestie van parasiteren. Hij begon zijn vergunning voor de advocatuur als een kruis te ervaren en kreeg er zelfs een afschuw van. Hij zag zijn toekomst voor zich, van het partnerschap tot aan de dood, en niets daarvan bood hem nog enige inspiratie.

Nick bleef weg op de tuchthoorzitting, en omdat hij niet kwam opdagen werd zijn vergunning opgeschort en uiteindelijk ingetrokken. Zonder plannen te hebben, en ook zonder dat hij daar enige behoefte aan had, nam hij ontslag (en bespaarde zijn partners de moeite), verkocht zijn appartement en al zijn bezittingen. Met genoeg spaargeld op de bank om een paar jaar low budget te kunnen reizen, kocht hij tien boekjes met travellercheques en een vliegticket naar Bangkok.

Terwijl hij achter in de overladen vrachtwagen zat leek de man die hij ooit was geweest hem nog minder vertrouwd dan de verarmde hologige vluchtelingen die om hem heen gepropt zaten.

De Bedford minderde vaart toen ze de controlepost voor de Stamgebieden naderden. De Afghanen trokken hun sjaals over hun kin, waarmee ze de hele laadbak in een chaos van tulbanden en petten veranderden. Hoewel Nick niet de illusie koesterde zijn buitenlandse gezicht verborgen te kunnen houden, viel hij als enige zonder deken pijnlijk op. Alsof hij de reden voor Nicks nervositeit had bespeurd, bood de man naast hem een deel van de zijne aan. 'Shukria,' bedankte Nick hem, terwijl hij een stuk van de deken over zijn gezicht trok.

De controlepost was niet meer dan een wachthuisje met een afdak en een paar slagbomen over de weg. Een bewaker met een kalasjnikov over zijn schouder kwam naar de vrachtwagen toe, terwijl een ander in het wachthuisje bleef zitten slapen. Ze droegen het uniform van de grenswachters: een geelbruine shalwar kamiz met een zwarte trui erover en groene baretten. Er zat een derde soldaat in het hokje aan de overkant van de weg. Uit zijn standaardwerktenue en donkerder gezicht leidde Nick af dat hij van het Pakistaanse leger was.

De chauffeur en de bewaker bij de truck wisselden begroetingen uit en spraken kort in het Pasjtoe. Het klonk vriendelijk, maar dat verminderde geenszins de spanning op de gezichten van de Afghanen die om Nick heen zaten. De bewaker liep naar de achterkant van de vrachtwagen. Hij gluurde naar binnen, terwijl hij het licht van zijn zaklantaarn over de gezichten liet schijnen.

Elke keer wanneer het schijnsel op een van de mannen viel, trok deze zijn deken omlaag om zijn gezicht te laten zien. De bewaker ging het rijtje af en bekeek iedereen. Nick wachtte ademloos. Westerlingen werden in dit deel van de Stamgebieden niet toegelaten zonder een speciale vergunning. Als Masood geen smeergeld had betaald, was hij de klos.

Voor hij kon bedenken wat hij moest doen, scheen de zaklamp op hem. Hij aarzelde, de straal verblindde hem. Toen trok hij de deken omlaag – hij had geen keus. Het licht viel op zijn gezicht. Nick boog zijn hoofd en wachtte op het bevel naar buiten te klimmen, de kou in.

Hij hoorde de motor grommen. De slagboom ging omhoog. De truck ging hortend vooruit, een stofwolk veroorzakend die de weg achter hen naar Peshawar aan het zicht onttrok. God zegene Masood! verzuchtte Nick, stilletjes jubelend.

15

De truck verliet de weg naar de Afghaanse grens. Hij hobbelde een aantal kilometers over een stoffig jeepspoor voor hij ten slotte bij een nederzetting van groepjes lemen huizen en verweerde tenten aankwam. De chauffeur klom uit de cabine en liep naar de achterkant van de truck. Nick zag dat hij geen gezichtsbeharing had, er staken alleen een paar dunne, melkwitte krullen onder zijn kalotje uit. Hij riep iets in het Pasjtoe en in een mum van tijd was de hele vracht Afghanen over de achterklep gesprongen en als geesten in de nachtelijke woestijn opgegaan, te voet op weg naar het noordwesten, naar Afghanistan.

Nick keek om zich heen, niet wetend wat hij moest doen. De nederzetting was donker, op een gaslamp die de binnenkant van een tent verlichtte na. 'Hé, brengt u me niet naar Torkham?' riep Nick naar de chauffeur.

'Kom,' antwoordde deze met een knik.

Nick volgde de man een open tent in waar twee Pasjtoes met tulbanden op hun hoofd aan een tafel sigaretten zaten te roken en triktrak speelden. Uit een radio schalde Arabische popmuziek. Er stonden kratten met Chinese karakters erop opgestapeld tot aan het dak. Nick veronderstelde dat de mannen smokkelaars waren.

De chauffeur groette de twee Pasjtoes op de traditionele manier: ze pakten elkaar bij het middel en drukten elkaar zachtjes tegen de borst, eerst aan de linkerkant, dan rechts. Nick vond het ritueel te teder, totaal niet passend bij de woest ogende Pasjtoes. Een van de getulbande Pasjtoes wenkte hem naar de tafel en trok een stoel bij. 'Nee, dank u, ik zou graag verdergaan,' zei Nick.

'Ga zitten,' beval de Pasjtoe zonder er acht op te slaan dat Nicks stem dringend klonk.

Iemand schonk hem thee in. Nick deed alsof hij ervan dronk, denkend aan medereizigers die hadden verteld dat ze in Centraal-Azië gedrogeerd en beroofd waren. Hij wist niet zeker of dit de mannen waren die Masoods contactpersonen hadden ingehuurd en kon geen enkel risico nemen. Het gesprek in het Pasjtoe werd voortgezet, tot de oudste, een grijsgebaarde Pasjtoe met wijde pupillen van de hasj, in gebroken Engels met een zwaar accent tegen Nick zei: 'You Mr. Nick?'

'Ja.' Nick zuchtte van opluchting, want het betekende dat dit echt Masoods contactpersonen waren. 'Ja, dat ben ik.'

'Jij betalen. Tweeduizend dollar,' zei de grijsbaard.

Nick weifelde. 'Ik denk dat u zich vergist. Ik heb Masood duizend dollar betaald. We hebben afgesproken dat ik de andere duizend zou betalen bij mijn aankomst in Gilgit.'

'Tweeduizend dollar. Jij nu betalen,' drong hij aan, deze keer krachtiger.

'Nogmaals, u hebt het verkeerd begrepen. Mijn afspraak met Masood... Kent u Masood? Als u me naar Gilgit brengt, betaal ik u duizend dollar zodra ik op een andere truck overstap.'

'Truck? Truck hier. Hij wees naar het voertuig waarmee Nick was aangekomen.

'Nee. Niet die truck. Wanneer ik aankom in –'

'Jij nu betalen!' Hij sloeg met zijn hand op de tafel.

Nick veegde gefrustreerd het zweet van zijn gezicht. Het belangrijkste was dat hij zo ver mogelijk van Peshawar weg kwam, en ook zo snel mogelijk. Want het enige wat hij wist, was dat de politie al zou hebben ontdekt dat hij was verdwenen. Elke verloren seconde vergrootte de kans dat hij opgespoord en naar de galg zou worden gestuurd.

Nick gaf het op. 'Goed. Ik zal de rest nu betalen.' De drie Pasjtoes keken aandachtig toe terwijl Nick onder zijn kamiz zijn geldgordel pakte. Hij overhandigde de Pasjtoe met de grijze baard een prop contant geld, de duizend dollar die hij apart had gehouden en in Gilgit zou hebben betaald. De man telde de biljetten met zijn duim.

'Waardeloos!' snauwde hij. 'Ik zeg jou tweeduizend dollar!'

Nick sloeg zijn handen tegen zijn wangen en wendde zich tot de anderen. 'Alstublieft... spreekt er dan niemand Engels?' vroeg hij wanhopig. 'Ik heb geen geld meer,' zei hij luid, terwijl hij zijn open geldgordel omkeerde. 'Zie je wel? Op.'

De mannen keken van Nick naar de grijsgebaarde Pasjtoe en weer terug. De agressieve oudste begon tegen de witharige chauffeur te schreeuwen.

Verwijten en boze replieken ging over en weer. Toen greep de oudste Pasj-toe een kalasjnikov die tegen de speeltafel stond.

Er ontstond een chaos, woedend geschreeuw, een glimp van het me-taal van een geweer onder de oranje gloed van de lantaarn, een wervel-wind van bewegingen toen pistolen van onder gewaden tevoorschijn werden gehaald. Toen er een einde was gekomen aan het pandemonium hield Nick zijn handen hoog in de lucht. De Pasjtoes richtten hun wa-pens echter niet op Nick, maar in een verwarrende reeks bondgenoot-schappen op elkaar.

Na een angstig moment begon de grijsbaard iets te mompelen en liet zijn kalasjnikov achteloos zakken. De anderen volgden. Vreemd genoeg bedaarde hun woede net zo snel als ze was opgevlamd. De grijsbaard pakte Nicks hand en stopte het geld er weer in. Hij wees naar de vracht-wagen en keek Nick boos aan. 'Ga.'

'Waarheen?' Nick had er geen behoefte aan het geschil weer op te ra-kelen, maar hij moest antwoord hebben. De oude man wees naar het zuidoosten, naar Peshawar.

De chauffeur, die sinds de onenigheid geen woord tegen Nick had ge-zegd, schudde zijn hoofd. 'Niet genoeg. Moet teruggaan.'

'Nee. Dat kan niet!'

De oude grijsbaard, sterker dan zijn leeftijd deed vermoeden, pakte Nick bij zijn elleboog en begon hem de tent uit te trekken. 'Alstublieft! Ik heb al betaald.' Nick ontworstelde zich aan zijn greep en stak zijn hand uit naar zijn schoen. De mannen grepen hun wapens. 'Wacht!' schreeuw-de Nick. 'Ik heb meer geld.'

Met de wapens op zich gericht maakte hij de veters van zijn schoen los en haalde er de vijfhonderd dollar reservegeld uit, die hij in een plastic zak had gestopt. Hij stak het hen toe. Theoretisch was het dwaas om zijn laatste beetje geld aan te bieden, aangezien er nergens waar hij zou komen iets zou zijn wat ook maar op een bank leek. Behalve misschien in Gilgit, waar het krankzinnig zou zijn om zijn gezicht te laten zien omdat het een Pakistaanse legerplaats was. Maar hij had geen andere keus.

'Hier... hier is nog eens vijfhonderd dollar. Alles bij elkaar heb ik jul-lie vijftienhonderd dollar gegeven boven op de duizend dollar die ik al aan Masood heb betaald. Dit is alles wat ik heb. Ik zweer het. Alstublieft.' Bij wijze van smekend gebaar legde Nick zijn handen tegen elkaar. 'Ik kan niet terug naar Peshawar.'

De grijsbaard bekeek Nick even aandachtig en kibbelde met de chauffeur in het Pasjtoe. Uiteindelijk graaide de grijsbaard het geld uit zijn handen, telde uit wat ongeveer twee derde leek te zijn en gaf de rest aan de chauffeur. 'In Torkham brengt een andere truck je naar Gilgit,' zei de chauffeur tegen Nick. 'Daarna – afgelopen.' Hij maakte een weg-wuivend gebaar.

'Hoe zit het met India? Dat was afgesproken met Masood.'

'Het kan hem niet schelen wat je Masood hebt betaald. Hij kijkt alleen naar wat je hem betaalt. In Gilgit is het niet moeilijk vervoer naar het oosten te vinden. Succes, English. *Khuda hafiz*,' zei de chauffeur voordat hij in zijn wapperende witte kleren in de duisternis naar zijn truck verdween.

Korte tijd later verscheen er een versleten grijze pick-up. De oude Pasjtoe stond op en wenkte Nick. Achter het stuur zat de tweede man, de triktrakpartner van de grijsbaard uit de tent. Hij was stoned en duidelijk niet in staat te rijden. Nick zag dat er een kalasjnikov op de voor-stoel lag.

De oudste wees op de open laadbak en klom op de passagierstoel. Er was geen overkapping en Nick was bezorgd dat hij te veel zou opvallen in de open bak, vooral over een paar uur wanneer de zon opkwam. Hij ver-moedde dat het langer dan dat zou duren om over de bergen naar Tork-ham te rijden, en ze konden onderweg legervoertuigen tegenkomen.

'Open en bloot?' vroeg Nick. De chauffeur wees op een berg stoffige dekens achterin. Nick schudde geërgerd zijn hoofd en klom toen aar-zelend in de laadbak. Met de dekens over zijn benen getrokken was hij enigszins beschermd tegen de wind.

Hoewel Nick in de duisternis niets kon zien dan de modderige weg die als een eindeloze woestijnadder onder de wielen door kroop, kreeg hij een griezelig gevoel van vertrouwdheid. Hij had de Stamgebieden een paar keer verkend sinds hij in Peshawar was, waarbij hij elke keer een andere streek had bezocht, maar het landschap leek overal hetzelfde: met struikgewas bedekte zondoorstoofde heuvels, uitgedroogde rivier-beddingen, door schorpioenen geteisterde spleten – een levenloos maanlandschap van monochroom kaki. Het verbaasde hem zelfs dat gieren konden overleven in zo'n droog, onbeschut gebied, laat staan de schurftige geiten waarmee de Pasjtoe-stamleden, naast de opbrengst van smokke-larij, in hun onderhoud voorzagen.

Ruim een week geleden was hij nog naar het dorp Darra Adam Khel geweest, misschien zo'n vijftig, zestig kilometer van waar hij nu was, om met Yvette en Simon de wapenwerkplaatsen van de bazaar in Darra te bezoeken. Simon was net in Peshawar opgedoken en Yvette had met z'n allen iets avontuurlijks willen doen, een soort aftrap voor hun hereniging. Hoewel ze helemaal niet in wapens geïnteresseerd was en er de voorkeur aan had gegeven samen iets anders te gaan doen, had ze uiteindelijk ingestemd met Nicks voorstel om Darra te bezoeken. Er was een onuitgesproken spanning tussen hen drieën geweest sinds Simon was gekomen en ze had het gevoel dat een gezamenlijk avontuur kon helpen om de sfeer te verbeteren. Via Masood regelde Nick het vervoer en het smeergeld voor de stammenpolitie, wat noodzakelijk was omdat Darra officieel verboden was voor buitenlanders.

Toen ze er waren hadden de lokale stamleden hun de vrije hand gelaten om door de bedrijvige wapenwinkels aan beide zijden van de weg te lopen aan het begin van de Kohatpas, die tussen steile kliffen door liep. De mannen, Pasjtoes van de substam van de Afridi, leken Nick de langbaardige Centraal-Aziatische versie van bandieten, velen van hen met pistoolholsters en met dubbele patroongordels kruiselings over hun borst en kalasjnikovs over hun schouders.

De arbeiders, soms nog maar kinderen, gebruikten primitieve ambachtelijke methoden die in het Westen al eeuwen geleden in onbruik waren geraakt en waarschijnlijk allang waren vergeten. Ze gooiden stukken staal in zandvormen, goten het gesmolten metaal in met de hand vastgehouden smeltkroezen en gebruikten water en met voetpedalen aangedreven boren om groeven in geweerlopen te maken. Geweerkolven werden uit hout gesneden en metalen onderdelen nauwgezet met de hand gegraveerd met beitels en drevels. Maar ondanks het grove gereedschap maakten de indrukwekkende Afridi moderne kleine wapens van elke maat en elk type, en honderden exacte replica's van grote merken van over de hele wereld, uiteenlopend van kleine pistolen tot zware machinegeweren.

De provisorische werkplaatsen grensden aan winkeltjes, waar wapens van alle merken en bouwjaren openlijk werden tentoongesteld voor de verkoop, veel ervan plaatselijk gefabriceerde kopieën. 'Genoeg vuurkracht om je eigen imperium te vestigen,' zei Simon. 'En ze doen er niet eens schichtig over.'

'Ja,' zei Yvette, niet bepaald geamuseerd en met een blik op Nick. 'Jullie War on Terror heeft echt effect, nietwaar, Nicholas.'

Er waren vroege modellen martini-henry's, M1-garands uit de tijd van de Tweede Wereldoorlog en zelfs Duitse lugers en zeldzame schmeisser-machinepistolen. Er waren M16-colts uit de Vietnamperiode en het hele scala van Russisch en Chinees wapentuig uit de tijd van de oorlog tegen de Sovjets: Russische krinkov-machinepistolen, dragoenov-sluip-schuttersgeweren en de alomtegenwoordige AK-47. Eén winkel ver-kocht zelfs derringers – kleine pistolen van groot kaliber die in op maat gemaakte riembuidels pasten – en 'penpistolen' die eruitzagen en schreven als balpennen, maar één enkele .22 kaliber kogel konden af-vuren, speciaal ontworpen voor moord bij verrassing, van dichtbij.

'U moet ze proberen!' zei een slungelige Pasjtoe met de naam Arif in zwaar aangezet Engels. Hij maakte een breed armgebaar naar de uit-stalling van honderden wapens. 'Welke u maar wilt. U kiest.' Hij loer-de naar Yvette en plukte een replica van een uzi van een van de planken. 'Dit kleintje goed voor de dame, denk ik.'

'Nee, nee,' zei Yvette. 'Als ik het doe heb ik liever een grote, zoals die.' Ze wees op een Chinese raketwerper die vanaf de schouder moest wor-den afgevuurd.

'Erg slim, mevrouw,' zei Arif goedkeurend. 'Verpletter al uw vijan-den met één enkel schot. Maar het spijt me, die mag niet gebruikt wor-den om te testen. Grote explosie kan een lawine op de huizen van men-sen veroorzaken.'

'In dat geval,' zei Nick, 'zou ik zeggen: 's lands wijs...' Hij wees naar een van de kalasjnikovs, erop belust het voorkeurswapen van de moed-jahedien uit te proberen.

Nadat ze waren overeengekomen Arif te betalen voor honderd stuks munitie à tien roepie per stuk, bracht hij hen naar een straat even verderop die geflankeerd werd door bouwvallige huizen. 'Schiet daar-heen,' zei hij, wijzend naar de bergkam boven de huizen. Ze keken in de richting waar hij naartoe wees en zagen een oude man met een ka-lotje op die op een houten bank recht voor hen zat. Arif overhandigde Nick de kalasjnikov.

'Maar de huizen?' informeerde Nick.

'Nicholas,' zei Yvette, 'het is niet veilig.'

'Het is geen probleem, mevrouw,' drong Arif aan. 'Ik zal het u laten zien.' Hij graaide het geweer uit Nicks handen en in één enkele uitbar-sting leegde hij het magazijn volledig automatisch, waarbij het salvo van kogels in de helling boven de huizen insloeg met een stofexplosie. Kinderen die in de buurt aan het spelen waren kropen achter deuren en zakten op hun knieën met hun handen op hun oren. Voor de oude man op de bank echter was het een normale gang van zaken. Hij gaf geen krimp.

Arif gaf, grijnzend van oor tot oor, het geweer terug aan Nick. 'Ga uw gang.'

'Nee, nee, dit is idioot,' zei Yvette in een onkarakteristiek vertoon van bezorgdheid. 'Ze kunnen afketsen. We betalen voor de kogels, maar er wordt niet geschoten. Kijk,' zei Yvette en ze wees. 'De mensen zijn bang.'

Ze keken allemaal weer recht vooruit naar de huizen. Iemand leunde uit een raam en trok een paar houten luiken dicht. Nick en Simon wisselden een bedenkelijke blik uit.

'Het is oké, zeg ik u,' zei Arif, gekrenkt door Yvettes verontwaardiging. 'Hier schieten we altijd. Hoog richten, geen probleem. Ik sta erop.'

Yvette keek naar Arif en wierp toen een dreigende blik naar Nick. 'Ik wil hier nicts mee te maken hebben,' zei ze en ze stormde vol afkeer weg.

Nick zag haar wegrennen. Toen draaide hij zich om naar Simon, die stond te grijnzen. 'Nou, op één punt heeft ze gelijk,' zei Simon sarcastisch. 'Ze hebben beslist strenge veiligheidsnormen.' Hij haalde zijn schouders op. 'Zoals je zei, Nick – 's lands wijs...'

Nick dacht even na over Simons provocatie. Toen, bijna rancuneus, zette hij het wapen tegen zijn schouder en met een ruk aan de trekker vuurde hij een lange, bevredigende uitbarsting van lood in de hoogte naar de helling, terwijl Simon foto's van hem maakte met zijn digitale camera. Toen Nick klaar was slaakte hij een luide cowboykreet. Simon pakte toen op zijn beurt het geweer en genoot er bijna net zoveel van. Ze kochten zelfs nog honderd stuks munitie, ondanks Yvettes bezwaar, en probeerden een aantal verschillende wapens uit.

Naderhand zaten ze bij een eetstalletje, waar een man met een witte baard en een groene tulband op blote voeten hamburgers van gehakt geitenvlees stond te bakken in een enorme ronde braadpan. Daar wachtten ze op de vrachtwagen die Masood had geregeld en die hen zou ophalen en terugbrengen naar Peshawar. Yvette was chagrijnig en prikkelbaar, wat de laatste tijd regelmatig voorkwam. 'Ik kan het niet geloven,' zei ze plotseling tegen Nick. 'Wat ben je toch een klootzak! Stel dat je iemand had gedood?'

'Iedereen had de benen genomen,' antwoordde Nick. 'En die vent, die Arif, wilde geen nee horen. Dus kalmeer. Het was eigenlijk wel leuk – je had het moeten proberen.'

'Natuurlijk was het leuk voor jou. Jullie Amerikanen zijn dol op jullie klotewapens.'

'Hé, ik ben niet de enige die heeft geschoten.'

'Nou, je wordt bedankt, Nick,' zei Simon, die de laatste opnamen op zijn digitale camera bekeek. 'O man,' mompelde hij hinnikend. 'Van nu af aan kun je beter voor me oppassen, vriend.'

'O ja?' zei Nick. 'Hoezo?'

'Ik heb iets waarmee ik je kan chanteren.' Simon draaide het schermpje van zijn camera naar hem toe en liet een foto van Nick zien waarop hij met Arifs AK-47 een salvo afvuurde naar de berghelling. Met die dichte baard, de Chitrali-pet en de lange shalwar kamiz kon hij zo voor een of andere westerse jihadist doorgaan. 'Ik hoef dit schatje maar op internet te zetten of je wordt meteen als publieke vijand bestempeld. De nieuwe John Walker Lindh. De FBI zal klaarstaan om je te arresteren zodra je voet op Amerikaanse bodem zet.'

'Dat denk ik niet,' hoonde Nick. 'Misschien zou ik bang zijn als ik moslim was.'

'Hoe kunnen zij weten dat je dat niet bent? Het is makkelijk om moslim te worden. Je hoeft alleen maar "Er is geen god dan Allah, en Mohammed is zijn profeet" te zeggen voor een aantal getuigen die al tot de geloofsrichting behoren. De hele procedure kost hooguit twee minuten. Wat daarna komt is lastiger: geen drank of seks voor het huwelijk, bidden op godsonmogelijke tijden.'

'Als je wilt,' grapte Simon, 'wil ik erom wedden dat er hier genoeg figuren rondlopen die bereid zijn het voor je op te nemen. Sommigen zien er zelfs uit alsof ze net zo makkelijk zullen zweren dat je bij Al Qaida zit.'

'Interessante weetjes, Simon,' zei Nick. 'Maar niet voor mij. Ik ben zonder het godsdienst-gen geboren. En om eerlijk te zijn, vind ik dat niet echt een gemis.'

'Moet je zelf weten,' zei Simon.

Yvette, die niet naar hun gesprek had geluisterd, zuchtte ongeduldig. 'Waar blijft verdomme onze chauffeur?' kwam ze tussenbeide. 'Overal wapens. Ik heb godverdomme de pest aan wapens,' mopperde ze. Haar mistroostigheid veranderde in boze teleurstelling. 'En ik heb de pest aan deze kloteplek. Die kalasjnikovcultuur is... is... is niet –'

'Natuurlijk?' vroeg Nick schertsend, om haar zin af te maken.

'Steek niet de draak met me,' snauwde ze. 'Deze plek is een kweek-vijver van de dood. Waarschijnlijk gecreëerd door jullie verdomde CIA. Ik wil nu terug naar Peshawar. Waarom heb je me hier mee naartoe genomen?'

Nick keek haar verbijsterd aan. 'Heb ik wát? We hebben het erover gehad, Yvette. Je zei dat je mee wilde. Zodat we weer samen zouden zijn, net als –'

'Hou je mond, Nicholas,' onderbrak ze hem. 'Alsjeblieft... hou maar op.'

Ze zaten met z'n drieën te wachten tot Masoods vrachtwagen hen kwam ophalen en werkten zwijgend hun geitenhamburgers naar binnen, een onderneming die ze algauw staakten omdat ze er niet in slaagden te voorkomen dat zwermen dikke, vraatzuchtige vliegen in een snelle duikvlucht boven op het vette vlees landden. Yvettes uitbarsting had, samen met hun gedwarsboomde eetlust, zo'n spanning veroorzaakt dat ze bijna opgelucht waren toen een gladgeschoren vreemde met een geelbruine hoed in westerse stijl naast hen ging zitten in een duidelijke poging een gesprek te beginnen.

'Mijn naam is Hassan Abdullah Ali Khan,' zei de man. 'Maar noem me om het voor jullie westerse oren makkelijker te maken alsjeblieft Prince.'

De man was zo'n één meter tachtig lang, vel over been, met een penseeldunne snor en priemende zwarte ogen. Hij verklaarde dat hij lid was van de 'koninklijke familie' van de Kailash, een stam van hedendaagse ongelovigen die beweerden af te stammen van de Macedonische troepen van Alexander de Grote, die door de eeuwen heen, vanwege hun geïsoleerde woongebied in de bergen, tijdens de verspreiding van de islam ongemoeid waren gelaten. Desondanks was Prince moslim, en ze vermoedden dat hij zijn afstamming van de Kailash had verzonnen om indruk te maken op toeristen.

'Ik ben gids, meneer. Ik heb gezien dat u een erg goede scherpschutter bent. Wilt u de kalasjnikov waarmee u hebt geschoten misschien kopen? Ik ken de verkoper. Ik kan een goede deal voor u regelen. Of misschien iets wat u tussen uw bagage kunt stoppen, zoals een pen-pistool. Ik kan alles voor u krijgen wat u wilt, meneer – alles.'

'Nee, bedankt,' antwoordde Nick, die van het onderwerp wapens af wilde. Het was hem duidelijk dat de onderkruiper een van de alomtegenwoordige charlatans was die eropuit waren onnozele buitenlanders een paar dollars af te troggelen. 'We hebben alles wat we willen.'

Niet uit het veld geslagen boog Prince zich naar hem toe. 'Misschien wilt u naar Afghanistan? Kaboel, Jalalabad, Kandahar. Of misschien wilt u het strijdperk van Tora Bora zien, waar Osama Bush te slim af was?' bood hij aan met een guitige knipoog. 'Geen visum, geen probleem. Ik kan u veilig vervoer bieden voor een heel goede prijs. U bent de eerste toeristen die ik in maanden heb gezien. Ik zal elke concurrentie overtroeven.'

'Dat is een begin,' kwam Simon tussenbeide. 'De zaken moeten behoorlijk slecht gaan.'

'Vreselijk, meneer. Nu Amerika Afghanistan bombardeert, zijn alle taliban hier gekomen. Elke week zijn er autobommen. De moellahs preken dood aan de regering omdat die het Westen steunt, en er zijn nog geen vijftig kilometer hiervandaan kampen van de moedjahedien. Er zijn tegenwoordig inderdaad erg weinig toeristen. Wat zou kunnen betekenen dat u – hoe moet ik het zeggen – in de informatiesector zit...'

'Spionnen?' vroeg Simon op sarcastische toon. 'Hij misschien,' zei hij, op Nick wijzend. 'Maar hebt u ooit een spion gezien die eruitzag zoals zij?'

Yvette keek met rollende ogen naar Simon. Normaal gesproken zou ze blij zijn geweest te merken dat Simon een grapje maakte, wat een zeldzaamheid was geweest sinds hij zich een week eerder in Peshawar weer bij hen had gevoegd. Maar ze was nu te prikkelbaar en Nick wist zeker dat haar afkeer van Darra's wapencultuur niet de enige reden was.

Prince gooide begrijpend zijn hoofd in zijn nek. 'Een goede dekmantel is essentieel, toch?' Hij boog zich nog verder naar hen toe. 'Ik heb de ogen van een adelaar en de oren van een hond. En ik heb vrienden bij de stammen aan beide kanten van de grens. Ik zou een waardevolle aanwinst kunnen zijn.'

Prince keek weer naar Yvette en Nick concludeerde dat hij een act voor haar opvoerde. 'Bedankt, maar we hebben uw diensten niet nodig,' antwoordde Nick.

Net op dat moment kwam Simon ertussen. 'Wacht eens even. Is het echt waar dat u... alles kunt krijgen?'

Prince keek Simon recht aan, fixeerde zijn blik. 'Ah.' Hij trok zijn wenkbrauwen op en knikte met zijn hoofd licht naar opzij – die speciale dubbelzinnige Aziatische manier om ja te zeggen, die altijd de mogelijkheid van een nee inhoudt.

'"Alles" is inderdaad iets waar ik in handel. Aangenomen dat u dit bedoelt...' Hij speurde het drukke plein af. Overtuigd dat er niemand keek haalde hij iets uit zijn gewaad. Hij wenkte hen dichterbij, opende zijn hand onder de tafel en liet een donkere, harsachtige plak hasj zien.

'Ik wil het bekijken,' zei Yvette, die plotseling opfleurde.

Prince aarzelde, wierp eerst een blik op Nick en toen op Simon. Toen er geen bezwaar werd gemaakt, gaf hij het aan haar. Ze hield het brok tegen haar neus en snoof. Toen ze eraan likte om te proeven en vast te stellen hoe sterk de oliën waren, glinsterden Prince' ogen wellustig bij het zien van Yvettes tong.

'Hoe zeg je dat? ... Een kenner,' zei Prince, verwijfd giechelend. 'Uit welk land komt u?'

'Verschillende landen,' antwoordde Yvette voor ze het stuk aan Simon gaf.

'Hoeveel kunt u daarvan krijgen?' vroeg Simon.

Nick keek Simon verrast aan. Dat ene stuk leek hem groot genoeg, althans voorlopig.

'Mijn mensen zijn erg kieskeurig als het erom gaat met wie ze op grote schaal zakendoen,' zei Prince. 'Als u meer wilt moet het onder vier ogen. Niet hier. U moet met me meegaan naar een speciale bazaar. Die is niet in de buurt van Darra en is niet bekend bij toeristen. Maar voor u, mijn vriend, kan het geregeld worden.'

'Bijvoorbeeld nu?' vroeg Simon.

'Niet mogelijk. Het is erg ver. Morgen.'

'Ik ga met je mee,' zei Yvette na een korte stilte.

Nick zat op zijn stoel te schuifelen, niet op zijn gemak omdat hij buiten de discussie werd gehouden. 'Yvette,' mengde hij zich in het gesprek, 'we doen wel een tijdje met dit stuk.'

Prince nam notitie van hun gekissebis en probeerde de nuances van hun relatie te ontdekken toen hij de spanning tussen hen opmerkte.

'Het is oké, Evvie,' zei Simon. 'Jij blijft met Nick in Peshawar.'

'Ik ga mee als ik dat wil,' snauwde ze.

'Het is nee, en daar blijf ik bij,' zei Simon, terwijl hij haar strak aankeek. 'Je zei dat je morgen met Nick naar tapijten ging kijken. We kunnen altijd later teruggaan, met z'n allen.'

Nick greep naar zijn geldriem. 'Nou, hoeveel kost dit?'

'Alsublieft, het is mijn geschenk aan u. Als het u bevalt, dan geeft u geld aan uw vriend om meer te kopen. Bevalt het niet, geen probleem,' zei Prince.

'Ik betaal er liever voor,' antwoordde Nick.

Maar Prince was al opgestaan. 'Gastvrijheid is een deel van onze cultuur, meneer,' zei hij, voor hij zich tot Simon wendde. 'Ik zal u morgenochtend met mijn vrachtwagen bij uw hotel afhalen.' Hij zette zijn hoed op zijn hoofd met het air van een man die zichzelf tot koning kroonde.

'O, het is het Rose Hotel,' zei Simon, die zich realiseerde dat hij dat Prince nog niet had verteld.

'Ja meneer, dat weet ik,' antwoordde Prince. 'Er zijn momenteel erg weinig westerlingen in Peshawar. De mensen praten. Tot morgen.' Hij draaide zich om en liep weg.

Nick vond Prince te louche om hem te kunnen vertrouwen, maar ze waren alle drie blij dat ze eindelijk de hand hadden weten te leggen op goede hasj. Nick en Yvette waren bijna een maand met z'n tweeën in Pakistan geweest voordat Simon uit Zuidoost-Azië was gekomen om zich weer bij hen te voegen. De goudmijn aan narcotische middelen waarover ze zoveel hadden gehoord leek een mythe te zijn. Wat ze in de bazaars van Peshawar hadden kunnen vinden was geurloos, vaal en kruimelig – de restanten van de oogst van het afgelopen jaar, niet geschikt om als joint te roken.

Vooral Yvette had iets nodig om haar te helpen relaxen. Ze was ongedurig geweest sinds ze in Pakistan waren, hoewel zij degene was geweest die daar beslist naartoe wilde. De reis erheen vanuit China via de Kunjerabpas over de Karakoram Highway was lang en gevaarlijk geweest. De bus, een afgejakkerde Pakistaanse rammelkast met houten banken en een doof makende geluidsinstallatie waaruit schelle Indiase popmuziek tetterde, had op bijna vijfduizend meter hoogte twee klapbanden gehad. Beide keren had het meer dan een uur gekost om de band te verwisselen, omdat de chauffeur de klus in z'n eentje moest klaren. Om de boel nog erger te maken hing Yvette een groot deel van de zenuwslopende rit brakend uit het raam terwijl Nick haar haar opzij hield. 'Ik heb het je toch gezegd, stomkop,' schold ze tussen het overgeven door, kwaad op hem omdat hij ervoor had gezorgd dat ze hun laatste brok hasj had weggegooid voor ze langs de Chinese douane moesten. Ze had het in haar ondergoed willen verstoppen, omdat ze het nodig had om haar maag van tevoren tot rust te brengen. Ze had last van wagenziekte.

Uiteindelijk waren ze na een zware, vier dagen durende busreis in

Peshawar aangekomen. Nick was gecharmeerd van de drukke bazaars van de stad, de kronkelende voetgangerswegen geflankeerd door bouwvallige alkoven, de vele verschillende stamvolken en de sfeer van de wetteloosheid van een grensstadje. Maar Yvette was steeds somberder geworden. Nick wenste dat hij het kon afdoen als een tijdelijke stemmingswisseling, veroorzaakt door de ontberingen van de reis die haar op de zenuwen hadden gewerkt: de smerige hotels, de veelvuldige aanvallen van dysenterie, de indiscrete blikken van mannen die niet gewend waren westerse vrouwen te zien. Maar hij wist dat het feit dat Simon niet was komen opdagen de werkelijke oorzaak van haar malaise was.

'We moeten hier weg,' had Nick tegen haar gezegd. 'Simon is waarschijnlijk van de route afgeweken. We zouden naar Ladakh kunnen gaan of terug naar Rishikesh en daar rondhangen bij de hippies en goeroes. Misschien zelfs oversteken naar Afrika.'

'Nee, laten we nog even blijven,' had ze aangedrongen.

Toen Simon twee weken later dan verwacht kwam opdagen, was hij onaangenaam verrast bij de ontdekking dat Nick en Yvette een kamer deelden. Na het aanvankelijke enthousiasme over hun hereniging had hij weinig belangstelling getoond om tijd met hen samen door te brengen, afgezien van af en toe een laat ontbijt of avondmaal. Terwijl Nick en Yvette hun dagen bleven doorbrengen met het bezoeken van bazaars of met dagtochtjes naar dorpen in regio's van de Stamgebieden die niet verboden waren voor buitenlanders, ondernam Simon niets en gaf er de voorkeur aan zijn tijd alleen door te brengen. Hij had een ander hotel genomen, een nog goedkoper pension dan het Khyber Hotel, weggestopt in een verborgen hoekje van de oude stad. Hoewel Simon geldgebrek als reden opgaf, kon Nick alleen maar aannemen dat hij jaloers was.

'Hij heeft jou verlaten,' zei Nick tegen Yvette. 'Niet andersom. Dus weet ik niet waarom hij er zo'n probleem mee heeft met ons samen te zijn.'

'Je lijkt niet erg je best te doen om hem het gevoel te geven dat hij welkom is.'

'Dat is onzin. Ik vraag hem de hele tijd of hij dingen met ons samen wil doen.'

'Hij heeft het moeilijk. Je had hem moeten aanbieden een paar dagen zijn kamer te betalen zodat hij bij ons in de buurt kon blijven. In plaats daarvan zit hij kilometers verderop.'

'Het Khyber kost maar vijf dollar per nacht – niet bepaald duur. Bovendien, waarom zou ik voor hem moeten betalen?'

'Dat deed je altijd toen we in Nepal en Tibet waren.'

'Maar een paar keer, wanneer ik een hotel met een warme douche wilde. Ik begin ook door mijn geld heen te raken. Ik heb nu al meer dan een maand kost en inwoning voor jou betaald.'

'Ik wist niet dat voor mij betalen zo'n probleem was,' had ze tegen Nick gezegd, zich er niet van bewust hoe arrogant dat klonk. 'Kunnen we die onbetekenende shit niet vergeten en met z'n drieën plezier hebben, zoals vroeger? Zeg je dat niet de hele tijd tegen me? Dat we lol moeten maken?'

De nacht nadat ze Prince hadden ontmoet tijdens hun uitstapje naar de wapenbazaar in Darra, werd Nick door de muezzin uit zijn slaap gewekt. Eerst had hij de moslimoproep tot het gebed exotisch gevonden. Nu werkte die alleen nog maar op zijn zenuwen. Een teken dat het tijd werd uit Pakistan weg te gaan, dacht hij.

Hij ging rechtop in bed zitten. Een smalle bundel maanlicht sijpelde door het raam, net genoeg om de kamer met een zwak schijnsel te verlichten en hem in staat te stellen te constateren dat Yvette weg was.

Hij riep haar, maar er kwam geen antwoord. Hij zag dat haar schoenen waren verdwenen, net als het T-shirt dat ze elke avond voor het slapengaan op de stoel legde, omdat ze liever met alleen ondergoed aan sliep. Hij voelde enige opluchting bij het zien van haar rugzak op het bagagerek, samen met haar reisdagboek, de beduimelde Franse vertaling van *A Suitable Boy*, en zelfs haar tabakszak en vloeitjes.

Hij piekerde enkele minuten over haar afwezigheid en schoot toen zijn spijkerbroek en bergschoenen aan. Hij liep de gang door, de trap af. Even dacht hij erover Shahid te wekken, die op de vloer in zijn provisorische bed van een stapel Afghaanse dekens lag te slapen. Maar hij besloot het niet te doen en ging in plaats daarvan terug naar de kamer.

Hij ging weer op bed liggen en voelde zich misselijk worden. Minuten werden uren, tot het oranje licht van de ochtendzon door het raam naar binnen scheen. Hanen kraaiden in de steeg. Een zwerver hoestte en rochelde onder het raam. De wereld van de mensen ontwaakte.

Toen hij het niet langer uithield trok hij zijn schoenen weer aan en ging op weg naar de bazaar om haar te zoeken. Toen hij bij Simons pension kwam vond hij haar tot zijn verrassing buiten op het nu verlaten plein, wachtend. Haar ogen waren rood van vermoeidheid.

'Ik neem aan dat je me nu gaat zeggen dat jullie de hele nacht alleen maar hebben gepraat,' zei Nick.

Yvette zuchtte. 'Wil je dat ik me een overspelige echtgenote voel of zoiets?'

'Ik heb niets gezegd over overspel. Waarom begin je erover?'

'Hou je mond, Nicholas. Als je het weten wilt: ja, ik was bij Simon vannacht. En we hebben de hele nacht gepraat, oké?'

Nick schopte tegen een grote kakkerlak die naar een spleet tussen de straatkeien bij Yvettes voeten rende.

'Hou op, Nicholas. Hou op medelijden met jezelf te hebben.'

'Ik ben met een heleboel dingen bezig, Yvette, maar zelfmedelijden hebben hoort daar niet bij.'

Ze zweeg, tikte de as van haar sigaret. 'Simon gaat een tijdje weg naar een rustige plek om tot zichzelf te komen.'

Nick keek haar even onderzoekend aan. 'Ga je met hem mee?'

Ze wreef over haar slapen, alsof ze plotseling hoofdpijn had gekregen. 'Joh, het is een lange nacht geweest. We zullen vanmiddag praten,' zei ze, enigszins naar woorden zoekend.

'Je bent high, of niet soms?'

Yvette gooide haar peuk op de grond en legde haar hand op haar voorhoofd. 'Ik heb wat van die hasj gerookt, en wat dan nog?' zei ze met haar ogen dicht. 'Ik zie je wanneer ik terugkom.'

'Waarvandaan?' vroeg Nick. 'Waar is Simon?'

'Hij is ziek. Ik ga in zijn plaats naar de smokkelaarsbazaar.'

Nick staarde haar aan. 'Dat meen je toch niet?'

Ze antwoordde door te zwijgen.

'Godverdomme, Yvette,' vloekte Nick. 'Jij gaat niet in je eentje naar de smokkelaarsbazaar.'

Yvette stak haar hand op. 'Hou op, Nicholas. Ga terug naar het hotel.'

'Jij alleen met die Prince op jacht naar hasj in de Stamgebieden, dat is zo ongeveer het stomste —'

'Alsjeblieft... ga weg!' smeekte ze, in een vlaag van moedeloze ergernis. 'Ik kan echt wel voor mezelf zorgen.'

Nick bleef zwijgend staan. 'Niets wat je zegt zal overtuigend genoeg zijn om je alleen te laten gaan, Yvette... niets.'

Deze herinneringen schoten door Nick heen, terwijl hij in het duister achter hem tuurde en de wielen van de pick-up hem naar een toekomst voerden die hij alleen maar kon raden. Hij vervloekte zichzelf dat hij Masood had vertrouwd. Hij was blut, beroofd van zijn laatste beetje reservegeld, en had niet genoeg over om zijn volgende maaltijd te kopen, laat staan het vervoer naar Gilgit te betalen. Maar hij was eindelijk op weg, ver van Peshawar, en met de seconde werd de afstand tussen hem en de politie groter.

16

De blekc gloed die aan de oostelijke hemel verscheen verdreef de troost die Nick had gevonden in het feit dat hij op weg was. Waarom komt de zon links op, vroeg hij zich af. We zouden op weg moeten zijn naar het noordwesten, naar Torkham — niet naar het zuiden! De conclusie was onvermijdelijk. Ze waren weer op weg naar Peshawar.

Nick klopte op de achterruit van de cabine. Toen de grijsbaardige Pasjtoe achteromkeek, wees Nick met zijn duim naar de oostelijke hemel. 'Waarom gaan we naar het zuiden?'

De Pasjtoe maakte een kommetje van zijn hand bij zijn oor en haalde zijn schouders op. Nick voerde een pantomime op door naar het oosten te wijzen en zijn armen te spreiden. 'Ik vroeg: waarom naar het zuiden?'

'Geen probleem,' mimede de Pasjtoe, terwijl hij zijn hand naar hem opstak. Het gebaar was bedoeld om hem te kalmeren, maar Nick zag er ook een zekere zelfvoldaanheid in.

'Nee... Stop! Zet die verdomde kar stil!' Nick sloeg op het cabineraam. Hij overwoog te springen, maar ze reden te hard. Hij zou een been breken, of misschien zijn nek. En zelfs als hij de sprong overleefde was er nergens een plek waar hij zich kon verbergen. Ze zouden hem achterna komen en neerschieten. Er zat niets anders op dan afwachten wat ze voor hem in petto hadden.

Tien minuten later reed de vrachtwagen een heuvel op. Toen ze de top bereikten zag hij in de verte oranje lichten flikkeren en de contouren van een paar lemen huizen en een stel geparkeerde voertuigen. Nick voelde een vlaag van opluchting: misschien brachten ze hem naar een andere vrachtwagen, die zou omkeren en naar het noorden zou rijden.

Maar toen ze bij de nederzetting stopten en de grijsgebaarde Pasjtoe uit de truck sprong met zijn kalasjnikov op Nick gericht, werd al zijn

hoop de bodem in geslagen. Dat is het dan, dacht Nick. Ze gaan me vermoorden, hier in de woestijn. De Pasjtoe gebaarde hem met de loop
van zijn geweer uit de laadbak te komen.

Nick staarde naar de kalasjnikov. Er kwamen twee mannen uit een van
de gebouwen, die bij de chauffeur en de man met de kalasjnikov gingen
staan. Hij kon in het donker hun gezichten niet zien.

Een van de nieuwkomers fouilleerde Nick, vond zijn geldgordel met
zijn enige overgebleven identiteitsbewijs en nam dat mee het gebouw
in, samen met Nicks rugzak. Ze lieten hem achter met alleen de kleren
die hij aanhad. De andere nieuweling, een kolossale kerel met een westerse broek aan, zei iets tegen de chauffeur, die hem het geld overhandigde dat Nick bij de vorige stopplaats had betaald.

Terwijl de mannen in het Pasjtoe stonden te kletsen, klonk een van de
stemmen Nick bekend in de oren. Het was dezelfde stem die Nick van
cementen muren had horen weerkaatsen, terwijl hij de zilte smaak van
bloed in zijn mond had geproefd en in schel licht had zitten turen. Een
stem die hij nooit zou vergeten.

Inspecteur Rasool Muhammad Akhtar stapte uit de schaduw, met het
stapeltje bankbiljetten van Nick in zijn hand. 'U hebt precies gedaan wat
ik verwachtte,' zei hij.

'Verwachtte?' vroeg Nick.

Akhtar lachte honend. 'Als advocaat zou u moeten weten dat het een
bewijs van schuld is wanneer een verdachte op de vlucht slaat. Adjudant
Shiraz stond erop dat we u het voordeel van de twijfel gunden. Maar
wat mij betreft, ik heb altijd vermoed dat ú voor de moord terecht zou
staan, niet de Engelsman. Het was beter geweest als u zich aan de afspraak had gehouden.'

De grijsgebaarde Pasjtoe porde Nick met de loop van het geweer in
de rug en duwde hem naar een minibusje van Japanse makelij dat achter
een van de lemen gebouwen stond geparkeerd. Akhtar, die Nicks geld
telde, liep achter hen aan en schoof de zijdeur van het busje open. Hij
rommelde in het donker en stak Nick toen een paar handboeien toe.
'Doe ze om.'

Nicks handen trilden terwijl hij de boeien van Akhtar aannam. Hij liet
ze vallen.

Hij keek naar de handboeien die in het zand lagen en toen naar
Akhtar. De grijsbaard prikte met het geweer in zijn rug.

Later kon hij zich niet herinneren dat wat hij vervolgens deed gepland was, maar achteraf bezien moet dat wel. Want niemand had kunnen doen wat hij had gedaan zonder er van tevoren over te hebben nagedacht. Hij bukte zich en pakte de handboeien op. Toen hij overeind kwam greep hij de loop van de kalasjnikov met zijn vrije hand.

Zijn kleine, minieme verzetsactie moest de Pasjtoe, die nog steeds high was, hebben verrast. In plaats van het geweer aan Nicks greep te ontworstelen — wat hij gemakkelijk had kunnen doen omdat hij de kolf bij de trekker vasthield, een veel steviger houvast dan Nick had — aarzelde hij en keek ongelovig naar Nick. Een kort ogenblik stonden de twee elkaar gebiologeerd aan te staren, als schildwachten die met hetzelfde geweer op wacht stonden, tot Nick de handboeien liet vallen en uit alle macht met beide handen de loop omhoogduwde.

De Pasjtoe viel achterover en liet het wapen los voor hij in de gaten had wat er gebeurde. Nick merkte dat hij het geweer met twee handen had omklemd, met de kolf op schouderhoogte, terwijl hij naar achteren richtte. Zijn handen trilden, maar hij liet het niet vallen.

De Pasjtoe vloog hem aan. Instinctief stapte Nick naar hem toe en stootte de zware geweerkolf op diverse plaatsen in het gezicht van zijn belager. Het was een misselijkmakend geluid, alsof iemand in een emmer met eieren aan het stompen was. Ineens lag de Pasjtoe op zijn rug met zijn benen te trappelen, terwijl het bloed over zijn verkrampte vingers stroomde.

Nick stond verbijsterd, niet helemaal beseffend wat hij had gedaan. Hij was bang dat de man weer zou aanvallen en vroeg zich af of hij op hem moest schieten. Toen hoorde hij een kelig, rochelend gekreun en hij dacht dat de man dood lag te gaan — tot hij zich realiseerde dat het geluid niet van de Pasjtoe afkomstig was, maar achter hem vandaan kwam. Pas toen merkte hij dat er een scherpe kruitdamp hing en dat de loop in zijn hand heet was. Tijdens de worsteling met de Pasjtoe was de kalasjnikov afgegaan.

Nick draaide zich om en zag een gestalte op de grond liggen. Het was Akhtar. Hij had een gat in zijn borst.

Bij elke moeizame ademstoot vormden zich zwarte bellen op Akhtars geopende lippen. Zijn ogen stonden wijd open van angst. Hoewel Nick een soort voldoening voelde toen hij Akhtar in doodsnood zag, viel hij op zijn knieën en onderzocht Akhtars verwonding. Het was hopeloos. De kogel had hem vlak onder zijn hart getroffen en het bloed gutste ritmisch door het gat in zijn overhemd.

Akhtars mond bewoog in een poging te praten. Hij kwam omhoog en wenkte Nick. Deze aarzelde, maar toen voelde hij een onverklaarbare drang om te horen wat de stervende zei. Hij boog zich dichter naar hem toe tot zijn oor nog maar een paar centimeter van Akhtars bloederige lippen vandaan was.

Plotseling voelde Nick dat natte handen zich om zijn nek klemden. Hij kokhalsde en drukte de kalasjnikov tegen Akhtars borst, hem omlaagduwend om zich te bevrijden. Akhtar kneep alleen maar harder en wurgde Nick met de wanhoop van een stervende man die erop gebrand is zijn laatste krachten te gebruiken voor één laatste daad. Nick voelde de adertjes achter in zijn ogen barstten. Zijn hoofd zoemde alsof er duizend krekels in gevangenzaten en hij zakte weg.

Net op dat moment spoot er bloed uit Akhtars mond. Zijn greep verslapte. Naar adem snakkend viel Nick in het zand. Akhtars gebroken lichaam liet een laatste rasperig gehijg horen voor zijn borst inzakte en niet meer omhoogkwam.

Nick stond op, besmeurd met Akhtars bloed. Hij hoorde geschreeuw en kreten van pijn. De grijsgebaarde Pasjtoe rolde door het zand, met zijn handen op zijn bloederige gezicht waar Nick het met de geweerkolf had bewerkt. Meer stemmen in het donker en toen het geluid van voetstappen op grind. Nick begon te rennen.

Toen klonk er een schot, als een steen die het oppervlak van een licht bevroren vijver verbrijzelt. De kogel floot links langs hem heen. Nick rende naar rechts.

Er klonken meer schoten, een gevaarlijk salvo van automatisch vuur. Hij begon harder te rennen, blindelings in het donker, al zijn kracht naar zijn bovenbenen sturend.

De grond verdween onder zijn voeten. Hij viel voorover, naar beneden. Grind schaafde zijn handen toen hij zijn val probeerde te breken, maar dat haalde niets uit. Zijn val leek eindeloos te duren, tot hij met een dreun neerkwam. Hij bleef stil liggen, zijn borst tegen een rotsblok gedrukt, zijn armen en benen geschaafd en bloedend.

Een nieuwe kogelregen vloog over zijn hoofd. Gepraat klonk vanaf de rotsen boven hem – van mannen die probeerden de helling af te dalen – en toen het geronk van een motor. Het vale licht van koplampen scheen door een brede kloof.

Nick krabbelde overeind, maar bleef gebukt, op zoek naar dekking. De helling werd weer steil. Hij verloor zijn evenwicht, gleed op zijn achterste langs een puinhelling omlaag, de duisternis in. Toen hij tot stilstand kwam waren de mannen hoog boven hem, schreeuwend aan de andere kant van de kloof. Hij hoorde meer schoten, verder weg, gevolgd door het geluid van afketsende kogels. Hij stond weer op en liep zijdelings de helling af, lange tijd achtereen, tot zijn benen en longen zo'n pijn deden dat hij alleen nog maar kon kruipen. Hij had elk besef van tijd verloren.

Toen hij uiteindelijk de bodem bereikte kwam hij bij een ondiep stroompje. Daar knielde hij neer en dronk als een dier. Van uitputting zakte hij door zijn armen en viel op zijn buik. Met zijn gezicht tegen de ijzig koude aarde gedrukt bleef hij liggen. Toen hij op adem was gekomen, hoorde hij alleen stromend water ruisen. Hij hees zichzelf op zijn voeten en strompelde stroomopwaarts langs de bedding.

Uren later, toen de zon doorbrak aan de horizon, had de met rotsblokken bezaaide kloof zich geopenbaard als een desolate vlakte van zand en steen. Nick viel op zijn knieën en tuurde in de verte, zelfs te verlamd om te huilen. Hij was ontsnapt naar een eindeloos niets; een uitgestrekte poort naar vergetelheid.

Deel II

17

Stamgebieden, grensgebied Pakistan-Afghanistan

Nicholas Sunder probeerde loensend zicht op de wereld te krijgen. Steunend op zijn ellebogen deed hij zijn best zich te oriënteren.

Hij had geen duidelijke herinneringen aan wat er was gebeurd, alleen vage beelden die hij probeerde te begrijpen: Akhtars zwarte ogen die in de zijne staarden; kogels die over zijn hoofd vlogen; de eindeloze, paniekerige spurt door de duisternis; uitputting, dorst en de helse hitte.

Nicks zintuigen raakten langzaam op elkaar afgestemd. Hij snoof de droge lucht in. Die was doortrokken van roet en de zwavelachtige stank van brandende mest. Zwarte rook kringelde boven hem. Toen die langzaam verdween werden twee getaande, baardige gezichten zichtbaar. Hun wangen waren met roet besmeurd en ze staarden Nick van onder hun Chitrali-petten aan. Ze hadden een nieuwsgierige, bijna bezorgde uitdrukking.

Zijn aanvankelijke opluchting dat hij niet de weldoorvoede, bureaucratische gezichten van politieagenten zag, maakte algauw plaats voor een gealarmeerd gevoel. Hij duwde zich met zijn handen op en bekeek hen achterdochtig. De mannen deden een paar stappen achteruit en gingen toen in kleermakerszit op de grond zitten. De doordringende stank van hun ongewassen lichamen drong als reukzout in zijn neusgaten.

'*Salam aleikum*, meneer,' zei de een. Hij had een bekende grijns, die zich breed uitstrekte over een ovaal gezicht dat met een krans van lange, dunne bakkebaarden werd omlijst. De andere man leek al even bekend, met diepblauwe ogen die in scherp contrast stonden met zijn zwarte baard, die zijn uitstekende jukbeenderen bedekte als een tapijt van ruig jakhaar.

'U herinnert zich ons?' informeerde de kleinste van de twee.

De wolfachtige grotere man met de priemende ogen boog zich naar voren en streek een lucifer af, die hij zorgvuldig onder een piramide van stokjes legde die boven op een smeulende hoop mest was gestapeld. De andere man – degene die sprak – zat in kleermakerszit, met zijn blik op Nick gefixeerd en een serene uitdrukking op zijn gerimpelde gezicht, als een veel magerder versie van een lachende boeddha. 'Fidali verzorgde uw neus. U herinnert zich dat, meneer?' vroeg hij, knikkend naar zijn grotere makker.

Nick zag nog steeds wazig en hij wreef over zijn slapen tot hij hen eindelijk kon plaatsen: de twee stamleden uit de bewaringscel waarin de politie hem de nacht voor zijn vrijlating had opgesloten. Hij geloofde zijn ogen niet.

'Ahhhh, ja – u herinnert het zich!' zei de man opgewonden. De woorden rolden met een joviale zangerigheid uit zijn mond voor hij abrupt een ernstig gezicht trok. 'Maar nu hebt u een veel groter probleem, denkt Ghulam.' Hij hield zijn handen smekend naar de hemel gericht en schudde plechtig zijn hoofd. Nick was te zeer met stomheid geslagen door de vreemde ervaring wakker te worden in aanwezigheid van zijn twee voormalige celgenoten om antwoord te kunnen geven. Hij keek behoedzaam rond.

Ze zaten in de schaduw van een hoge overhangende rots – een enorme zwerfkei die schuin naar de hemel oprees en een natuurlijke beschutting vormde tegen de zon. Iemand had de moeite genomen aan de open kant een muur van opgestapelde stenen te bouwen om zo een hok voor dieren te maken dat bescherming bood tegen de wind. Nicks ogen volgden de hoge rookkolom die naar de nok van de steile wand kringelde. De schuilplaats leek veel te worden gebruikt, gezien de zwarte rookafzetting op het rotsplafond en de dierenbotten die in het zand verspreid lagen. Uit de stand van de zon leidde Nick af dat het laat in de middag moest zijn. Hij moest sinds het aanbreken van de dag buiten westen zijn geweest.

De stamleden keken naar het smeulende vuurtje. Degene die Fidali heette zette een kleine ketel op de keien die het gloeiende hoopje hout en mest omringden en begon te rommelen in een rieten mand met allerlei spullen – kookbenodigdheden, luciferdoosjes, plastic zakjes met zout en suiker. Nick deed alsof hij helemaal in het vuur opging en wierp intussen behoedzame blikken op het tweetal om te zien of hij hun bedoelingen kon achterhalen. Hij was achterdochtig omdat ze in de gevangenis hadden gezeten. Hoewel ze die nacht in de cel aardig voor hem waren geweest, konden ze net zo goed gewelddadige criminelen zijn. Na alles wat hij de afgelopen weken had doorgemaakt – dat was uitgelopen op de val die Akhtar had opgezet – was hij er zeker van dat hij het doelwit was van beroving, ontvoering of erger. Plotseling bevangen door paniek stond hij op en verbaasde zich dat zijn gebroken lichaam de commando's van zijn hersens had opgevolgd.

De dwergachtige man stak zijn hand uit en greep Nick bij zijn enkel. Geschrokken maakte deze een sprongetje. 'Alstublieft, meneer,' zei de man. 'Drink thee, eet. U bent onze gast.'

'Nee, ik... moet echt weg,' antwoordde Nick, en hij besefte hoe absurd dat klonk, gezien zijn uitgeputte toestand en de dodelijke zon buiten de schuilplaats. Zelfs als hij het kon verdragen in die hitte te reizen, waar kon hij naartoe? Tot aan de horizon was er alleen maar door zon verzengd zand.

'Te warm, meneer, zelfs voor hagedissen. Erg gevaarlijk. U moet tot later wachten.'

Nick schermde zijn ogen af en tuurde het schrikwekkende landschap af. De man had gelijk. Hij had ongelofelijke dorst, zijn hoofd bonkte, zijn benen waren stijf en zijn voeten zaten onder de blaren. Hij zou het niet overleven. Het was bittere noodzaak dat hij het er met zijn gastheren op waagde, in elk geval tot de zon lager aan de hemel zou staan.

'U spreekt aardig goed Engels,' zei Nick zakelijk toen hij weer ging zitten, waarbij hij een veilige afstand bewaarde.

'Ja. Klein beetje, meneer.' Hij knikte naar opzij. 'Hoe voelt u zich?'

'Alsof ik aan een spit ben geroosterd.' Dat was de waarheid. Nicks huid zag zo rood als een kreeft en zijn ogen waren zo uitgedroogd dat ze prikten.

'Net als kebab,' zei de man giechelend. 'Engelse kebab! We hebben u helemaal alleen gevonden, twee nachten geleden, liggend tegen een groot rotsblok. U was gestoofd door de zon. Ademde bijna niet. Niet erg verstandig van u, English.'

'Nee, niet echt,' bevestigde Nick, terwijl hij over zijn achterhoofd wreef.

'We hebben u hierheen gebracht, thee gegeven. U hebt de hele tijd geslapen, gisteren de hele dag, en vannacht.' Hij wees naar Nicks kamiz. 'Groot probleem, denken wij.'

'Gisteren?' herhaalde Nick ongelovig, worstelend om greep te krijgen op het tijdsverloop. Hij had gedacht dat hij een paar uur bewusteloos was geweest, niet bijna twee dagen. Nick keek waar de man op wees en zag bloedvlekken op zijn kamiz, Akhtars geronnen bloed, nu opgedroogd tot een roestbruine kleur. Hij bedekte het bloed met zijn armen, maar pas nadat de mannen zijn poging met steelse blikken hadden opgemerkt.

'Een ongeluk,' mompelde Nick, terwijl hij het gebaar van vallen maakte. 'Ik ben met mijn hoofd op een rots geknald. Ik raakte in de war en ben toen verdwaald. Heel erg bedankt dat u me helpt,' voegde hij eraan toe, in de hoop hun verdenking af te leiden met beleefdheid. 'Ik sta bij u in het krijt.'

'Geen probleem,' zei de kleinste, die steeds het woord voerde. Het geluid van kokend water bij het vuur trok hun aandacht. De dicht be-baarde Fidali goot zwijgend de dampende thee in drie mokken en gaf er een aan Nick.

Ze dronken in stilte. De thee was sterk en zoet, en hoewel die zoeter en warmer was dan wat hij anders in een dergelijke verzengende omge-ving zou willen drinken, voelde hij dat zijn lichaam langzaam zijn kracht herwon.

Ondertussen bekeek hij zijn gastheren eens wat beter. De plukkerige baard van de kleine man vormde vanaf zijn bakkebaarden een halve cir-kel over zijn kin. Uit zijn gelaatstrekken – niet helemaal Aziatisch en ook niet volkomen westers – sprak een versmelting van twee rassen en twee werelddelen. Als hij grijnsde, wat vaker wel dan niet het geval was, glommen zijn ogen en leek hij net een kind dat op kattenkwaad was be-trapt. Hij wees met zijn duim naar zijn borst.

'Ik ben Ghulam Muhammad. En mijn vriend heet Fidali.'

'Fidali?' Na zo lang door moslimlanden te hebben gereisd had Nick het idee dat er maar een beperkt aantal islamitische namen was om uit te kiezen. Maar deze had hij nog niet gehoord, en op het eerste gehoor klonk hij helemaal niet islamitisch.

'Ja. Zelfde zelfde als Fida Ali. Maar waar wij vandaan komen, zeggen we "Fidali".'

'O... juist,' zei Nick, toen hij de volledige versie van de naam her-kende. Hij herinnerde zich van zijn reis vanuit China langs de Karako-ram Highway met Yvette dat islamitische namen van Arabische origine, zoals Fida Ali, in streektalen vaak werden samengetrokken of op een an-dere manier veranderd. 'Aangenaam nogmaals met u beiden... weer kennis te maken.'

'Ah, ja. Nogmaals,' zei de kleine man lachend.

Fidali was bezig aardappelen in plakjes te snijden met een lang krom mes dat meer op een miniatuurkromzwaard leek dan op keukengerei, en gooide de schijfjes in de ketel kokend water. Zijn handen waren groot en zaten vol littekens; hij had een lichte gelaatskleur en dik, borstelig zwart haar dat recht overeind stond, hoewel het aardig lang was. Als hij niet van top tot teen in een moslimgewaad gekleed was geweest, had hij voor een Spanjaard of Griek kunnen doorgaan.

Hoewel Fidali zat, zag Nick dat hij stevig gebouwd was, met brede, vierkante schouders. Pas toen hij opstond zag Nick hoe enorm groot hij werkelijk was. De langste man die hij had gezien sinds hij aan zijn reis door Centraal-Azië was begonnen, zelfs voor Amerikaanse begrippen, al getuigde zijn postuur van magere kracht, gehardheid en nuttig gebruik, in tegenstelling tot de buitensporige massa van een bodybuilder of de slungelige vlezigheid van een overvoede westerling. Hij leek een halve meter langer dan zijn vriend, die dikke bovenarmen had en een brede, wigvormige rug waardoor zijn kamiz strak over zijn schouders gespannen stond, een lichaam dat was gevormd door een leven in de bergen. Met bovenbenen als boomstronken wekte hij de indruk van een man die in de aarde was verankerd en die het volle gewicht van twee flinke jakstieren op zijn schouders tegen steile, hoge berghellingen op kon sjouwen.

'En u, meneer?' vroeg Ghulam.

'En ik...?' vroeg Nick om tijd te winnen, terwijl zijn geest naarstig naar een schuilnaam zocht. Het leek hem dom om zijn echte naam te geven.

Ghulam merkte Nicks aarzeling. 'Ghulam bedoelt te vragen uit welk land u komt,' zei hij, waarmee hij zijn vraag veranderde. 'Engeland?'

'O, eh... nee,' zei Nick, opgelucht dat Ghulam er niet langer op aandrong zijn naam te noemen. 'Ik, eh, kom uit Canada.' Hij loog niet alleen omdat hij zich genoodzaakt voelde zijn identiteit geheim te houden, maar ook omdat hij vreesde dat een Amerikaan misschien zou worden beschouwd als iemand die een hoger losgeld kon opleveren. Het antwoord dat daarop volgde leek dat doel echter te ondermijnen.

'Ah, ja, Canada, in Amerika,' antwoordde Ghulam.

'Canada is iets anders. Niet hetzelfde als Amerika,' verduidelijkte Nick.

Ghulam keek verward. 'Zelfde zelfde, maar anders?' vroeg hij, terwijl hij met zijn gestrekte hand het universele gebaar van gelijkheid maakte.

'Juist heel anders,' antwoordde Nick. 'En u? Komt u uit Afghanistan?'

'Nee, nee. We komen uit Kashmir,' zei hij – trots, dacht Nick.

'Kashmir?' Nick spitste zijn oren. 'Welk deel?'

'Uit Kurgan,' antwoordde Ghulam. 'Kent u Kurgan?'

'Heb er nog nooit van gehoord. Ligt het in door Pakistan of door India gecontroleerd gebied?'

'Aan de Indiase kant. Kurgan is een heel klein dorpje, hoog in de bergen.' Hij wees naar de lucht, plotseling geestdriftig. 'Erg mooi. Hoge besneeuwde bergen en gletsjers. We zullen gauw thuis zijn, inshallah! Dat is lang geleden.'

'En Fidali ook?'

'Zelfde zelfde.'

'Wat doen jullie dan hier, in dit verlaten gebied?' vroeg Nick, voordat hij zijn nieuwsgierigheid ineens betreurde uit vrees dat hem nu hetzelfde te wachten stond.

Ghulam nam Nick enige tijd kritisch op, alsof hij diens betrouwbaarheid peilde. 'Dit is de weg waarlangs we naar huis gaan – speciale weg,' antwoordde hij. 'We zijn een jaar in Pakistan geweest, om werk te zoeken. Maar niks gevonden,' zei hij, terwijl hij zijn teleurstelling liet blijken door met zijn hoofd te knikken en met zijn tong te klakken.

'Wat voor werk doen jullie?'

'Ghulam is kok en berggids,' antwoordde hij, volgens zijn gewoonte in de derde persoon naar zichzelf te verwijzen. 'Dat is hoe Ghulam Engels heeft geleerd – van Britse en Duitse mensen die naar Kashmir komen om rond te trekken. Nu wordt er te veel gevochten in Kashmir. Er is al jaren geen werk voor gidsen. Dus gingen we naar Peshawar...'

'Waarom Peshawar?' vroeg Nick, terwijl hij zijn best deed het niet te laten klinken als een ondervraging.

'Eerst gingen we naar Skardu, om werk te vinden als kok bij trektochten. Maar ook niet zo veel trekkers in Pakistan. De enige banen gaan naar lokale mensen... Karachi is niks – slechte mensen daar, erg gevaarlijk. Dus toen gingen we naar Peshawar om werk te zoeken in textielfabrieken. Maar in Pakistan houden ze niet van mensen uit Kashmir. Politie arresteert ons voor naar het Pakistan komen zonder papieren. Dus nu gaat Ghulam naar huis, inshallah, om bij zijn familie te zijn,' zei hij.

Nick knikte. 'Het ziet ernaar uit dat Fidali nu de kok is.'

'Ja, ja. Fidali ook goede kok,' antwoordde hij.

Fidali schepte de hete aardappelen en bouillon in kommen en gaf ze door aan Nick en Ghulam. Hij wikkelde een homp oudbakken chapati uit een stuk krantenpapier en brak dat in drieën. Nick bedankte hen allebei, accepteerde hun vrijgevigheid en volgde hun methode om het keiharde brood in de dampende bouillon te dopen om het zacht te maken en de stukjes aardappel met het doorweekte brood op te scheppen. De papperige substantie was warm en zout, een welkom contrast met de mierzoete thee. Zwijgend verorberden de mannen het eten. Alleen Ghulam mompelde met de regelmaat van de klok tussen het slikken door: *'Allah haq.'* God is groot.

'En u, English? Waar gaat u naartoe?'

Ghulam noemde alle westerlingen 'English', ongeacht hun nationaliteit – een gewoonte die naar Nick had ontdekt in Zuid-Azië in sommige boerendorpen gemeengoed was. 'Ik wil ook naar Kashmir, naar... inshallah,' voegde hij eraan toe.

'Ja, inshallah!' Ghulam lachte vanwege Nicks gebruik van de uitdrukking 'als God het wil'. 'U bent moslim?' vroeg hij.

'Ik ben niet echt gelovig.'

Ghulam plukte aan zijn baard en hield onthutst zijn hoofd scheef. 'Niet gelovig?'

'Nou, mijn ouders waren christenen, maar –'

'Ah, mensen van de Bijbel,' onderbrak Ghulam hem goedkeurend. 'U weet, Isa bin Miriam is ook een profeet van de moslims. Maar waarom zegt u "niet gelovig"?'

De vreemde situatie zomaar met vreemden over religie in gesprek te raken trof Nick nog steeds, hoewel hij tijdens het reizen door moslimlanden had gemerkt dat het voor de mensen niet ongewoon was om dat te doen. Als je in het Westen met willekeurige mensen over religie praatte, bedacht Nick, vond men je al snel niet goed snik. 'Ik denk er gewoon niet zo over na,' antwoordde hij. 'Ik ben maar een stuk of tien keer naar de kerk geweest, en dat was meestal toen ik nog een kind was.'

Ghulam dacht even over zijn woorden na. 'Allah niet in kerk of moskee. Allah hier,' zei hij en hij wees op zijn borst, 'en Allah daar.' Hij zwaaide zijn hand in een wijde boog naar de heuvels aan de horizon.

Nadat Fidali hun mokken nogmaals had volgeschonken, doopte Ghulam een lap in de rest van het warme water en gaf die aan Nick. 'Hier, was je gezicht. Het is beter om schoon te zijn.'

Nick veegde het aangekoekte vuil van zijn gezicht en handen. Het deed hem goed de warme doek op zijn huid te voelen. 'Hoe reizen jullie? Nemen jullie ergens langs de weg een vrachtwagen?'

'Misschien. We komen langs maar weinig wegen... Als we een veilige truck vinden om mee te rijden, dan is het prima. Anders lopen we.'

'Lopen! Hoe lang gaat dat duren?'

'Drie weken, misschien vier, inshallah. Maar misschien is er te veel sneeuw. Veel grote bergen en gletsjers om over te steken. U kent Siachen?'

'Ik heb erover gehoord. Is dat niet de gletsjer bij de K2?'

'Ja, een gedeelte. Siachen is erg lang. We steken de grens over vlak bij Kargil. Dan gaan we lopend naar Kurgan.'

'Waarom steken jullie niet over vanuit Muzzafarabad? Is het terrein daar niet gemakkelijker?'

Ghulam pakte een van de plunjezakken die naast hem in het stof lagen en keerde hem om. Er vielen een stuk of tien sloffen sigaretten uit. Hij wees ernaar.

'Deze sigaretten kopen wij goedkoop van Afghanen om in Kargil te verkopen. In het zuiden, dichter bij Muzzafarabat, is de grensweg erg open. Te veel politie. Als we wapensmokkelaars waren, waren er misschien geen problemen. Maar sigaretten zal de Pakistaanse politie afpakken als we geen baksjisj betalen. Wij hebben geen geld voor baksjisj. Dus we nemen een speciale route,' zei Ghulam en hij wees naar de uitlopers van de bergen aan de horizon. 'Smokkelaarsroute. Erg moeilijk lopen, erg gevaarlijk. Maar geen politie.'

Nick dacht na. Nu hij begreep dat ze door dit desolate gebied trokken omdat het een vaste smokkelroute was, trof het feit dat zijn vroegere celgenoten hem hadden gevonden Nick niet als een toevallige samenloop van omstandigheden, maar als een gelukstreffer. 'Waar pakken jullie de route op?' vroeg hij, nu hij een mogelijkheid zag. Ghulam lachte. Hij vond Nicks vraag kennelijk belachelijk.

'Sorry. Het is te gevaarlijk, denkt Ghulam.'

'Toch wil ik het weten. Alstublieft,' smeekte Nick.

Ghulam keek hem nadenkend aan, terwijl zijn blik afdwaalde naar Nicks bebloede kleren. Hij viste wat stukjes aardappel uit zijn kom en kauwde aandachtig. 'Ghulam kent de weg niet erg goed. Fidali heeft hem vaak genomen. Het is Fidali's pad.'

De mannen vielen stil en dronken hun thee. Toen, na wat Nick een eeuwigheid toescheen, praatte Ghulam met Fidali in hun moedertaal. Er volgde een korte discussie tussen de twee mannen, en toen Fidali knikte, wendde Ghulam zich tot Nick.

'Fidali zegt dat hij u de weg zal wijzen, inshallah.'

'Wil hij dat...?' vroeg Nick, die nog niet helemaal kon geloven dat hij zo veel geluk had. 'Maar ik heb geen geld om jullie te betalen.'

'Geen probleem, English,' zei Ghulam. 'Het is erg vreemd dat we elkaar weer ontmoeten op deze plek, vindt u niet? Allah moet hiervoor een goede reden hebben.'

'Shukria. Ik ben jullie wederom heel dankbaar,' antwoordde Nick, zonder in zijn stem zijn heimelijke scepsis te laten doorklinken. Hij boog zich naar Ghulam toe en stak zijn hand uit. Die greep hem, onbeholpen en van zijn stuk gebracht door het gebaar, en toen Nick hem te heftig schudde grinnikte Ghulam. Daarna draaide Nick zich om naar Fidali en schudde ook hem de hand, waarbij hij snel terugtrok omdat Fidali zijn hand zo ongeveer fijnkneep. Nick was verrast toen op het gezicht van de stoïcijnse reus zelfs een glimlach doorbrak.

18

'De oplossing van alle problemen is de jihad.' Die leuze was hun keer op keer ingeprent tijdens de 'lessen in waarheid' die ze in het trainingskamp in Pakistan kregen. Maar toen Kazim de grens overstak naar zijn eerste schermutseling met de dood, hielp de jihad niet erg om het probleem op te lossen van Shari, de jongen voor hem die moeite had om zijn ontbijt binnen te houden.

Muzzafar Khan, hun commandant, stond fronsend te kijken naar de zestienjarige Shari, met wie Kazim nog maar enkele dagen geleden samen de training had afgesloten. 'Jij daar, knul, hou op met dat verdomde kokhalzen!' beval Muzzafar, terwijl hij Shari met zijn kalasjnikov – die hij had versierd met een bonte reeks primula's, waardoor het ding een stuk speelgoed leek – in het vizier hield. Shari verstijfde en er droop speeksel van zijn kin. Hij was er zeker van dat Muzzafar van plan was hem ter plekke neer te schieten. Er verscheen een vochtige plek in Shari's broekspijp. Muzzafar schudde zijn hoofd van afschuw. 'Typisch een Kashmiri,' hoonde hij voor hij verderging. 'Zachter dan het dons op de kut van je zusje.'

De grijsharige Pakistani Muzzafar was geboren in een sloppenwijk van Rawalpindi. Hij had een lange baard en droeg een tulband in de stijl van de Afghaanse moedjahedien. Hij was een veteraan die acht jaar in de Afghaanse jihad had gevochten en was pas veertien geweest toen hij zijn eerste Rus had gedood. Dat was een jonge, onervaren dienstplichtige geweest die, nadat hij in zijn benen was geschoten, de pech had niet te weten dat hij zich op zijn geweer had moeten rollen in plaats van zich gevangen te laten nemen. Muzzafar sneed elke vierkante centimeter van het lichaam van de ongelukkige jongen – 'de dood van de duizend sneden' noemden de Afghanen dat graag – en hing het bloederige lichaam, naakt en zonder ledematen, aan een vleeshaak in een bocht van de weg voor het eerstvolgende Russische konvooi. 'Daardoor,' zou Muzzafar later tegen Kazim zeggen, 'komt het dat we de strijd tegen die ongelovigen hebben gewonnen. Niet door de stingerraketten die we van de Amerikanen hebben gekregen.'

Muzzafar was een fanaticus die alle soorten ongelovigen verachtte die ooit wrok tegen moslims hadden gekoesterd: idolate hindoes, Russen, 'goddeloze' Chinezen, Amerikaanse 'kruisvaarders', joodse zionisten — en dat was precies waarom Kazim onder zijn bevel was geplaatst. Kazim had tijdens zijn training blijk gegeven van buitengewone leiderschapskwaliteiten. Hij was sterk en intelligent en hij had als jongen in de omgang met toeristen praktijkervaring opgedaan met de Engelse taal die hij op school had geleerd. Dat laatste kon nog wel eens nuttig zijn als Kazim goed genoeg bleek om promotie te maken binnen de organisatie van de jihadstrijders. Vaak scheidde een taalbarrière de oorspronkelijke Kashmirirebellen, die plaatselijk stamdialect spraken, van de Urdusprekende Pakistaanse geheim agenten. Omdat het Engels onder Pakistaanse officieren een gemeenschappelijke tweede of derde taal was, kon een moedjahid die die taal beheerste een groot voordeel opleveren tegenover leiders van rivaliserende groeperingen. Als Kashmiri werd Kazim echter verondersteld 'gematigd' te zijn, in religieus opzicht en wat temperament betreft. De leiders van Lashkar-e-Tayyiba — het Leger der Rechtvaardigen, een pro-Pakistaanse groepering van moedjahedien waarvoor Kazim op bedrieglijke wijze was gerekruteerd — hoopten dat Muzzafars extremistische vurigheid enigszins zou slijten. De jihad in Kashmir moest naar hun idee radicaler worden, omdat hij anders in elkaar zou storten.

Tien moedjahedien werden uitgekozen voor de aanval die vóór de dageraad zou worden uitgevoerd. Drie van hen, Kazim inbegrepen, waren net klaar met de training. Hun doelwit was een *naka* — een bewaakte wegblokkade langs de gevaarlijke bevoorradingsweg naar Srinagar, een paar kilometer van de noordelijke delen van de Line of Control. De naka zou versterkt zijn met een bunker en bemand worden door een handvol *jawans* — bewakers die tot de Indiase grensbeveiligingstroepen behoorden. Het zou een routineaanval worden onder dekking van de duisternis, ideaal om de nieuwe rekruten in te wijden in het strijdgewoel.

De moedjahedien doken op uit het dichte naaldbos. Toen ze in de buurt kwamen van het weggedeelte waar de naka was, verdeelde Muzzafar de groep over beide kanten van de weg. Hij was van plan met de ene helft een aanval in de rug uit te voeren, terwijl de andere helft de Indiase artilleristen vanuit de verte met kalasjnikovs onder vuur nam. De noordelijke afdeling werd vooruitgestuurd om haar positie in te nemen. Die stuitte echter op een Indiase patrouille, die – heel verdacht – niet door de spion van de moedjahedien aan de Indiase kant van de Line of Control was gemeld. De aanval liep algauw slecht af. 'Klote-verrader!' vloekte Muzzafar binnensmonds toen de hemel plotseling in verblindende rode en witte flitsen uiteenspatte.

Kazim keek als een verschrikt dier naar de heldere vlammen die in de lucht uitbarstten. Een regen van kogels sloeg neer op de rotsen bij zijn voeten. Voor hij het geratel van de Indiase machinegeweren zelfs maar kon horen, waren vier van de vijf moedjahedien vóór hem neergemaaid. Toen de kogels hun lichamen troffen klonk dat alsof er met een cricket-bat op een lap biefstuk werd geslagen. De vijfde, een van de in paniek geraakte nieuwelingen, rende voor zijn leven, terug naar de plaats waar Kazim, Muzzafar en de drie anderen tussen de bomen gehurkt zaten.

Het was een ondoordachte, misschien laffe daad van de overlevende. Hem was geleerd dat hij als martelaar moest sterven en niet dat hij moest wegrennen en de vijand naar zijn makkers toe leiden. Maar hij was een jongen die onder dwang was gerekruteerd en hoewel alles wat hij tijdens zijn training over het martelaarschap had geleerd op dat mo-ment in zijn puberale geest vast zeer edel had geklonken, leek toen hij werd geconfronteerd met zijn sterfelijkheid het leven veel edeler. Hij werd in de rug geschoten terwijl hij om hulp riep – maar pas nadat hij de positie van zijn kameraden had prijsgegeven. Toen zelfs Muzzafar zachtjes een gebed prevelde kwam het plotseling bij Kazim op dat zijn eerste gevecht ook zijn laatste zou zijn.

De hitte van de strijd. Oranje vlammen van spuwende vuurmonden, het dodelijke gefluit van kogels die lange alarmerende lichtbogen beschreven, de dierlijke kreten van de verminkten en stervenden – alles versmolt in een caleidoscoop van geweld.

Toen kwamen de mortieren, die in een spervuur van drie of vier gra-naten tegelijk schoten. Kazim dook naar de grond. Stenen die door de exploderende granaten in de lucht werden geslingerd kletterden neer op zijn rug. Hij bedekte zijn hoofd met zijn armen, niet in staat het op te tillen om door de stortvloed van puin heen te kijken.

Hij voelde dat hij bij zijn kraag werd gevat. Hij huilde van angst, in de verwachting dat een bajonet zijn keel zou doorsteken. Maar toen hij zijn hoofd ophief om zijn moordenaar in de ogen te kijken, zag hij dat het Muzzafar was. Zijn ogen waren woedende zwarte kolen, zijn neusgaten trilden als van een razende stier. Met één enkele blik wist Kazim dat Muzzafar van dit gedeelte van de strijd het meest genoot.

'Sta op en vecht, herdersjongen! Of ik schiet je zelf neer!' schreeuwde Muzzafar boven de herrie van het geweervuur uit.

Kazim wist dat hij het meende. Trillend ging hij op zijn knieën zitten en stak zijn AK-47 de nacht in. Hij haalde de trekker over zonder ook maar de tijd te durven nemen om te richten, in de verwachting dat Indiase kogels zijn borst zouden doorboren. Hij hoorde erg veel schieten om hem heen en hij wist zeker dat iets daarvan van hem afkomstig was. Tot hij een vuistslag tegen zijn achterhoofd voelde.

'Ik zei: schiet, lafaard van een Kashmiri! Of, ik zweer het bij Allah, ik maak je nu af!'

Verward voelde Kazim aan de loop van zijn kalasjnikov. Die was koud. Muzzafar had gelijk: hij had nog helemaal niet geschoten. Was hij vergeten het magazijn te vullen? Nee. Dat was geladen. 'Hij is geblokkeerd!' riep Kazim.

Muzzafar vervloekte hem binnensmonds voordat hij in een lange uitbarsting een heel magazijn van zijn eigen kalasjnikov in de nacht leegschoot. Hij stopte er een nieuw magazijn in voordat hij zijn wapen aan de riem liet bungelen en Kazims geweer met zijn vrije hand vastpakte. 'Stomkop! Het is nog vergrendeld!'

Hij gooide het wapen aan Kazims voeten en die raapte het op. Natuurlijk ging het deze keer wel af. Vervuld van angst voor zowel Muzzafar als de vijand liet Kazim een stortvloed van lood los op de duisternis. Maar het schieten en de lichtflitsen bleven onophoudelijk naar hem terugkomen, en door de inslaande kogels spatten modder en zand op bij zijn hoofd. De Indiërs waren een beter gedrilde groep scherpschutters; ze vuurden gericht, terwijl zijn kameraden en hij in het wilde weg kogels rond sproeiden. Elke keer wanneer de vijand schoot kwamen de explosies van zand en steen dichter bij hem in de buurt.

En toen hield het op.

'Staakt het vuren!' riep Muzzafar, terwijl hij wild met zijn arm zwaaide.

De nacht viel stil. Hadden ze zich teruggetrokken? Kazim, Muzzafar en de andere moedjahedien tuurden en luisterden in de duisternis met hun oren naar het front gericht. Maar ze hoorden en zagen niets.

Toen hoorden ze gedreun, eerst zachtjes, en toen luider, tot het klonk alsof er een kudde op hol geslagen paarden op hen af kwam. 'Schiet!' schreeuwde Muzzafar.

Een verblindende witte flits verlichtte de hemel recht boven hen en wierp een gloed over Kazim en zijn makkers. Ogenblikkelijk was de nacht weer vervuld van het lawaai van vuurwapens. Kazim, die knipperde vanwege het felle licht, kroop op zijn knieën en schoot lukraak voor zich uit. Hij zag alleen maar bewegende schaduwen, terwijl het schieten en de explosies versmolten tot één enkel, diffuus gebrul.

Kazim voelde de drang te vluchten. Hij draaide zich om naar zijn kameraden. Een van hen zat aan zijn rechterkant te jammeren, greep naar zijn borst en zakte in elkaar. Een ander lag te kronkelen in het stof terwijl hij zijn buik vasthield. In het flitslicht hadden ze de dekking van het donker verloren; ze waren afgeslacht.

Toen doofden de flitsen. Er heerste een onheilspellende stilte. Kazim hoorde zacht gekreun aan zijn linkerkant. 'Shari?' riep hij naar zijn jonge makker.

'Shari!' riep Kazim nu harder, terwijl hij het stof uit zijn ogen veegde toen hij van achter de boomstronk waarachter hij dekking had gezocht tevoorschijn kwam. Voor de bewegende silhouetten om hem heen tot zijn geest doordrongen, zag hij een gele flits waar eerst Shari was geweest, gevolgd door een stekende klap tegen zijn schouder die hem wankelend achteruit deed deinzen. Terwijl hij nog steeds zijn AK-47 met zijn ene hand bij de pistoolgreep vasthield, vuurde hij een salvo af op de plek waar hij de flits had gezien. Hij hoorde een kelig gegrom en toen sloeg er iets zwaars tegen hem aan en viel hij in het stof.

Vingers drukten op Kazims gezicht en ogen. Hij worstelde wanhopig, sloeg met zijn vuisten op de rug en het hoofd van de man. Hij kon zijn aanvaller in het donker niet zien, maar hij rook de stank van sigaretten, en, vreemd genoeg, eau de cologne. De man stootte met zijn voorhoofd tegen Kazims kin, en Kazim voelde de stof van een tulband. Verward dacht hij even dat er sprake was van een vergissing, dat hij met iemand van zijn eigen groep aan het vechten was – misschien Muzzafar. Maar toen besefte hij dat de man een sikh was. De sikh stak zijn vingers in Kazims ogen en duwde diens hoofd tegen de grond. Kazim rolde onder hem vandaan, maar de sikh sloeg hem in zijn gezicht. Kazims hoofd schoot naar achteren en knalde tegen een stuk rots. Zijn blik vertroebelde. Alleen door zuiver toeval ving Kazim een glimp op van de kling toen de sikh zijn arm ophief. Hij stootte zijn knie in de ribben van de sikh. De man gromde en wankelde, uit balans gebracht.

Kazim rolde zich om en greep zijn geweer. Voor hij de loop kon draaien lag de zware sikh weer boven op hem en klemde zijn handen om zijn nek. Kazim zette zijn tanden diep in de pols van de man en zijn mond stroomde vol bloed. Maar de dodelijke greep van de sikh verslapte niet en Kazim snakte naar adem.

Hij maaide met zijn armen, sloeg en klauwde naar het lichaam van de sikh en kreeg greep op iets vlezigs onder zich. Hij trok er uit alle macht aan. De sikh schreeuwde in doodsnood toen diens scrotum in Kazims hand werd verpletterd en liet zijn greep verslappen.

Kazim worstelde zich los en haalde met zijn vuist uit naar de slaap van de sikh. De man gromde en rolde zich om. Kazim wroette in het stof naar zijn geweer en zwaaide het rond, net toen de sikh weer overeind krabbelde. Hij voelde het geweer in zijn handen bewegen en het hoofd van de sikh barstte open als een overrijpe vrucht.

Kazim draaide zich net om toen er een andere Indiër op hem af kwam. Voor hij kon reageren spoot er een straal bloed uit de borst van de aanvaller. De Indiër dook boven op hem en ze wankelden. Kazim kwam onder de doodbloedende man terecht.

Toen Kazim de dode Indiër van zich af duwde, stond Muzzafar over hem heen, met glimmende ogen. Het schieten was opgehouden. Behalve het gekreun van de gewonden en stervenden hoorde hij alleen zijn eigen hortende ademhaling. Hij legde zijn hand op zijn bloedende schouder, draaide zich op zijn zij en gaf over.

Muzzafar inventariseerde hun doden en gewonden. Kazim was in zijn schouder geschoten, Muzzafar in zijn arm. De rest was dood, behalve Shari, die nauwelijks bij bewustzijn lag te kreunen. 'Kom mee, voor ze weer lichtsignalen sturen.'

'Maar we moeten Shari meenemen,' antwoordde Kazim. Shari lag met zijn ogen wijd open op zijn rug, zijn handen om zijn bloedende hoofd.

Muzzafar liep naar Shari toe, keek even naar hem en schoot hem toen in zijn slaap.

Terwijl hij de hersens van zijn gezicht veegde zag Kazim het leven uit Shari's lichaam sijpelen voordat hij achter Muzzafar de duisternis van het bos in liep, terug naar de Line of Control. Naar Azad Kashmir.

Tegen de tijd dat ze veilig bij het kamp terugkwamen was het ochtend geworden. Kazim ging in zijn eentje naar de rivier om zijn shalwar kamiz te wassen. Hij wreef uren met zand over de bloedvlekken, tot zijn armen pijn deden en zijn baard doordrenkt was van het zweet, en nog was het bloed nauwelijks verdwenen. Dus zo voelt het, dacht Kazim later, toen hij zijn kleren met benzine besprenkelde en toekeek terwijl ze verbrandden: als een vlek die er nooit meer uit gaat.

19

Ze aten en rustten terwijl ze wachtten tot de dag ten einde liep en de nacht inviel.

Ghulam kondigde aan dat ze alleen in het donker zouden reizen. De voor de hand liggende reden was dat ze zo de dodelijke hitte zouden ontlopen. Maar een even grote bedreiging vormden de groepen taliban-strijders op weg naar Afghanistan die mensen dwongen aan de strijd tegen de door de Amerikanen gesteunde regering deel te nemen. En de Afridi- en Mahsudrovers en Pasjtoeclans die in deze streken van de Stamgebieden rondzwierven. Zowel de taliban als de bandieten zouden Ghulam en Fidali van hun smokkelwaar beroven, en erger nog, Nick van zijn leven.

Nick piekerde over de klopjacht die ongetwijfeld op de dood van Akhtar zou volgen. De zoektocht zou beslist al zijn begonnen. Hij ver-wachtte niet dat hij ook maar één dag aan gevangenneming zou ontko-men, laat staan dat hij de tocht van honderden kilometers naar het door India bestuurde deel van Kashmir zou halen. Maar wat kon hij anders doen dan het toch maar proberen? Hij kon niet terugkeren. En hij kon ook niet in zijn eentje de tocht door het desolate grensgebied maken zonder voedsel, water, geld en een kaart. Zodra hij een nederzetting binnen zou lopen op zoek naar eten of vervoer, zouden de lokale be-woners, die algauw zouden worden gewaarschuwd – als dat niet al was gebeurd – om naar hem uit te kijken, hem meteen aan de autoriteiten overdragen. Hij had geen geld om hen om te kopen. Ook had hij geen paspoort waarmee hij tegenover eventuele belagers kon suggereren dat een of ander consulaat vragen zou komen stellen als hij zomaar zou 'verdwijnen'. Nick had zelfs helemaal geen identiteitsbewijs meer   zijn rijbewijs en pinpas waren door de Pasjtoes afgepakt, samen met zijn geldgordel en mondvoorraad. Hij bevond zich alleen in een vijandig, wetteloos land zonder te kunnen bewijzen dat hij, Nicholas Sunder, ooit had bestaan.

Hoewel hij nog steeds sceptisch was over de motieven van zijn gidsen, leken ze hetzelfde doel te hebben als hij: de autoriteiten ontlopen en naar India weg zien te komen. Maar het was een magere basis om hun zijn leven toe te vertrouwen.

De schemering was aangebroken; het werd tijd om te gaan. Ghulam en Fidali stopten een stuk of tien plastic zakken met sloffen sigaretten in goedkope vinyl plunjezakken van Chinese makelij. Deze werden weer in grote rieten manden gepakt waaraan schouderriemen waren vastgemaakt zodat ze als provisorische rugzak gebruikt konden worden. Nick had geen bagage en hij bood aan iets van hun last te dragen in de hoop een goede beurt bij hen te maken. Ofwel vanwege de begeerlijkheid van hun smokkelwaar, ofwel uit gastvrijheid, sloegen ze zijn aanbod af. Nick vond het best. Zelfs zonder bagage zou hij algauw moeite hebben hen bij te houden.

De twee mannen hingen de volle manden op hun rug. Toen bonden ze de paar resterende kleinere plunjezakken die niet meer in de manden pasten onder hun armen vast met stukken twijndraad die ze handig om hun nek en schouders hadden gewonden. Nick kon zich voorstellen hoe zwaar de last op hun rug moest zijn toen hij de twee in elkaar zag duiken, met het hoofd gebogen en hun handpalmen naar voren gestrekt, terwijl Ghulam een *dua* – een islamitisch gebed voor een behouden tocht – opzegde. Toen ze klaar waren stapten de mannen gedrieën de schemering in.

Een heldere maan verlichtte de kale rotsbodem terwijl ze kordaat naar het oosten liepen. Fidali nam de leiding, zette er flink de pas in en koerste zonder enige aarzeling door de duisternis. Zelfs als er geen pad was, wat meestal het geval was. Zijn kennis van de route was buitengewoon; zijn enige kaart was het terrein onder zijn voeten. In het zwakke maanlicht bestudeerde hij tijdens het lopen elke stijging, heuvelkam, vallei en bergtop.

Ze liepen uren aan een stuk, alleen halt houdend voor een snelle slok uit Ghulams veldfles, en voor Ghulam en Fidali's gebed op de voorgeschreven tijden. Nick voelde zich zwak en had overal pijn. Hij was nog niet helemaal hersteld van zijn vlucht twee nachten geleden. Hij bleef algauw achter en de twee mannen waren gedwongen elke keer dat de afstand tussen hen te groot werd op hem te wachten. Toen hij volkomen uitgeput was, bracht de nacht een koude, droge, snijdende wind die het Nick onmogelijk maakte langer stil te staan dan nodig was voor een paar slokken uit Ghulams waterfles. De wind ging dwars door hem heen en uit angst om te bevriezen moest hij wel doorlopen. Hij had geen geschikte kleding – alles behalve zijn wollen trui had in zijn rugzak gezeten. Al na een paar uur barstten zijn vingers en verkrampten ze van de kou en waren zijn handen veranderd in een paar bevroren klompjes. Ghulam en Fidali hadden het een stuk aangenamer in hun kasjmiertruien, maar zelfs zij rilden bij elke windvlaag.

Nadat ze acht uur in de barre wind hadden geploeterd, veranderde het terrein van egale zand- en rotsvlakten in kale heuvels. Ze kwamen geen andere mensen tegen en de enige tekenen van bewoning waren af en toe het geflikker van licht ver naar het zuiden, dat groepjes huizen zichtbaar maakte langs de heuvelruggen, en een paar verdwaalde geiten die voor het invallen van de duisternis hun kudde waren kwijtgeraakt. Het lopen ging moeizaam door het voortdurende rijzen en dalen van de uitlopers van de bergen. De lucht werd ijler naarmate ze hoogte wonnen en hoewel de heuvels beschutting boden tegen de wind, was de kou nog doordringender dan op de vlakten.

Hoewel hij het koud had en uitgeput was, voelde Nick opluchting dat hij op weg was en hij liep met de gehaastheid en onrust van een ontsnapte veroordeelde. Zijn vrees voor politiepatrouilles werd echter nooit bewaarheid. Morgen zullen ze me vinden, dacht hij. Want in de ogen van de politie had hij een van hen vermoord – veel erger dan het doden van slechts een buitenlander. Ze zouden hem hoe dan ook aan de galg willen hebben.

Fidali ging ervandoor zodra het bleke ochtendlicht boven de met struikgewas bedekte heuvels begon te schemeren. 'Laat hem maar gaan,' zei Ghulam toen Nick tevergeefs Fidali's plotselinge tempoversnelling bergopwaarts probeerde bij te houden. Nicks gebrek aan vertrouwen in hun beweegredenen bracht hem elke keer van slag wanneer hij niet allebei de mannen zag. Hij stelde zich voor dat ze achter een richel op de loer lagen, klaar om hem in de rug te steken of zijn knieën met een kei te verbrijzelen in de hoop dat hij geld bij zich droeg dat ze hem konden afpakken.

Ondanks het wantrouwen in zijn metgezellen was hij bang om alleen te zijn, omdat daardoor zijn gedachten afdwaalden, vaak naar de gevangenneming die hem boven het hoofd hing, maar meestal naar Yvette. Haar lichaam lag te rotten in een vergelijkbare, zondoorstoofde hel. Bij tijden speelde Nicks geest spelletjes met hem en werd hij door angst overvallen. Dan was hij ervan overtuigd dat hij net over de volgende rotskam, of op de bodem van een droge rivierbedding vlakbij, op haar halfnaakte lichaam vol blauwe plekken zou stuiten, dat als een geslachte geit vanuit de hals was leeggebloed, terwijl gieren zich tegoeddeden aan haar rottende lijk. Die levendige en vreselijke beelden zouden nooit ophouden hem te kwellen, dacht hij. Dat was zijn straf.

Toen Nick uiteindelijk de top van de heuvel bereikte slaakte hij een zucht van verlichting. Fidali stond nog geen kilometer verderop bij een stenen herdershut naar hen te wuiven. Hij was alleen maar een schuilplaats gaan zoeken. 'Mooi, Fidali heeft hem gevonden,' zei Ghulam, die een stuk voor Nick uit liep. 'Daar rusten we uit tot vannacht.'

Ze gooiden hun smokkelwaar neer in de hut, die van dicht op elkaar gestapelde ruwe stenen was gemaakt. Hij was bekroond met een lemen plafond en tegen een heuvelwand aan gebouwd. Binnen lag de vloer vol met opgedroogde mest die wemelde van de vliegen. Verlangend de stank met rook te verdrijven hielp Nick Fidali met takken en twijgen sprokkelen voor aanmaakhout, terwijl Ghulam wat plakken mest binnen een cirkel van stenen legde om een provisorisch fornuis te maken. Hij stak de brandstof aan en begon water te verhitten dat hij in een plastic fles bij zich had, voor thee en aardappelen.

Nadat ze hun vermoeide lichamen hadden bijgetankt zaten ze te roken en bereidden zich voor op een lange rustpauze overdag. Het werd buiten snel warmer in het toenemende zonlicht. Binnen een paar uur zou het tegen de vijftig graden lopen, een enorm verschil met de ijzige nacht. De heuvels leken vanuit de ruwe stenen ingang van de hut op de grijsbruine bulten van liggende kamelen, door wind geteisterd en dor, afgezien van wat groepjes armetierige struiken.

Nick was onrustig, voelde zich te slecht op zijn gemak om te kunnen slapen. 'Waar zijn we nu?' vroeg hij.

'We zijn nog in het land van de Mahsuds. Heel dicht bij Afghanistan – de grens is maar vijf kilometer hiervandaan. Erg gevaarlijk.'

'Wat houdt het gevaar in?' vroeg hij, met een lichte aarzeling.

'De mensen hier zijn aanhangers van Ayaz Ahmed Abassi. Hij heeft de hele smokkelarij onder controle. Zijn mensen steken hier vanuit Afghanistan de grens over met opium om in Darra, Landi Kotal en Peshawar te verkopen, en geweren en kogels te kopen die ze in Afghanistan weer verkopen. Abassi is een heel rijke man. Als zijn mensen ons vinden, doden ze ons.'

'Waarom?'

'Omdat we geen Mahsuds zijn. En omdat we niet voor Abassi smokkelen maar voor onszelf. Het spijt Ghulam erg dat we u in gevaar brengen.'

Nick zweeg, sceptisch over Ghulams eerlijkheid. 'Ik aanvaard het risico.'

Ghulam glimlachte. 'Zoals u wilt, meneer.'

'Hoe zit het met het leger en de politie? Houden die hier geen patrouilles?'

'U bedoelt Pakistanen? Die durven niet. Ze zouden neergeschoten worden.'

'Maar er zal toch wel stammenpolitie zijn?'

Ghulam hinnikte van het lachen, duidelijk geamuseerd door de vraag, en zei toen iets in hun eigen taal tegen Fidali. Terwijl hij bezig was krulden zijn lippen onder zijn baard op tot een spottende grijns.

'Ja, meneer, natuurlijk is hier stammenpolitie,' antwoordde Ghulam met twinkelende ogen. 'Abassi is de baas ervan.'

Nick dacht daarover na. Een bandiet, een wapen- en opiumsmokkelaar die de wetten van het land overtrad, en zijn metgezel die in die droeve waarheid ironische humor zag.

Als hij niet uitgeput en bang was geweest en niet zijn eigen dreigende dood onder ogen zag, zou hij misschien ook kans hebben gezien een lachje tevoorschijn te toveren.

'Maar waarom doen jullie het dan, als het zo gevaarlijk is? Waarom zou je smokkelen? Is het het waard om je leven te riskeren?'

'We zijn allemaal maar muizen die door een veld vol slangen rennen. Wat er moet gebeuren, gebeurt, inshallah. Ghulam heeft zeven dochters – zeven bruidsschatten te betalen. We vinden het niet leuk, maar we hebben geen keus... Maar Ghulam smokkelt geen drugs of drank. Allah verbiedt dat,' zei hij droefgeestig.

'Maar Hij vindt sigaretten niet erg?' vroeg Nick, en hij betreurde meteen het sarcasme dat in zijn vraag besloten lag.

'Niet zo erg, meneer.' Met een grote grijns trok Ghulam een sigaret half uit zijn pakje en bood die Nick aan. Dankbaar dat Ghulam geen aanstoot aan zijn woorden had genomen, nam Nick hem aan, ook al was zijn laatste nog niet tot aan het filter opgebrand.

'Waarom proberen jullie niet in India werk te vinden?' vroeg Nick. 'Zijn er geen banen in Delhi of Bombay? Is dat niet veiliger dan proberen de Afghaanse grens over te komen?'

'Veiliger?' hoonde Ghulam. Zijn stemming werd ineens zwaarmoedig. 'India is groot probleem voor Ghulam. Ik ben er een keer geweest. Ik heb de trein naar Delhi genomen met een van mijn vrouwen en onze dochters om werk te zoeken in de moslimwijk. Zodra we de grens over waren bij Gujarat, kwamen hindoes met stokken de trein in en vielen Ghulam aan. Ze trokken mij en mijn familie uit de trein bij het volgende station, een dorpje in Utar Pradesh. Ze dreven Ghulam naar een veld, sloegen mij en verkrachtten mijn dochters.'

'Geen politie in de buurt om te helpen?'

'De Indiase politie heeft het gezien, maar ze deden niets. Ze zijn te bang voor de menigte. Of anders zijn ze wel hun vrienden.'

'Wat erg,' zei Nick.

Ghulam knikte somber. 'Een brahmaan van het dorp kwam naar het veld en ging tussen de slechte mensen en Ghulams arme, doodsbange dochters staan. Hij moet een heel belangrijk man zijn geweest, want hij had een stel heel grote mannen bij zich, ook met stokken. En ze lieten ons gaan.'

'U bent een gelukkig mens.'

'Geluk…? Nee, meneer, Ghulam gelooft niet in geluk. Het was Allahs wil,' antwoordde Ghulam. 'De brahmaan vertelde me dat moslims een paar dagen eerder een heel oude hindoetempel hadden verwoest. Nu waren de hindoes kwaad op de moslims. Hij zei dat het voor moslimmeisjes te gevaarlijk is in dat deel van India. Dus Ghulam nam zijn dochters en vrouw met de volgende trein direct mee terug naar huis. De hele tijd was Ghulam bang voor hen. Allah zij dank hebben we het gehaald. Ghulam gaat er nooit meer naartoe. Nooit.'

Ghulam schudde zijn hoofd. 'En u, English? Hoeveel kinderen?'

'Geen.'

Ghulam staarde Nick verbijsterd aan. 'Maar waarom niet? U komt uit een rijk land. U zou een heel dorp vol kleintjes moeten hebben.'

Nick schudde zijn hoofd. 'Ik ben niet getrouwd, dus heb ik nooit kinderen gekregen.'

Ghulam plukte aan zijn baard. 'Geen vrouw? Geen kinderen? Als u het niet erg vindt dat ik het zeg, meneer: toen Ghulam een jongere man was, zoals u, sliep hij zelfs nooit. Mijn vrouwen vochten de hele tijd om de arme Ghulam. 's Ochtends was hij zo kapot dat hij zijn huis uit moest en zijn achterste in de ijskoude gletsjerbeek houden, inshallah!' zei hij gnuivend. 'U moet uw ouders erg hebben teleurgesteld, zonder kleintjes om te verwennen.'

'Ik denk inderdaad dat ze het me moeilijk hadden gemaakt, als ze nog hadden geleefd.'

'Allah...' mompelde Ghulam. 'Maar ze hebben nu rust... Ghulam heeft drie vrouwen. Twee zou goed zijn, maar drie is te veel. Twee van hen zijn zussen. En zij hebben nog twee andere zussen, die ook in mijn huis wonen, omdat hun echtgenoten bij de strijd in Kashmir zijn omgekomen. Dus nu ben ik net een haan in een hok vol kippen – de hele tijd "kakel, kakel, kakel". Ik moet wel ergens anders werk zoeken, om te voorkomen dat ik gek word!' zei hij enigszins weemoedig. 'Maar ze stellen me tevreden.'

Fidali, die even de hut uit was geweest terwijl Ghulam en Nick praatten, was net teruggekomen met onder allebei zijn armen een grote kei. Hoewel ze duidelijk zwaar waren, nam Fidali ze moeiteloos in zijn handen voordat hij ze met een zware plof bij het vuur neergooide. Daarna wees Fidali op de stenen en nodigde Nick en Ghulam uit om te gaan zitten. Die knikten om hem te bedanken en keken vanaf hun provisorische stoelen toe terwijl Fidali neerknielde en uit zijn schijnbaar bodemloze longen een lange, sterke ademstoot in de smeulende houtskool en mest blies, tot de hele hut van rook doordrongen was. 'Ik durf te wedden dat hij geweldig trompet zou kunnen spelen,' merkte Nick op, waarmee hij Ghulam een verwarde blik ontlokte. 'Hij praat niet veel, hè?'

'Fidali weet wat woorden waard zijn,' antwoordde Ghulam zonder nadere uitleg te geven.

'Hoe kennen jullie elkaar?'

'Hij was de man van mijn zus.'

'Uw zwager.'

'Ja. Maar mijn zus is nu in het paradijs, Allah haq.'

'Wat erg voor u.'

Met een berustende uitdrukking op zijn gezicht hief Ghulam zijn armen ten hemel. 'Het is niet aan ons te twijfelen aan wat er geschreven staat... Ghulam heeft tegen Fidali gezegd dat hij met een van mijn zeven dochters moet trouwen, of een van mijn vijf schoonzusters, of een van mijn twaalf nichten. Het kan me niet schelen wie. Hij kan met hen allemaal trouwen als hij wil. "Alsjeblieft, neem ze," zegt Ghulam. De Koran zegt dat het zo hoort. Maar na Suraia wil Fidali niet weer een vrouw nemen.'

Nick dacht daarover na. 'Misschien verandert dat in de loop van de tijd,' zei hij. 'Misschien hield hij zoveel van uw zus dat hij denkt dat geen ander haar kan evenaren.'

'Misschien,' verzuchtte Ghulam. 'Nu is zijn liefde verdwenen. En praat hij alleen met Ghulam. Ik ben de enige,' zei hij en er klonk weemoed door in zijn stem.

Nick draaide zich om naar Fidali, in de verwachting dat deze zou reageren, na al hun gepraat. Maar hij bleef uitdrukkingsloos.

'Hij begrijpt Engels niet zo goed,' zei Ghulam. 'Maar hij begrijpt het leven.'

Nick keek Ghulam nieuwsgierig aan en keek toen weer naar Fidali.

'Maak je geen zorgen,' voegde Ghulam er gniffelend aan toe. 'Hij luistert toch niet. Hij hoort alleen als hij luistert, en hij luistert alleen als hij dat wil.'

'Die klacht heb ik vaker gehoord. Altijd van vrouwen.'

'Ja, meneer,' zei Ghulam veelbetekenend. 'Soms zijn de hersens van een man als bijenwas die zijn oren verstopt.'

Nick leunde met zijn rug tegen de wand van de hut, mijmerend over de zwijgzame Fidali terwijl deze de ketel bij het vuur zette. Het was moeilijk voorstelbaar dat zo'n ruige man gevoelig kon zijn, laat staan dat hij was zoals Ghulam hem beschreef: romantisch in de liefde. Met zijn lange zwarte baard, zijn priemende blik en zijn gespierde uiterlijk leek hij in alle opzichten het stereotype van de woeste middeleeuwse moslimstrijder, afgezien van zijn rustige, bijna volgzame bedaardheid.

Toen Ghulam zag dat Nick Fidali aandachtig bekeek, verscheen er een trieste, nadenkende uitdrukking op zijn gezicht.

'Er staat geschreven in de Hadith,' zei Ghulam, 'dat Mohammed, toen hij terugkeerde nadat hij in een veldslag de overwinning had behaald, tegen zijn leerlingen zei: "We zijn van de kleine heilige oorlog teruggekeerd naar de grote heilige oorlog." "Wat bedoelt u, o, Ene?" vroegen de leerlingen. Waarop de Profeet antwoordde: "De kleine heilige oorlog is de strijd tegen de ongelovige. Maar de grote heilige oorlog is de strijd tegen je eigen zelf."'

Ghulam stond op en liep naar de deur. 'U moet nu rust nemen,' zei hij. 'Vanavond beginnen we aan de tocht over de Hindu Kush. Weet u wat Hindu Kush betekent?'

Nick schudde zijn hoofd.

'Vernietiger van hindoes. Het zal er erg koud zijn, kouder dan de af-gelopen nacht. Ik kom voor de avond terug.'

Voordat Nick hem kon vragen waar hij naartoe ging, beende Ghulam naar buiten, de hitte in, en verdween achter de hut.

20

'Wie ben jij dat je op dit uur mijn huis in komt stommelen?' zei Raza berispend tegen de verwilderde schooier met de baard tot op zijn borst en het diep doorgroefde gezicht die bij het aanbreken van de dag zijn woonkamer probeerde binnen te dringen.

'Ook salam aleikum, vader.'

'Vader? Ik ben je vader niet.' Raza versperde de deur met zijn arm.

'Jij oude dwaas. Ik ben het, Kazim!' riep zijn zoon uit.

'Kazim? Allah haq! Je ziet er zo... oud uit.'

'Dank je. Ik vat dat maar op als een compliment.'

'Dat is het niet,' verklaarde Raza nadrukkelijk.

'Mag ik binnenkomen, alsjeblieft – in het huis van mijn eigen vader?' vroeg Kazim, die geïrriteerd raakte. Raza aarzelde even – te lang, vond Kazim.

'Ik denk het wel, zolang je belooft geen rommel te maken. Stamp de modder van je laarzen. Je moeder hoeft geen extra reden te hebben om te vitten. En ga je wassen, je stinkt als een ezel.' Raza deinsde achteruit en wapperde met zijn hand voor zijn gezicht.

Kazim zuchtte geërgerd terwijl hij het vuil van zijn laarzen klopte. De dappere moedjahid die twee jaar lang gestreden en gedood had en mannen had zien sterven, werd nu gekleineerd als een kind dat straf verdiende.

Na jaren voor de vrijheid van zijn land te hebben gestreden, nam Kazim aan dat zijn vader en hij veel te bespreken zouden hebben – dingen waarop een vader trots zou moeten zijn. Maar Raza toonde geen belangstelling. Hij had nooit begrepen waarom Kazim was weggegaan. Kazim had kunnen trouwen in een goede familie en het gemaakt kunnen hebben. Rijk hoefde hij niet te zijn, maar hij had het heel wat beter kunnen hebben dan Raza ooit had kunnen dromen. Sterker nog, sinds Kazim hem in de steek had gelaten, was Raza gedwongen geweest zijn kudde in zijn eentje te hoeden. Zonder een zoon die het zware werk kon overnemen, zoals de gewoonte was bij zijn volk, had hij alle hoop op een gemakkelijker leven op zijn oude dag verloren. Hij vervloekte de dag dat hij zich door moellah Yusuf had laten overhalen om Kazim naar de madrassa te sturen, waar zijn hoofd als een pakora was volgestopt met al die onzin over heilige oorlogen en vrijheid.

Het was maar goed dat Raza over de bijzondere gave beschikte zijn zoon te negeren, want als hij had geluisterd, had hij veel gehoord wat hij niet zou willen weten.

Kazim was naar Pakistan vertrokken zodra de passen begaanbaar waren, in dezelfde tijd dat Aisha naar Delhi was gegaan. Toen hij jaren later terugkeerde naar zijn vaders huis was hij een doorgewinterde moedjahid. Van de zenuwen die hem bij zijn eerste vuurgevecht parten hadden gespeeld, had hij bij de vele gevechten die volgden geen last meer gehad. Hoewel het doden in de oorlog niet iets vanzelfsprekends voor hem was geworden, zoals de andere vaardigheden van de soldaat, was hij ertegen bestand geraakt. Hij had zich het diepste respect van zijn gelijken verworven, zelfs meer dan Muzzafar, die Kazims mentor was geworden ondanks de onuitgesproken verschillen. Tegen de tijd dat Kazim op de drempel van zijn vaders huis verscheen, had hij zichzelf talloze keren bewezen en had hij het bevel gekregen over zijn eigen groep moedjahedien.

De kalasjnikov had Kazim veranderd van een arme geitenhoeder, die niemand serieus had genomen (zelfs Aisha niet, dacht hij), in een leider die de macht had de toekomst vorm te geven. Hij zou niet, zoals zijn vader, zijn leven lang in armoede geiten hoeden, terwijl anderen naar zijn land kwamen en de rijkdommen wegnamen. Hij zou de Indiërs verdrijven of sterven terwijl hij dat deed. In het diepst van zijn hart was hij een vrijheidsstrijder; dat kon niemand hem ooit afnemen.

Maar Raza was niet onder de indruk. 'Dus je blijft thuis? Niet meer dat domme gedoe van jou, met een geweer in de bergen rondrennen en proberen de Indiase olifant met een speldenprik te verslaan?'

'Dom? Ik strijd voor mensen zoals jij, die te lui zijn om zelf te vechten. Ik strijd voor jouw vrijheid, vader. Toon eens wat respect.'

'Ik wil niet dat er iemand voor me vecht,' snauwde Raza. 'Jij zou mijn kudde moeten hoeden. Die zal, per slot van rekening, van jou zijn als mijn tijd gekomen is, inshallah.'

'Is dat het enige waar je echt om geeft? Geiten?'

'Ik ben geitenhoeder,' antwoordde hij, sardonisch zijn schouders ophalend. 'Wat maakt het voor mij nou uit of Kashmir onafhankelijk is of deel uitmaakt van India of van Pakistan of wat mensen tegenwoordig ook maar roepen? Welke vlag ze ook in Srinagar uithangen, ik zal nog steeds het enige doen wat ik kan: geiten hoeden.'

'Dat kan wel zijn, maar als Kashmir onafhankelijk was, zou je meer geld voor je pasjmina krijgen, omdat je niet hoeft te concurreren met die hebzuchtige hindoes die je vrijwel niks betalen. En één ding is zeker: we zouden niet die verdomde Shivatempel in ons dorp hebben, met al die obscene ontuchtige afgoden.'

'Bah! De hindoes betalen meer dan mijn islamitische afnemers. Vooral die gierige Naseem, met zijn dochter, die binnenkort een rijke dokter zal zijn. Laat me dat er even bij zeggen. Je had moeten trouwen, zoals ik je had gezegd. En als de Shivatempel je zo stoort – en dat geloof ik niet – kijk dan de andere kant op, sufferd!'

'Met jou valt gewoon niet te praten,' zei Kazim boos. 'Je bent een oude dwaas.'

'Ja. En de appel valt niet ver van de boom, zeggen ze. Dat lijk jij te zijn vergeten.'

Tot Raza's onuitgesproken opluchting zei Kazim inderdaad tegen zijn vader dat hij thuisbleef. Hij vertelde er echter niet bij hoe weinig tijd hij in het veld zou doorbrengen. In de jaren die volgden werd de rebellenleider die bij de Indiërs alleen bekend was onder de bijnaam van de dorpelingen – de Luipaarddoder van Gilkamosh – de nemesis van de veiligheidstroepen. Hij voerde zijn bende moedjahedien aan bij talloze overvallen en hinderlagen. Hij sneed bevoorradingsroutes af, stal voorraden en bestookte de hindoesoldaten – doodsbange laaglanders met hoogteziekte – met dodelijk vuur.

Het muildier was oud en ziek, zijn zat buik vol tumoren. Toen Kazim in zijn handen spuugde, het touw greep en een flinke ruk gaf, verroerde het beest zich niet. Het had onderweg langs het steile pad de hele tijd gebalkt en gesteigerd en koppig tegengestribbeld. Nu hij het tot maar enkele meters van zijn eindbestemming had gesleept, verzette het muidier zich nog heviger, alsof het een voorgevoel had van wat het te wachten stond.

Kazim keek langs het pad naar beneden naar zijn twee kameraden. Ze hadden kalasjnikovs om hun schouders hangen en droegen een zware houten kist op een draagbaar. Kazim keek op zijn horloge en schreeuwde: 'Hassan! Jamal! Help me dit oude beest in beweging te krijgen. De weg ligt precies boven op deze bergkam.'

Hassan ging bij Kazim bij het halstertouw staan, terwijl Jamal een twijg die hij van een dennenboom had afgebroken gebruikte om het beest op de flank te slaan. Nu het werd getrokken en geslagen, draaide het muildier zijn kop om en bromde boos voor het onwillig tegen de helling op liep.

Boven op de kam kwamen ze bij een jeepspoor, onverhard en vol keien. Het Indiase leger had daar kortgeleden de bergwand opgeblazen om een aanvoerroute aan te leggen naar posten langs de Line of Control. Tot dan toe was er alleen het muildierpad waar Kazim en zijn twee moedjahedien tegenop waren geploeterd; het jeepspoor bood nu een mogelijkheid om zich sneller te verplaatsen. De drie mannen leidden het muildier en hun uitrusting bergafwaarts langs de weg tot aan een blinde bocht — een plek waar een voertuig dat afremde om vaart te minderen tijdens de afdaling gemakkelijk van de weg af kon raken. Kazim bracht het dier naar het midden van de weg. Hij knikte naar Hassan.

Hassan hief zijn handen op en mompelde een gebed om toestemming voor hij zijn AK-47 aan zijn schouder zette en het muildier door de kop schoot. Het gaf een snerpende gil, bijna als een krijsend varken. Het strompelde een paar stappen vooruit, zakte door zijn voorpoten, rolde toen op zijn zij en bleef stuiptrekken tot het dood was.

Kazim pakte een moker van de draagbaar. Hij verbrijzelde de knieën van de voorpoten van het dode muildier. Met zijn handen vouwde hij de poten naar binnen, onder de buik. 'Kom op, we moeten hier snel weg.'

De drie moedjahedien pakten het halstertouw en trokken aan het karkas. Het was zwaar en liet zich maar langzaam over de grond slepen. Ze legden het een paar meter van de kant, net ver genoeg voor een jeep of vrachtwagen om te kunnen passeren zonder het verder mee te sleuren. Het zag eruit alsof het muildier door een voertuig was aangereden, met een geweerkogel uit zijn lijden was verlost en vervolgens aan de kant was gesleept.

Kazim veegde het zweet van zijn handen en tilde toen een 120mm-artilleriegranaat uit de kist. De granaat, een die niet was ontploft toen hij in een dorp bij de Line of Control was neergekomen, was uitgerust met een lont die met een draad aan een batterij en een kleine radio-ontvanger was verbonden. Alles was om de huls gewonden met tape. Jamal wrikte de bek van het dode dier open, terwijl Kazim en Hassan het lange projectiel naar binnen duwden, waarbij ze de steel van de moker gebruikten om het zo diep in de keel van het muildier te steken dat het niet meer zichtbaar was. Daarna stopten ze een jutezak vol met kogellagers, stenen en schroeven in de bek, waarbij ze ervoor zorgden dat de antenne van de ontvanger niet geblokkeerd werd.

Kazim knikte goedkeurend. 'Khuda hafiz.'

Hij keek toe terwijl Jamal en Hassan langs de weg naar boven renden en vervolgens het naaldbos dat de bergkam bedekte in schoten. Het waren jongens uit de buurt. Net als Kazim waren ze op aandringen van hun moellahs de Line of Control overgegaan om in de trainingskampen in Pakistan een opleiding te volgen. Ze waren pas geleden naar hun dorpen teruggekeerd, vol idealisme, erop gebrand zodra ze door Kazim werden opgeroepen de strijd tegen de gehate Indiase bezetters op te voeren.

Kazim had een zwak voor de jonge patriottische moedjahedien, die hij als zielsverwanten zag. De afgelopen jaren echter waren de strijders die door Muzzafar en andere leiders over de Line of Control werden ge-stuurd als vervangers voor zijn gevangengenomen of gedode moedjahe-dien, steeds vaker van een heel ander slag. Die professionele jihadstrij-ders waren pro-Pakistan, terwijl ze zelf vaak uit het buitenland kwamen – uit Pakistan, Afghanistan, zelfs Saoedi-Arabië en Tsjetsjenië. Ze ver-stonden of spraken de plaatselijke talen niet, dus leidden ze het leven van rovers: ze stalen vee, plunderden dorpen en ze behandelden de meer liberaal ingestelde Kashmiri met minachting.

Kazim voelde weinig verwantschap met deze radicalen. Voor hem was het vestigen van een 'zuiver' islamitische staat of opgaan in Pakistan nooit het doel van de opstand geweest. Zijn sympathie had altijd gele-gen bij de strijders die *azadi* – onafhankelijkheid, of vrijheid – van de cor-rupte Indiase regering en haar meedogenloze veiligheidstroepen be-pleitten, ook al was hij door moellah Yusuf als rekruut ongewild naar een pro-Pakistaans kamp, Lashkar-e-Tayyiba, gestuurd.

Het was voor Kazim geen geheim dat de Pakistani – die het oproer al jaren voor hij zich bij de rebellen had aangesloten hadden gesteund – altijd de touwtjes in handen hadden gehad. Dat was nog steeds het geval, ook al had de War on Terror van de Amerikanen Pakistan in de schijnwerpers gezet, zodat het de rebellen niet meer zo openlijk kon steunen. Natuurlijk moedigden de Pakistani de groepen aan die voor een samengaan met Pakistan waren. Ook versterkten ze de gelederen van de rebellen met jihadisten met wie ze al vanaf de Russische Oorlog bondgenootschappen hadden gesloten. Jihadisten als Muzzafar, die zich drukker maakten om het bestrijden van ongelovigen dan om wat goed was voor Kashmir. Dat deed Kazim verdriet, maar hij was verstandig genoeg om er geen ruchtbaarheid aan te geven. Het leek wel alsof er élke week nieuws was over een azadi-leider die was neergeschoten door een van de rivaliserende groeperingen van de moedjahedien die zich steed maar weer afsplitsten, of gevangen was genomen door de Indiërs, als slachtoffer van verraad door zijn eigen bazen.

Kazim distantieerde zich van de machtsstrijd die van de andere kant van de Line of Control afkomstig was en besloot dat hij beter geen andere bondgenootschappen kon aangaan zolang de tijd daarvoor niet rijp was.

Maar toen de politieke figuren de bedoelingen van het geweld hadden vertroebeld, hadden ze ook de aard van het beestje veranderd. De pan-islamisten wilden niet alleen maar een politieke regeling met Delhi afdwingen, ze wilden ook Kashmir 'zuiveren' van niet-hindoes. Daarom omarmden ze de strategie van terreur, waarbij ze de speciale barbaarse praktijken toepasten die ze in Afghanistan hadden geperfectioneerd. Onthoofding, castratie, levend villen, massamoord en verkrachting waren de middelen van hun soort oorlog. Dat riep weer net zulke wrede daden van de Indiase veiligheidstroepen op, wat precies was wat de radicalen wilden: een vicieuze cirkel van geweldsacties door de rebellen die werden bestreden met een even wrede reactie van de veiligheidstroepen. Daardoor hield de oorlog uiteindelijk zichzelf in stand, een tornado van wreedheid die elke beschaving uit het ooit zo idyllische land verdreef.

Toen Kazim een leidende positie kreeg deed hij wat Muzzafar hem had gezegd en blonk daarin uit. Maar hoezeer hij de strijd tegen India ook toegewijd was, toen hij terugkeerde naar Gilkamosh – tenslotte zijn geboorteland – voerde hij oorlog zoals hij dat wilde. Het Indiase leger en de politie, en zelfs burgers die bij de nationale regering betrokken waren, vormden allemaal geoorloofde doelwitten. Maar hij was niet erg verdraagzaam tegenover mannen die onschuldigen aanvielen en strafte al snel degenen die dat wel deden. Nadat Kazim er getuige van was geweest dat drie mannen die pas onder zijn bevel waren gekomen om beurten een hindoemeisje verkrachtten, stuurde hij enkele weken later diezelfde mannen als 'vrijwilliger' uit op een frontale aanval op een Indiase positie. Ze werden meteen doodgeschoten. Op die manier stelde Kazim zijn eigen regels in zonder dat dat door de leiding aan de andere kant van de Line of Control werd ontdekt. Maar voor zijn eenheid was de boodschap altijd duidelijk. Doordat ze onschuldige mensen met rust lieten, genoten zijn mannen de steun van het volk. In feite waren Kazim en zijn moedjahedien helden in de ogen van velen, vooral de jonge mannen.

Toch vreesde Kazim dat er een dag zou komen waarop er van bovenaf directe orders zouden komen om op een menigte te schieten of een tempel te bombarderen. Jaren geleden had een van zijn moedjahedien op eigen houtje een bus vol familieleden van militairen beschoten, waarbij hij tientallen vrouwen en kinderen had gedood. De leiding dacht dat het op bevel van Kazim was gebeurd. In de hoop dat het hem meer tijd gaf, deed hij of zijn neus bloedde en liet hun misvatting bestaan. Maar dat was al een aantal jaren geleden en met het verstrijken van de tijd zou de goodwill die de actie van de dwaas hem had opgeleverd slijten.

Die angstaanjagende gedachten schoten door Kazims hoofd toen hij naar de top van de bergrug klom. Hij speurde de bomen aan de overkant van de kloof af op tekenen van Hassan of Jamal. Niets. Ze moesten hun posities al hebben ingenomen, zich onder bladeren hebben begraven of achter rotsen hebben verstopt. De jongens hadden die vaardigheden in Pakistan goed onder de knie gekregen.

Kazim zat onzichtbaar vanaf de weg achter een dikke boomstronk, vanwaar hij het jeepspoor van bovenaf kon bekijken. Hij controleerde zijn geweer en rangschikte zijn uitrusting. Nu kon hij alleen nog maar wachten. Hij haalde zijn mes tevoorschijn en begon een tak van een jeneverbes te bewerken.

Terwijl hij daarmee bezig was dwaalden zijn gedachten af naar Aisha. In de loop der jaren had hij vaak aan haar gedacht, vooral in de lange perioden tussen de gewelddadigheden. Hij dacht niet alleen aan haar schoonheid en aan de tijd die ze samen haddden doorgebracht, maar ook aan hoe alles zou zijn gelopen als hij niet de oorlog in was gegaan en intussen zeker zou zijn getrouwd. Hij vroeg zich af hoe hun dagelijks leven samen eruit zou hebben gezien, hoe het zou zijn om met haar te kunnen vrijen wanneer hij dat wilde, hoeveel kinderen ze zouden hebben gehad. Hij stelde zich haar ongerepte, meisjesachtige lichaam voor en hoe het intussen door zwangerschap zou kunnen zijn veranderd, met rondere heupen en zwaardere borsten. Zou hij jaloers zijn geweest op zijn kinderen omdat ze haar aandacht opeisten?

's Nachts stelde Kazim zich voor dat hij zijn lippen op haar hals drukte onder het gordijn van haar satijnzachte haar, zijn lichaam verstrengeld met het hare, zij misschien met een bolle buik, en kwam tot de conclusie dat hij zo nog meer naar haar verlangde, als moeder van zijn kinderen. Wanneer die koortsachtige momenten vervlogen, bleef hem echter niet de warme herinnering bij, maar de pijn van spijt en het bijna gekmakende verlangen.

Kazim hoorde het verre gebrom van het naderende Indiase konvooi. Hij hield op met snijden en legde zijn mes neer, veegde het zweet van zijn wenkbrauwen en keek toen door zijn verrekijker.

Verscheidene jeeps, een grote truck met minstens vijftien of twintig soldaten en twee volgeladen vrachtwagens kwamen de heuvel af naar de weg beneden hem. Het voorste voertuig, een van de jeeps, remde af en hield halt op enige afstand van het muildierkarkas. Een soldaat ging staan en bestudeerde het dode beest zo lang door zijn veldkijker dat Kazim wel moest denken dat het plan was mislukt. Maar toen wenkte de Indiase soldaat de voertuigen achter hem. De jeep reed om het karkas heen, er vlak langs. De andere jeeps en vrachtwagens trokken schokkend op en volgden.

Kazim bukte zich naar een zwart kastje met een joystick dat naast hem stond. Het was een zender voor een speelgoedmodel, misschien een radiografisch bestuurde auto of vliegtuig. Hij zette het kastje tussen zijn knieën op de grond. De truck met soldaten kwam nu langzaam bij het dode muildier.

Kazim haalde diep adem en deed zijn ogen dicht. Hij concentreerde zich niet zozeer op waar hij mee bezig was als wel op het beeld dat nog door zijn hoofd speelde: een prachtig vrouwenlijf dat voor hem lag, het enige dat hij ooit had gekend.

Zijn ademhaling versnelde toen hij bij het verdriet kwam. Hij balde zijn vuisten en ontspande ze weer. Hij sloeg op zijn bovenbenen. En weer, steeds opnieuw, harder en sneller, tot zijn hele lichaam sidderde van een golf van pijn die vanuit het diepst van zijn wezen tot uitbarsting leek te komen in een enkel, eenvoudig gebaar.

Kazim haalde de schakelaar om.

De aarde schudde.

De truck barstte uit in vlammen en metaal en uiteengereten lichamen.

21

Nick was weggedoezeld terwijl Fidali bad. Hij had vijf uur achtereen geslapen tot hij wakker werd van Ghulam, die een halfuur voor zonsondergang terugkwam, zwaaiend met een stel dekens.

'Waar hebt u die vandaan?' informeerde Nick.

'Er zijn Hazara-herders in het dal over de grens. Goede moslims. Ze helpen ons.' Ghulam legde zijn hand op zijn hart ten teken van dankbaarheid.

'U bedoelt in Afghanistan?' vroeg Nick. 'Was u niet bang voor grenswachters?'

'De mensen hier geloven niet in grenzen. Waarom zou Ghulam dat doen? Hier, pak aan.' Ghulam gaf Nick twee wollen dekens met bonte geometrische ingeweven motieven. Nick bedankte hem, met de kou van de vorige nacht nog vers in zijn geheugen.

'Vanavond beginnen we te klimmen. We moeten voorzichtig zijn. Er zijn veel moedjahedien door deze bergen op weg naar Afghanistan.'

'Reizen ze 's nachts?'

'Ja.' Ghulam stak hij een vinger naar de hemel op. 'Ze zeggen dat de Amerikanen vanuit de hemel de wacht houden. Het is voor hen veiliger om in het donker te lopen. Voor ons ook. Als we dit signaal geven' – hij wuifde met zijn hand naar voren – 'betekent het dat je op de grond moet gaan liggen. En als we dit doen' – Ghulam stak zijn arm uit en zwaaide er woest mee – 'betekent het dat je moet rennen als een steenbok.'

En klimmen deden ze. Ze trokken drie nachten recht naar het noorden, min of meer op de grens met Afghanistan, en volgden een laag dal langs een melkachtige zijtak van de rivier de Chitral. Toen begon het pad ineens eerder verticaal dan horizontaal te lopen, langs een afmattende reeks steile haarspeldbochten van de ene rotsige pas naar de volgende, met opgedroogde modder bedekt en vaak bezaaid met enorme hoeveelheden rotsblokken. De vaag verlichte bergen doemden als slapende reuzen op onder het glinsterende schijnsel van ontelbare sterren, hun met sneeuw bedekte toppen paarsig in het maanlicht. De pieken van de Hindu Kush waren glad en kaal, alsof ze met een reusachtig stuk schuurpapier waren bewerkt. Het pad liep langs de bergwanden, steeds weer honderden meters stijgend en dalend.

Nick had moeite vlak achter zijn sterkere, snellere metgezellen te blijven. Ondanks de bijtende kou drong zweet door zijn kleren in de dikke dekens die hij als een Afghaan over zijn schouders had gedrapeerd. Fidali liep vlug tegen de steile bergen op, zijn niet-aflatende tempo versnelde bergopwaarts zelfs. Zijn benen zo dik als boomstronken in aanmerking genomen bewoog hij zich verrassend lenig voort. Hoewel Nick de nodige ervaring met trektochten had opgedaan, was voor hem de fysieke inspanning, verzwaard door de ijle lucht, slopend. Hij had blaren op zijn voeten en zijn blote huid – nek, gezicht en handen – was bevroren. Er was geen tijd om te acclimatiseren en zijn hoofd bonkte tijdens het lopen.

Ze liepen uren zwijgend achter elkaar door zonder te rusten, met al hun zintuigen gespitst en de duisternis afspeurend op een signaal, geluid of beweging in de hoop bandieten of een patrouille te ontdekken voor die hen in de gaten zouden krijgen. Verscheidene keren gaf Fidali een teken en doken ze neer, maar het was steeds vals alarm, veroorzaakt door een steenbok of een geit die verderop langs het pad in de struiken ritselde.

Een keer, toen ze boven aan een hoge pas waren gekomen, zag Nick ver weg aan de westelijke horizon flauwe lichtflitsen. Hij dacht dat het onweer was, tot hij uit de afwezigheid van donderwolken en het geronk van een vliegtuig in de verte afleidde dat ze werden veroorzaakt door de bommen van een gevechtsvliegtuig – zeer waarschijnlijk Amerikaans – die op een of ander doel aan de Afghaanse grens werden gegooid.

Nick zag geen wegen of paden die geschikt waren voor voertuigen, alleen een oud netwerk van veelbetreden voet- en ezelpaden. Vertrouwend op de bescherming van de nacht sloegen ze telkens overdag hun kamp op – de ene keer in een grot, de andere keer tussen een dichte groep dennenbomen of in een van de lege herdershutten waarmee de hoge weiden en bergwanden bezaaid waren. Ze reisden laat in het jaar, dus was er weinig kans dat herders hen zouden zien, want hun dieren waren al naar beneden gebracht voor de eerste sneeuw zou vallen. Jagers gebruikten de herdershutten echter als basis voor hun tochten naar hogergelegen gebieden om steenbokken, markhorgeiten, wilde jaks, sneeuwganzen en de zeldzame sneeuwluipaard op te sporen. Als jagers hen ontdekten, zei Ghulam, zouden ze hen met rust laten. Maar voor Nick, die bang was dat er een prijs op zijn hoofd was gezet, was het een obsessie geworden om alle mensen te vermijden, zelfs in het afgelegen achterland waar de inheemse bevolking volkomen van de Pakistaanse autoriteiten was afgesneden.

Een ernstiger bron van zorg waren de woeste militanten – rovers die ergens op uit waren, volgens Ghulam. Voor hen zou de zware lading sigaretten een begerenswaardige buit zijn. Op een dag, toen ze overdag in hun schuilplaats lagen, zagen ze een karavaan van twaalf mannen, van wie er een paar een kalasjnikov op hun rug hadden hangen. Ze trokken naar het noordwesten, naar de Dorahpas op de Afghaanse grens. 'Taliban?' vroeg Nick.

'Nee, meneer,' zei Ghulam. 'Ze hebben geen tulbanden, en baarden als ganzendons. Ghulam denkt dat het jonge moedjahedienrekruten uit Kashmir zijn. Waarschijnlijk op weg naar een trainingskamp in Afghanistan. Als ze bij de grens op een Pakistaanse legerpatrouille stuiten, krijgen ze een kop thee en een maaltijd voor ze de grens overgaan.'

Na drie dagen noordwaarts de Hindu Kush in te zijn getrokken kwamen ze aan de westelijke kant langs de Kailashvallei, oftewel Kafiristan. 'Het land van de ongelovigen' noemde Ghulam het. Een reeks geïsoleerde dalen die bevolkt waren met stammen van vreemde heidenen die, te oordelen naar hun manier van kleden en hun gebruiken, in de tijd verloren leken te zijn geraakt.

'Het is prima om overdag te lopen,' verkondigde Ghulam. 'Kailashvolk vormt geen probleem.'

Hoewel Nick er de voorkeur aan gaf 's nachts te reizen, stelde de hermetische sfeer van het gebied hem gerust. De dalen waren vruchtbaar en dichter bevolkt dan de winderige uitlopers waar ze vandaan kwamen. De gehuchten lagen verspreid over hellingen langs beekbeddingen; de huizen hadden platte daken en waren gemaakt van leem en steen, en stonden als bijenkorven in groepjes bij elkaar.

De Kailashmannen begroetten de reizigers hartelijk wanneer ze door hun dorpen kwamen, en hoewel velen het groepje op de thee uitnodigden, sloeg Ghulam het aanbod steeds beleefd af, omdat hij er de voorkeur aan gaf door te gaan. In tegenstelling tot Prince, die waarschijnlijk ten onrechte had beweerd een Kailash te zijn, hadden deze mannen gelaatstrekken die Nick Europees leken. Velen van hen hadden opvallend blauwe ogen en rossig haar. De vrouwen droegen hun haar in strakke vlechten die als paardenstaarten achter hun oren bungelden en waren gekleed in lange grijze of bruine tunieken met lichtgroene en rode franjes van geweven band. Sommige vrouwen waren ongesluierd, terwijl andere getooid waren met lange opzichtige hoofdbanden van bronzen of koperen munten, rode kralen, porseleinslakkenhuisjes en paarlemoeren knopen. 'Erg mooie vrouwen,' merkte Ghulam op en Nick beaamde dat.

Nadat ze de valleien achter zich hadden gelaten, waadden ze door verscheidene woeste, ijskoude beken en koersten daarna naar het noordoosten, waarbij ze de drukker bereisde Shandurpas lieten liggen ten gunste van een meer noordelijke, hogere en ruigere aftakking van de Darkotpas, die alleen te voet begaanbaar was. Volgens Fidali, zo verklaarde Ghulam, was deze weg over de kam van de Hindu Kush naar Gilgit betrekkelijk onbekend en dus de veiligste manier om ongemerkt naar het hart van de Noordelijke Gebieden van Pakistan over te steken – het deel van het vroegere prinsdom van Kashmir dat met succes tegen de Indiase overheersing in opstand was gekomen en door Pakistan werd bestuurd.

Het gevaar van bandieten en zwervende moedjahedien was afgenomen sinds ze uit de buurt van de Afghaanse grens waren, maar toen ze op weg gingen naar het pad over de pas, kwamen ze op nog ontmoedigender terrein, te verraderlijk om er 's nachts veilig doorheen te kunnen trekken. Omdat ze overdag moesten reizen, vermeden ze de weinige wegen langs de zijtakken van de rivier de Yarkhun en kozen ze in plaats daarvan voor het netwerk van gevaarlijk geërodeerde voetpaden die langs de berghellingen liepen voordat ze langs de meest oostelijke ketens van de Hindu Kush omhoogvoerden.

Toen ze eindelijk bijna boven op de pas waren, die langs een diepe, trechtervormige kloof van ijs en rotsen liep, kwamen ze een man en een kleine jongen tegen die op een gigantische ruigharige jak over een smal pad reden langs een bijna loodrecht ravijn. Grote vlaskleurige manden gevuld met vademhout waren als zadeltassen aan de flanken van de jak bevestigd. Vader en zoon droegen eenzelfde hoge cilindervormige hoed van behaard geitenvel en een traditionele lange kragloze jas en kniehoge laarzen van gelooide geitenhuid. Uit hun gezicht, dat er Mongools uitzag, sprak de verlokking van Centraal-Azië.

'Kirgiezen,' zei Ghulam. De man hield zijn jak in, groette hen en vulde ongevraagd hun zakken met gedroogde gerstekorrels die tussen hun tanden knisperden wanneer ze ervan aten. Aangezien het onmogelijk was de taalbarrière te overbruggen, groetten de twee Kirgiezen de reizigers door hun rechterhand op hun hart te leggen en gingen toen verder, blij dat ze vreemden gastvrijheid hadden kunnen betonen.

De bergen ten oosten van de Darkotpas werden een massief van zwart en paars graniet. De nallahs, diep en bebost, de dwergjeneverbessen, wilgen en tandenstokervormige populieren van de lagergelegen gebieden maakten plaats voor donkere sparren en rijen berken met puur gouden bladeren in al hun herfstpracht. Bij een berggehucht dat weggestopt in een dal ten noorden van Gilgit lag, hielden ze halt om uit te rusten. Ghulam legde uit dat het ongevaarlijk was om zich in het dorp te wagen, dat bewoond werd door etnische Tadzjieken. Maar Nick was er nog steeds niet gerust op met wie dan ook contact te hebben, dus bleef hij in z'n eentje aan de rand van het dorpje terwijl Ghulam en Fidali op zoek gingen naar dhal, rijst en nieuwe batterijen voor Ghulams zaklamp.

Toen ze terugkwamen bereidden de mannen een maaltijd van gezouten dhal en rijst. Ghulam was ongewoon zwijgzaam. 'Er is een groot probleem in Gilgit, zeggen de mensen,' vertelde hij ten slotte.

'Wat voor probleem?' vroeg Nick.

'Soennieten en sjiieten die vechten. Er is avondklok. Te veel Pakistaanse politie. We moeten daar niet naartoe gaan.'

'Betekent dat dat we geen vrachtwagen nemen in Gilgit?' Hoewel zijn lichaam na wekenlang lopen gehard was, had Nick graag een truck genomen voor de rest van het stuk naar de Line of Control en de reis op die manier met tien dagen bekort. Maar tegelijkertijd was hij bang voor de controleposten die bij het reizen over de weg hoorden.

Ghulam haalde zijn schouders op. 'Misschien kunnen we beter maar geen truck nemen. Bij de grens wordt gevochten en er zullen veel legerjeeps op de weg zijn. Het is veiliger te voet te reizen.'

Terwijl ze Gilgit aan de noordkant voorbijgingen over eenzame voetpaden, drongen ze door in de westelijke bergketens van de Karakoram — de 'Zwarte Bergen'. De ketens van de ontzagwekkende Hindu Kush leken tam vergeleken met deze reuzen. Nick voelde zich een hobbit, een dwerg tegen de immense spitse, met ijs bedekte pieken die hen als haaientanden in enorme rijen omringden. Gletsjers vielen als watervallen van overhangende bergwanden, vulden hele valleien met wit en zwart ijs en slepen diepe kloven uit tussen de toppen; het donderende gekraak van lawines klonk van grote hoogte als supersone knallen. Een altijd aanwezige maan tekende zich flauwtjes boven hen af tegen de azuurblauwe hemel. Samen met de ijle lucht leek het alsof ze de stratosfeer waren binnengekomen. Eigenlijk was dat ook bijna het geval nu ze boven de vierenhalfduizend meter waren gekomen.

Ze beklommen steile hellingen en daalden af over gevaarlijk glibberige paden, trokken langs reusachtige droge rivierbeddingen, woestenijen met niets anders dan stof en gebarsten sediment, omgeven door spitse bergtoppen die zo steil waren dat er zelfs geen sneeuw op bleef liggen. Op de weinige plaatsen waar water stroomde was het zo dik van het slib dat het eruitzag als grijze melk, en het smaakte naar modder. De enige andere reizigers waren groepen rondtrekkende Tadzjieken en Afghanen die terugkeerden uit de vruchtbare valleien van Hunza en Nagar, waar ze als seizoenarbeiders abrikozen, appels en moerbeien hadden geplukt, die daar in overvloed groeiden. Maar toen ze de ruige droge hooglanden van Baltistan bereikten, waren de bergen en gletsjers te onherbergzaam voor anderen dan troepen halfnomadische geitenhoeders die hun kuddes omlaag dreven van weiden in de hoge ijzige stroomgebieden voordat de winterse sneeuwbuien kwamen.

'Dit land is thuis voor onze mensen,' zei Ghulam. 'Hier is het veilig.'

'Zijn julli Baltistanen?' vroeg Nick

'Ja, een klein beetje Baltistaans,' antwoordde Ghulam. 'Fidali ook. Zelfde zelfde.'

'Maar jullie hebben heel andere gezichten. En Fidali heeft blauwe ogen,' zei Nick.

'Ja. Dat komt doordat vele jaren geleden Tibetaanse mensen naar Baltistan zijn gekomen. Baltistaanse taal is als Tibetaans. Zelfde zelfde. Ik ben een Tibetaanse Baltistaan. Begrijpt u?' zei Ghulam, wijzend op zijn Aziatische ogen. 'Ghulam ziet er een beetje uit als Chinees. Fidali is ook Baltistaan,' vervolgde hij. 'Maar Baltistaanse mensen zijn allemaal mix mix. Zijn volk komt van de Dards.'

'Wie zijn de Dards?'

'Ook een bergvolk,' zei Ghulam, met een knik naar opzij. 'Oud volk.' Hij maakte een beweging met zijn hoofd naar de bergtoppen.

'Dardische taal is een beetje als het Burushashki, de taal die mensen in Hunza spreken. Erg oud. Dardische mensen woonden in heel Baltistan, Kashmir en Ladakh. Maar toen — Tadzjieken, Oezbeken, Pasjtoes, Mongolen, Turkmenen, hindoes, alle soorten andere mensen kwamen er ook. Iedereen mix mix,' zei hij weer, terwijl hij zijn armen om elkaar heen draaide. 'Alleen in hooggelegen bergdorpen zijn nog echte Baltistaanse mensen te vinden. Zoals Ghulams dorp.'

Nick beschouwde het gesprek over Ghulam en Fidali's afkomst als een zinvolle manier om zijn gedachten af te leiden van zijn fysieke uitputting en zijn toenemende angst voor de naderende grensovergang, die tot nog toe te ver weg had geleken om zich er al zorgen om te maken. 'Dus de Dards waren er al voor Mohammed leefde?' vroeg hij.

'Ja. Vele jaren voor de islam naar dit land kwam. Toen waren we ongelovigen zoals Kailash. We geloofden in vele goden — men zegt zelfde zelfde als goden van Skander.'

'Skander? U bedoelt Alexander de Grote?' vroeg Nick.

Ghulam keek onzeker. 'Ja, dat denk ik. Toen leerden we boeddhisme van de Tibetanen. Nu zijn we moslim, inshallah. Ziet u? Mix mix.'

'Wie van de indringers bracht de islam?' Nick was zich bewust van het cynisme dat in zijn vraag besloten lag.

'De islam is hier niet met het zwaard verspreid,' zei Ghulam nadrukkelijk. 'Die werd gebracht door soefi's. Dat waren geleerden — vredelievende mensen.'

Toen het pad een scherpe bocht maakte kwamen ze bij een gedeelte dat onder langs de wand van een overhangend klif liep, alsof een of andere mythische reus het met een gigantische pikhouweel in de granieten voorkant had uitgehakt. Eronder dook een steile afgrond zo'n vijfhonderd meter naar beneden naar een kolkende rivier. Witte watermassa's spoten schuimend omhoog tussen enorme rotsblokken; het geluid van het neerstortende water werd versterkt door de kliffen en maakte hun voetstappen onhoorbaar. Het pad was maar een meter breed; uitglijden betekende een wisse dood. De onmetelijke kliffen aan weerszijden van de kloof en de diepe afgrond waren tegelijkertijd ontzagwekkend en angstaanjagend.

Alsof hun gesprek daarvoor het sein was geweest, wees Ghulam naar het klif boven hen en schreeuwde om zich boven het kabaal van de stroom verstaanbaar te maken: 'Daar, Boeddha!'

Nick keek onderzoekend omhoog naar de plek waar Ghulam heen wees.

Onvoorstelbaar hoog aan de voorzijde van het klif stak uit de zwarte rots een massieve boeddhafiguur in lotushouding naar voren, met gesloten ogen, de ene hand in zijn schoot, met de wijsvinger van zijn andere op de duim, alsof hij mediteerde bij het eeuwige geluid van de ruisende rivier.

Nick stond stokstijf stil op het pad. Hij stelde zich de kunstenaar voor, duizenden jaren geleden, die als een spin aan een getwijnd touw naar beneden had gehangen en met een eenvoudige hamer en beitel het meesterlijke eerbetoon had uitgehakt. Het was gedetailleerder en indrukwekkender dan Mount Rushmore, vond Nick, hoewel het duizenden jaren eerder was gemaakt en met primitiever gereedschap. De kunstenaar geloofde ongetwijfeld dat hij door die plek te kiezen, die zo moeilijk bereikbaar was, en zo vol van de tijdloosheid van de rivier en de bergen, een passend en onverwoestbaar huldeblijk vervaardigde. Het zou hem voldoening hebben geschonken te weten dat voorbijgangers als Nick duizenden jaren nadat hij zijn leven had gewaagd om het in de overhangende rots uit te hakken zich nog steeds over zijn werk verwonderden.

'Daar moeten we overheen,' schreeuwde Ghulam, die Nick uit zijn trance haalde. Ghulam wees naar de gapende afgrond die voor hen lag.

22

Nick staarde de kloof in, naar de woeste rivier met de wolken van mist en grijs schuim en het kolkende water dat ondoorzichtig was van het slib.

'Wat bedoelt u met "daaroverheen"?' Nick moest naar zijn metgezellen, die naast hem stonden, schreeuwen om boven het geraas van het troebele water uit te komen. 'Onmogelijk!'

'Nee, meneer,' zei Ghulam. 'Kijk!'

Ghulam wees naar een paar roestige stalen kabels op de klifwand naast hen, ongeveer een meter van elkaar. Nick volgde de kabels met zijn ogen omlaag de kloof in. Ze liepen in een lange boog, bogen stroomafwaarts af en verdwenen onder de troebele, grauwe oppervlakte van de rivier, heen en weer slingerend waar ze met de beweeglijke stroom in aanraking kwamen. De kabels kwamen dicht bij de andere oever van de rivier tevoorschijn, waar ze weer omhoogbogen en dan uit het zicht verdwenen over de top van het verre klif.

Daarna keek Nick waar ze stonden en zag dat de kabels met lussen en knopen waren verbonden met een aantal dikke henneptouwen, die op hun beurt om twee stevige boomstammen waren gewonden die als staken diep in de grond waren gestoken, blijkbaar een soort primitief treksysteem. Vanaf de boomstammen liepen de touwen naar een aantal richels aan de bergwand boven de rivier, waar ze in een zenuwcentrum van knopen en lussen in elkaar draaiden.

Nick wierp een vragende blik op Ghulam en Fidali, nog niet begrijpend hoe een paar onder water liggende kabels, misschien de overblijfselen van een oude brug die door het stromende water was meegesleurd, hen naar de overzijde van de kloof moesten brengen.

'Ziet u, meneer,' verklaarde Ghulam, die Nicks verwarring wel grappig vond, 'de inheemse bevolking bouwde hier een brug zodat ze weiden aan de andere kant van de rivier konden gebruiken. Maar toen kwamen de moedjahedien en die gebruikten de brug ook, om heen en weer te reizen van Kashmir naar de trainingskampen. Eerst vonden de plaatselijke bewoners het prima dat ze de brug gebruikten, omdat ze de mensen goed behandelden. Maar toen veranderde er van alles. Steeds meer buitenlandse strijders begonnen te komen – Afghanen, Arabieren – en ze stalen voedsel en geiten. Dus de dorpelingen besloten de brug te vernielen om ervoor te zorgen dat ze niet meer kwamen. Nu moeten de slechte strijders erg ver van hier oversteken en komen niet meer in het dorp.'

'Klinkt logisch,' zei Nick. 'Maar wat hebben wij daaraan?'

Ghulam knikte naar de rivier beneden. 'Het ziet eruit alsof de brug kapot is, misschien meegesleurd door de rivier, toch? De inheemse bevolking heeft ervoor gezorgd dat het zo lijkt, maar ze hebben hem niet echt kapotgemaakt. De brug is alleen maar verborgen. Onder water. Je kunt hem niet zien doordat het water in de rivier altijd grijs is door het slib van de gletsjer.'

Ghulam draaide zich om en gebaarde naar de drie boomstammen waar de sjofele touwen die met de kabels waren verbonden omheen waren gewonden. 'Die touwen zien eruit alsof ze nergens voor dienen. Maar dat doen ze wel. De mensen maken ze vast aan jaks om de brug op te halen wanneer ze weiden aan de overkant willen gebruiken. Er is een heel sterke jak voor nodig. Soms twee als de rivier hoog is... Erg slim, vindt u niet?'

Nick bekeek de bergwanden eens goed. 'Ik zie hier geen jaks. Gaan we er een halen in het dorp?'

'Nee, meneer. Ze zullen ons geen jak uitlenen. De mensen hier willen niet dat vreemden weten van brug. Daarom verbergen ze hem. Alleen Fidali weet het. Maar hij heeft hun geheim bewaard. Zoals u ook moet doen, meneer. We willen niet dat de dorpelingen weten dat wij ervan weten, omdat ze dan moeten leven met de angst dat de slechte strijders terugkomen om hen te straffen. En het zijn goede mensen, de dorpelingen... Nee, meneer, we hebben geen jak nodig. We hebben Fidali.'

Nick keek naar Fidali, die zijn bepakking had afgedaan en, om een reden die Nick niet kon doorgronden, de hak van zijn schoen gebruikte om een geul te graven achter de eerste van de rechtopstaande boomstammen. 'Wilt u zeggen dat Fidali de brug gaat ophijsen?'

'Ja, meneer.'

'Met het gewicht van al dat water dat erop rust?' vroeg Nick. 'Onmogelijk.'

Ghulam stak zijn onderlip naar voren, een teken van bezorgdheid. 'De rivier staat dit keer erg hoog. Erg warme zomer, denkt Ghulam. Gletsjer meer gesmolten dan normaal. Kan erg gevaarlijk zijn,' voegde hij eraan toe.

Ghulam en Fidali praatten enkele minuten in hun eigen taal, voor Ghulam zich uiteindelijk tot Nick wendde. 'Fidali zegt dat we het gaan proberen. We moeten bidden dat hij vandaag erg sterk is, inshallah. Anders is Ghulam bang dat we helemaal terug moeten langs een andere route over de Thui An-pas. Als we niet de rivier in worden gesleurd.'

Nick wist dat de hele weg teruggaan op z'n minst twee weken extra zou kosten, tijd die ze niet hadden omdat de eerste sneeuw over niet al te lange tijd zou vallen.

Hij keek toe terwijl zijn metgezellen zich voorbereidden op wat hij niet anders kon zien dan als een godsoordeel. Ghulam goot water uit zijn plastic fles op de touwen waar ze om de boomstammen gebonden zaten om ze te smeren. Fidali haalde een extra stuk touw uit zijn bagage, wond het om zijn schouders en bovenbenen om een soort harnas te creëren en maakte er bij zijn navel een dubbele lus in. Voor hij dat laatste deed trok hij de touwen die aan de brugkabels vastgemaakt waren door het oog van de lus, zodat hij zichzelf met behulp van een provisorische karabijnhaak had verbonden met de brugkabels. Daarna wond hij de touwen tweemaal om zijn middel. Nick vond het nogal overmoedig van Fidali om zich zo vast te binden, want als hij de kracht van de stroom die op de ondergelopen brug stond niet de baas kon – een zorg die Ghulam al had uitgesproken – zou hij in de woest kolkende rivier worden gezwiept en verdrinken of sterven van onderkoeling. Maar Ghulam zei tegen Nick dat Fidali's aanpak de enig mogelijke manier was om genoeg hefboomwerking op te leveren om de brug omhoog te krijgen.

Nadat hij zichzelf aan de touwen had vastgemaakt, ging Fidali in de geul zitten die hij in de helling had uitgegraven achter de boomstam die het dichtst bij de rand van het klif stond en zette zijn voeten stevig tegen het hout. Toen gaf Ghulam Nick de instructie zich boven achter en iets opzij van Fidali op te stellen om het uiteinde te pakken wanneer Fidali aan het touw trok. 'Waarschijnlijk moet u ook meetrekken,' zei Ghulam.

Vervolgens klom Ghulam langs de bergwand omhoog tot achter de tweede boomstam, spuugde in zijn handen en greep ook de touwen vast, wond ze van de paal los tot een enkel einde van allebei de touwen overbleef om te voorkomen dat de rivier ze meetrok. Ghulam wond de losse einden twee keer om zijn middel en zette zijn voeten schrap in het zand. 'Oké, nu wachten we op Fidali,' zei Ghulam.

Nick keek naar Fidali vanaf zijn twijfelachtige voordeelspositie. Fidali haalde een paar keer diep adem, boog zijn knieën en versterkte zijn greep op het touw. Toen sloot hij zijn ogen, alsof hij mediteerde, zei iets waarvan Nick vermoedde dat het een gebed was en riep hardop: 'Allah-o-Akhbar!'

Ghulam trok de touwen over de de boomstam heen, en direct voelden de mannen allemaal dat de sterke stroming van de rivier hen bijna omver trok. Op dat moment wist Nick zeker dat ze alle drie in de stroom zouden storten en dat niemand ooit nog iets van hen zou vernemen.

Hij keek naar Fidali terwijl deze zich inspande om het vol te houden. Fidali hield zijn kaken op elkaar geklemd toen de volle kracht van de rivier aan hem trok en zijn lichaam naar beneden rukte tot zijn knieën diep gebogen waren. Zijn voeten, waarmee hij zich tegen de boom schrapzette, waren het enige wat moest voorkomen dat hij in de rivier zou storten. Gedurende een moment leken Fidali en de rivier te zijn vastgelegd in een patstelling; met zijn rug gebogen, zijn trillende zware benen, de strakke strepen van de gespannen pezen onder zijn huid in zijn nek.

Ineens gromde Fidali en zijn lichaam trok krom, zijn knieën werden tegen zijn borst gedrukt.

'Hij verliest het!' schreeuwde Nick en hij trok aan het touw, zeker dat Fidali voorover zijn dood tegemoet zou vallen met de hele constructie, met boomstammen en al. Maar op een of andere manier, met zijn lichaam voorovergebogen en zijn gezicht verwrongen van de inspanning, hield Fidali stand.

Terwijl zijn longen lucht opzogen, duwde hij langzaam zijn benen tegen de boomstam, die boog onder de tegengestelde krachten van Fidali en de rivier. Een paar tellen was er geen beweging in het touw. Toen ging het langzaam een paar centimeter naar voren, waarna het weer stopte.

Fidali wachtte, snel ademhalend om zijn kracht te herwinnen, terwijl het zweet van onder zijn pet en van de punt van zijn baard naar beneden drupte. Hij trok opnieuw en het touw verschoof weer een stukje. En toen nog een stukje. Tot zijn benen uiteindelijk recht waren, met zijn knieën op slot.

'Hij komt!' schreeuwde Ghulam.

Nick keek omlaag de afgrond in. Hoewel hij nog steeds niets zag onder het donkere water, had zich aan de overkant van de rivier een golf — eerder een langgerekte bult — gevormd van een onzichtbaar, gezonken obstakel, alsof de lange ruggengraat van een zeemonster naar de oppervlakte begon te komen. 'Help hem! Trekken, trekken, trekken!'

Fidali boog zijn knieën weer, snel, om geen vaart te verliezen, om Nick de gelegenheid te bieden na de laatste ruk aan het uiteinde te trekken, dat Ghulam om de tweede boomstam bond. Steeds weer drukte Fidali zich tegen de grond en zette zijn voeten tegen de boomstam, terwijl hij aan het touw trok tot zijn benen recht waren. Nick en Ghulam trokken ook, maar terwijl Fidali het volle gewicht voor zijn rekening nam, leken zij weinig meer te doen dan het uiteinde aan te pakken. Elke keer dat Fidali's benen aan het einde strak stonden, werd de golfbeweging aan de overkant van de rivier een beetje groter, tot ze met wit water en grijs schuim omsloeg.

Uiteindelijk gaf Fidali een laatste grommende ruk, waarna er plotseling uit de kolkende oppervlakte van de rivier een bungelende massa van roestige kabels vrijkwam die een reeks van water doortrokken, gebroken planken verbonden. Fidali had, tot Nicks verbazing, gedaan wat volgens hem een mens onmogelijk voor elkaar kon krijgen: hij had de rivier verslagen.

Nu de zuigkracht van de stroming geen factor meer was, ging het trekken gemakkelijk, en binnen enkele minuten nadat het eerste stuk aan de oppervlakte was verschenen, werd de kloof overspannen door een gehavende hangbrug, die zich zeker vijfenzeventig meter uitstrekte boven een steile afgrond van minstens vier keer zo diep. Fidali zakte uitgeput in elkaar, hijgend, terwijl Nick en Ghulam de touwen losmaakten.

'Erg dicht bij zwemmen,' zei Ghulam stralend. Hij gaf Nick een klap op zijn schouder en ging toen naar Fidali toe om hem een slok uit zijn waterfles aan te bieden.

Nick onderwierp de brug, waar straaltjes modderwater af dropen, aan een nader onderzoek. De oude kabels van de brug waren op een aantal plaatsen aan elkaar geknoopt, alsof de oorspronkelijke stukken niet lang genoeg waren geweest, en afzonderlijke extra stukken waren als elektriciteitskabels ineengestrengeld om ervoor te zorgen dat de brug de overkant haalde. Tussen de gammele planken, zwart van het weer, die als voetsteun bedoeld waren, zaten onmogelijke afstanden. Sommige lagen een meter of meer uit elkaar, zodat je letterlijk over de gaten zou moeten springen om van de ene naar de andere te komen. Sommige waren zo lelijk gebroken dat alleen de kabel zelf, als het koord van een koorddanser, enige steun kon bieden. Tussen de planken was er niets wat een fatale duik kon voorkomen.

'Nadat we zijn overgestoken, is het nog maar twee dagen tot de grens,' zei Ghulam, in een poging Nick te bemoedigen, die – ondanks zijn ontzag voor Fidali's vermogen om de brug uit de rivier op te hijsen – als versteend stond bij de aanblik van het glibberige, gammele bouwsel.

'Dat kunt u niet menen,' antwoordde Nick, ervan overtuigd dat Ghulam een grapje maakte. 'Ik bedoel, wanneer heeft Fidali hem voor het laatst gebruikt? Hij is sindsdien waarschijnlijk flink verrot.'

Ghulam deed zijn best zijn lachen in te houden. Maar toen ook Fidali, die opmerkelijk snel hersteld was van de uitputtende krachtsinspanning, voor zijn doen ongewoon begon te grijnzen, barstten ze allebei in een onbeheerst geproest uit. Nick wendde zich met een strak gezicht af.

'Sorry, meneer. Alstublieft, het is geen probleem,' zei Ghulam lachend. 'Fidali en Ghulam gaan eerst. Dan zult u zien.'

Voor Nick nog meer bezwaren kon opperen, sprong Fidali op de eerste plank, en naar de volgende, en de volgende, tot hij een flink eind op de brug was gekomen. Die boog diep door, gevaarlijk slingerend bij elke sprong die hij maakte. Na nog een paar stappen volgde Ghulam. 'Volg Ghulam!' riep hij.

'Wacht!' Maar het was te laat. Ghulam was al halverwege voor hij zich omdraaide. Terwijl hij met zijn ene hand een kabel vasthield om zijn evenwicht te bewaren, gebaarde hij met de andere dat Nick op de eerste plank moest springen.

'Het ziet er niet uit alsof hij ons alle drie kan houden,' riep Nick.

'Geen probleem! Kom kom!'

Als er meer voetsteunen waren geweest, had Nick de brug al niet bepaald redelijk gevonden. Maar nu vergde elke overstap een sprong in plaats van een pas. En de kolkende stroom die door de enorme gaten tussen de planken en kabels zichtbaar was, creëerde een optische illusie die Nicks gevoel voor diepte in de war bracht en zijn oogvoetcoördinatie volkomen verstoorde. Het was net als een driedimensionale tekening van een kubus waarin een lijn met de verkeerde plaats is verbonden – je kunt niet zeggen welke lijn op de voorgrond staat. Daardoor leek het water soms dichterbij dan de planken en dit misleidde zijn geest om in de tussenruimten te stappen in plaats van op de planken.

Hij kreeg visioenen dat hij omlaag werd gesleurd, in de rivier gesmeten, onder water vast kwam te zitten onder een stuk rots tot hij verdronk of doodvroor. Elke overstap was een uiterste wilsinspanning. Wankelend van duizeligheid, met witte knokkels van de kracht waarmee zijn handen de roestige en rafelige kabels vasthielden, schuifelde, stapte en klauterde hij tussen momenten van paniekerige verstarring door van de ene gladde verrotte plank naar de andere.

Fidali en Ghulam zaten in kleermakerszit aan de overkant schelms te stralen. Toen Nicks voeten ten slotte vaste grond bereikten, barstten ze uit in een schertsende ovatie. Om zich uit de gênante situatie te redden stelde Nick zich aan door te buigen en de grond te kussen. Toen hun joligheid wegebde kwamen ze bij hem op de grond zitten roken, terwijl ze over de brede afgrond keken.

'U bent erg grappig, English,' zei Ghulam, ineens serieus.

'Waarom? Omdat ik een angsthaas ben?'

'Angsthaas?' herhaalde Ghulam, in verwarring gebracht door het taalgebruik.

'Bang,' verduidelijkte Nick.

'Nee, niet bang. Iets anders, denkt Ghulam.'

'O? Wat dan?' informeerde Nick, die een grap ten koste van hem verwachtte.

Ghulam plukte aan zijn baard en keek nadenkend, wat Nick niet verwacht had, gezien de eerdere luchtigheid. Ghulam leek hem een wandelend oxymoron – deels clown, deels profeet – die van de ene hoedanigheid in de andere kon overgaan, net als een munt die werd opgegooid.

'U bent een sterke man, aan de buitenkant, meneer. Heel...' Hij zette een hoge borst op en hield zijn handen met de palmen omhoog voor zich uit.

'Zelfverzekerd?' schoot Nick hem te hulp.

'Ja. Zelf-ver-ze-kerd.' Hij sprak de lettergrepen uit als een schoolkind dat een nieuw woord leerde. 'Maar u hebt geen zelfvertrouwen.'

'Ik weet het. Maar jullie moeten toegeven: die brug is niet echt veilig.'

'Gevaarlijk? Ja, natuurlijk.' Hij zweeg en nam een trek van zijn sigaret. 'Maar als je op jezelf vertrouwt heb je geen reden bang te zijn.'

'Die rivier en die brug zijn voor mij reden genoeg. Ik kon er niets aan doen dat ik alleen maar aan vallen dacht,' antwoordde Nick.

Ghulam knikte zwijgend. Toen, na enkele ogenblikken stilte, lichtten zijn ogen op. Hij keek Nick strak aan. 'Denken is waarom u bang bent. Kunnen denken is een gave — het onderscheidt de mens van dieren. Maar Allah leidt ieders voet voor hij een stap zet... We kunnen wel geloven dat wij bepalen waar de voet neerkomt. Maar dat kunnen we niet, meneer. Het staat al geschreven.'

Nick peinsde even over die gedachte. 'Ik begrijp wat u zegt. U gelooft dat mensen niet echt alles in de hand kunnen hebben; we hebben geen vrije keus. Het staat allemaal vast, of ik val of de overkant haal.'

'Ja en nee,' antwoordde Ghulam. 'Een mens is vrij zijn eigen weg te kiezen. Daarom heeft Allah ons denkvermogen geschonken... Als iemand de juiste weg kiest, waakt Allah over hem en vergeeft hem zelfs wanneer hij ervan afdwaalt, zolang hij ervoor kiest terug te keren naar de goede weg. Wie het verkeerde pad kiest,' zei Ghulam schouderophalend, 'zal zeker vallen. Zo niet in deze wereld, dan wel in de volgende. Maar wanneer iemand eenmaal heeft gekozen, goed of fout, kan hij niet veranderen wat er voor hem geschreven staat. Dat is ons lot.'

'Oké,' antwoordde Nick. Hij werd niet in de discussie meegesleept door de inhoud van Ghulams woorden, die hij afgezaagd had gevonden als ze door een ander waren uitgesproken, maar door de vurigheid waarmee hij ze uitsprak. 'Maar hoe weet je of je de juiste weg hebt gekozen? Dat is de vraag. Want als ik, zoals u zegt, verkeerd heb gekozen, moet ik wel vallen. Daar zit het probleem.' Nick sprak retorisch en verwachtte niet echt antwoord van Ghulam, die — daar kwam hij al snel achter — veel dieper doordacht dan hij op het eerste gezicht van hem had gedacht.

'Dat weet u op dit moment, meneer.'

Ghulam keek Nick aandachtig aan. Zijn woorden en manier van doen kwamen op Nick niet hypocriet over, maar de heftigheid en de persoonlijke gerichtheid van zijn preek maakten dat Nick zich ongemakkelijk voelde en in de verdediging schoot.

'Ik denk dat ik weet wat u bedoelt. U hebt voor de islam gekozen en dat is de juiste weg. Maar, en ik wil u niet beledigen, u kunt niet verwachten dat iedereen uw geloof deelt.'

'Dat is niet wat ik bedoel,' viel Ghulam uit. 'Ja, ik ben moslim. Maar de weg van de islam is niet de enige. "Als het Allah had behaagd, had Hij jullie tot één volk gemaakt", zo staat het geschreven. Maar hij heeft het niet zo bepaald. Ziet u, het maakt niet uit welk pad je naar Hem leidt, of wat Ghulam denkt. U weet dat u niet de juiste keuze hebt gemaakt. Dat is wat telt.'

'U kunt gedachten lezen,' repliceerde Nick, met een glimlach om zijn sarcasme te maskeren.

'Nee, meneer,' zei Ghulam, niet van zijn stuk gebracht. 'Ik weet het door de manier waarop u over de brug bent gekomen, dat u er niet op vertrouwt dat uw geest uw voet leidt... Ik weet het doordat u verdwaald was toen we u bij de grote rots vonden, en niet meer wilde leven. Door de leugens die u vertelt over het bloed op uw kamiz, en doordat u zelfs te bang bent om ons uw naam te zeggen. Ik weet het door alles wat u zegt en alles wat u doet.'

Nick ging zenuwachtig verzitten nu hij met zijn leugens werd geconfronteerd. Toen hij Ghulam in de ogen keek verwachtte hij daarin woede en gekrenktheid te zien, maar hij kon geen spoor van beide ontdekken.

'We zijn eenvoudige mensen, meneer, maar we zijn niet blind,' voegde Ghulam eraan toe.

Nick boog beschaamd zijn hoofd. Ghulam boog zich naar hem toe en tikte hem zachtjes op zijn schouder. 'U hebt van ons niets te vrezen. U hoeft niet te vertellen wat u hebt gedaan. Het is niet aan ons mensen over daden te oordelen. Alleen Allah kan dat.'

Nick zocht naar iets wat hij kon zeggen, wat dan ook, maar kon niets bedenken. Ze bleven zwijgend zitten. Nick was geraakt door Ghulams woorden en walgde van zichzelf. Ghulams blozende gezicht gloeide in de ondergaande zon.

Nick keek naar Fidali, die een beetje afzijdig zat en in kleermakerszit over de afgrond zat te staren naar de enorme, in de verre wand van het klif uitgehouwen boeddha die daar alwetend hing. Hoewel Ghulam had gezegd dat Fidali maar een paar woorden Engels sprak, was Nick er zeker van dat Fidali precies wist wat er net was gebeurd, en in elk geval de strekking begreep, of misschien zelfs de woorden.

Plotseling voelde Nick een sterke drang bij hen weg te gaan. Maar hij was het vluchten en de leugens beu. Ghulam had gezegd dat Fidali en hij hem geen kwaad zouden doen en Nick geloofde hem. Het scheen hem toe dat hij nog nooit iemand zo sterk had geloofd. Geconfronteerd met zijn eigen leugens had hij het gevoel dat hij voor het eerst van zijn leven echt vertrouwen had ervaren.

'Als jullie wisten dat ik op de vlucht ben voor de politie, waarom hebben jullie me dan zo ver met jullie meegenomen?'

'U bent geen bedreiging voor ons. Kijk naar Fidali. U hebt gezien hoe sterk hij is. Hij zou u met één hand kunnen doden.' Nick keek naar de enorme gestalte van Fidali en wist dat het waar was. 'En Ghulam denkt dat u een goed mens bent, die alleen de verkeerde keuze heeft gemaakt,' voegde hij eraan toe.

'Hoe kunt u dat zeggen? U weet niet wat ik heb gedaan.'

'Ghulam weet het omdat hij ziet hoe u strijdt in uw hoofd – de jihad voert die de Profeet heeft voorspeld. U bent een moedjahid. Dat weet u zelf misschien nog niet, maar dat bent u. En dat is, meneer, iets… kostbaars.'

Nicks gezicht vertrok van verwarring en schaamte. 'Ik weet niet precies wat dat betekent. Maar ik heb tegen jullie gelogen, Ghulam, op een heleboel manieren. Het geeft geen goed gevoel om te blijven. Ik ben een last voor jullie. Ik moet weggaan.'

Ghulam fronste. 'Alleen als u het gevoel hebt dat het moet. Allah is vergevensgezind. En dat zouden mensen ook moeten zijn… meneer Nicholas.'

Ghulam haalde een stuk opgevouwen krantenpapier uit zijn zak en gooide het op het zand bij Nicks voeten neer. Met stomheid geslagen keek Nick naar Ghulam, toen raapte hij het op.

Het was een verslag van de *Peshawar Daily Guardian* – een van de alomtegenwoordige Engelstalige roddelkranten in Pakistan die opgeblazen artikelen publiceerden over de laatste geweldsmisdrijven. De kop luidde: AMERIKAANSE VERDACHTE VAN MOORD OP INSPECTEUR NOG OP VRIJE VOETEN. Boven het artikel was een pasfoto van Nick gezet, naast een van Simon. Nick nam aan dat Ghulam de foto tijdens een van de fourageringstochten in een van de grotere dorpen onderweg had gezien.

'Ghulam leest geen Engels,' zei hij. 'Maar Ghulam weet heel goed wat het betekent voordat de winkelier het hem vertelde.'

Volgens ooggetuigen is inspecteur Rasool Akhtar van het politiedistrict Peshawar in een afgelegen gebied in het district Khyber in de Federaal Bestuurde Stamgebieden doodgeschoten door de Amerikaan Nicholas Sunder. Sunder is een bekende van Simon Black, een Engelsman die door het districtsgerechtshof van de Noordwestelijke Grensprovincie is aangeklaagd wegens de moord op Yvette DePomeroy, een Française wier lichaam ongeveer twintig kilometer van Landi Kotal in de Tirah-vallei is gevonden. De politie van Peshawar vermoedt dat Sunder, een belangrijke getuige en mogelijk medeplichtig aan de moord op DePomeroy, probeerde via de poreuze grenzen van de Stamgebieden te vluchten toen hij inspecteur Akhtar doodschoot. Black is in afwachting van het proces voor de moord op DePomeroy. Sunder is nog voort-vluchtig. De hoofdofficier van justitie heeft een aanhoudingsbevel tegen Sunder uitgevaardigd.

Nick verborg zijn hoofd in zijn handen en voelde niet alleen de last van Yvettes lot op zijn schouders drukken, maar ook dat van Simon.

Na enkele ogenblikken voelde hij een hand op zijn schouder. Nick keek op en zag Fidali. Hij wees op het stuk krant dat tussen Nicks vingers zat geklemd. In zijn vrije hand hield Fidali een brandende lucifer.

Verward, maar geen reden ziend waarom hij niet zou meewerken, overhandigde Nick Fidali het artikel. Die liet het verbranden tot er alleen nog maar as over was.

Ghulam en Fidali lieten de hangbrug weer onder water zakken door de touwen die om de boomstammen aan deze kant van de rivier waren ge slagen los te maken. Toen, nadat ze ongeveer een uur hadden gerust, riep Ghulam Nick. 'Morgen steken we grote gletsjer over,' zei hij. 'Erg lastig lopen. Dan, de volgende dag, als het helder weer is, klimmen we over de Kumba La, een heel hoge sneeuwpas, bijna zesduizend meter. De winter is in aantocht. Maar als Allah het wil, zal het nog helder weer zijn en kunnen we over een paar dagen de grens naar India oversteken. Als u besluit mee te gaan, bent u welkom. We vragen maar één ding. Als we bij de grens worden aangehouden, weten Ghulam en Fidali niets van u. En u, meneer, weet niets van ons.'

Nick keek hem in de ogen. 'Dank u, Ghulam,' zei hij. 'En u ook, Fidali.'

De man gaf Nick een klein knikje, in een zeldzaam betoon van erkentelijkheid.

'Eens zal ik jullie terugbetalen,' beloofde Nick.

'Alstublieft niet,' zei Ghulam. 'Zo doen wij dat niet.'

23

'Dit is belachelijk!' riep mevrouw Mehta, een donkergetinte hindoe-vrouw met dikke wenkbrauwen die in een voortdurende staat van ver-ontwaardiging gefronst leken te zijn. Ze liep heen en weer voor een groep zussen en nichten. Ze was buiten zichzelf, nauwelijks in staat de woorden over haar lippen te krijgen. 'Ik heb mijn Mitra geleerd deugd-zaam te zijn. Nou, ze kan niet eens een mannelijk orgaan van een ba-naan onderscheiden – toch, Mitra?'

Hoewel het niet als vraag bedoeld was wendden de vrouwen, als een door een wezel opgeschrikt stel kippen, allemaal tegelijk met een ruk hun hoofd naar het tienermeisje, dat nog steeds in haar trouwsari ge-kleed was, met zwarte vegen van door tranen uitgelopen make-up op haar engelenwangen. Ze zaten in de wachtkamer van de eerste medi-sche kliniek in de geschiedenis van Gilkamosh – Aisha's kliniek. Mitra snoot haar neus met de zakdoek die Aisha haar had gegeven. 'Nu wel,' zei ze hevig snikkend.

Een gezette matrone in een opzichtige oranje met gouden sari, geflan-keerd door haar eigen legioen seksegenoten, stapte op mevrouw Mehta af. 'Leugenaarster!' snauwde ze. 'Dat kind is geen maagd meer. Jij... jij... hebt ons bedrogen en de naam Khoudari te schande gemaakt. Nou, als ik niet zo'n goed waarnemingsvermogen had gehad, zou mijn Rishi nooit hebben geweten dat hij zo'n bezoedeld geval had getrouwd. Ik heb het bewijs dat dat aantoont.' Ze hield een beddenlaken op, dat ze met haar armen uitspreidde. De vrouwen snakten eensgezind naar adem. In het midden van het laken, op de achterkant van een groene geborduur-de olifant, zaten een paar kleine bloedvlekken.

Aisha schudde haar hoofd en deed haar best diplomatiek te zijn en haar ergernis te verbergen. 'Mevrouw Khoudari, medisch gezien bewijst dat helemaal niets.'

'Onzin!' barstte mevrouw Khoudari uit. 'Er zou meer bloed op het laken zitten als ik een kakkerlak had geplet! Ik eis onmiddellijke nietigverklaring!'

'Ik ben geen rechter, mevrouw Khoudari,' antwoordde Aisha. 'En zelfs als het voor mij tot de mogelijkheden behoorde zo'n oordeel te vellen, dan zou ik bepalen dat het aan de pasgetrouwden is om te beslissen of ze een verzoek tot nietigverklaring willen indienen.' Aisha was zich echter wel bewust van de rechten die de ouders volgens het stamrecht hadden om een huwelijk te betwisten op basis van het vermeende gebrek aan maagdelijkheid van de bruid, dat haar als niethuwbaar zou hebben bestempeld.

'Zie je wel,' zei mevrouw Mehta, terwijl ze vermanend haar vinger voor het gezicht van de andere vrouw hield. 'Dat heb ik je al gezegd, jij bemoeizieke ouwe heks. Ik had nooit mijn dochter —'

'Hou je mond, bedriegster! Jij en je waardeloze echtgenoot, die maar een schijntje als bruidsschat heeft betaald. Stel je voor, tienduizend roepies en drie geiten! Als je blijft beweren dat ze maagd was, zoals je zei, waar ben je dan bang voor? Ik eis een onderzoek, nu meteen!'

'O, dus daar gaat het om? Hebzucht. Je probeert alleen maar een grotere bruidsschat van ons te krijgen door de deugdzaamheid van mijn dochter in twijfel te trekken. En dan noem je mij een bedriegster? Je zoon mag zich gelukkig prijzen dat hij zo'n parel als mijn Mitra heeft getrouwd.'

'Hou op, alsjeblieft,' riep Aisha boven het kabaal uit, in een poging de vrouwen tot zwijgen te brengen. 'Best. Ik zal het onderzoek doen. Maar hou op met dat gekibbel.'

Aisha nam de arme Mitra mee naar de spreekkamer en liet Vilashni, de verpleegster, het meisje thee brengen. Ze nam alle tijd, keek in Mitra's keel met een lampje, controleerde haar oren en haar amandelen. 'Als ze het je vragen, heb ik je grondig onderzocht,' zei ze tegen Mitra, terwijl ze de uitgelopen make-up van de wangen van het meisje veegde. Toen, zonder het lichaam van het meisje nog verder te hebben onderzocht, ging Aisha terug naar de receptie, waar de vrouwen op hete kolen zaten. 'Vannacht was voor haar de eerste keer,' verkondigde ze. 'Zonder enige twijfel.'

'Ik geloof het niet. Hoe verklaar je dan dat er zo weinig bloed heeft gevloeid?' vroeg mevrouw Khoudari verontwaardigd.

Aisha wachtte even. 'Misschien, mevrouw Khoudari,' antwoordde ze, 'heeft het meer te maken met de grootte van de banaan dan met de schil waar hij in past, als u begrijpt wat ik bedoel. Ik zou uw zoon graag zien, als u wilt dat ik nader onderzoek doe. Mijn beoordeling zou hem in verlegenheid kunnen brengen, maar soms kan bescheidenheid het karakter van een jongeman goeddoen.'

Mevrouw Khoudari sloeg het aanbod af, en na uitwisseling van excuses en de belofte van een paar extra geiten legden de moeders hun onenigheid bij en sloten ze een overeenkomst, waardoor de pasgehuwden eindelijk hun privacy kregen.

Het nieuws dat Aisha van plan was een kliniek in Gilkamosh te openen was aan haar terugkeer voorafgegaan. De dorpelingen waren opgetogen, en niet alleen omdat hun lievelingsdochter terugkwam. Zodra het was aangekondigd, maakten ze vlug een lijst van problemen en kwalen die aandacht behoefden, waarvan er maar enkele medisch van aard waren. Eigenlijk werd het Aisha de eerste paar weken van haar praktijk duidelijk dat veel klachten verzonnen waren, enkel om als excuus te dienen voor een gezelligheidsbezoekje. In andere gevallen, zoals dat van mevrouw Khoudari die de maagdelijkheid van de jonge Mitra in twijfel trok, werd het Aisha toevertrouwd als scheidsrechter op te treden.

Hoewel ze er de voorkeur aan gaf zich buiten zulke niet-medische zaken te houden, was Aisha voorlopig tevreden over het doorsneekarakter van de echt medische aandoeningen die ze moest behandelen. Sinds ze als kersverse dokter met het absolute minimum aan klinische scholing naar Gilkamosh was gekomen, wilde ze haar vaardigheden graag toepassen op niet-levensbedreigende kwalen voordat ze de ernstiger ziektes aanpakte die zich naar verwachting konden aandienen.

Natuurlijk had ze de verplichte eerstehulpopleiding in Delhi voltooid, maar ze was nog nooit de enige dienstdoende dokter geweest. In Gilkamosh was er niemand met meer ervaring die ze kon raadplegen of met wie ze mogelijkheden kon bespreken, of die haar beslissingen achteraf kon beoordelen. Ze moest het allemaal alleen doen en de volledige verantwoordelijkheid dragen als er iets fout ging; een enorme en beangstigende taak voor een beginnend medicus.

Verrassend genoeg had Naseem geprobeerd Aisha af te raden naar huis terug te keren, omdat hij liever had dat ze in Delhi bleef en daar een winstgevende praktijk opzette. Kashmir zou een gevaarlijke plaats kunnen zijn voor artsen. Sinds het oproer was begonnen waren er al veel gevlucht uit vrees door militanten te worden ontvoerd. Anderen waren lastggevallen door de Indiase veiligheidstroepen die – niet altijd ongegrond – islamitische artsen ervan beschuldigden dat ze in het geheim gewonde militanten behandelden. In Srinagar waren in de loop der jaren diverse vooraanstaande medici verdwenen. Misschien door toedoen van militanten, maar waarschijnlijker vermoord door doodseskaders, gevormd door soldaten buiten dienst die zich als moslim hadden verkleed. 'Maak je over ons maar geen zorgen,' had Naseem tegen haar gezegd. 'We hebben het al zo lang zonder dokter gered. Een beetje oproer verandert daar weinig aan.'

Maar Advani, naar wie geluisterd werd door de commissaris van politie en door de commandant van de regionale grensbeveiligingstroepen, verzekerde Naseem dat ze hem hadden beloofd dat Aisha's kliniek niet zou worden lastiggevallen zoals sommige klinieken in Srinagar. Dat bood de bezorgde vader een beetje troost.

In elk geval zou Aisha zich niet laten afschrikken. Ze was de hele tijd van plan geweest uiteindelijk een praktijk in Gilkamosh te beginnen, niet alleen omdat ze zich verplicht voelde om iets terug te doen voor de vrijgevigheid van de dorpsbewoners of om haar relatie met Kazim, van wie ze bijna acht jaar niets had gehoord, nieuw leven in te blazen. Ze wist gewoon dat het haar bestemming was terug te gaan.

Dus had Aisha fondsen geworven bij de Indiase overheid en verscheidene islamitische liefdadigheidsorganisaties. Ze had maar net genoeg geld bij elkaar gekregen om een basisuitrusting aan te schaffen en een medicijnenvoorraad aan te leggen. Maar uiteindelijk was Advani opnieuw degene geweest die het allemaal mogelijk maakte. Hij had de afgelopen tien jaar, bij alle voorspoed en tegenslagen, fortuin gemaakt in de pasjminawolsector, en uit liefdadigheidsgevoel, een devoot geloof in karma en ook een beetje egoïsme schonk hij een substantieel deel van het beginkapitaal.

Met de hulp van de beste timmerlieden die het dorp te bieden had werd de kliniek aan de rand van Gilkamosh gebouwd in een kleine beboste nallah. De kliniek lag dicht genoeg bij het dorp om er snel over de slechte, stoffige weg vol kuilen naartoe te kunnen reizen, maar er ver genoeg vandaan om de patiënten privacy te geven en een voortdurende controle van de Indiase veiligheidstroepen die in het dorp gestationeerd waren te vermijden.

Nadat de kliniek bijna een jaar had gefunctioneerd, leken Naseems zorgen onterecht geweest. Er was geen enkel oorlogsslachtoffer door Aisha's deur gekomen, hoewel de strijd zich jaren geleden al over de Kashmir-vallei had uitgebreid naar plaatsen als Kargil en Doda, die niet ver van Gil-kamosh lagen, maar die beter toegankelijk waren. Het zag ernaar uit dat de opstand, die zelf onderhevig leek te zijn aan cycli van kort maar hevig geweld en lange periodes van schijnbaar vreedzame inactiviteit, helemaal aan Gilkamosh voorbij zou gaan. In feite ging het er in de kliniek aange-naam ontspannen aan toe; Aisha beschikte zelfs voor het eerst in jaren over wat tijd voor zichzelf. Maar dat was iets waarvan ze ontdekte dat ze het liever niet had. Want tijd alleen betekende tijd voor haar gedachten om af te dwalen en de sluimerende gevoelens uit haar jeugd naar boven te halen.

24

Fidali bewoog zich behendig over de uitgestrekte hellingen boven aan de kam van ijzig gletsjerpuin. Zijn rafelige bruine shalwar kamiz bolde op in de warme wind die een melancholische bariton over de enorme hopen zwart rotspuin liet klinken. Naarmate hij verder uit Nicks blikveld verdween, kreeg zelfs Fidali's reusachtige gestalte dwergachtige afmetingen tegen de onmetelijkheid van de steile toppen die de gletsjer omringden.

De hele ochtend hadden Fidali en Ghulam tussen de aanhoudend opdoemende valkuilen van verschuivende rotsblokken, glad ijs en glijbanen van puin door gemanoeuvreerd, zoals alleen mensen die voor zulk terrein geschapen zijn dat kunnen. Ze waren geen gewone mensen, bedacht Nick, maar menselijke steenbokken, op natuurlijke wijze geselecteerd door een evolutionair proces dat duizenden jaren van Dardische en Tibetaanse voorgeschiedenis overspande waarin voortdurend op ondraaglijke hoogten over rotsen en ijs, gletsjerspleten en bergstromen werd gesprongen. Als paarden die de stal roken draafden ze in een ongelooflijk tempo voort, in de hoop de eerste winterse sneeuw voor te zijn, die elk moment kon gaan vallen en de passen zou blokkeren waardoor ze van hun geboorteland gescheiden zouden blijven.

Toen Nick de top van een bergkam op klom waarover de twee mannen waren verdwenen, verstarde hij in ontzag voor het verbazingwekkende uitzicht. Enorme velden gitzwart ijs flankeerden een brede bevroren rivier, die in het midden werd doorsneden door een lint van zuiver blauwwitte ijsbergen die schitterden in de zon. De gletsjer strekte zich uit zo ver zijn oog reikte, als een reusachtige zwart-wit gestreepte slang die kronkelend zijn weg zocht tussen de steile pieken naar het oosten en daar de achterkant van China raakte. Opgaand in het magnifieke panorama werd Nick een vluchtig moment overspoeld door een onuitsprekelijke gewaarwording van tijdloosheid, alsof alles wat er tot dan toe in zijn leven was gebeurd door één enkel zuiver visioen in de vergetelheid van het eeuwige was geveegd. De gletsjer scheen hem een eindeloze zee van mogelijkheden toe, waar nieuw ijs, maagdelijk wit, in de vrieskoude nacht werd geboren, terwijl het vervuilde oude wegsmolt of in de trage voortgang van de tijd onder de bevroren mantel werd gestuwd.

Maar toen, even plotseling als ze was gekomen, verdween de gewaarwording.

Verbijsterd bleef Nick nog even staan, in een poging het onverklaarbare moment terug te halen alvorens langs de steile puinhelling af te dalen naar de plek waar Ghulam en Fidali op hem zaten te wachten.

Tegen de tijd dat hij bij zijn gidsen aankwam was de zon op zijn heetst, en de gletsjer kreunde en kraakte als de romp van een groot schip. Hij hoorde het geruis van stromend water overal om zich heen en dat maakte hem dorstig. Hij keek rond, maar zag geen water.

'Ghulam!' riep hij. 'Ik heb geen water meer. Waar is de beek?'

Ghulam wees naar het ijs onder zijn voeten. 'Daaronder!' antwoordde hij. 'En daarginds.' Hij wees in de verte, waar in een enorme kraterachtige holte in het puin een smaragdgroene plas van gesmolten ijs te zien was. 'Maar wacht. Hier is zwart ijs. Erg gevaarlijk.'

'Gevaarlijk?' vroeg Nick, zijn stem verheffend zodat Ghulam hem kon horen.

'Ja. Gletsjer beweegt. Betere plek voor water verderop, na twee uur lopen.' Ghulam wees in de richting van het witte ijs in het midden van de gletsjer.

Nick had een bijna ondraaglijke dorst en hij wist niet zeker of hij het zo lang zou kunnen uithouden. Maar hij nam de waarschuwing ter harte en vertrouwde op Ghulams oordeel, want hij wist niets van gletsjers.

'De gids weet het het best,' antwoordde hij, licht teleurgesteld.

Ghulam wenkte Nick hem te volgen. Toen liep hij achter Fidali aan, die naar het grindachtige zwarte ijs klom. 'Blijf in de buurt!' riep hij.

Fidali baande zich voor de anderen uit een weg over de gletsjer en testte het ijs en de rotsen met zijn wandelstok, waarbij hij af en toe stopte om te bepalen hoe ze er op de veiligste manier overheen konden gaan. Nick volgde Ghulam op een afstandje, op en neer langs ijzige kammen die bedrieglijk verborgen lagen onder een dunne laag puin. Soms hield hij halt om op adem te komen, één keer om verwilderd Fidali's reusachtige, brede voetafdrukken te bekijken, die diep in de modderige bovenlaag van gesmolten ijs waren gezonken en eruitzagen alsof ze van de Verschrikkelijke Sneeuwman waren. Ze kwamen maar langzaam vooruit tussen de enorme verraderlijke rotsblokken die gemakkelijk een enkel of scheenbeen konden verbrijzelen als ze bij de minste verstoring door hun voetstappen gevaarlijk gingen schuiven over het gladde zwarte ijs.

Het oppervlak van de buitenste baan van de gletsjer was bezaaid met rotsblokken die boven op smalle zuilen van ijs lagen en eruitzagen als surrealistische reuzenpaddenstoelen. Maar toen ze bij het witte ijs in het midden van de gletsjer kwamen, lag daar geen puin. Daar had het ijs enorme torens gevormd, die op een rij als grote kristallijne dominostenen in de zon stonden te druipen als smeltende ijslollies. Hoewel het pad dat Fidali nam om langs de ijstorens heen te gaan nogal kronkelde, waren ze er in een mum van tijd overheen doordat het witte ijs steviger bleek dan het zwarte.

Maar toen ze bij de tweede, verder gelegen baan van de gletsjer waren gekomen, klonk er een duidelijk ploffend geluid, gevolgd door een zwaar, onheilspellend gekreun onder hun voeten, alsof iemand een reus uit zijn slaap had gewekt.

'Allah haq!' hoorde Nick Ghulam mompelen.

Hij keek op en zag Ghulam doodstil staan, als een etalagepop. Langzaam, voorzichtig, boog Ghulam zich naar hem toe, op zoek naar de hand die Nick hem niet kon geven omdat hij te ver van hem af stond. Niet in staat naar elkaar toe te komen, keken de twee mannen elkaar een ogenblik strak aan. Toen dacht Nick dat hij Ghulam berustend zijn handpalmen omhoog zag houden voordat het ijs onder hem openbarstte.

Nick schreeuwde Ghulams naam, terwijl hij naar de plek klauterde waar deze was verdwenen. Waar Ghulam had gestaan, was de gletsjer in een trechtervormige glijbaan veranderd. Onder aan de glijbaan bevond zich een woeste stroom wit water die door de gletsjer sneed en recht naar beneden in een gapend gat verdween. De opening van het gat, wijd genoeg om een mens op te slokken, was diepzwart. Het water stroomde krachtig en razendsnel het gat in, als een precisieboor die netjes door het ijs naar het hart van de aarde boorde. Alles wat in het woeste water viel, Ghulam inbegrepen, zou ogenblikkelijk verdwijnen en diep naar beneden onder de gletsjer worden meegesleurd om in angstaanjagende zwartheid te verdrinken.

'Ghulam!' schreeuwde Nick. Alleen het gebrul van het water antwoordde.

'Ghulaaaaam!' Maar hij was nergens te bekennen.

Ineens, toen Nick alle hoop had verloren, hoorde hij een zwakke kreet boven het kabaal uit.

'Hier!'

'Waar?' schreeuwde Nick, terwijl hij wanhopig in de afgrond tuurde. Uiteindelijk ontdekte hij ongeveer tien meter onder zich de witte knokkels van een paar handen die zich om de onderkant van een klein rotsblok hadden geklemd, op de overgang tussen de glijbaan en de steile ijswand die naar het gat leidde.

Wat hij daarna deed was meer dan roekeloos. Met zijn gezicht naar de helling stak hij zijn voeten omlaag en begon langs de ijzige glijbaan naar beneden te klimmen. Terwijl hij de neuzen van zijn bergschoenen in de dunne laag stenen boorde die het ijs bedekten en met zijn vingers alle houvast aangreep die hij kon vinden – rotsen, ijsrichels, spleten – bad hij dat hij de cruciale weerstand kon behouden die hem ervoor zou behoeden de dood in te glijden en Ghulam met zich mee het gat in te sleuren.

Losse keien vielen onder zijn voeten naar beneden toen hij afdaalde. Ghulam wendde zijn hoofd af toen de stenenregen op hem neerkletterde; zijn armen trilden van de inspanning om de rots vast te houden, zijn benen hingen doelloos te bungelen. Stukje bij beetje kreeg Nick het voor elkaar op zijn buik tien meter omlaag te kruipen naar de plek waar Ghulams handen zich aan het leven vastklemden.

Toen hij daar eindelijk aankwam wist hij niet wat hij moest doen. Hij had niks om Ghulam op te hijsen en het kostte hem zelf te veel moeite op de steile, gladde ijshelling zijn evenwicht te bewaren om meer te kunnen doen dan zijn ene hand uitsteken en Ghulam bij zijn pols grijpen. Dat verlichtte de spanning op Ghulams handen en armen een beetje, maar betekende slechts tijdelijk uitstel van het onvermijdelijke. Ghulam zou vallen.

'Hou vol!' was het enige wat Nick kon bedenken om te zeggen. Het leek stom, want wat kon Ghulam anders doen?

Nick vloekte. Hij zat gevangen in een vergeefse inspanning van aanspannende spieren en uitrekkende pezen. Zonder een rotsblok of een touw waarmee hij zichzelf als hefboom kon gebruiken, kon hij niet hard genoeg trekken om Ghulam op te hijsen, want hij zou zelf zijn houvast verliezen als hij dat probeerde. Maar het was ook niet waarschijnlijk dat hij, zelfs als hij Ghulam moest opgeven, terug omhoog kon klimmen. Afdalen was vers één, maar de ijsglijbaan was te glad om er zonder stijgijzers tegenop te komen. Door zijn poging Ghulam te redden had Nick hen allebei verdoemd. Met hun ogen drongen de twee mannen er bij elkaar op aan niet op te geven. Maar allebei wisten ze dat hun gezamenlijke inspanning geen zin had. Het kritieke moment kwam naderbij.

'Het is goed,' zei Ghulam met opeengeklemde kaken.

Nick bleef hem vasthouden, zijn arm trilde van de inspanning, maar de nutteloosheid ervan ondermijnde zijn vermogen vol te houden. Hij was de strijd aan het verliezen. Hij zou doodgaan als hij bleef vasthouden. Loslaten en Ghulam de dood in sturen was zijn enige kans zelf in leven te blijven.

'Laat los!' smeekte Ghulam. Hij had een vreemd kalme blik in zijn ogen.

Zweet droop van Nicks voorhoofd en prikte in zijn ogen. Hij voelde dat de greep van zijn hand om Ghulams pols verslapte.

'Allah!' hoorde Nick Ghulam nauwelijks hoorbaar roepen.

Toen voelde Nick een soort zweepslag in zijn nek. Hij draaide zijn hoofd om en zag aan de rand van zijn blikveld een touw bungelen, met aan het einde een grote lus. Hoog boven zich kon Nick nog net Fidali's gezicht onderscheiden, dat over de ijsrichel gluurde.

Nick wond het touw om zijn elleboog en liet de lus naar Ghulam zakken, die hem vastgreep als een gekko die zich op een vlieg stort en hem moeizaam onder zijn oksels door trok terwijl zijn benen als een slinger heen en weer zwiepten. De wilde beweging sleurde hen allebei van de ijshelling af. Ghulam stortte omlaag en nam Nick in zijn val mee.

Onder een chaotisch gerommel van vallende stenen schoot Nicks maag naar zijn keel; toen hoorde hij een heftig geknars dat vergezeld ging van een folterende pijn in zijn biceps waar het touw hem als een tourniquet afknelde. Hij sloeg met zijn schouder hard tegen het ijsoppervlak terwijl Ghulam onder hem dubbelklapte. Maar het touw hield het.

Enkele minuten later, in elkaar gezakt op een hoop stenen aan de top van de krater, toen hun longen eindelijk tot bedaren waren gekomen, keek Ghulam naar Nick, Fidali en de hemel, en glimlachte.

'Zo staat het geschreven,' zei hij.

25

Er is een stilzwijgende overeenkomst tussen menselijke wezens wanneer ze hetzelfde hebben gezien en gevoeld en ernaar gehandeld hebben. Ghulam noch Fidali had het ooit over het voorval op de gletsjer. Misschien was er volgens hun kijk op de wereld ook niets over te zeggen. Het was eenvoudigweg niet hun lot dat hun leven daar zou eindigen. En in het licht van Fidali's ongelooflijke reddingsactie begon ook Nick zich af te vragen of er niet toch zoiets als een lotsbestemming bestond.

Zelfs als er sprake was van een beschikking van het lot, hadden de drie mannen samengewerkt in een crisissituatie die bijna dodelijk was afgelopen, hadden ze als één man in de afgrond gekeken en zichzelf in veiligheid gebracht. Nick had door wat hij had gedaan Ghulam waarschijnlijk gered, omdat hij diens val zo lang had weten te voorkomen dat Fidali hen allebei kon redden. Maar toch voelde hij zich niet trots over zijn daad. Natuurlijk, hij had zijn leven gewaagd door naar beneden te klauteren om bij Ghulam te komen, maar hij kon de gedachte niet loslaten dat hij Ghulam uiteindelijk zou hebben laten vallen om zichzelf te redden, als Fidali er niet voor had gezorgd dat hij die keuze niet hoefde te maken. Hij wenste dat de gedachte aan zelfbehoud, hoe natuurlijk en logisch te rechtvaardigen die ook was, nooit in hem was opgekomen. Maar dat was wel het geval geweest.

Ghulam leek geen acht te slaan op Nicks onzekerheid. Misschien nam hij aan dat deze heldhaftig had besloten tot het einde vol te houden. Maar waarschijnlijker was dat hij begreep dat het zinloos was als ze allebei waren omgekomen en dat hij Nick diens weifeling niet kwalijk nam. Hij had er tenslotte zelf bij hem op aangedrongen hem te laten vallen.

Ongeacht wat Ghulam dacht en ongeacht Nicks knagende afkeer van zichzelf, was er vanaf die dag tussen Nick en zijn twee metgezellen een band ontstaan die zijn verstandelijke vermogens oversteeg.

Vanwege de gevaarlijke toestand van het ijs lukte het hen niet om vóór het vallen van de avond de gletsjer helemaal over te steken. Terwijl het snel donker werd, sloegen ze hun kamp op achter een muur van puin die zich aan de zuidkant van de gletsjer had opgehoopt. Het was een ijskoude nacht en de wind huilde spookachtig tussen de ijstorens. Hun dekens waren jammerlijk ontoereikend om hen voor onderkoeling te behoeden en ze kropen dicht tegen elkaar aan, als kinderen die voor onweer schuilden, en wikkelden zich samen in. Op die manier maakten ze optimaal gebruik van hun lichaamswarmte, en hoewel ze vreselijk rilden en niet konden slapen van de kou en hun gezamenlijke doordringende stank, overleefden ze de nacht.

Bij zonsopkomst pakten de drie mannen hun spullen bij elkaar en trokken verder in zuidoostelijke richting. Hun last was zes zakken met sloffen sigaretten lichter geworden, die Ghulam in het gat had verloren toen hij naar beneden stortte. Het verlies viel Ghulam ogenschijnlijk zwaarder dan zijn flirtpartij met de dood. Nick berispte hem daarvoor, tot Ghulam uitlegde dat de sloffen hem genoeg roepies zouden hebben opgeleverd om een jaar lang in het onderhoud van zijn familie te voorzien – bijna net zo lang als hij in Pakistan was geweest om werk te zoeken. Nu moest hij met bijna lege handen naar zijn vrouwen en dochters terugkeren en zou hij het volgende voorjaar de lange tocht naar Pakistan opnieuw moeten maken. Wat Nick betrof kon dit echter niet verklaren waarom Ghulam er zo nonchalant over kon doen dat hij bijna was doodgegaan.

Even verwarrend was hun bereidheid hem te helpen Pakistan te ontvluchten. Gezien de wreedheid van de islamitische wetgeving zou op de aanklacht van het helpen van een voortvluchtige, met name een moordenaar van een politieagent, een zware straf staan, mogelijk de dood. Ze waren geen heilige mannen of soldaten, maar rondtrekkende arbeiders met weinig middelen, die moeite hadden de eindjes aan elkaar te knopen om zichzelf en hun familie in leven te houden. Ze hadden geen reden om Nick te helpen – het was nu duidelijk dat hij geen geld had – en een heleboel zwaarwegende redenen om hem aan zijn lot over te laten. Toch leidden ze hem met groot gevaar voor hun eigen hachje over een afstand van honderden kilometers en deelden ze hun weinige mond-voorraad met hem. Nick begon zich meer dan ooit beschaamd te voelen dat hij hen had gewantrouwd.

Vooral Fidali stelde hem voor een raadsel. Gehard door armoede en de extreme weersomstandigheden van de Himalaya, maar nederig op het onderdanige af, leek hij voor niets anders belangstelling te hebben dan te voorzien in de behoeften van zijn vriend. Fidali fungeerde niet alleen als Ghulams gids door het verraderlijke achterland van het berg-achtige grensgebied met zijn fenomenale fotografische geheugen voor het landschap, maar hij verzorgde ook al zijn maaltijden en zou zijn leven riskeren om zijn vriend te beschermen als iemand zijn hand naar hem ophief. En ondanks al zijn terughoudendheid was hij beslist niet de sul voor wie Nick hem aanvankelijk had aangezien. Nick was er zeker van dat Fidali het grootste deel van zijn gesprekken met Ghulam intuï-tief begreep. Er was iets geheimzinnigs aan Fidali's gedrag dat Ghulam niet had onthuld en gedurende de lange uren van hun trektocht was het voor Nick misschien om zijn gedachten van zijn eigen hachelijke situa-tie af te leiden, een obsessie geworden om erachter te komen wat dat was.

Pas na het incident op de gletsjer voelde Nick zich genoeg op zijn gemak om Ghulam ernaar te vragen.

'Zeg, Ghulam,' zei Nick tijdens een rustpauze toen Fidali weg was om water te halen. 'Waarom is Fidali u zo toegewijd?'

Ghulam keek hem nieuwsgierig aan, duidelijk in verwarring gebracht door de vraag. Hij ging verzitten en trok zijn knieën onder zich, maar bleef een ogenblik nonchalant op een graspriet kauwen. 'Waarom zijn mensen elkaar toegewijd? Hij is als een broer voor Ghulam.'

'Veel broers doen helemaal niets voor elkaar. Verdorie, Kaïn en Abel waren broers. Fidali doet alles voor u. Hij is... net uw bediende.'

'De wegen van Allah zijn er zovele als de keren dat mensen ademha-len. Waarom zouden we twijfelen aan het hoe en waarom?'

'Maar vindt u het niet... nou, een beetje vreemd?' vroeg Nick. 'Ik be-doel, vraagt u zich nooit af waarom hij zo doet?'

Gealarmeerd, alsof hij werd uitgedaagd, ging Ghulam rechtop zitten. Ineens had Nick er spijt van dat hij het onderwerp Fidali had aange-roerd. Maar toen Ghulam sprak was hij niet boos. 'Er bestaat een soefi-gezegde: "Als een dief een heilige man ziet, ziet hij alleen maar diens zakken." Je kunt iets waarnemen, er vragen bij stellen en erover oordelen. Maar dat houdt je er alleen maar van af de dingen te zien zoals ze zijn.'

Nick trok sceptisch een wenkbrauw op. 'Hoe zit het dan met: "Een niet onderzocht leven is het niet waard om geleefd te worden." Dat heeft Socrates gezegd.'

'Die ken ik niet. Is hij moslim?' vroeg Ghulam en hij plukte aan zijn baard.

'Nee. Hij leefde vóór de islam.'

Ghulam keek nietszeggend. 'Dat kan niet. De islam heeft altijd bestaan.'

'Wat bedoelt u? Hoe kunnen er vóór Mohammed moslims zijn geweest?'

'We aanbidden niet de Profeet – dat zou de zonde van *shirk* zijn. We aanbidden alleen Allah. En omdat Allah er altijd is geweest, geldt dat ook voor de weg van de islam. Islam betekent "zich overgeven". We geven ons over aan Allah zonder enige vorm van twijfel.'

'Maar als jullie nooit twijfelen aan jullie geloof, leidt dat dan niet tot blind geloof?'

Ghulam schudde zijn hoofd. 'Ik denk dat u het mis hebt, meneer Nick. Als je altijd twijfelt zul je altijd blind zijn. Alleen als je je onderwerpt begin je te zien.'

'Daar ben ik niet zo zeker van. Vragen stellen, denken – dat maakt dat we mensen zijn. Dat hebt u zelf gezegd. Zonder dat zouden we niet meer zijn dan apen.'

'Doden apen elkaar met bommen?' vroeg Ghulam, terwijl hij weer aan zijn baard plukte.

'U weet wel wat ik bedoel,' antwoordde Nick.

Ghulam staarde naar de horizon. Terwijl hij naar woorden zocht schitterden zijn ogen tussen de verweerde rimpels in zijn getaande huid. Hij deed Nick aan een Tibetaanse monnik denken.

'Gedachten en ideeën, meneer Nick, zijn gereedschap – zoals dit.' Hij pakte Fidali's ijsbijl op en hield die voor Nicks gezicht. 'Die helpt me zoeken naar gaten in de gletsjer om er een veilige route overheen te vinden. Maar Ghulam kan zijn bijl net zo goed gebruiken om iemands hoofd te splijten. Hij liet de bijl met een zwaai neerkomen op een kei, waardoor de splinters in het rond vlogen. 'Denken is een vloek voor de mens, maar tegelijk ook een geschenk.'

'Een vloek? Waarom?'

'Omdat gedachten en ideeën niet echt zijn. Ze worden verzonnen in iemands hoofd. Daarom drijven alle ideeën, hoe goed ze hierboven ook lijken' – hij wees op zijn hoofd – 'de mens tot zonde: haten, vechten, stelen, twijfelen... Net als landen. Allah heeft India of Pakistan of Rusland of Amerika niet geschapen. Dat zijn allemaal ideeën van mensen. En ongeacht hoe gerechtvaardigd mensen ze ook vinden, ze zijn een plaag. Ze leiden altijd tot de dood, vroeg of laat. Altijd.'

'Maar is godsdienst niet ook een verzameling ideeën, verpakt in aanspraken op een of andere goddelijke ingeving? Ik bedoel, er is geen enkele religie in de wereld die niet duizend keer opnieuw is veranderd door mensen die zich bezighouden met veronderstellingen, interpretaties en theorieën over wat al dan niet het ware woord van een of andere god is.'

Ghulam stak zijn onderlip naar voren. 'Misschien. Maar ik kan niet zeggen wat anderen doen. Ghulam gebruikt nooit gedachten wanneer hij tot Allah spreekt. Ghulam gebruikt liefde. En liefde is niet denken. Het is de afwezigheid van denken. Gedachten zijn maar theorieën van mensen. En theorieën zijn nooit mooi.'

Nick overdacht Ghulams woorden zwijgend. Hij bevatte ze niet helemaal, maar was toch onder de indruk. 'Ik vind het mooi wat u zegt. En ik wil u niet beledigen. Maar voor mij is het zo dat als iets niet logisch is, ik er gewoon niet in kan geloven. En ik zie geen enkele logica in godsdienst, of God, wat dat betreft. Niet in die van u en ook niet in die van anderen. Niet in deze wereld.'

Ghulam plukte nog een laatste keer aan zijn baard. 'De een ziet logica in Allah, de ander misschien niet.' Hij haalde zijn schouders op. 'Net zoals u wel of niet de logica ziet in Fidali's manier van doen. Maar als u te veel moeite doet hem te begrijpen, geldt er maar één waarheid: u zult zijn schoonheid over het hoofd zien.'

Na het middageten trokken ze langs de rand van de ijsvallei tot ze een steile helling bereikten die op een uitgestrekt bevroren waterbekken uitkwam, dat net een groot meer van sneeuw leek. Vandaar hadden ze naar het zuiden uitzicht op de Kumba La-pas, die kronkelend over een smalle kam tussen twee imposante pieken liep. Eenmaal over de bijna zesduizend meter hoge pas, verklaarde Ghulam, was het een rechte, steile afdaling naar het dorp Shingri, ongeveer twintig kilometer van de zuidelijke uitlopers van de Siachengletsjer, die de Line of Control vormde.

Tegen de avond kwamen ze bij het sneeuwmeer aan, waar ze uitrustten voor de tocht over de pas. Doordat ze boven de boomgrens zaten, was er geen hout. Fidali maakte een vuur van gedroogde jakmest die hij uit lagergelegen gebied had meegenomen, terwijl Ghulam een paar honderd meter naar beneden een zijdal in ging om jeneverbestakken te sprokkelen waarmee ze het vuur in de ijskoude nacht brandend konden houden.

Nick pakte Ghulams waterzak van geitenvel om die in een nabijgelegen beek te vullen. Toen hij terugkwam goot Fidali het water in een ketel, die hij op een driepoot van stenen plaatste om gezouten 'bergthee' te maken van bloembladeren die hij eerder op de dag in een bergwei had geplukt. Nick begon Fidali te helpen de bladeren in kleine stukjes te scheuren en zag hem huiveren toen hij zijn arm boven het vuur hield om de ketel op zijn plaats te zetten.

'Gaat het wel?' vroeg Nick, wijzend op een grote bloedvlek op de rechtermouw van Fidali's kamiz. De vlek, die Fidali's onderarm helemaal bedekte, moest onder diens trui verborgen hebben gezeten, want Nick had hem tot dan toe niet opgemerkt. Fidali haalde zijn schouders op en schudde zijn hoofd – zijn manier om 'geen probleem' te zeggen – en begon de stukjes bloemblad in het kokende water te gooien.

Nick zweeg terwijl hij naar de bloedvlek keek. Die wees beslist op meer dan een schrammetje. Zonder erbij na te denken stak hij zijn hand uit en trok Fidali's mouw op. Dat leek Fidali te verrassen.

Nick deinsde terug. Fidali's dikke onderarm zat vol diepe rijtwonden. De wonden zaten nog onder de modder en moesten de dag ervoor zijn veroorzaakt toen Fidali zijn touw om zijn armen had geslagen, met het gewicht van de lichamen van Nick en Ghulam eraan, om te voorkomen dat ze in het gat zouden vallen. 'Dat ziet er niet goed uit, Fidali. Je moet het schoonmaken,' zei Nick en hij wees op de geitenhuid met het water dat hij net had gehaald.

Fidali knikte nors en trok zijn mouw omlaag, maar niet voordat Nick het grijzige wit had gezien van een blootliggende pees – of misschien zelfs bot – op de met bloed aangekoekte onderkant van Fidali's pols, waar het touw hem als een mes diep had gesneden. Hij mocht nog van geluk spreken dat hij zijn hand niet had verloren.

De aanblik van het gehavende vlees deed Nick denken aan de akelige wond over Yvettes keel. Hij wendde zijn blik af en voelde een bekende zwaarte in zijn borst, alsof zijn longen vol lood zaten. Welk recht had hij eigenlijk, bedacht hij, om Fidali en Ghulam aan zo'n groot gevaar bloot te stellen terwijl ze niet eens wisten wat hij had gedaan?

Ineens schoot er een golf van angst door hem heen. Hij snakte naar adem en voelde zijn hart in zijn oren kloppen, steeds heviger — net als op de dag dat Akhtar hem gedwongen had Yvettes lichaam te identificeren — alsof het toenemende geruis van zijn stromende bloed zijn trommelvliezen zou doen barsten als hij er niet op een of andere manier een einde aan kon maken. Voor hij wist wat er gebeurde rolden de woorden uit zijn mond.

'Het was mijn schuld!'

Fidali keek naar hem op, verrast door Nicks uitbarsting. Hij zette de zak met thee neer en keek Nick indringend aan.

'Het artikel...' zei Nick. 'Dat wat u hebt verbrand... over het vermoorde Franse meisje, Yvette. Ik heb iets vreselijks gedaan... Ik ben ervoor verantwoordelijk.'

Nick, die geschokt was bij het horen van zijn eigen woorden, wendde zich van Fidali af en kneep zijn ogen dicht. Zijn longen zetten uit, alsof zijn lichaam zich op een of andere manier probeerde te vullen met koude, zuivere lucht.

Een ogenblik later voelde hij een stevige hand op zijn schouder. Hij draaide zich om en zag Fidali's ogen op zich gericht; ze keken recht bij hem naar binnen. Hij hield zijn adem in, verlamd, alsof hij zich niet van Fidali's blik kon losmaken, zelfs als hij dat had gewild.

Ten slotte, na wat een eeuwigheid leek maar waarschijnlijk slechts enkele seconden waren, knikte Fidali en haalde zijn hand van Nicks schouder. Die wist meteen dat Fidali elk woord dat hij had gezegd had begrepen.

Nicks longen lieten uiteindelijk zijn adem los. De doordringende geur van de bergthee drong in zijn neus toen Fidali hem de dampende mok aangaf. Hij nam een slok en zodra het warme vocht zijn keel verwarmde, voelde hij zijn borst, zijn hele lijf lichter worden. Toen hij weer opkeek was Fidali bezig het vuur op te poken, weer helemaal zijn zwijgende zelf, alsof er niets belangrijks tussen hen was voorgevallen.

Even later, toen Ghulam terugkwam met meer hout, dronken de drie mannen zwijgend hun thee, met hun handen en voeten dicht bij de vlammen om bevriezing te voorkomen. Daarna wachtten ze, in hun dekens gewikkeld ter bescherming tegen de ijzig koude wind, tot de nacht, wanneer ze het kamp zouden opbreken om in het donker naar de pas te gaan om de top te bereiken voor de zon het ijs zou bestoken en de eerste lawines van die dag zou veroorzaken.

Ze begonnen aan de lange afmattende tocht naar de Kumba La onder een hemelgewelf vol twinkelende witte, zilveren en gouden sterren.

Het schijnsel van de sterren wierp een blauwe gloed over de sneeuw op de pas. De bijna een meter dikke laag, met een harde korst erop door de cyclus van het smelten overdag en het bevriezen in de nacht, knarste onder hun schoenen. Nicks longen liepen leeg in de stratosfeer als een lekke ballon die zich niet wil laten opblazen. Toen ze bijna halverwege waren begon elke stap aan te voelen alsof het zijn laatste was. Hij bleef om de paar meter staan terwijl Fidali en Ghulam doorliepen, waarbij brokken ijs die door hun voeten werden losgewrikt hem in het gezicht vlogen. Het was een steile helling en zonder stijgijzers of touw zou een kleine misstap op een onbeheersbare, dodelijke glijpartij uitdraaien. Als de sneeuwkorst niet voor grip had gezorgd en verse sneeuwval niet toevallig was uitgebleven, hadden ze het nooit gered.

Maar de voorzienigheid was met hen en na tien uur klimmen door de nacht en vroege ochtend bereikten ze de top net voor de dageraad. Terwijl Nick op adem stond te komen verwarmde geestdrift zijn borst en verspreidde zich, als een olievlek op het water, door zijn hele lichaam. Overal om hem heen waren enorme met ijs bedekte bergen, die zich zo ver hij kon zien naar alle kanten tot aan de horizon uitstrekten, in een roze gloed gezet door de opkomende zon. Tot ver in het noordoosten zichtbaar stonden de hoogste pieken van de Karakoram als majestueuze goden — de bijna volmaakt klassieke piramide van de K2, de gebogen Broad Peak en de Gasherbrum I en II. De Siachengletsjer strekte zich naar het oosten uit naar China. En in het zuiden, hem lokkend als een Sirene, lag India.

Nick hoorde een jubelkreet tegen de rotsen weerkaatsen. Voor die in de uitgestrektheid verdween realiseerde hij zich dat het geluid van hemzelf afkomstig was.

26

Toen Aisha vanuit Delhi terugkwam naar Gilkamosh, merkte ze dat er in het dorp veel was veranderd gedurende de acht jaar dat ze geneeskunde had gestudeerd en coschappen had gelopen. Sommige veranderingen vielen direct op: politie en jawans patrouilleerden in de straten, er waren barakken verrezen aan de rand van het dorp, de weg naar het centrum was afgesloten door een controlepost, de menigten bij het busstation waren gekleurd door het kaki en groen van Indiase soldaten die kwamen en gingen.

Andere veranderingen hadden te maken met de economische teruggang die werd veroorzaakt door de schaarste aan toeristen: gesloten winkels, verlaten weverijen en ambachtelijke werkplaatsen, meer rusteloze en werkeloze mensen op straat, die op de stoep gehurkt zaten te roken. Bedelaars, vroeger een onbekend verschijnsel in Gilkamosh, struinden de straten van het dorp af: hindoeïstische onaanraakbaren, migranten uit Bangladesh of arme moslims die hun werk waren kwijtgeraakt door de teruggelopen economie.

Aisha ontdekte nog andere verschillen, minder tastbaar maar niet minder ongewoon voor Gilkamosh. Meer vrouwen dan ooit, en zelfs jonge meisjes, droegen een hoofddoek of boerka, terwijl vroeger maar een handvol vrouwen ervoor had gekozen zich te bedekken. Aisha zou erachter komen dat deze islamitische kleding door een verordening van moellah Yusuf was opgelegd en door zijn protegé in stand was gehouden nadat Yusuf was vertrokken. De verordening werd niet ondersteund door een officiële wet, maar berustte op een onderstroom van angst die gevoed werd door krantenberichten over aanvallen tegen ongesluierde vrouwen in Srinagar. Het eindresultaat was dat de meer religieus-conservatieve families – evenals paranoïde figuren – zonder vorm van protest gevolg gaven aan de verordening van de moellah. Maar er waren behoorlijk wat vrouwen die, deels uit koppige opstandigheid en deels uit vrouwelijke ijdelheid, ervoor kozen zijn voorschriften te negeren. Gilkamosh had zolang iedereen zich herinnerde verdraagzaamheid gekend en een dergelijke feitelijke dwingelandij zou vroeger ongehoord zijn geweest.

Het opvallendste verschil was echter dat Aisha naar Gilkamosh was teruggekomen zonder Kazim.

Het was nu meer dan acht jaar geleden dat hun wegen zich hadden gescheiden. Tijdens haar eerste studiejaren in Delhi had Aisha Kazim regelmatig geschreven en de brieven naar het huis van zijn ouders in Passtu gestuurd. Maar nadat het tweede jaar voorbij was gegaan zonder enig antwoord, raakte ze ervan overtuigd dat hij dood was. Dus toen ze tijdens haar vakantie thuiskwam bracht ze bezorgd een bezoek aan Raza, die haar vertelde dat ook hij geen nieuws van Kazim had ontvangen. Hij had niet eens een adres waarnaar hij Aisha's brieven kon doorsturen, dus had hij ze thuis voor Kazim bewaard.

Maar Raza had Aisha verzekerd dat Kazim nog leefde. Raza was negen maanden na het vertrek van Kazim naar het dorp gegaan en had geïnformeerd bij de nieuwe moellah die Yusuf had vervangen. Yusuf was blijkbaar vertrokken om een volgend dorp van zijn jongeren te beroven. De moellah had gezegd dat het hem verboden was het doen en laten van Kazim te bespreken, maar beloofde Raza dat hij hem op de hoogte zou stellen als zijn zoon zou omkomen. Hoewel er een last van haar afviel, had voor Aisha de wetenschap dat Kazim nog leefde slechts één – nog pijnlijkere – betekenis: dat Kazim besloten had haar uit zijn leven te bannen.

Nu Aisha alle vertrouwen had verloren dat Kazim ooit bij haar zou terugkomen, probeerde ze hem uit haar hoofd te zetten. Nadat er zo veel tijd was verstreken kon niemand het haar kwalijk nemen als ze haar verloving met Kazim als nietig beschouwde. Maar hij was nog altijd haar eerste en enige liefde geweest, ongerept en onschuldig. Werkelijk bevatten dat een dergelijke liefde nooit zal worden vervuld, betekent een diep lijden, niet alleen maar het verlies van de ooit gedeelde vreugde, maar het verlies van de essentie van iemands jeugd.

Op aandringen van nichten en vriendinnen van de gemeenschap van emigranten uit Kashmir ging ze een aantal keren uit met jonge mannen.

Ze waren ontwikkeld, aardig en afkomstig uit goede families, en sommigen waren knap geweest. Maar ze merkte dat ze gewoonweg niet in staat was zichzelf aan een ander dan Kazim te geven. Natuurlijk verlangde ze naar de erotische genegenheid van een man, soms zelfs smartelijk. En het feit dat ze alleen al door in bescheiden islamitische kleding in hun blikveld te verschijnen verliefde blikken naar zich toe trok van aantrekkelijke beschikbare partners, herinnerde haar voortdurend aan die pijnlijke leegte in haar leven. Maar net zoals Kazim haar verlangen had gewekt toen ze een meisje was, beheerste hij dat helemaal nu ze een vrouw was.

En zelfs als het haar lukte een tussenoplossing te vinden en toe te geven aan het verlangen van een ander, wat moest ze tegen een toekomstige echtgenoot zeggen in hun huwelijksnacht? Zou hij het haar vergeven als ze hem vertelde dat haar hart een ander had toebehoord? Zou het geoorloofd zijn daar zelfs maar om te vragen? Uiteindelijk vertelde ze haar medestudenten dat haar ouders een aanbod voor een gearrangeerd huwelijk met een man in haar woonplaats hadden aanvaard, waarmee ze alle verdere mogelijke aanbidders voor de rest van haar studietijd afwimpelde, al gold dat niet voor hun bewonderende blikken.

Gaandeweg, door een bijna religieuze toewijding aan haar studie, slaagde ze erin haar herinneringen aan Kazim diep in zich weg te stoppen. Ze kwamen alleen naar boven wanneer ze 's nachts alleen was en wakker lag na een dag hard studeren. Tot haar opluchting was het haar gelukt, dacht ze, haar liefde terug te brengen tot een gevoel. Maar dat gevoel bestond uit verlangen en een leegte.

Ondanks het feit dat ze tot de conclusie was gekomen dat Kazim en zij nooit samen zouden zijn, was Aisha op de hoogte van de talloze geruchten die in de loop der jaren op verschillende momenten in het dorp de ronde hadden gedaan: dat hij in Azad Kashmir zat, dat hij zich in Afghanistan bevond, dat hij opgehouden was met vechten en naar Londen was geëmigreerd, dat hij in de gevangenis door de Indiase veiligheidstroepen was gemarteld. De lijst werd steeds langer. Veel ervan waren idioot, andere geloofwaardig, en andere te vreselijk om aan te denken.

Toen, tussen haar laatste studiejaar en het begin van haar coschappen, had ze ontdekt dat Kazim terug was in Gilkamosh. Ze had vernomen dat Kazim in het dorp was gesignaleerd, deze keer absoluut zeker, door de slager Faruq, een betrouwbare getuige. Toen ze doorvroeg vertelde

haar vader, Naseem, met enige tegenzin dat hij van bevriende geitenhoeders had gehoord dat Kazim inderdaad was teruggekomen naar
Raza's huis in Passtu. Men zei dat hij nu leider van de moedjahedien
was en een plaatselijke volksheld. Hoewel niemand er ooit maar over
zou denken hem aan de Indiase autoriteiten over te leveren, hield hij
zich gedeisd en kwam maar een of twee keer in de zoveel maanden naar
Gilkamosh.

Die wetenschap had eerst een klein, vluchtig glimlachje op Aisha's gezicht doen verschijnen. Later vervulde het bericht haar echter met
droefgeestigheid, zelfs verdriet, want het bewees dat Kazim nu wist van
haar brieven en haar bezoekjes aan Raza tijdens haar eerste studiejaren in
Delhi, en toch deed hij helemaal niets om met haar in contact te komen,
laat staan dat hij zich met haar verzoende. Dat kon alleen maar betekenen dat hij niet meer verliefd op haar was, en niet net als zij zijn liefde
had onderdrukt om een hogere roeping te volgen. Of, erger, het betekende wat ze het meest vreesde. Want als het waar was, dan waren de
muren waarachter ze haar liefde had opgesloten, en die ze nooit omver
kon halen, gebouwd op een leugen: dat hij nooit van haar had gehouden.

27

De drie mannen daalden af van de Kumba La en volgden daarna het pad langs een reeks beboste hellingen omlaag naar Shingri, een dorpje dat 's winters werd bewoond door Gujaren, een halfnomadische gemeenschap van islamitische geitenhoeders. Ghulam legde uit dat hoewel de meesten neutraal bleven in het conflict over Kashmir, sommige Gujaren als berggidsen hadden gediend voor de militanten die langs de Line of Control binnendrongen. Shingri was een belangrijke uitvalsbasis waar ze informatie konden krijgen over de veiligste routes, die afhankelijk van Indiase grenspatrouilles veranderden. De plaats deed ook dienst als voedseldepot voor Pakistaanse militairen die langs de Siachengletsjer gestationeerd waren – 's werelds hoogstgelegen oorlogsgebied – waar dagelijkse schermutselingen tussen Indiase en Pakistaanse strijdkrachten die zich in de buurt van de gletsjer hadden ingegraven bijna net zo veel soldatenlevens kostten als de hoogte en lawines.

Ghulam vertelde Nick dat ze, nu er zo veel Pakistaanse soldaten rondliepen, het dorp zouden vermijden en in plaats daarvan in een schuilplaats buiten Shingri zouden verblijven die werd gebruikt door moedjahedien die wachtten op orders van hun Pakistaanse 'aanvalscommandanten' om over te steken. Vanuit de schuilplaats konden ze zich het plaatsje in wagen om voorraden en informatie in te slaan en zich verder zo weinig mogelijk laten zien. Fidali wist waar de schuilplaats zich bevond en kende ook de weg over de Line of Control, dus hoefden ze geen Gujaarse gids in te huren.

Een paar kilometer voor Shingri sloeg Fidali een pad in dat recht naar het oosten liep, ruwweg parallel aan de Line of Control, maar nog ver genoeg ten noorden van het dorp om de Pakistaanse militaire karavanen te vermijden die munitie en andere voorraden naar het front brachten.

De Pakistani vormden geen bedreiging voor Fidali en Ghulam, maar zouden graag hun overgebleven sloffen sigaretten willen inpikken. Als het leger echter Nick in de gaten kreeg zouden ze gedwongen zijn onderzoek te doen.

Het pad volgde een lange nallah, dichtbegroeid met sparren en espen met een dunne bast. Smeltwaterbeekjes van gletsjers doorsneden het pad. Ze waren ondiep, maar het water stroomde snel en ze staken met hun schoenen aan over om te voorkomen dat ze op de gladde rotsen uitgleden en meegesleurd zouden worden. Toen ze hun door de kou verstijfde voeten droogden en hun natte schoenen leegschudden, hoorden ze stemmen. De drie mannen graaiden hun spullen bij elkaar en renden op blote voeten het bos in.

Neergehurkt achter een groepje grote boomstammen herkende Nick de afgebeten intonatie als Urdu. Enkele ogenblikken later kwam een zestal smoezelige, bebaarde Pakistaanse soldaten voorbijmarcheren, hun uniformen wit gecamoufleerd om niet op te vallen in de sneeuw, met een taille die bijna net zo smal leek als de lange geweren om hun schouders. Op hun hoofd droegen ze met wit doek bedekte helmen, die te groot en te zwaar leken voor hun uitgemergelde lichaam. Tot zijn opluchting liepen ze zonder aarzeling voorbij, zich niet bewust van hun aanwezigheid.

Fidali, Ghulam en Nick liepen een paar kilometer door tot ze bij een eenvoudige *bahik* kwamen – een hut met stenen muren en een dak van boomstammen. Er zat een gat in het plafond om de rook door te laten en daaronder stond een smeedijzeren kachel met een stel dikke boomstronken eromheen bij wijze van banken. Nergens waren tekenen van moedjahedien en de kachel leek niet recent te zijn gebruikt: de houtskool erin was dof en geurloos. Dat was een hele opluchting, want Nick wist niet wat de moedjahedien van hem zouden denken – mogelijk zouden ze hem aanzien voor een spion, of een of andere idiote avonturier. Misschien kon hij na twee maanden in de bergen zelf voor een moedjahid doorgaan, met zijn lange baard, gehavende shalwar kamiz en ronde pakol-pet en zijn door het buitenleven getaande gezicht en kleding.

'Het is erg laat, de winter is gekomen,' zei Ghulam, terwijl hij door de deur naar de lucht tuurde alsof hij probeerde te voorspellen wanneer de eerste sneeuwstormen zich zouden aandienen. 'Twee, drie weken geleden zaten de schuilplaatsen vol met *mehmaan*-moedjahedien... Pakistani, Afghanen, wat Tsjetsjenen en Arabieren. Meer vreemdelingen dan Kashmiri. Ze vechten tegen India, maar niet voor Kashmir.'

'Wat bedoelt u? Dat is toch waar ze voor vechten? Voor een onafhankelijk Kashmir?'

'Pakistaanse moedjahedien willen dat Kashmir een deel van Pakistan wordt. Het kan ze niet schelen wat de mensen in Kashmir willen,' zei Ghulam. 'Andere mehmaan-moedjahedien willen alleen maar tegen de hindoes vechten. Ze behandelen de plaatselijke bevolking net zo slecht als de Indiërs.'

'Zouden jullie niet liever door moslims worden bestuurd dan door het hindoeïstische India? Gaat daar de strijd niet om?'

Ghulams gezicht liep rood aan. Het was de eerste keer dat Nick hem echt kwaad zag. 'Die mensen zijn geen moslims!' snauwde Ghulam venijnig. 'Als onafhankelijkheid betekent dat ik mijn land met hen moet delen, dan hoeft het voor mij niet.'

Zonder nog een woord te zeggen stormde Ghulam de schuilplaats uit in de richting van Shingri, met achterlating van Fidali en Nick. Verbaasd door Ghulams reactie staarde Nick ongemakkelijk zwijgend in het vuur. Toen hij uiteindelijk opkeek flikkerde het oranje haardvuur op Fidali's gezicht. Nick zag de glinstering van één enkele traan die uit Fidali's oog opwelde en zijn toevlucht vond in zijn baard.

Terwijl Nick nog ontdaan was over Fidali's vertoon van emotie, klonk er buiten een dreunende donderslag. Nick liep naar de deur en keek onderzoekend naar de lucht, maar zag geen enkele regenwolk. Opnieuw donderde het, dit keer gevolgd door een suizende echo die van de ene plaats naar de andere leek te gaan. Toen verdween het gerommel in de verte.

'Pakistani,' zei Fidali. 'Indiase reactie komt nog.'

Nick draaide zich om naar Fidali, op dat moment meer geschokt door het feit dat Fidali voor het eerst tegen hem gesproken had dan door de ontploffende artilleriegranaat. Toen hoorde hij, zoals Fidali had voorspeld, een spervuur, ditmaal verder naar het zuiden.

Drie dagen lang zat Nick bezorgd in de schuilplaats te wachten terwijl Fidali en Ghulam bij de Shingri-berggidsen informeerden naar de Indiase patrouilles aan de andere kant van de Line of Control. Elke dag zeiden de berggidsen dat hun Gujaarse spionnen aan de Indiase kant patrouilles hadden gemeld. Op de vierde dag was de sector veilig.

Het was algemeen bekend dat zwervende Indiase patrouilles nooit langer dan drie nachten in dezelfde buurt bleven. Dit was nu zeker het geval omdat het zo laat in het seizoen was. Weinig moedjahedien waagden zich over de hoge passen terwijl de weersomstandigheden elk moment levensbedreigend konden worden. Daarom werden de Indiase grensbeveiligingstroepen altijd vanaf half oktober in de noordelijke contreien van de Line of Control in aantal teruggebracht, en werden ze overgebracht naar het westelijke gedeelte bij Poonch en Kupwara, dat minder hoog lag en waar de passen het hele jaar door begaanbaar waren. Dus gaven de berggidsen hun uiteindelijk groen licht om over te steken.

Ze vertrokken drie uur voor zonsopkomst. Het had pas gesneeuwd; er lag een dun laagje stuifsneeuw, net genoeg om de spleten van de gletsjer te bedekken, wat de tocht verraderlijk en griezelig maakte. Dat er maar een bleek klein maantje scheen, waardoor ze weinig konden zien, maakte het er niet beter op. Maar het betekende ook dat Indiase scherpschutters onvoldoende licht hadden om hen van een afstand in het vizier te krijgen. Na een uur langzaam vooruit te zijn gekomen hadden ze voorzichtig hun weg over de gletsjer gevonden naar de kam van de morene aan de andere kant van het ijs.

Ze beklommen de kam in rustig tempo en bleven op het hoogste punt staan, waar ze zich achter rotsblokken verborgen. Aan de andere kant was een open, rotsachtige alluviale vlakte. Ergens in het met rotsblokken bezaaide veld liep de nullijn, de lijn die het door Pakistan en het door India beheerste gebied van elkaar scheidde. Dit was het riskantste deel van de overgang – niemandsland – die in warmere seizoenen door de onophoudelijke uitwisseling van mortier- en machinegeweervuur van beide kanten leeg werd gehouden. Aan de overkant van het open terrein was een bosrijk gebied. Langs de beschutte open plekken liep een pad, zo had Ghulam uitgelegd, dat via een lange nallah naar de betrekkelijk veilige bergen liep.

Bijna een uur lang doken ze achter de ene na de andere rots weg en spiedden zonder iets te zeggen over de vaag verlichte rotsachtige vlakte naar de donkere groepjes coniferen en kreupelhout. De beschutting biedende bomen bevonden zich maar vierhonderd meter verderop en ze zagen geen enkel teken van Indiase troepen. Nick, die vervuld was van vreugde, werd steeds ongeduldiger en wierp zijdelingse blikken naar zijn metgezellen.

Eindelijk knikte Fidali naar Ghulam en Nick, hing langzaam zijn bagage over zijn schouder en verdween in de duisternis. Ghulam wachtte even en ging hem toen achterna. Nick klom als laatste, op het teken van Ghulam, over de rotsen waarachter ze zich hadden verscholen.

De drie mannen daalden af van de kam en stapten onder het flauwe schijnsel van de wassende maan het niemandsland in. Nicks zintuigen waren gespitst. Donkere vormen leken zich onmogelijk scherp af te tekenen. Hij was zich pijnlijk bewust van elk geluid, met inbegrip van het geknars van zijn schoenen die over los gruis schuifelden.

Net als in de nacht weken terug toen hij door de donkere straten van Peshawar was gevlucht, leek de veiligheid zo dichtbij, zo tastbaar, dat Nick de drang voelde te gaan rennen. Maar hij weerstond die in de wetenschap dat het gedreun van zijn voetstappen en de kans te struikelen een onopvallende doortocht over de grens in gevaar zouden brengen. Hij liep uiterst voorzichtig, enigszins in elkaar gedoken, zo gefixeerd op het bos aan de overkant van de open vlakte dat de afstand eerder groter leek te worden terwijl hij zich naar de bomen toe bewoog. Hij begon te betwijfelen of ze de bomen ooit onopgemerkt zouden bereiken.

Ten slotte kwamen ze bij het kreupelhout. Opgelucht dat er geen Indiase patrouille op hen stond te wachten, wilde Nick het triomfantelijk uitschreeuwen. Wat hij een maand geleden nog voor onmogelijk had gehouden, was hem ondanks alles gelukt: hij was levend uit Pakistan weggekomen!

Ineens stak Ghulam zijn arm uit en legde zijn hand op Nicks mond, waardoor zijn opwinding in de kiem werd gesmoord. Had hij iets gehoord?

Terwijl ze tussen de bomen in elkaar doken speurden de drie mannen de diepe duisternis af. Nick hoorde niets dan de kakofonie van krakend ijs op de gletsjer in de verte. Maar aan de gespannen uitdrukking op het gezicht van zijn metgezellen had hij afgelezen dat hij te vroeg had gejuicht. Ze waren nog niet uit de gevarenzone.

Fidali fluisterde iets in Ghulams oor voor hij overeind kwam en vlug het bos in rende, terwijl bij elke stap de zware plunjezakken onder zijn armen verschoven. Ghulam keek hem na en wachtte even, tot Fidali zo'n veertig meter weg was. Toen keek hij naar Nick, legde zijn wijsvinger op zijn lippen en gebaarde dat Nick Fidali rustig moest volgen. En dat deed hij.

Toen Nick uit het kreupelhout kwam gebeurde het.

Hij was net doorgestoken naar een kleine open wei tussen de dennenbomen. Fidali lag ver op hem voor en bevond zich buiten zijn gezichtsveld. Hij nam aan dat Ghulam nog tussen de bomen achter hem liep, hoewel hij geen andere voetstappen hoorde dan die van hemzelf. Hij probeerde zachtjes te lopen, anders had hij misschien niet gemerkt dat hij ergens op stapte. Het rolde niet weg en zakte ook niet in onder zijn voet, zoals een steen of een stuk hout. Het gleed eerder onder zijn gewicht de grond in, met een licht geknars, als metaal dat over roestig metaal schuurt. Hij bleef als versteend staan.

Hij keek omlaag, zijn ogen in het donker inspannend om te zien wat het vreemde geluid onder zijn voeten had veroorzaakt: verroest metaal en geribbeld plastic en een pin met een brede platte bovenkant die net niet tegen de hak van zijn laars was gekomen.

Nieuwsgierigheid maakte langzaam plaats voor angst. Hij kneep zijn ogen dicht en wachtte op de explosie die een einde aan zijn leven zou maken.

Maar er gebeurde niets.

Misschien is het een blindganger, dacht hij. Moet ik nu springen en wegrennen? Ja – tot drie tellen...

Wacht! dacht hij en hij hield ineens op. Stel dat hij juist ontploft wanneer ik mijn voet wegtrek?

Niet in staat te beslissen wat hij moest doen, bleef hij als verlamd staan en vervloekte God – dezelfde God in wie hij nooit had geloofd. Hij ging zo op in zijn gefoeter dat hij de grote man niet zag tot hij een licht klopje op zijn schouder voelde. Dat Fidali plotseling verscheen was bijna eng. Toen Nick hem voor het laatst zag, had hij meer dan vijftig meter voor hem uit gelopen en was in het donker tussen de bomen verdwenen. Nick had niet om hulp geroepen en toch was Fidali er ineens.

Ze keken elkaar aan. Fidali las de wanhoop van Nicks gezicht, maar zijn blik was kalmerend, bijna vaderlijk.

'Niet bewegen,' fluisterde hij. Zelfs in zijn paniek was Nick verbaasd dat Fidali tegen hem praatte, nu pas voor de tweede keer.

Toen dook Ghulams stem van achteren op, waar hij net uit de bosjes tevoorschijn was gekomen. 'Wat is er?' vroeg hij op dringende toon aan Nick.

Fidali hurkte neer. Hij pakte met zijn ene hand Nicks knie vast, en met de andere zijn enkel, stevig om ervoor te zorgen dat hij niet ging trillen.

'Ik denk dat ik op een mijn ben gestapt,' barstte Nick uit.

Ghulam zette grote ogen op van schrik. 'Niet bewegen!' waarschuwde hij.

'Rustig,' maande Fidali sussend. Hij bekeek de grond onder Nicks voet kritisch.

Hij komt er te dichtbij, dacht Nick. Zijn begrip van wat er verder gebeurde zou altijd vaag blijven. Hij zag Ghulam dichterbij komen en zich bukken en hoorde hem zachtjes met Fidali praten in hun eigen taal. Fidali hield Nicks knie stevig vast, terwijl hij met zijn andere hand onder diens voet voelde. 'Wat doet u? Straks ontploft hij!' riep Nick gesmoord.

'Geen probleem,' antwoordde Fidali, nog altijd bedaard. Hij liet zijn hand voorzichtig onder Nicks hak glijden en groef met zijn vingers om de mijn heen.

'Oké, oké,' voegde hij eraan toe.

'Wat bedoelt u met "oké"?' vroeg Nick.

'Fidali bedoelt dat u nu uw voet weg kunt halen. Het is oké,' merkte Ghulam op, voor zijn doen nogal gespannen.

'Maar als ik hem eraf haal, ontploft dat ding dan niet?'

'Nee, Fidali zegt van niet,' antwoordde Ghulam.

'Weet u dat zeker?'

Ghulam en Fidali praatten weer in hun eigen taal met elkaar.

'Ja, ja. Fidali zegt: als u hem nu weghaalt, is het geen probleem. Hij heeft de mijn onschadelijk gemaakt,' stelde Ghulam Nick gerust.

'Oké, oké,' zei Fidali weer, en hij knikte.

'Maar... Onschadelijk? Hoe heeft hij...?'

Voor Nick zijn gedachte kon afmaken, gaf Fidali hem een flinke zet tegen zijn heup. Nick struikelde naar achteren en viel op de grond. Toen hij opkeek zat Fidali nog steeds op zijn hurken met zijn ene hand aan het ding te morrelen.

'Geen probleem,' zei hij weer. Hij knikte van opzij naar Nick. 'Oké, weg nu. Vlug...'

Nick keek Fidali onthutst aan. Het ene moment had hij nog de dood in de ogen gekeken, het volgende was hij aan het gevaar ontsnapt. Maar hoe zat het met Fidali? Wat was hij aan het doen?

Hij voelde dat Ghulam hem bij zijn elleboog greep. Die trok hem overeind en sleurde hem naar achteren. Toen stapte Ghulam voor Nick langs naar Fidali toe. Maar die riep iets en stak zijn vrije hand op.

Ghulam bleef staan. Hij zette zijn handen in zijn zij en liet woorden van zijn tong rollen in wat klonk als een spervuur van wanhopige vragen.

Fidali zweeg. Hij keek naar boven, naar Ghulam, of misschien verder, naar de maan. Dat leek Ghulam te verontrusten en hij begon weer te praten, dit keer nog indringender.

Weer gaf Fidali geen antwoord.

De derde keer dat Ghulam sprak klonk hij hysterisch.

Toen verdween alles in een verblindende lichtflits.

Het volgende dat Nick zich herinnerde was dat hij op de grond lag zonder dat hij wist hoe hij daar terecht was gekomen. Er was rook en de doordringende lucht van verbrande zwavel. Een monotoon gesuis in zijn oren had zijn gehoor opgeslokt. Zijn geest was wazig door de rook en de schok.

Toen hij weer kon zien, zag Nick Ghulam op de grond voor hem liggen. Maar waar Fidali zich had bevonden, zag hij alleen maar rook.

Ghulam kroop, centimeter voor centimeter op handen en knieën vooruitkomend, naar de plek waar de rook vandaan kwam. Toen hij er vlakbij was, zakte hij door zijn ellebogen en knieën, alsof hij door een sikkel was neergemaaid. Met zijn gezicht in de modder gedrukt staarde hij naar de dikke rookwolk voor hem. Ghulam zei iets, maar Nick kon niet horen wat.

Even later verdween de rook en kon Nick zien waar Ghulam naar keek. Fidali lag op zijn rug, steunend op zijn ellebogen, te kijken naar een rokend gat waar zijn benen hadden moeten zitten. Zijn lippen bewogen, alsof hij bad. Vreemd genoeg zat zijn Chitrali-pet nog steeds netjes op zijn hoofd gedrukt. Maar onder zijn buik was er niets – geen voeten, geen heupen – alleen maar rook en stof. Er was aanvankelijk zelfs niet eens veel bloed. Het was alsof hij zo plotseling uit elkaar was gescheurd dat zijn lichaam niet de tijd had gehad om te gaan bloeden.

Ghulam krabbelde weer op zijn knieën en gleed dichterbij. Hij tilde Fidali's hoofd op zijn schoot en wiegde het. Fidali keek naar de hemel, zijn gezicht glansde in het gele schijnsel van de maan. Hij stak zijn hand naar achteren en Ghulam nam die in de zijne. De hele tijd door bleef hij in stilte bidden en aan de beweging van Ghulams lippen kon Nick zien dat deze hetzelfde deed. De glans in Fidali's ogen verdween, zijn gezicht werd wit en zijn lippen bewogen steeds langzamer, tot ze stil waren.

Toen het voorbij was, sloot Ghulam de ogen van zijn vriend. Hij hief zijn handen ten hemel. Op dat moment kwam Nicks gehoor terug, alsof iemand een knop had omgezet, en hij hoorde Ghulam in zijn eentje steeds weer herhalen wat Fidali en hij samen hadden gereciteerd.

Hoewel Nick toen niet wist wat de woorden betekenden, zou hij ze altijd bij zich dragen.

'...*la ilaha illa Allah... la ilaha illa Allah...*'

28

Eind september, de tijd van het jaar in de regio van de Himalaya wanneer de zon overdag nog een verzengende hitte kan uitstralen, maar de frisse avondlucht het eerste teken geeft dat de wrede winter in aantocht is. Vluchten trekkende sneeuwganzen hadden de wolkeloze lucht bezaaid en het aroma van de ophanden zijnde oogst was door de open ramen naar binnen gezweefd: versgemaaid hooi, gewand graan en rottende bladeren.

Aisha's kliniek was nu meer dan een jaar open. Die dag was ze bezig geweest met de gebruikelijke alledaagse aandoeningen in een dorpsdokterspraktijk: een jongen met een snee in zijn vinger die geïnfecteerd was geraakt, een oude vrouw met galstenen, een paar gevallen van dysenterie, een man met een knolvormige tumor die onder zijn arm uitpuilde. Laat in de middag was het grootste deel van het personeel naar huis gegaan. Hamid Mohammad, een oudere boer, was de laatste patiënt van die dag. Hamid was eerder bij het houthakken uitgeschoten en had met zijn bijl zijn scheenbeen geraakt; nu was hij gekomen om de hechtingen eruit te laten halen. Terwijl Aisha daarmee bezig was werd er hard op de deur geklopt.

'Ik ga wel, mevrouw de dokter,' zei Omar, een van Aisha's assistenten, op de formele toon van een soldaat tegen zijn meerdere. Omar, een vijfenzestigjarige moslim uit Kashmir, had jarenlang bij de medische kliniek van het Indiase leger in Kargil gewerkt voordat hij naar het idyllische Gilkamosh was teruggekomen. Zijn vrouw was nog geen jaar geleden overleden en hij had in zijn eentje in het dorp gewoond, levend van een karig militair pensioen, tot Aisha — die medelijden met hem had vanwege zijn eenzaamheid maar ook verlegen zat om een ervaren doktersassistent — hem in dienst nam. Toen Omar op weg naar de deur

Aisha voorbijliep, moest ze onwillekeurig grinniken om de opvallende oranjerode henna in zijn normaliter grijze haar, snor en baard – een duidelijk teken dat hij in de markt was voor een nieuwe vrouw. Hamid hoorde haar grinniken.

'Ah, mevrouw de dokter, u ziet Omars nieuwe uiterlijk. Mooi?' vroeg Hamid, met een spoortje van ongenoegen in zijn stem.

'Ik kan niet zeggen dat het er... erg natuurlijk uitziet. Maar het is wel een blikvanger.'

'Ah, mevrouw kan beter uitkijken. Als een oude man zijn haar verft met henna, zoekt hij een jonge vrouw!' plaagde hij schelms en hij zwaaide vermanend met zijn vinger.

'Ik denk niet dat Omar mij het hof maakt, Hamid, als je dat tenminste bedoelt.'

'Zeg dat maar niet zo vlug, mevrouw,' zei hij plagerig. 'Oude Omar is erg sluw. Als een sneeuwluipaard sluipt hij naar een lam en...' Hamid kromde zijn vingers tot klauwen.

'Ik denk niet dat oranje haar speciaal op sluwheid wijst, Hamid. Misschien wel op grappenmakerij. Hij lijkt eerder op een baviaan.' Aisha en Hamid lachten oneerbiedig, gelukkig onopgemerkt door Omar, die snel in zijn trots gekrenkt was.

'Mevrouw de dokter,' riep Omar vanaf de ingang van de kliniek. Aisha draaide zich om naar de kegel van licht die door de open deur kwam.

Hij stond ongeveer tien meter van haar vandaan en zelfs van die afstand versteende ze bij zijn aanblik. Toen hij onder de latei van de deurpost naar haar stond te kijken, verbaasde het haar hoe gemakkelijk ze hem na zo veel jaar herkende. Hij was slanker – bijna mager – zijn baard was dichter en zijn ogen stonden nors. De schijn van jongensachtigheid die ze zo verleidelijk had gevonden, was verdwenen. Maar voor de rest was alles aan hem hetzelfde: de fiere neus, zijn vierkante schouders, het steile zwarte haar dat over zijn wenkbrauwen viel en altijd zijn melancholieke ogen dreigde te verbergen.

Omar liet de bezoeker bij de deur staan en liep met flinke passen verontrust naar Aisha toe. 'Mevrouw de dokter, die man wil u spreken. Ik vroeg hem waar het om ging, maar hij wil het me niet zeggen. Hij zegt dat het een noodgeval is.' Omar boog zich naar haar toe en fluisterde zachtjes: 'Ik denk dat hij misschien een moedjahid is. Zal ik hem zeggen dat hij moet gaan?'

Gebiologeerd door de bezoeker in de deuropening, merkte Aisha Omars woorden niet op.

'Mevrouw de dokter...? Zal ik hem zeggen dat hij moet gaan...?'

'Nee,' antwoordde Aisha ten slotte. 'Verzorg Hamids wond alsjeblieft verder. Daar ben jij goed in.'

Aisha haalde een paar keer diep adem. Daarna stond ze op, terwijl ze haar uiterste best deed om kalm te blijven.

'Maar mevrouw de dokter,' wierp Omar tegen.

'Ik zei dat het goed is, Omar.' Terwijl Aisha naar de ingang liep, had ze het gevoel dat ze werd aangetrokken door een kracht die sterker was dan haar eigen wil – een die ze net zomin kon weerstaan als toen ze nog een meisje was.

De zon verschoof aan de westelijke horizon en zette de deuropening in tegenlicht, zodat alleen het silhouet van de man van wie ze ooit had gehouden daar zwijgend op haar stond te wachten. Hij stapte naar buiten toen ze vlak bij hem was. Aisha volgde hem en deed de deur achter zich dicht. Ze zou nooit weten welke emoties, als die er waren geweest, zich op zijn gezicht hadden afgetekend.

Kazim had haar aandachtig bestudeerd, onzeker over haar reactie nu ze hem na al die jaren weer zag. Hij had, evenzeer voor haar bestwil als voor de zijne, besloten haar niet op te zoeken of te schrijven sinds ze zo veel jaren geleden uit elkaar waren gegaan. Sinds zijn eerste bloedige gevecht wist hij dat de wending die zijn leven had genomen geen plaats bood aan de liefde voor een vrouw, laat staan een huwelijk. Ofwel je offerde jezelf als martelaar op voor de jihad, of je gaf de strijd op en ging een normaal leven leiden. Er bestonden geen halve offers of tussenwegen, en proberen allebei te doen zou op beide fronten tot een mislukking leiden.

Maar ondanks alle onverwoorde wrok die hen nu scheidde, zag hij bij de eerste glimp toch dat ze blij was hem te zien. Een vluchtig moment, toen haar ogen de zijne ontmoetten, voelde hij dezelfde ontwapenende aantrekkingskracht van haar uitstraling die hem altijd zo had aangetrokken. Alsof niets – de oorlog, de tussenliggende jaren, hun uiteenlopende idealen – ook maar iets tussen hen had veranderd. Ze was nog net zo mooi als toen hun wegen zich hadden gescheiden, behalve dat ze nu als vrouw eleganter was dan ze als meisje was geweest. Maar de meedogenloze dringende werkelijkheid dwong hem te doen waarvoor hij was gekomen.

'Aisha,' zei hij kalm, tegelijkertijd als groet en als aanloop tot een verzoek.

Ze zweeg, bij gebrek aan woorden.

'Ik hoorde van een kliniek die door een moslim werd gedreven. Ik wist niet dat die van jou was,' loog hij. In feite had hij de hele tijd geweten dat ze een jaar geleden terug was gekomen en de kliniek had opgezet. Hij was alleen uit pure noodzaak naar haar toe gekomen.

Aisha's ogen glansden vochtig en bleven op die van Kazim gericht, terwijl haar mondhoeken omkrulden, zo licht dat hij niet kon zeggen of het erop duidde dat ze zou gaan glimlachen of fronsen. 'Nou,' antwoordde ze na enkele ogenblikken, 'dan weet je het nu.'

'Ik heb gewonden. Maar eigenlijk verwacht ik niet dat je ze zult behandelen.'

Aisha had geweten dat er ooit een dag zou aanbreken waarop de slachtpartij van de oorlog bij haar voor de deur terecht zou komen. Ze wist dat de reactie van de Indiase veiligheidstroepen ernstig zou kunnen zijn als ze erachter zouden komen dat ze moedjahedien had behandeld. Toch kwam het meer door de schok Kazim te zien dat ze niet meteen antwoord gaf.

'Het enige onderscheid dat ik hier maak is dat tussen ziek en gezond,' zei ze.

Kazim aarzelde, alsof hij zich misschien nog wilde bedenken. Uiteindelijk zei hij: 'Ze zitten tussen de bomen. Ik moest eerst zeker weten dat het veilig was.'

'Hoeveel?'

'Tien.'

'Tien!'

'Ik had er misschien een of twee uit hun lijden moeten verlossen. Maar ik ben daar niet erg goed in. De anderen zullen het met jouw hulp wel overleven, denk ik.'

Aisha huiverde. De gevoelloosheid die hoorde bij het beëindigen van een leven, zelfs als het euthanasie betrof, stond haar tegen. De Kazim uit haar herinnering zou zoiets nooit hebben overwogen. 'Ik heb hier maar één assistent,' zei ze, afgeschrikt door wat haar te wachten stond.

'Wie om liefdadigheid vraagt moet geen wonderen verwachten. Als je alleen maar doet wat in je vermogen ligt, zullen we je erg dankbaar zijn. Anders zijn ze tegen de ochtend allemaal dood. Ze kunnen nergens anders naartoe.'

'Breng ze snel,' zei ze kortaf, terwijl ze zich terug naar binnen haastte. 'Omar!'

Net als die nacht bij de Line of Control jaren geleden Kazims vuurdoop was geweest, werd deze nacht die voor Aisha. Slechts één dokter en tien gewonden – haar korte eerstehulpopleiding in Delhi had haar niet bepaald voorbereid op het bloedbad dat Kazim haar bracht. Haar kleine kliniek, tot dan toe zo schoon en netjes, leek algauw op een slagerij. De gewonden – de meeste nog maar jongens – schreeuwden het uit van de gruwelijke pijn, zelfs nadat ze morfine hadden gekregen. Een van hen, met doorzeefde buik, had onderweg naar de kliniek zo hard gegild dat zijn kameraden hem hadden moeten knevelen. Bij een andere moedjahid, niet ouder dan vijftien, waren zijn benen er door een granaat af geblazen, en zijn heupen in gehakt vlees veranderd. Hij haalde nauwelijks nog adem en had al te veel bloed verloren en stierf voor Aisha iets kon doen.

Een man wiens arm was afgerukt door kogels uit een machinegeweer liep verbazingwekkend genoeg zonder enige hulp naar de afdeling, terwijl hij zijn afgerukte ledemaat beschermend tegen zijn borst geklemd hield zoals een kind dat zou doen met een stuk speelgoed. Toen Omar de arm wilde pakken, vloekte hij en trapte hem zo heftig dat zijn makkers de arm moesten loswrikken. Een andere jongen was in zijn darmen geraakt. 'Ik kan mijn lul niet meer voelen,' bleef hij maar met paniekerige stem verkondigen, tot zijn longen volliepen met bloed en hij bij gebrek aan adequate apparatuur stikte.

De hele avond en nacht werkten Aisha en Omar onvermoeibaar door, tot aan hun ellebogen onder het bloed en ingewanden, snijdend en hakkend en hechtend, vlug een gebed mompelend voor degenen die op de behandeltafel stierven. Het enige wat Aisha kon doen om te voorkomen dat zij en Omar uitgleden op de bloederige vloer, was Kazim inschakelen om buiten zand te halen en het op de grond te strooien. Zij had de leiding en brulde zelfs orders naar Kazim.

'Jij hebt ze dit aangedaan, dus nu moet je ook maar helpen,' zei ze vermanend tegen hem, terwijl ze haar hand uitstak. 'Antisepticum!' En Kazim deed wat ze vroeg. Dit was haar wereld, niet de zijne.

Toen Aisha en Omar al het mogelijke hadden gedaan om de gewonden op te lappen was het ochtend, maar nog donker. De moedjahedien die de gewonden naar de kliniek hadden gebracht, legden hen weer op de provisorische brancards van boomstammen en canvas.

'Waar zijn jullie mee bezig?' vroeg Aisha.

'Ik zorg dat ze hier wegkomen,' antwoordde Kazim.

'Geen sprake van. Ze blijven hier tot ze hersteld zijn.'

'Als ze hier blijven nemen de Indiërs ze gevangen,' zei Kazim.

'Wat dan nog? Ze kunnen niet meer vechten. Als je ze meeneemt gaan sommigen misschien dood.'

'Dat is een risico dat ik dan maar moet lopen.'

Ontzet keek Aisha hem uitdagend recht in zijn ogen en ze ging voor de gewonden staan. 'Ze staan nu onder mijn hoede. Ze gaan pas wanneer ik zeg dat het kan.'

'Bedenk wat je zegt, Aisha. Denk aan jezelf en je personeel.'

'Ik ben arts, ik ben neutraal. Ze zullen ons niet lastigvallen,' zei ze, maar ze twijfelde aan haar eigen woorden.

'Als ze erachter komen dat je moedjahedien hebt behandeld, ben je in hun ogen niet neutraal. Hoeveel ziekenhuizen in Kashmir behandelen moslimstrijders?'

'Dat weet ik niet.'

'Geen enkel, officieel. In Srinagar zijn dokters door Indiërs vermoord omdat ze moedjahedien hadden behandeld. Als ze blijven brengt dat jou in gevaar.'

'Speel geen spelletjes met me, Kazim. Jij bent hier gekomen, toch?'

Kazim zweeg. Ze had gelijk. Hij had inderdaad geweten dat hij haar in gevaar bracht door zijn mannen naar haar kliniek te brengen. Maar hij had ook geweten dat zij hen zou behandelen. 'Ik neem ze mee. Als ze doodgaan, dan moet dat maar. Dat is het risico dat ze namen toen ze moedjahedien werden.'

'Het is beter voor ze om hier te blijven en gevangengenomen te worden dan daar buiten bij jou te sterven,' hield Aisha vol, in verwarring gebracht door zijn onverschilligheid.

'Nee, dat is het niet.' Kazim trok zijn shalwar omhoog en draaide zich om. Een netwerk van diepe littekens stond in zijn rug gegrift. Aisha sloeg haar hand voor haar mond en wendde haar blik af. Ze had net tot aan haar ellebogen in het bloed van mannen gezeten, maar toch kon ze niet kijken naar de duidelijke tekenen van Kazims lijden.

'Dat was jaren geleden,' zei Kazim. 'Er is veel veranderd. Nu zouden ze niet zijn opgehouden. Vraag het mijn mannen maar. Stuk voor stuk zouden ze liever sterven dan gemarteld worden om hun kameraden te verraden.'

Aisha viel stil. Kazim las de angst op haar gezicht. Hij had er spijt van dat hij zijn gewonden naar haar toe had gebracht, ook al voelde hij dat het een kwestie van tijd was voor ze bij de strijd betrokken zou raken. 'Het was een vergissing hier te komen. Ik zal het niet nog eens doen.'

Kazim wenkte zijn mannen, die met de gewonden het bos in begonnen te sjokken. Erin berustend dat ze niets meer kon doen om hen te houden, gaf Aisha pakjes morfine mee, verband en ontsmettende middelen, die de gezonde moedjahedien dankbaar in hun bagage stopten.

'We zullen tegen het vallen van de avond de Line of Control over zijn,' zei Kazim. 'In het Pakistaanse legerhospitaal krijgen we hulp.'

Nadat zijn mannen het bos in waren gestrompeld, draaide Kazim zich om naar Aisha. Ze was doodmoe van het inspannende werk om verscheurde lichamen op te lappen en haar gitzwarte haar plakte aan haar wangen. De vochtige glans op haar huid herinnerde Kazim aan die keer in hun jeugd dat ze bij de rivier door de stortbui waren overvallen.

De dag waarop ze hun zuiverheid aan elkaar hadden geofferd was onuitwisbaar in Kazims geheugen gegrift. Jarenlang had hij 's nachts wanneer hij alleen was de beelden opgeroepen, vaak aan de vooravond van de strijd, om het genot opnieuw te beleven, waarna hij zich des te schuldiger voelde omdat hij de herinnering had bezoedeld. Op die momenten vroeg hij zich af of dat beeld van Aisha's borsten onder haar natte kleren, de vluchtige eerste streling van zijn hand, de onnoembare pracht van haar lichaam onder het zijne, het enige voorproefje van het paradijs zouden zijn dat hij zou krijgen voor hij stierf. En hoewel hij uiteindelijk besloot dat dat het geval was, had hij erin berust dat hij verstoken zou blijven van nog zo'n moment. Het kwam niet door het besef dat hij Allahs code had geschonden, of door alle beperkingen van hun cultuur dat hij ertoe was gekomen van andere vrouwen af te zien. Ook dacht hij niet dat hij zichzelf op een of andere manier kon zuiveren door de straf van onthouding. Het was eerder zo dat dat moment in de regen met Aisha zo volmaakt was geweest, zo subliem, dat hij tot de conclusie was gekomen dat dat nooit herbeleefd kon worden. Hij vreesde dat wat er ook na mocht komen alleen maar de herinnering eraan kon bederven. Zoiets moois kon je alleen maar meenemen in het graf, op het voetstuk van de ziel gezet.

Toch wist hij dat het verkeerd was wat hij had gedaan, want door haar haar kuisheid te ontnemen had hij haar onhuwbaar gemaakt. Dat stemde hem vaak droevig, ondanks zijn gevoel dat hij haar terecht had verlaten om in de jihad te vechten. Maar tegelijkertijd versterkte het feit dat ze geen van beiden ooit over hun zonde heen konden komen de ultieme betekenis van die daad voor de rest van hun leven, waardoor hun liefde onmogelijk kon worden overschaduwd. Daarom wist hij dat het moment bij de rivier hun altijd als verheven zou bijblijven, wat er ook met hen gebeurde.

'Het spijt me, Aisha,' zei hij.

'Spijt?' antwoordde ze, met glazige ogen van uitputting en irritatie. 'Verdorie, Kazim. Ik ben dokter. Hiervoor ben ik teruggekomen.'

Hij zweeg even. 'Dat bedoelde ik niet.'

Hij deed zijn mond open om nog iets te zeggen. Maar toen beet hij zo hard op zijn lip dat er geen woorden konden ontsnappen en met gebogen hoofd liep hij naar de bomen. Toen hij bij het kreupelhout was aangekomen, deed Aisha onwillekeurig een paar stappen naar voren, alsof ze door hem werd aangetrokken zonder dat ze het wilde. Maar toen bleef ze staan. Hij was al te ver weg.

29

Een paar minuten na de explosie vlogen de kogels Nick om de oren. Een megafoon galmde een onverstaanbaar bevel.

Hij was verbijsterd en vertoonde aanvankelijk geen enkele reactie. Maar toen hij Ghulams silhouet zag, gevangen in het zoeklicht en met zijn handen omhoog, dacht hij dat hij hem maar het beste kon volgen.

Enkele ogenblikken later kwamen er een stuk of tien gehelmde soldaten van de Indiase grensbeveiligingstroepen door de duisternis aanzetten, met het geweer aan de schouder op Nick en Ghulam gericht. Ze liepen aarzelend rond, met een nerveuze blik in hun ogen, die van hun gevangenen naar het bos schoten – klaar om te vuren bij het minste teken van een hinderlaag.

Terwijl Nick zijn aandacht op de naderbij komende soldaten richtte, voelde hij een harde por in zijn rug, van een knie of een geweer. Hij duikelde op de grond, met zijn gezicht in de modder. Een laars drukte pijnlijk op zijn ruggengraat, terwijl handen onder zijn kleren tastten. Vanuit zijn ooghoeken zag hij dat ze hetzelfde met Ghulam deden.

Nadat ze zich ervan hadden vergewist dat Ghulam en Nick ongewapend waren, brulden de soldaten vragen in een taal die Nick niet verstond – Hindi, Punjabi of misschien verbasterd Urdu, voor zover Nick begreep. Toen Ghulam en Nick niet antwoordden, schopten de soldaten hen met hun zware legerlaarzen tegen de ribben. Nick kromp in elkaar en keek naar Ghulam. Hij leek te geschokt om pijn te voelen, of het kon hem niet schelen. Maar Nick was niet bestand tegen hun klappen.

'Hou op alstublieft!' riep hij, terwijl hij zijn hoofd met zijn armen beschermde en als een bal over de grond rolde. Maar het had weinig zin. Ze bleven Ghulam en hem trappen en porren met hun laarzen en geweren.

Uiteindelijk begon Ghulam met lage, bedroefde stem tegen de soldaten te mompelen, niet zo paniekerig als de situatie volgens Nick rechtvaardigde. Hij vermoedde dat Ghulam probeerde de Indiërs ervan te overtuigen dat ze geen moedjahedien waren, een verzekering die ze ongetwijfeld dubieus vonden.

De soldaten hielden niet op met hun afranselingen tot een jonge luitenant met een donkere huid en een zwarte snor energiek kwam aanlopen over het pad dat uit het bos kwam. De officier riep de soldaten met een bijtend bevel tot de orde. Nadat hij het lichaam van Fidali kort had onderzocht, sprak hij in een veldradio. Hij beval Ghulam en Nick op te staan en hun handen op hun hoofd te houden. De soldaten dirigeerden hen naar het pad.

'Maar Fidali dan? We kunnen hem toch niet zo achterlaten!' protesteerde Nick.

'Laat maar,' zei Ghulam sussend.

Nick zag de ongerustheid op Ghulams gezicht en zweeg.

Ghulam en Nick werden met een geweer in de rug vijftien kilometer weggevoerd langs het dichtbegroeide pad dat langs de onderkant van de nallah liep. Toen ze uiteindelijk op een rotspad kwamen, stonden er twee verweerde jeeps van Russische makelij te wachten, bemand door een ander peloton soldaten. De Indiërs lieten hen aan de overkapte achterkant van een van de jeeps instappen en ze werden weggevoerd.

Ze werden op de hobbelige, stoffige weg heftig door elkaar geschud en deden hun best hun evenwicht te bewaren. De achterkant van de jeep was open, maar een soldaat die voorin op de passagiersstoel zat hield zijn geweer in de aanslag op hen gericht. Ze reden naar het zuiden, weg van de Line of Control en weg van Pakistan. Nick veronderstelde dat ze ergens naartoe werden gebracht ter ondervraging – waarschijnlijk naar een of andere gevangenis.

Terwijl ze over de weg hobbelden begon het oranje ochtendlicht zich over de bergen in het oosten uit te spreiden, maar het slaagde er nog niet in de dodelijke kou te verdrijven. Tot zijn wanhoop besefte Nick dat hij er zo op gericht was geweest uit Pakistan weg te komen dat hij nooit een plan had bedacht voor het geval dat hij door de Indiërs zou worden aangehouden. Hij wilde hun niet de waarheid vertellen: dat hij Pakistan was ontvlucht wegens verdenking van moord en daarbij een Pakistaanse politieman had gedood. Hij was bang dat ze hem terug zouden sturen in het kader van diplomatie, zo niet gerechtigheid, ondanks de slechte betrekkingen tussen beide landen. De Indiërs zouden ook nooit geloven dat hij een verdwaalde toerist was die ook nog eens zijn paspoort had verloren. Geen enkele toerist zou zo roekeloos zijn om te proberen de Line of Control over te steken. Om zijn nationaliteit vast te stellen zouden ze hem via de Amerikaanse ambassade achterhalen en dat zou mogelijk het arrestatiebevel in Peshawar onthullen. Hij was dan wel uit Pakistan weggekomen en raakte steeds verder van de grens verwijderd, maar het leek wel of er geen uitweg uit de problemen bestond.

30

Drie dagen nadat Kazim voor het eerst met gewonden bij Aisha's kliniek was verschenen, liepen twee patrouillerende soldaten van de grensbeveiligingstroepen het ziekenhuis binnen. Het waren mannen die vrijwillig dienst hadden genomen en ze spraken plat Hindi.

'Een van onze controleposten is veertig kilometer naar het zuiden overvallen. Een informant heeft de klootzakken hierheen zien gaan. Ze hadden gewonden bij zich. Als u iets te zeggen hebt, kunt u dat beter meteen doen.'

'Dat heb ik niet,' zei Aisha.

De soldaten bekeken haar wantrouwig. Hun adem rook naar alcohol.

'We zullen eens zien,' zei de voorste, een Bihari-sergeant met donkere huid.

'Dit is een privékliniek. U hebt geen reden om hem te doorzoeken.' Aisha ging voor hem staan, met een uitdagende blik in haar ogen.

'Hou je mond!' snauwde de sergeant en hij duwde haar opzij.

De twee soldaten doorzochten de kliniek, keken in laden en kasten en trokken zelfs de vuilnis overhoop, terwijl Aisha en haar personeel zenuwachtig toekeken. Gelukkig hadden Kazim en zijn mannen ondanks haar dringende bezwaar alle gewonden afgevoerd. En zij en Omar hadden grondig schoongemaakt, zodat er geen bewijs kon worden gevonden. 'U kunt maar beter bidden dat we niet ontdekken dat u een van die beesten hebt behandeld,' zei de Bihari minachtend, terwijl ze verder zochten.

'Mensen beter maken is geen misdaad. Laat ons nu maar met rust.' Aisha draaide de soldaten haar rug toe en liep de kliniek weer in.

De Bihari-sergeant greep Aisha bij haar haar en draaide haar hoofd met een ruk om. Hij draaide haar bij haar heupen rond en hield zijn gezicht dicht bij het hare, zijn ogen zwart en groot van woede. Omar stapte naar hem toe, maar de andere soldaat stootte de loop van zijn geweer in de zij van de oude man. Omar slaakte een zwakke kreet, kromp in elkaar en viel. De soldaat hief zijn geweer en hield hem onder schot.

'Moslimteef!' zei de sergeant, terwijl hij aan Aisha's haar trok. 'Die moordenaars hebben mijn halve peloton gedood. Twee vrienden van me zijn levend gevangengenomen. We hebben hun lichamen gisteren gevonden. En vandaag hun hoofden.'

Hij trok harder aan haar haar. Aisha hield een kreet binnen en deed haar ogen dicht.

'Als je een van die moslimvarkens ook maar één enkele pleister geeft, zal de gevangenis je laatste zorg zijn.' Met zijn vrije hand greep hij een van haar billen en kneep er zo hard in dat ze het weefsel voelde scheuren. Hij bracht zijn hand onder haar schaambeen en duwde hard naar binnen. Ze kromp ineen van de pijn, sloeg op zijn borst in een poging zich los te wringen. Maar hij was te sterk. Hij hield haar stevig beet en spuugde in haar gezicht voor hij haar hard tegen de grond duwde. Tegen de tijd dat Omar en de anderen haar overeind hadden geholpen, waren de twee soldaten in hun jeep geklommen en reden ze alweer weg.

Aisha vertelde Kazim nooit over de aanranding, om hem er niet van te weerhouden zijn gewonden ter behandeling naar haar toe te brengen. Maar zodra ze weer bij haar positieven was bracht ze Advani een bezoek. Hij was des duivels en bezwoer haar dat zoiets nooit meer zou gebeuren.

Weken later zou Aisha te horen krijgen dat de twee betrokken soldaten waren overgeplaatst naar een post op meer dan vijfduizend meter hoogte bij de Siachengletsjer, de in het hele Indiase leger meest gevreesde en akeligste post. Advani beweerde dat hij daar de hand in had gehad. Maar het maakte niet veel uit. Aisha zou toch doorgaan iedereen te behandelen die door haar deur binnenkwam, ongeacht wie. En dat bleef ze ook doen toen de strijd dat jaar oplaaide, en nog enkele jaren daarna, tot de dag dat de vallei een smeltkroes van verwoesting werd.

31

Gebroken en gedemoraliseerd zat Nick in de Indiase legerjeep. Hij probeerde een of ander verhaal te bedenken voor de Indiase autoriteiten, maar zijn geest was verdoofd, het vermogen om rationeel te denken uitgeschakeld. Hij was zich niet eens bewust van het geweer dat de Indiase soldaat het afgelopen uur op zijn borst gericht had gehouden.

Hij keek naar Ghulam, wiens gezicht uitdrukkingsloos was, met neergeslagen ogen. Gegrepen door een diepgeworteld schuldgevoel over de dood van Fidali, voelde hij een niet te onderdrukken drang Ghulam zijn verontschuldigingen aan te bieden omdat hij op de mijn was gestapt.

'Ghulam...' zei hij, zonder een reactie te krijgen. 'Ghulam, alstublieft...'

'Chup raho!' brulde de Indiase soldaat in het Hindi, en hij onderstreepte zijn bevel om zijn mond te houden door de loop van het geweer tegen Nicks borst te drukken.

Hij keek de soldaat aan, wat deze als brutaal opvatte, misschien zelfs bedreigend. De soldaat hief zijn hand boven zijn schouder, klaar om te slaan. Het kon Nick zo weinig schelen dat hij niet eens zijn hoofd introk.

Op dat moment, net toen de hand van de soldaat op hem neer dreigde te komen, begon de jeep door een oorverdovende dreun hevig te slingeren. In een regen van zand en stenen maakte het voertuig een scherpe draai, waarbij Ghulam en Nick van hun zitplaats werden gezwiept. Door de stang vast te grijpen konden ze maar net voorkomen dat ze uit de auto werden geslingerd.

De jeep zwenkte opnieuw, met hogere snelheid, en knalde toen tegen een talud. Door de botsing schoten Nicks voeten onder hem vandaan. Hij vloog naar Ghulam en beiden kwamen aan de achterkant van het voertuig terecht.

De eerste explosie werd gevolgd door een tweede, deze keer dichterbij. Door de kracht van de bom draaide de jeep om zijn as. Bekogeld door stenen en puin die over de laadklep naar binnen regenden, bedekte Nick zijn hoofd met zijn armen. Een man gilde het uit – een lange, bloedstollende kreet. Daarop volgde nog een ontploffing, wat verder weg, en toen het stof was opgetrokken een spookachtige stilte.

Na wat enkele minuten leek te hebben geduurd, dacht hij dat degene die de hinderlaag had opgezet de aanval had gestaakt. Maar toen werd de stilte doorbroken door scherpe plofgeluiden. Er klonk een ratelend geluid, alsof er hagel op de jeep neer kletterde. Een luid geweersalvo klonk vlak bij zijn hoofd: de bestuurder die terugschoot.

Geschrokken stak Nick zijn hoofd onder zijn armen vandaan. Zijn gezicht werd onthaald op een regen van bloed. De bestuurder vloog vanaf zijn stoel naar opzij, zijn hersens spatten tegen het windscherm. De stank van brandende olie verspreidde zich door de lucht. Oranje vlammen lekten uit de motorkap omhoog en stuurden een spiraal van zwarte rook de lucht in.

Een nieuwe kogelregen kwam neer op de jeep en liet het windscherm imploderen tot kleine splinters met bloed bespetterd glas. Nick drukte zijn lichaam tegen de platte bodem, om zich te wapenen tegen de pijn van een inslaande kogel, en hij bad dat hij netjes zou worden geraakt – in een arm of been of, als het dodelijk moest zijn, in zijn hoofd, zodat het snel gebeurd zou zijn.

Toen het salvo ophield voelde hij een stekende pijn in zijn benen en rug. Hij lag plat op zijn buik en durfde zich niet te verroeren, waardoor hij niet kon zien of die pijn werd veroorzaakt door glassplinters of door kogels. Hij wierp vlug een blik op Ghulam. Ook hij lag doodstil, niet in staat te bewegen, uit angst of omdat hij geraakt was door de kogels die hun om de oren waren gevlogen.

'Ghulam!' riep Nick. Ghulam draaide langzaam zijn hoofd om en keek Nick aan. 'Ghulam, ben ik geraakt?'

Ghulams ogen onderzochten Nicks vooroverliggende lichaam. 'Ik denk het niet, meneer Nick. Maar ik ben bang dat ik niet zo gelukkig ben.'

Ghulam hief zijn hoofd en keek naar zijn aan flarden gescheurde benen. 'Allah haq!' riep hij uit, krimpend van de pijn.

Er vielen meer geweerschoten vlakbij, eerst sporadisch, daarna frequenter, tot het vuurgevecht weer in alle hevigheid losbarstte. De rest van de Indiase troepen, zo leek het, was uiteindelijk kwaad genoeg geworden om terug te schieten op de partij die hen in de hinderlaag had gelokt.

Nick waagde het erop zijn hoofd op te tillen om over de rand van de jeep te kijken. Het vuur bij de motor had zich uitgebreid, de vlammen bulderden nu met hun oranje tongen onder de motorkap vandaan. Door zijn kleren heen voelde hij het metaal van het voertuig warmer worden. De dikke zwarte rook die door de brand werd veroorzaakt was verstikkend.

'Ik denk niet dat we hier kunnen blijven,' schreeuwde Nick naar zijn gewonde metgezel. Ghulam hield zijn ogen stijf dicht; hij haalde sissend adem.

Op dat moment vloog de canvas overkapping in brand en veranderde de laadbak van de jeep in een oven. Ze zouden verbranden. 'We moeten er nu meteen uit!' schreeuwde Nick. 'Kunt u uw benen bewegen?'

'Ja... Oké,' antwoordde Ghulam met schorre, gebroken stem.

Nick keek bij de laadklep naar buiten. De weg lag vol dode en kreunende soldaten. Er werd nog maar af en toe geschoten, vanaf de bergwand aan de overkant van de weg hoog boven hen. Als ze tegen de helling op klommen zouden ze een makkelijk doelwit vormen. Achter de jeep strekte zich een stuk van ongeveer dertig meter open terrein uit, dat naar een groepje rotsblokken aan de kant van de weg leidde — de enige plek die dekking bood. Vandaar, bedacht hij, konden ze het bos in rennen. Het was hun enige hoop.

'Ziet u die rotsen achter ons? Daar gaan we naartoe.'

'Oké,' antwoordde Ghulam huiverend.

'Ik tel tot drie. Weet u zeker dat het gaat?'

'Ja.'

'Eén... twee... drie!'

Nick ging op zijn knieën zitten en gleed de laadbak uit. In de fractie van een seconde die het kostte om te beseffen dat Ghulam hem niet was gevolgd, sloegen de kogels rondom zijn voeten in het zand. Hij sprong terug in de brandende jeep, uit het zicht van de schutters, die hen waarschijnlijk liever lieten verbranden dan nog kogels aan hen te verspillen. De vlammen sprongen van het canvas en maakten de laadbak tot een inferno; het metalen frame schroeide zijn huid.

'Ghulam?' zei hij en hij schudde hem heen en weer.

'Ga maar,' antwoordde Ghulam.

Nick negeerde het antwoord. Hij sloeg zijn arm om Ghulams boven-lichaam en trok hem naar de laadklep, vastbesloten hem eruit te slepen. Toen hij zijn voeten naar buiten stak, werd hij met een nieuw salvo be-groet, dat zand in het rond deed vliegen en op de rotsen afketste. Ze konden geen kant op.

Nick piekerde zich suf om een uitweg te verzinnen, maar hij kon niets anders bedenken dan zich over te leveren aan de genade van degenen die eropuit waren hen te doden. Hij trok Ghulam zijn pet af. Die was verre van wit, maar het was het enige wat ze hadden. Hij stak de pet naar buiten en zwaaide er zo'n twintig seconden mee; langer was on-mogelijk, omdat de hitte in de jeep dodelijk begon te worden.

Toen brak het beslissende moment aan. Hij probeerde het uit met zijn been, liet het over de laadklep bungelen, half verwachtend dat het eraf geschoten zou worden. Toen er geen kogels kwamen hield hij zijn adem in en liet zijn lichaam zakken, en hij stak zijn handen omhoog met zijn gezicht naar de helling vanwaar de aanvallers hadden geschoten. Daar-na boog hij naar binnen, greep Ghulam bij zijn arm en trok hem de jeep uit. Hij pakte hem bij de schouder en samen wankelden ze weg van het brandende wrak. Toen ze op veilige afstand waren hielp Nick Ghulam op de grond te gaan liggen, allebei genadeloos blootgesteld aan de ge-weren van de aanvallers.

Ghulams broek en trui waren doordrenkt met bloed. Kogels waren bij de lies zijn vlees binnengedrongen. Nick beschikte niet over veel anatomische kennis, maar hij vond dat het eruitzag alsof Ghulam ge-vaarlijk dicht bij de dijbeenslagader was getroffen. Ghulam klauwde in het stof. Nick scheurde een lang stuk van zijn gerafelde broekspijp en wond de lap strak om Ghulams bovenbeen, betwijfelend of zijn poging om een tourniquet aan te brengen effectief zou zijn.

'Allah haq!' kreunde Ghulam.

'Het is niet zo erg. Hou vol, hoort u me?'

'Nee, nee, meneer Nick. Ghulam niet goed.'

'Jawel, Ghulam. U gaat het redden.'

'Allahs wil...' fluisterde hij en zijn woorden dreven weg.

De moedjahedien kwamen langzaam de helling af, tussen de bomen door. Het waren er meer dan tien. Sommigen droegen AK-47's over hun schouder, met de loop in de aanslag, anderen hielden lichte machine-geweren vast en hadden munitiegordels om hun bovenlichaam gewonden. Twee mannen vervoerden vanaf de schouder afvuurbare granaatwerpers, die waarschijnlijk de explosies hadden veroorzaakt die de jeeps hadden verwoest.

Net als Ghulam droegen ze de alomtegenwoordige ronde, platte pakol-petten en shalwar kamiz met wollen truien over hun uitgemergelde lichamen. Anderen droegen *pherans* – lange shirtachtige overjassen uit Kashmir. De meesten hadden een lange, dichte baard, maar enkelen waren nog tieners met gezichten waarop nauwelijks dons groeide. Hun kleren en gezichten waren vuil van het stof en de rook en ze zagen eruit alsof ze maanden buiten hadden geleefd.

Toen de rebellen vanaf de hellingen aan beide kanten de weg bereikten, liepen ze zwijgend naar de dode Indiërs, verzamelden hun wapens en beroofden de lichamen. Een van de Indiase soldaten leefde nog; kronkelend van de pijn hield hij zijn handen boven zijn hoofd om zich over te geven. Een magere, jongensachtige moedjahid die niet ouder dan vijftien leek, trok een mes uit zijn gordel, boog zich over de hulpeloze man en sneed met één enkele haal zijn keel door, alsof hij een geit slachtte. Daarna veegde hij het mes schoon aan het bruine uniform van de soldaat en trok hij de man zijn laarzen uit, terwijl hij nog lag dood te bloeden.

Nick wendde zijn ogen af van de plundering en de executies, vrezend dat Ghulam en hij er ook in betrokken zouden worden. Maar de moedjahedien gingen zonder enige aandacht aan hen te schenken door met hun moordende werk.

Genegeerd worden zou Nick goed zijn uitgekomen als Ghulam niet in zo'n slechte conditie was geweest. Hij verloor steeds het bewustzijn en Nick wist dat hij snel zou doodbloeden. Nick vermoedde dat de rebellen hen óf zouden helpen, óf vermoorden, en hen aan hun lot overlaten stond gelijk aan het laatste.

'Alstublieft, mijn vriend moet naar een ziekenhuis,' zei Nick in het Engels. 'Kunt u ons helpen?' Maar ze negeerden zijn smeekbede. Pas nadat ze alle lichamen hadden beroofd en alle uitrustingen hadden verzameld, kwamen ze naar hen toe.

Een lange man met een donkere baard en een autoritaire houding stapte uit de groep naar voren. Hij leek midden dertig en had grote, chocoladebruine ogen. Zijn sombere gezicht, met diepe groeven en opvallende wenkbrauwen, was dat van iemand die vaker getuige van slachtpartijen was geweest dan hem lief was. Toch wekte iets aan hem bij Nick de indruk dat het karakter van de man niet zozeer gevormd was door wat hij had gezien, als wel door wat hij had verloren.

De man keek Nick indringend aan en hoewel Nick er niet van uitging dat hij zijn woorden begreep, moest wat hij zei duidelijk zijn geweest. Maar toen begon de man, tot Nicks verrassing, Engels met een zwaar accent te spreken.

'Waar komen jullie vandaan?' vroeg hij.

'Goddank,' zei Nick binnensmonds, opgelucht dat hij met iemand kon communiceren. 'We zijn vanmorgen overgestoken vanuit Shingri. Ze hebben ons gearresteerd. Mijn vriend is geraakt door uw mannen. Hij probeerde alleen maar naar huis te komen. Alstublieft, het enige wat ik wil is hem naar een dokter brengen. Anders gaat hij dood!'

'Naar huis te komen?' vroeg de man sceptisch.

'Ja,' hield Nick vol. 'Hij komt hier uit de buurt. Alstublieft... Help hem. Hij heeft niets te maken met jullie oorlog. Dit is allemaal een vergissing.'

'Maar jij?' hoonde de moedjahid. 'Jij bent niet van hier... Dus wat kom je hier doen?' Hij hief zijn geweer op en richtte het op Nicks borst. Nick stak zijn handen omhoog terwijl hij naar een bruikbare verklaring zocht.

'Ik was op trektocht. Ik ben verdwaald, ben over de Line of Control geraakt. Ik liep deze man tegen het lijf... aan de Pakistaanse kant. Hij bood aan me weer naar de andere kant te brengen. Alstublieft. Hij is mijn vriend.'

'Aan het trekken? Hier? Nee,' zei hij. 'Jullie werken voor de Indiërs.'

'Nee, dat zweer ik!' zei Nick. Hij voelde de behoefte om met een geloofwaardiger verhaal te komen. 'Oké, luister. Ik ben in Pakistan in de problemen geraakt. Ik ben gepakt terwijl ik... hasj in mijn rugzak had. Ik wist niet dat het erin zat. Het was van een vriend met wie ik reisde. U kent de straffen in Pakistan. Ik moest het land uit. Ik kwam deze man en zijn zwager tegen in de woestijn. Ze wezen me de weg. De andere man, de zwager, is gedood door een landmijn. De Indiërs hebben zijn lichaam bij de grens achtergelaten. U kunt zelf gaan kijken als u me niet gelooft.'

De lange leider draaide zich om naar een kortere man met een rode baard en blauwe ogen en zei iets in hun eigen taal. Toen wendde hij zich weer tot Nick. 'We hebben een dode gezien,' zei hij. Maar we kunnen niet weten of hij bij u hoorde. U kunt de explosie hebben gehoord, net als wij.'

'Waarom zou ik liegen? Hij kwam uit hetzelfde dorp als mijn vriend. Het heet... Kurgan, geloof ik. Hij heette Fidali.'

Er was een korte stilte. 'Uit Kurgan, zegt u?'

'Ja. Ja, dat klopt.'

De leider fronste zijn voorhoofd, toen brulde hij een paar bevelen naar de anderen. 'Oké,' zei hij tegen Nick. 'U gaat met ons mee.'

Er waren twee man nodig om Ghulam te dragen, ondanks zijn geringe omvang. Nick hield hem onder zijn oksels vast, terwijl een van de moedjahedien hem aan zijn benen onder de knieën voortsleepte, alsof het de handvatten van een kruiwagen waren.

De moedjahedien hadden zelf twee gewonden. Een had een buikwond en was er slecht aan toe, niet in staat te lopen. Ook hij werd gedragen als een menselijke brancard en zou net als Ghulam sterven als hij niet snel een bloedtransfusie kreeg. De andere man had een verwonding aan zijn arm en kon zelf lopen, maar de kogel had het bot verbrijzeld en een enorme zwelling veroorzaakt. In die onhygiënische omstandigheden zou zonder onmiddellijke behandeling koudvuur direct toeslaan.

Het pad was rotsachtig en steil, en de dragers raakten snel vermoeid onder hun menselijke last. Daardoor moesten de mannen, om hun nietaflatende tempo vol te kunnen houden, om beurten de gewonden dragen. Ze liepen gehaast, tegen hellingen op en weer omlaag, staken beken en puinvelden over, beklommen bergkammen en daalden af tot onder de boomgrens. Ook al liep Nick op zijn tandvlees, hij weigerde van Ghulams zijde te wijken, omdat hij bang was dat deze zou sterven als zijn aandacht een moment verslapte. Nick had de provisorische tourniquet strak vastgebonden, had gedaan wat hij kon om het bloeden te stelpen, maar Ghulams gezicht werd steeds bleker en hij verloor steeds vaker het bewustzijn. Nick praatte voortdurend tegen Ghulam om hem bij kennis te houden, ondanks zijn pessimistische gevoel dat elke keer dat deze het bewustzijn verloor dit voor het laatst zou zijn.

Ineens had Ghulam een onverwacht helder moment. 'Meneer Nick!' riep hij, zich er niet van bewust dat Nick vlakbij was.

'Ik ben hier, Ghulam.'

Ghulams ogen gingen open, hoewel zijn hoofd slap boven zijn schouders hing terwijl Nick hem droeg. 'U moet weten...' zei hij en hij vertrok zijn gezicht van inspanning, al zijn energie verzamelend om te praten.

'Wat weten, Ghulam?'

'Fidali…'

'Ja, Ghulam,' zei Nick. 'Ik weet het, het spijt me vreselijk.'

'Nee. U moet weten…' zei hij, terwijl hij weer weg leek te zakken.

'Wat moet ik weten, Ghulam? Ghulam?'

Er volgde een lange stilte. Toen mompelde Ghulam: 'Ik had het hem nooit moeten laten doen.'

'Ik begrijp het,' zei Nick troostend. 'Ik was degene die op de mijn was gestapt. Ik zou het moeten zijn geweest.'

'Nee. Begrijpt u het dan niet?' prevelde Ghulam, met rasperige stem vanwege zijn droge keel. 'Hij zei tegen me dat de mijn niet zou ontploffen. Maar hij wist het.'

'Wist wat?' Verward boog Nick zijn hoofd naar de mond van de gewonde. 'Ghulam, wat wist Fidali?'

'…dat de mijn…' Ghulams worden zweefden weer weg.

Nicks hersens probeerde Ghulams zin af te maken. Er kwam maar één mogelijkheid in hem op, maar die was te verontrustend om over na te denken. 'Ghulam…? Ik begrijp niet wat u me probeert te zeggen.'

'Hij wist het!' zei Ghulam krachtig, plotseling levendig met zijn vinger zwaaiend. 'Hij zei tegen me dat de mijn op druk werkte. Dat hij hem onschadelijk kon maken. Maar nadat hij u eraf had geduwd, zei hij dat de mijn ook een tijdschakelaar had… Hij wist dat hij zou ontploffen voor hij er iets aan kon doen. Toch waagde hij zijn leven… om u te redden, meneer Nick.'

Nick struikelde en liet Ghulam bijna vallen. De moedjahid die Ghulam bij zijn voeten vasthield, keek boos achterom naar Nick, hem een stroom van Kashmiri krachttermen toevoegend die hij echter niet hoorde. Ghulams gezicht draaide weg.

'Ghulam, hou vol! Ghulam!'

Maar Ghulams ogen raakten omfloerst.

'O mijn god… Waarom!' schreeuwde Nick, bijna net zo boos om het raadsel van Fidali's laatste daad als om Ghulams ernstige toestand.

Het was niet God, maar Ghulam die antwoord gaf. 'Het was zijn pad… Fidali's pad…'

Ghulam sprak niet meer. Nick, vechtend tegen zijn tranen, droeg hem over aan een van de moedjahedien en rende toen naar de leider van de groep, die vooraan liep. De man liep zwijgend, met grote stappen die twee passen van een man met dezelfde lengte overspanden.

'Hoe ver is het nog?'

'Misschien tien minuten.' Na wekenlang trekken met Ghulam en Fidali wist Nick heel goed dat tien minuten in termen van stamleden uren betekende.

'Verdomme! Zo lang houdt hij het niet vol. Geef me twee van uw mannen om me te helpen met hem vooruit te gaan.' Het klonk eerder als een bevel dan als een verzoek.

De leider keek Nick ernstig aan, zonder enig blijk van medeleven. 'Als hij sterft, sterft hij. Hij zal niet de eerste zijn, of de laatste, die in deze oorlog sterft. Een leven meer betekent niets.'

Het lag niet in Nicks aard te debatteren. 'U moet uw eigen man ook redden. Maak mij niets wijs!' zei hij en hij wees naar de gewonde moedjahid die voor Ghulam uit werd gedragen.

'Alleen maar omdat hij dan meer Indiërs kan doden voor hij op een andere dag sterft.'

De moedjahid schudde onverschillig zijn hoofd. 'Toen u uit de brandende jeep sprong dacht ik dat jullie buitenlandse jihadstrijders waren, gepakt door de Indiërs toen jullie de Line of Control wilden oversteken. Ik geef niks om de meeste mehmaan-moedjahedien. Maar met sommigen hebben we een afspraak voor wederzijdse hulp. Dus zei ik mijn moedjahedien dat ze niet op u moesten schieten. Daarna, toen ik zag dat u een westerling was, wist ik dat ik me had vergist. Ik had u meteen moeten doden,' voegde hij eraan toe, met zijn ogen strak op de verte voor hem gericht. 'Misschien doe ik dat nog wel. Maar nu heb ik er geen reden toe.' De bebaarde strijder keek Nick aan alsof hij dwars door hem heen zag. 'Ik stel voor dat u me er geen geeft.'

Niet wetend of hij voor hem moest vluchten of hem moest bedanken, deed Nick er het zwijgen toe.

'Daar...' zei de moedjahid, met een hoofdbeweging naar de horizon. 'Daar is het ziekenhuis.'

Deel III

32

Nick rende vooruit om de dokters van de eerstehulpafdeling te waarschuwen zodra de leider van de moedjahedien naar de kliniek had gewezen.

Het gebouw leek meer op een barak dan op een ziekenhuis. Het was langgerekt en de muren waren gemaakt van ruwe planken. Grote houten balken staken met een tussenruimte van telkens een meter uit, waaroverheen zich een schuin dak van lange houten spanten uitstrekte. Een bemodderde Toyota pick-up stond op de weg ervoor geparkeerd. Er stonden twee vastgemaakte brancards in de laadbak, een strak aangetrokken overkapping moest ze tegen stof beschermen. Het geheel diende als provisorische ambulance. Het hele terrein lag weggestopt tussen de bomen, niet duidelijk zichtbaar vanaf de omringende bergen, zodat je moest weten dat het er was om het te vinden. Een grote, rode halvemaan op de voordeur vormde de enige aanwijzing dat het om een ziekenhuis ging.

Drie enorme metalen wasbakken flankeerden de buitenmuur. Nick huiverde bij de gedachte aan de slagersinstrumenten die in de bakken van industrieel formaat werden schoongemaakt: het bloed en andere lichaamsvloeistoffen die naar de nabijgelegen gletsjerbeek werden afgevoerd, die langs de bodem van het kleine dal liep waarin het ziekenhuis lag. Hoe primitief het ziekenhuis ook leek, het was Ghulams enige hoop.

Hij klopte aan en stormde zonder op een reactie te wachten de kliniek binnen, waarbij hij de houten deuren bijna uit hun hengsels lichtte. Hij kwam in een kleine wachtkamer die als receptie dienstdeed, waar op houten banken enkele lusteloze, glazig kijkende patiënten zaten. De wachtkamer kwam uit op een langgerekte, ruime ziekenzaal waarin aan weerszijden, over de hele lengte, twee rijen bedden stonden. Achter in de ziekenzaal bevond zich een kleine operatieafdeling. Er waren nog twee kamers aan de zuidmuur, blijkbaar een kantoor en een voorraadkamer. De muren waren pastelgroen geverfd, wat het interieur saai en somber maakte.

In de bedden lagen zieke en gewonde mannen en vrouwen in diverse stadia van achteruitgang of genezing; sommige patiënten waren gehuld in met bloed besmeurd verband, andere hadden een van pijn verwrongen gezicht, weer andere lagen doodstil, blijkbaar bewusteloos. Enkele verpleeghulpen haastten zich door het gangpad heen en weer om pillen uit te reiken of de infusen te controleren die enkele catatonische patiënten kregen toegediend. De lucht was vergeven van de stank van bloed, zweet en antiseptische middelen.

Zijn ogen werden naar de dokter achter in de kliniek getrokken, die zichtbaar was door het halfdichte katoenen gordijn dat de operatieafdeling scheidde van de ziekenzaal. De ogen van de dokter – een oude man in een bebloede jasschort met een lange, met henna uitbundig oranje geverfde baard – waren gericht op een gapende wond in het bovenbeen van een patiënt. Hij hield een soort chirurgische klem vast en naast hem stond een verpleegster. Ook zij droeg een met bloed besmeurde jasschort, haar haar opgestoken onder een kapje. Ze was bezig de wond met een vinger te onderzoeken. In tegenstelling tot de rest van het interieur was de operatiekamer helder verlicht, waardoor alle aandacht naar de akelige behandeling werd getrokken.

Nick rende langs de ziekenhuisbedden, waarbij hij een gezette verpleegster in een helpaarse sari en met zilveren strengen in haar haar moest ontwijken. De vrouw keek hem afkeurend na, alsof ze nog nooit een westerling had gezien en daar ook absoluut geen behoefte aan had. Natuurlijk had ze er waarschijnlijk nog nooit een ontmoet die er zo vreselijk uitzag en zo stonk als Nick op dat moment. Na weken in de bergen zonder zich te hebben kunnen wassen, oogde hij verwilderd en smerig. Hij haastte zich naar de dokter met de hennabaard. 'Dokter!'

De man keek uitdrukkingsloos naar hem op.

'Ik heb uw hulp nodig, mijn vriend is neergeschoten!' riep Nick.

De man haalde zijn schouders op en keek toen naar de verpleegster, die al net zo onaangedaan bleef terwijl ze bezig was het verscheurde lichaam dat voor haar lag dicht te klemmen. Nick dacht dat de dokter geen Engels sprak, hoewel hem dat ongewoon leek. Veel medische opleidingen op het subcontinent werden op z'n minst voor een deel in het

Engels gegeven. De onmogelijkheid met de arts te communiceren vervulde Nick met frustratie en hij raakte in paniek. Hij begon gebaren te maken, om op een of andere manier een slachtoffer van een schietpartij na te bootsen.

'Mijn vriend komt eraan… Hij is zwaargewond… Hij heeft direct hulp nodig!'

Zonder oogcontact te maken hield de dokter zijn hoofd schuin opzij. Nick vatte dat op als een onverschillig gebaar. De verpleegster zei, zonder haar ogen van het open been van haar patiënt af te houden, iets in het Kashmiri tegen de dokter en gaf hem een klem. Nicks gezicht liep rood aan van woede.

'Verdorie! Het is een noodgeval! In godsnaam, spreekt er dan niemand Engels?'

De verpleegster gooide de klem neer, haar ogen nog steeds op het been van de kreunende patiënt gericht. 'Ja, ik spreek Engels,' zei ze kortaf door haar mondkapje.

Nick liep dichter naar hen toe, terwijl het medische team doorging met het werk. 'Nou, kunt u de dokter hier dan uitleggen dat er een noodgeval aankomt?'

De vrouw keek eindelijk naar Nick op. Zelfs in zijn geagiteerde toestand vielen hem haar groene ogen boven het mondkapje op. Ze trok het kapje weg zodat ze ongehinderd kon praten.

'Dat is niet de dokter. Dat is Omar, mijn assistent,' snauwde ze. 'Bovendien zou het u duidelijk moeten zijn dat we bezig zijn met een behandeling. U zult moeten wachten tot ik met deze patiënt klaar ben voordat u me uw probleem kunt voorleggen. Er zijn hier veel gewonden. Het zijn allemaal noodgevallen. Uw vriend zal behandeld worden wanneer hij aan de beurt is, afhankelijk van de ernst van zijn verwonding.'

'Ernst!' riep Nick uit.

'Ja. Dat heet triage. Zo doen we dat in tijd van oorlog,' antwoordde ze.

Nick probeerde zich in te houden, maar slaagde daar niet in. 'Geef me verdomme wat morfine en een hechtset en ik zal hem zelf proberen te redden!'

'Achter u,' zei ze met een strak gezicht, 'die jongeman met zijn verbrijzelde schedel die geen benen meer heeft. Hij is verslaafd aan ons laatste beetje morfine. Waarom neemt u dat niet? Ik denk niet dat hij zich zal verzetten.'

Het volgende dat Nick zich herinnerde was dat hij op haar af vloog.

Hij had niet de bedoeling gehad haar pijn te doen en had niet gedacht dat hij haar zelfs maar zou aanraken. Toch voelde hij, voor hij ook maar de kans kreeg, een grote hand om zijn borst die hem naar achteren trok. Toen hij over zijn schouder keek zag hij de strenge ogen van de leider van de moedjahedien. Hij en zijn mannen waren net het ziekenhuis binnengekomen met Ghulam en de andere gewonden.

'Wat gebeurt hier?' schreeuwde de moedjahid. Nick temperde zijn woede vanwege de arm die zijn borst omklemde. Hij wendde zich tot de vrouwelijke dokter en wees naar Ghulam.

'Daar is hij. Alstublieft. Ziet u niet dat hij doodgaat?'

Ze zuchtte, legde haar instrumenten neer en liep naar Ghulam toe. Ze kreeg een vastberaden blik. Ze blafte een bevel naar haar assistent – de man die ze Omar had genoemd – die met de hulp van de gezette verpleegster een patiënt uit een van de bedden haalde. Omar gebaarde naar de moedjahedien die de bewusteloze Ghulam naar het leeggemaakte bed brachten. Als Ghulams borst niet heel licht had bewogen, had Nick gedacht dat hij al dood was.

De commandant van de moedjahedien draaide zich naar Nick om. 'U wacht buiten.'

'Nee, ik blijf hier.'

'Ze wil dat u weggaat. Als u wilt dat uw vriend blijft leven, doe dan wat ze zegt.'

Urenlang zat Nick rusteloos onder een reusachtige spar buiten de kliniek te wachten. De namiddagzon begon achter het bergmassief in het westen onder te gaan. Hoewel het nog licht was trad door de schaduw de avondkou vroegtijdig in. Zijn adem kwam in lange krullende witte pluimen uit zijn neus en mond, en de wolkjes bleven als sigarettenrook even hangen voor ze langzaam oplosten. Hij wist niet hoe hij de tijd moest doorkomen en zijn geest bleef onvermijdelijk bezig zich zorgen om Ghulam te maken en te betreuren dat hij zich agressief tegenover de dokter had gedragen.

De moedjahedien en hun stoïcijnse leider kwamen een paar uur nadat Nick het ziekenhuis uit was gestuurd naar buiten druppelen. Toen ze zich vermoeid klaarmaakten voor de tocht terug het bos in, stapte Nick naar hun commandant toe.

'Hallo, excuseert u mij,' riep Nick. 'Ik wil alleen maar zeggen... Bedankt dat u me hierheen hebt gebracht. Wat er ook gebeurt. Als u geen

Engels had gesproken, had ik niet geweten wat ik daar bij de hinderlaag had moeten doen,' voegde hij eraan toe. 'Hoe hebt u dat zo goed geleerd?'

'We hebben scholen,' zei hij, op sardonische toon. 'En we waren gewend dat hier toeristen kwamen. Maar het meeste leerde ik van haar.' Hij gebaarde naar de kliniek. Nick wierp er een blik op.

'Wie u ook bent, ik zeg het u maar één keer,' vervolgde de moedjahid. U en uw vriend – als hij het haalt – hebben mij en mijn mannen nooit gezien. Als u iets over ons zegt, kan ik u verzekeren dat u dat met uw leven zult betalen. Zorg ervoor dat ik er geen spijt van krijg dat ik u vandaag niet heb gedood.'

'Zoals ik al zei: het is niet mijn oorlog,' antwoordde Nick en hij deinsde terug voor de aanhoudende agressiviteit die uit de woorden van de man sprak. 'Ik wil niets met de politie te maken hebben – tenminste, als het aan mij ligt.'

'Niet alleen de politie – iedereen. Ga weg uit Kashmir. De mehmaanmoedjahedien ontvoeren graag westerlingen zoals u. Een paar jaar geleden zijn niet ver hiervandaan enkele buitenlandse trekkers onthoofd. Sindsdien zijn er geen westerlingen meer gekomen. Geloof me, uw aanwezigheid is al opgemerkt.'

Een tijdje later kwam de dokter naar buiten om haar met bloed bespatte armen te wassen. Nick keek van een afstandje naar haar toen ze naar een van de metalen wasbakken bij de buitenmuur van de kliniek liep en methodisch haar handen met een borstel en zeeppoeder begon te schrobben.

Nadat ze dat naar haar idee afdoende had gedaan, deed ze haar operatiekapje af. Een golf van ravenzwart haar kwam onder het mutsje vandaan en viel over haar rug naar beneden, duidelijk afstekend tegen het heldergroen van haar doktersjas. Ze moest Nicks kritische blik van een afstand hebben gevoeld, en toen ze zich naar hem omdraaide, deden haar ogen, die nu helder blauwgroen waren, hem opnieuw opschrikken. Afgezet tegen haar teint en haar zijdeachtige haar waren ze zo innemend dat Nick vergat te praten.

'Gaat u me weer aanvallen?' informeerde ze met lichte spot.

Nick begon te blozen van verlegenheid, zowel vanwege haar insinuerende woorden als door de aanblik van haar schoonheid. 'Ik was niet van plan iets te doen... daarnet. Ik verkeerde in shock. Ik kon niet helder meer denken. Een van mijn vrienden is op een mijn gestapt toen we de –'

'Hou op,' snauwde ze, hem onderbrekend. 'Ik wil niet weten wie u bent of wat u komt doen.'

'Ik probeerde alleen maar uit te leggen waarom ik me zo gedroeg.'

'U hoeft niets uit te leggen.'

Nick was verbijsterd en niet in staat te bedenken waarom ze weigerde een verklaring te horen. Het plotseling verschijnen van een groezelige, wanhopige westerling vergezeld door een bende moedjahedien was in alle opzichten een vreemde gebeurtenis. Toch deed ze alsof ze niet in het minst nieuwsgierig was. 'Nou, het spijt me in elk geval,' zei Nick. 'Ik wilde u geen kwaad doen.'

Ze knikte vergevingsgezind. 'We zitten midden in een oorlog. Ik ben veel erger gewend.' Ze droogde haar handen af met een handdoek en deed haar bebloede jasschort af.

'Hoe gaat het met hem?' informeerde Nick aarzelend.

'Uw vriend heeft diverse inwendige bloedingen gehad,' zei ze zakelijk. 'Het lichaam kan het maar een bepaalde tijd volhouden zonder voldoende bloedtoevoer naar de hersens. Hij is nu opgelapt, maar nog steeds buiten bewustzijn. We kunnen alleen maar afwachten of hij bijkomt.'

'Hoe lang duurt het voor we iets weten?'

'Dat kan een kwestie van uren zijn, of dagen. Of nooit. Hij is nu in Allahs handen.'

33

Dus bleef Nick wachten terwijl Ghulam voor zijn leven vocht. Ondanks de waarschuwing van de commandant van de moedjahedien kon hij het niet over zijn hart verkrijgen om weg te gaan, zelfs al had hij een veilige plek geweten. Ghulam was zijn verantwoordelijkheid geworden — het soort verantwoordelijkheid waar je niet over hoeft na te denken.

Nadat hij met de dokter over Ghulams toestand had gesproken, riep Omar hem uit de avondkou naar binnen. Nick ging op een bank in de wachtkamer zitten en viel algauw in slaap, om 's ochtends met een stijve rug wakker te worden door het gekreun van een patiënt met pijn.

De arts, die naar Nick had opgevangen Aisha heette, zei tegen hem dat ze wilde dat hij niet langer in het ziekenhuis bleef en stelde hem voor Ghulams gevecht met de dood af te wachten in het nabijgelegen dorp Gilkamosh aan de andere kant van de bergrug in het zuiden. 'Het is niet mijn gewoonte hier trekkers onderdak te bieden. Met een beetje geluk vindt u in het dorp wel een pension dat niet bij gebrek aan toeristen gesloten is.'

Maar Nick zei dat hij geen geld had en bood aan in de kliniek te werken en alles te doen wat ze zou vragen in ruil voor kost en inwoning. Tot zijn verrassing nam ze het aanbod aan, ondanks de slechte indruk die ze in eerste instantie van hem moest hebben gekregen. 'Ik neem aan dat het voor een paar dagen is,' stemde ze in.

Peinzend over haar antwoord bedacht Nick dat ze uit de verdachte omstandigheden bij zijn aankomst moest hebben begrepen dat hij zich gedeisd moest houden, en om een of andere reden had ze kennelijk begrip voor zijn hachelijke situatie. Of anders kon ze echt hulp gebruiken in de kliniek, ook al had hij geen enkele verpleegkundige of andere ervaring die van nut zou kunnen zijn. Toch stond ze erop dat hij niet meer in de wachtkamer sliep, waarmee hij net zo lief genoegen had genomen. Die avond bracht Omar hem naar een klein kamertje naast het kantoor, waar personeelsleden sliepen als ze 's nachts niet naar huis gingen.

De huisvesting was spartaans: een hok met een stapel vloerkleden op de grond waar dekens overheen waren gegooid bij wijze van bed. Een houtkachel midden in de kamer diende ter verwarming. De wc en douchegelegenheid bevonden zich in bijgebouwen buiten de kliniek, op enige afstand van elkaar zodat de stank van het een het gebruik van het ander niet hoefde te ontmoedigen. Toch was douchen geen aangename ervaring. Het water kwam rechtstreeks van de ijzige beek die door het kleine dal liep waar de kliniek was gevestigd. Het water was modderig en ondraaglijk koud. Je kon er alleen even snel het korrelige zeeppoeder mee afspoelen. Het betekende voor Nick een marteling van een uur om de dikke lagen vuil van zijn huid te schrobben. Pas later bedacht hij dat hij op de houtkachel in zijn kamertje water had kunnen verwarmen in een grote ketel en dat in het douchereservoir had kunnen gieten. Hoewel dat een tijdrovend en vervelend proces was, zou het algauw noodzakelijk zijn, dacht hij, gezien de inzettende winter.

Zijn kleren, die hij sinds zijn vertrek uit Peshawar de hele tijd had aangehad, waren aan flarden en onbruikbaar, dus gaf Omar Nick een van zijn eigen shalwar kamiz. Maar zich scheren deed hij niet, omdat hij zo weinig mogelijk wilde opvallen in een land waar bijna alle mannen, afgezien van de hindoes, baarden droegen.

Op de vierde dag na hun aankomst vertelde Aisha Nick dat Ghulams toestand licht was verbeterd. Tegelijkertijd waarschuwde ze hem dat het nog te vroeg was om te kunnen zeggen of hij aan de beterende hand was. Ghulam was nog steeds buiten bewustzijn en de verminderde bloedtoevoer naar de hersens in de uren die het had gekost om hem naar het ziekenhuis te brengen had misschien een hersenbeschadiging veroorzaakt die hem belette weer tot bewustzijn te komen. De tijd zou het leren.

Intussen was er geen gebrek aan werk om tegemoet te komen aan Nicks aanbod om te helpen. Zodra hij uitgerust was, brandde hij van verlangen om te beginnen, simpelweg om zijn gedachten van Ghulams beroerde toestand en zijn eigen onzekere toekomst af te leiden. De kliniek was vreselijk onderbemand gezien het aantal patiënten dat er werd behandeld en iedereen was voortdurend voorbereid op een mogelijk plotselinge toestroom van gewonden. Met alleen Omar en twee andere verpleeghulpen voor het verzorgen van de tien tot vijftien patiënten en het dagelijkse onderhoud van de kliniek verspilden Aisha en de anderen geen tijd aan het overdragen van de meestal huishoudelijke taken aan Nick. Toch werkte hij hard en ondervond de waardering van zowel de verpleeghulpen als Aisha. Algauw was er meer dan een week verlopen zonder dat Aisha Nick te kennen had gegeven dat hij langer was gebleven dan de bedoeling was.

Naast Omar, de flegmatieke, waardige, maar onbedoeld amusante hoofdverpleger, waren Aroon en Vilashni, een hindoeman en -vrouw, beiden rond de vijftig, Aisha's andere assistenten. Zij spraken, net als Omar, gebroken Engels. De pezige Aroon zag eruit als een zwerver; zijn gebrek aan lengte werd gemaskeerd door zijn magerte. Hij had roodachtig zwart gevlekte tanden van het kauwen op *paan*, een licht bedwelmend mengsel van betelnoot, tabak en specerijen. Het was een gewoonte die Aisha in de kliniek terecht verbood, omdat die gepaard ging met het regelmatig uitspugen van een smerig gekleurd goedje, wat niet gepast was in een omgeving die steriel behoorde te zijn. Aroon had de eigenaardige gewoonte om met een ongegeneerd vertoon van krijgshaftigheid de aandacht op zich te vestigen wanneer hij een opdracht van Aisha of Omar kreeg. Een overblijfsel, ontdekte Nick later, van zijn jongere jaren als hospik bij de Rajputgarde.

Vilashni was een weduwe van achter in de veertig met een donkere huidskleur die sterk contrasteerde met de fleurige sari's die ze droeg. Nick kon haar niet verstaan wanneer ze Hindi sprak, maar begreep wel dat ze de patiënten de les las alsof het haar kinderen waren, waarbij ze onophoudelijk met haar vinger naar hen zwaaide. Ze preekte zelfs tegen de andere assistenten en soms zelfs tegen Aisha. Misschien omdat ze vond dat het haar recht was als oudste vrouw — de matrone van de kliniek. In elk geval was haar manier van doen eerder aandoenlijk dan irritant. Vilashni nam het grootste deel van het schoonmaakwerk voor haar rekening, voor Nicks komst tenminste, door de chirurgische instrumenten schoon te boenen, de vloeren te dweilen, lakens en ondersteken te verwisselen. Omar vertelde Nick dat er vroeger meer verpleeghulpen waren geweest. Maar de kliniek draaide hoofdzakelijk op giften en Aisha kon alleen Omar, Aroon en Vilashni betalen.

Nick hielp waar hij kon, erop gebrand zijn kost en inwoning te verdienen en zijn heethoofdige gedrag bij zijn aankomst goed te maken. Hij hielp met wonden reinigen, verbanden verwisselen, pillen verstrekken, instrumenten halen en hij vervulde tal van onderhoudstaken, zoals wasbakken schoonmaken en vloeren dweilen, afval verbranden en alles wat hem verder gevraagd werd te doen. Ondanks alle pogingen de kliniek steriel te houden stonk het er verschrikkelijk, naar een mengsel van bloed en antiseptische middelen op basis van ammoniak. Maar hij raakte eraan gewend. En de hele tijd hield hij Ghulam nauwlettend in de gaten, moedigde hem zwijgend aan en praatte tegen hem in de wellicht dwaze hoop dat hij het zou horen en het hem zou stimuleren om wakker te worden.

Terwijl de dagen weken werden begon Ghulams laatste verklaring voor hij het bewustzijn verloor Nick te achtervolgen. Hij kon maar niet begrijpen waarom Fidali er opzettelijk voor had gekozen zichzelf te doden om hem te redden. Fidali had hem nauwelijks gekend en het weinige dat Nick hem had toevertrouwd bestond uit zijn bekentenis, die dag bij het sneeuwmeer, dat hij verantwoordelijk was voor Yvettes dood. Nick vond het op zich niet moeilijk te geloven dat Fidali in staat was de dood onder ogen te zien; zijn moed was tastbaar geweest. Maar het was het onlogische dat hem onthutste.

Ghulam, dacht Nick, zou hem helpen Fidali's keuze te begrijpen en hem alles vertellen wat hij graag wilde weten over het leven van de zwijgzame man. Nick wilde dat Ghulam bleef leven, zowel uit diepe genegenheid voor hem als wel omdat het voor hemzelf noodzakelijk was. Hij had het gevoel dat hij een sleutel nodig had om Fidali te kunnen begrijpen. Een sleutel waarvoor, dat wist hij niet precies.

'Allah haq! Dat is koud,' galmde een knorrige stem door de ziekenzaal.

Het was vroeg in de morgen en Nick hielp Omar een slachtoffer van een schietpartij, een van de moedjahedien die oorspronkelijk met Nick naar de kliniek waren gekomen en die het ergste van zijn verwonding achter de rug leek te hebben, naar een ander bed over te brengen. In de tegenovergelegen rij bedden probeerde Vilashni een nukkige patiënt te wassen.

'Hou op met dat gekrijs, het is goed voor je, ouwe,' repliceerde Vilashni.

'Als je denkt dat ik oud ben, engel van me, toon dan een beetje respect,' klonk het weerwoord, gevolgd door een ongewoon meisjesachtige gil, alsof iemand Vilashni had geknepen. Toen Nick opkeek, liet hij bijna de jonge moedjahid vallen die hij en Omar aan het verplaatsen waren.

'Ghulam?' zei Nick ongelovig. 'Ghulam!'

Omar en hij legden de jonge man op het bed en renden naar Vilashni toe. Ondanks het gescherts tussen Vilashni en haar patiënt begreep ze pas toen de anderen kwamen wat er zo bijzonder was: dat ze echt Ghulam aan het wassen was, en dat het echt Ghulam was die had gepraat.

Aroon sloot zich bij hen aan, zodat alle vier de assistenten van de kliniek rondom Ghulams bed naar hem stonden te staren om deze levenstekenen zelf te aanschouwen. In elk geval waren Ghulams ogen open, al stonden ze verward.

'Allah! Waarom staan jullie zo naar me te staren? Denken jullie soms dat ik dood ben?'

Vilashni boog zich over hem heen en bekeek zijn pupillen. Ghulam keek nieuwsgierig terug. 'Waar ben ik?' vroeg hij.

'Nou, u bent in Gilkamosh,' antwoordde Vilashni.

'Gilkamosh?' Ghulams mond viel open van verbazing. 'Allah-o-Akhbar! Ik ben dood. En u...? U moet de engel van Gilkamosh zijn!'

34

Mettertijd werd duidelijk dat Ghulam geen hersenbeschadiging had opgelopen, maar hij was tot niets in staat doordat hij volkomen uitgeput
was en hij bracht een groot deel van de dagen door met slapen. Zijn bovenbeen was door de kogels verbrijzeld en zijn benen hadden behoorlijk te lijden gehad van atrofie door gebrek aan bloedcirculatie. Wanneer
hij ze maar een beetje probeerde te bewegen, schoot er een ondraaglijke pijn door zijn benen en onderbuik. Aisha vertelde Nick dat wanneer de vereiste rustperiode voorbij was die noodzakelijk was om zijn
botten te laten genezen, Ghulam zichzelf zou moeten dwingen de pijn
van het oefenen van zijn benen te ondergaan als hij enige hoop wilde
houden ooit weer te kunnen lopen.

Omdat hij alleen bij tussenpozen helder was, had Ghulam nog zeker
een paar weken verzorging in het ziekenhuis nodig. Hoewel Aisha graag
bedden vrijmaakte voor potentiële noodgevallen, was haar kliniek het
dichtstbijzijnde ziekenhuis voor Kurgan, het afgelegen dorp waar Ghulam vandaan kwam. De enige alternatieven waren de ziekenhuizen in
Srinagar en Leh, enkele dagen reizen per jeep, en Ghulam kon die in
geen geval betalen. Dus had Aisha geen andere keus dan hem te laten
blijven. En ze stemde erin toe dat Nick doorging met zijn werk in de
kliniek en daarbij Ghulam hielp met zijn oefeningen. Op die manier kon
ze haar schamele personeel de tijd en moeite van het revalideren van
Ghulam besparen, terwijl Nick zijn deel van het werk bleef doen.

Het duurde een volle week nadat hij weer bij bewustzijn was gekomen voordat Ghulam samenhangende gedachten kon formuleren. Hij
was zich bewust van zijn omgeving, maar hij was nog steeds niet in staat
tot gesprekken die verdergingen dan basale uitingen van behoeften.
Toen Ghulam eindelijk weer de beschikking had gekregen over zijn ver-

standelijke vermogens, vroeg Nick hem of hij wilde dat hij zijn familie in Kurgan bericht stuurde. Maar Ghulam zei dat zijn familie toch al verwachtte dat hij tot de volgende lente of zomer in Pakistan zou blijven en dat hij hen niet ongerust wilde maken door hun te vertellen dat hij neergeschoten was en in het ziekenhuis lag.

Hoewel Nick dit verbazingwekkend vond, kwam het al snel bij hem op dat de gedachte dat hun kostwinner misschien voor de rest van zijn leven gehandicapt zou zijn inderdaad een enorme belasting voor zijn vrouwen en kinderen zou betekenen. Op dit punt begreep hij dat Ghulam hen niet met zulk traumatisch nieuws wilde confronteren zolang hij nog geen beter idee had over zijn toekomstige toestand. Het was in Azië heel gewoon dat mannen lange perioden gescheiden waren van hun gezin terwijl ze reisden om werk te zoeken en Nick bedacht dat een mens zelf het best wist hoe hij zijn familiekwesties moest afhandelen.

Met de dood van Fidali lag dat toch anders. De volgende dag vroeg Nick Ghulam wie ze moesten inlichten over zijn dood. Zijn naaste verwanten zouden vast zijn lichaam van de Indiase autoriteiten terug willen krijgen en een soort begrafenisplechtigheid willen houden. 'Vergeet het maar, meneer Nick,' zei Ghulam tegen hem. 'Er is niemand om het aan te vertellen. En intussen geven de Indiërs Fidali's lichaam aan de lokale Kashmiri politie. Zij zijn islamitisch. Zij geven Fidali een goede moslimbegrafenis. Daar is Ghulam zeker van.' Dat bracht Nick in verwarring. Fidali was getrouwd met Ghulams overleden zus; hij zou in Kurgan toch zeker familie moeten hebben gehad – zijn eigen familie, op z'n minst.

Ghulam wees Nicks voorstel echter niet alleen af, maar hij wilde duidelijk ook helemaal niet over Fidali of over de hinderlaag of over iets anders praten wat met hun reis te maken had. Nick schreef dit toe aan Ghulams trauma over het verlies van zijn vriend en besloot het onderwerp voorlopig te laten rusten tot Ghulams geestesgesteldheid zou verbeteren.

Nick ging door met zijn werk zolang Ghulam bedlegerig was. Algauw begon in de bergen, en daarna in de dalen, sneeuw te vallen en was de hele wereld bedekt met een maagdelijk witte mantel. De kou verloor de ontmoedigende vinnigheid van november, alsof de veelvuldige sneeuwbuien op een of andere manier de aardse elementen verzwakten.

In tegenstelling tot de warmere maanden, wanneer er zelden wilde dieren te zien waren, wemelde het dal er nu van. 's Ochtends kwamen de zeldzame hangulherten uit de bergen naar beneden om uit de beek te drinken, tot ze werden verjaagd door een rode vos of een himalaya-lynx ze besprong. Op een avond zag Nick een bruine beer, die blijkbaar had besloten de winterslaap aan zich voorbij te laten gaan, onbeschaamd door de sneeuw sjokken tot hij naar de open plekken tussen de dennen-bomen verdween. Een enkele steenarend heerste over het dal en trok in de ochtend- en avondschemering majestueuze cirkels in de kobalt-blauwe lucht, op zoek naar nietsvermoedende hazen of bergwezels die de sneeuwvelden doorkruisten.

Omdat Nick een buitenlander was namen veel van de patiënten aan dat hij een arts van een internationale hulporganisatie was en behandel-den ze hem met veel respect, waarna ze in verwarring raakten door de huishoudelijke aard van zijn taken en zijn duidelijk lage positie in de personeelshiërarchie. Maar naarmate de tijd verstreek en de andere ver-pleeghulpen en Aisha aan hem gewend raakten, werd zijn werk gevari-eerder en uitdagender. Soms assisteerde hij Aisha zelfs bij operaties. Hij leerde hoe hij gescheurd weefsel moest hechten of dichtbranden, en hoe hij verschillende soorten wonden op de juiste manier moest ver-binden. Aisha onderwees hem hoe hij met klemmen en drukpunten moest voorkomen dat een wond verder uitscheurde, en hoe hij intrave-neuze en plaatselijke verdovingen moest toedienen. Het kostte hem enige moeite om aan al het bloed bij operaties te wennen, maar nadat hij er een paar keer tot aan zijn ellebogen in had gezeten, kon hij er enigszins mee omgaan.

Aisha bleef voor hem onbenaderbaar. Ze werkte onvermoeibaar en leek nauwelijks een leven buiten het werk te leiden. Het leek hem on-gewoon dat zo'n mooie vrouw, wier jeugdige verschijning de indruk wekte dat ze nog geen dertig was, niet getrouwd was, gezien de sterke sociale druk in haar cultuur om dat te doen. Hij vroeg zich af of het een gevolg was van een persoonlijkheid die gehard was door het emotioneel belastende beroep dat ze uitoefende. Hij vond haar afstandelijk, op het irritante af. Hij kon de keren dat ze die eerste winter tegen hem sprak op één hand tellen.

Op een zeldzame ochtend dat de ziekenzaal vrijwel leeg was liep Nick in haar aanwezigheid te geeuwen. 'Wacht maar,' zei Aisha, geër-gerd door zijn vertoon van vermoeidheid. 'Nu is het rustig. Zo is deze oorlog: maanden- en maandenlang niets. Dan, net wanneer de veiligheidstroepen beginnen te pochen dat ze alle rebellen hebben verslagen, gebeurt er iets vreselijks. Wanneer de sneeuw op de passen smelt, komt daar vanuit Pakistan een verse lading gehersenspoelde idioten overheen om problemen te veroorzaken. We zullen eens zien hoe lang u het dan volhoudt.' Er klonk niet weinig cynisme in haar stem.

'Dat zullen we dan wel zien,' antwoordde Nick uitdagend, inwendig opgelucht dat ze tenminste de mogelijkheid openliet dat hij tot het voorjaar bleef. Gedurende de eerste twee maanden van Nicks verblijf in de kliniek kwam deze oppervlakkige conversatie, afgezien van orders het dichtst bij communiceren.

Het feit dat Aisha Nick nooit vragen stelde over de ongewone omstandigheden waarin hij bij de kliniek was aangekomen, verbaasde hem bijzonder. Misschien was ze bang iets te ontdekken wat door de veiligheidstroepen mogelijk als belastend voor haar kon worden beschouwd. Maar Nick had er blijk van gegeven dat hij helemaal niets met de opstandelingen te maken had, afgezien van het feit dat hij door hen was aangevallen. Hij begon te vermoeden dat ze echt niet geïnteresseerd was in waar hij vandaan kwam of wat hij in dat afgelegen deel van Kashmir deed, of in welke andere informatie over hem dan ook. Nick leek een bepaald doel in de kliniek te dienen: hij was vrijwilliger bij gebrek aan beter en dat was het enige wat ertoe deed.

In feite was de kliniek Aisha's alter ego. Daarin, en in niets anders, stak ze al haar energie. Ze begon bij het krieken van de dag, deed haar ronde, controleerde iedere patiënt voor er mensen op het spreekuur kwamen. Soms waren er verwondingen ten gevolge van ongelukken, maar meestal ging het om de diverse, vaak dodelijke derdewereldziekten: cholera, diarree, tetanus. Tegen de tijd dat de patiënten van buiten waren behandeld, was het laat in de middag en deed Aisha haar avondronde. Dan bezocht ze al haar interne patiënten opnieuw, wat meestal tot het avondeten duurde. Dat werd klaargemaakt door Vilashni, de karakteristieke rijst, dhal, aardappelen, naan, soms kip en bij zeldzame gelegenheden schapenvlees. Daarna reed Aisha soms naar het dorp, waar ze de nacht bij haar ouders thuis doorbracht. Maar meestal stortte ze in haar kantoor in en viel in slaap op de tapijten die op de vloer lagen, tot ze om vijf uur 's ochtends weer begon.

'Arme mevrouw de dokter,' zei Vilashni, die een neiging tot roddelen had, met trieste stem op een avond nadat Aisha zich uitgeput in haar kantoor had teruggetrokken. 'Ze is zo mooi, ze kan iedere man krijgen die ze wil. Ik zeg haar: geen man, niet goed. Maar ze luistert niet naar Vilashni. Weet u wat ze tegen Vilashni zegt?'

'Nee, wat dan?' vroeg Nick, erop gebrand elk mogelijk snippertje informatie over Aisha te verzamelen.

'Ze zegt ze is getrouwd met het hele dorp.' Vilashni schudde afkeurend haar hoofd. 'Ik zeg haar het is oké voor vrouw om voor velen moeder te zijn. Maar ze zou maar voor één een vrouw moeten zijn. Een hart dat alleen maar geeft kan nooit vol zijn. Maar zij luistert niet. Niemand luistert naar Vilashni.'

Begin februari zei Aisha dat het dringend tijd werd dat Ghulam zijn benen ging oefenen. 'Ik begin te vermoeden dat hij zijn luie achterste nooit van dat bed zal halen tenzij iemand hem er een schop tegen geeft,' liet ze Nick weten.

'Hij lijkt erg te genieten van alle aandacht van Vilashni. Om het maar niet te hebben over de drie maaltijden per dag.'

'Nou, u hebt hem hier gebracht en nogal wat beroering veroorzaakt, kan ik me herinneren. Dat betekent dat de eer om hem voor verbanning te behoeden op uw hopelijk capabele schouders komt te rusten. Als u langer wacht zal hij te veel kracht verliezen en misschien nooit herstellen. Dus: aan de slag!'

Aisha had geen speciale ervaring met fysiotherapie die ze aan Nick kon overdragen, dus kon hij alleen maar improviseren en zijn best doen de onwillige Ghulam te motiveren.

'Alstublieft, meneer Nick, het doet nog te veel pijn,' protesteerde Ghulam.

'Er zit niks anders op. Doktersvoorschrift.'

'O, die vrouw van een dokter wordt nog eens mijn dood,' zei Ghulam hoofdschuddend. 'Zeg maar tegen haar dat Ghulam heeft gelopen. Alstublieft, meneer Nick.'

Nick aarzelde. Ghulam was niet iemand die moeilijkheden uit de weg ging, dus wist hij dat diens verzet alleen maar kon betekenen dat de pijn echt ondraaglijk was. Toch dwong hij zijn vriend. 'Nee, Ghulam, dat zal ik niet tegen haar zeggen, want dat zou een leugen zijn. En liegen is een zonde, weet u nog?'

Ghulam zette grote ogen op. 'Ja, meneer Nick. Maar wie liegt om iets goeds voor een ander te doen, wordt de zonde vergeven. En liegen om uw arme vriend Ghulam veel pijn te besparen, dat is een bijzonder nobele, gerechtvaardigde vorm van liegen.'

'Leuk geprobeerd, Ghulam. Maar nu moet u overeind gaan zitten.'

'Maar meneer Nick, het is Ghulam die tegen u praat,' vervolgde hij, terwijl hij zijn handen smekend ophief. 'Hoe kunt u, na alles wat Ghulam voor u heeft gedaan, uw goede vriend dit aandoen?'

'Praat me geen schuldgevoel aan,' antwoordde Nick, terwijl hij zijn best deed streng te kijken. 'De dokter zegt dat uw benen gaan rotten en eraf vallen tenzij u ze vandaag gaat gebruiken, en wel nu meteen. U wilt toch niet dat ze eraf vallen?'

Ghulam zweeg en plukte aan zijn baard. 'Dat heeft ze niet gezegd,' zei hij weifelend, maar met een bezorgde frons.

'Dat heeft ze wel. Ze wilde niet dat ik het u vertelde, maar ik vond dat het voor uw eigen bestwil is het te weten. Kijk hoe dun ze zijn, Ghulam. Zelfs kippen hebben nog dikkere. Mijn god, er is bijna niets van over.'

'Allah haq!' riep Ghulam uit toen hij ernaar keek.

'Dus aan de slag. Ik pak u bij de schouders en help u langzaam van het bed.'

'Ieieieieie!' Ghulams gezicht verwrong van de pijn toen hij op de vloer stapte. Zijn ogen traanden terwijl hij een pijnkreet slaakte die de hele ziekenzaal deed opschrikken. Hij wankelde, zijn knieën trilden. Hij zou als een zoutzak op de vloer zijn neergevallen als Nick zijn tengere gestalte niet bij de schouders overeind had gehouden.

Die eerste dag lukte het Ghulam niet meer dan vijf stappen te zetten voordat de pijn te erg werd en alleen wanneer Nick hem ondersteunde. Na ongeveer vijf dagen gingen ze langzaam over op naast elkaar lopen, met piepkleine stapjes, door de ziekenzaal, waarbij Nick het merendeel van de belasting voor Ghulams benen wegnam door hem onder zijn oksels vast te houden, en net genoeg gewicht op Ghulams voeten liet komen om de pijn draaglijk te houden. 'Het móét pijn doen heeft de dokter gezegd,' verklaarde Nick.

Na de martelende wandelingen dompelde Nick Ghulams voeten in een dampende emmer verwarmd gletsjerwater, wat de patiënt ten slotte ontspande. Het was Ghulams favoriete moment wanneer hij de dagelijkse oefening achter de rug had. In hun comfortabele hoekje in de ziekenzaal zaten ze samen thee te drinken en te praten en soms om Omar te lachen, of in stille overpeinzing naar Aisha te kijken terwijl ze haar

ronde deed. Nick merkte dat Aisha al haar nuchtere afstandelijkheid af-
schudde wanneer ze met haar patiënten bezig was en hij begreep dan
wel niet wat ze zei, maar haar stem kreeg een hoopgevende warme
klank en ze gedroeg zich vrolijk, zelfs humoristisch.

'Zij is de engel van Gilkamosh,' zei Ghulam op een dag, terwijl zijn
voeten door het voetbad van puur genot tintelden. Ze zaten toe te kijken terwijl Aisha een jongen die aan kaakklem leed met een rietje sap
te drinken gaf. 'Niet om Vilashni te beledigen, die is engel op haar eigen
manier, denkt Ghulam,' voegde hij eraan toe.

Nick keek naar Ghulam. Maanden geleden, toen Ghulam uit zijn
coma ontwaakte en Vilashni hem in de ogen keek, was de betekenis van
de verwijzing hem ontgaan, maar nu kwam het weer naar boven: de
herinnering aan hun gesprek over djinns in de gevangenis in Peshawar
toen Nick Ghulam en Fidali voor het eerst was tegengekomen. 'Allah
heeft een beeldschone engel gestuurd,' had Ghulam gezegd, 'om voor
de gewonden te zorgen.'

Sindsien was er zoveel gebeurd. De tragische dood van Yvette, de
gruwelen van de verhoren en de mishandeling, zijn vlucht, het doden
van Akhtar – het voelde allemaal ver weg en vaag, maar niet minder
werkelijk.

'Bofkont,' zei Nick. 'We zijn allebei bofkonten.'

35

De winter in de Himalaya was over zijn hoogtepunt heen en het liep tegen eind maart. Hoewel de lentedooi op z'n vroegst pas over twee maanden zou intreden, begon de zon de lucht net genoeg te verwarmen om 's middags lekker buiten te kunnen zitten. Nick was juist klaar met Ghulam met zijn oefeningen te helpen en had besloten dat het goed voor hem zou zijn wat frisse lucht te krijgen nadat hij zo lang op de ziekenzaal opgesloten had gezeten. Hij zette twee stoelen in de zon, met uitzicht op het dal en de met sneeuw bedekte toppen erboven. Toen hielp hij Ghulam naar buiten en liet hem op een van de stoelen neerzakken.

Een paartje haviken zweefde voorbij en leek allerlei beloften mee te brengen. Voor het eerst sinds een hele tijd werd Nick vervuld van een gevoel van welbehagen, dat puur door de omgeving werd veroorzaakt. Ook Ghulams gezicht begon te glimmen toen hij zwijgend de schoonheid van zijn geboorteland in zich opnam. Nick greep het feit dat Ghulam zo opmonterde aan als een gelegenheid om de kwestie waar hij de hele winter over had lopen piekeren ter sprake te brengen.

'Ghulam, herinnert u zich wat u me over Fidali hebt verteld vlak voordat u het bewustzijn verloor door uw verwondingen?'

Ghulam werd somber. 'Dat denk ik niet,' zei hij ontwijkend.

'U zei dat Fidali zijn leven heeft opgeofferd... alleen maar om mij te redden.'

'Alstublieft, meneer Nick. Ik wil er niet over praten,' antwoordde Ghulam.

Nick schopte naar de modderige sneeuw bij zijn voeten. 'Maar Ghulam, het is erg belangrijk voor me. Ik wil begrijpen waarom hij dat deed. Ik bedoel, denkt u dat hij zeker wist dat de mijn zou ontploffen? Dat hij bewust zijn leven voor het mijne gaf?'

Na een lange stilte knikte Ghulam. 'Fidali was een expert in explosieven. Hij wist dat deze mijn niet kon worden uitgeschakeld toen hij u eraf duwde.'

'Heeft hij in het leger gezeten?'

'Hij is moedjahid geweest. Tijdens de oorlog tegen Rusland werden moedjahedien erg goed in het uitschakelen van mijnen. Dus maakten de Russen er tijdschakelaars aan om ze een minuut later te laten ontploffen, zelfs als de voet er niet af is gehaald. Op die manier, als iemand een mijn onder zijn voet voelt maar die niet afgaat, kunnen ze soms twee vijanden doden – degene die erop stapt en iemand anders die hem komt helpen. Nadat Fidali u van de mijn had geduwd,' vervolgde Ghulam, 'riep hij naar mij dat ik moest maken dat ik wegkwam. Dat er geen tijd was om hem onschadelijk te maken. Dus u ziet, hij wist dat de mijn zou ontploffen. Maar hij hield de pin lang genoeg ingedrukt om ervoor te zorgen dat u weg kon komen.'

Nick zweeg en dacht hierover na. 'En Fidali heeft dat allemaal… geleerd toen hij tegen de Russen vocht?'

'Nee, meneer. Hij vocht tegen de Indiërs, hier in Kashmir. Maar Indiërs zijn vrienden met Russen, ze kopen hun wapens van hen.' Ghulam zweeg en zijn gezicht werd één grote nadenkende frons. Nick legde zijn hoofd in zijn handen en probeerde alles op een rijtje te zetten. Toen, na een lange stilte, praatte Ghulam verder.

'Toen Fidali met mijn zuster Suraia trouwde, was hij een belangrijk man in Kurgan. Zijn vader was het hoofd van onze clan. En Fidali was de oudste zoon. Hij was groot en sterk. Iedereen had veel respect voor hem… En Suraia was erg mooi. Iedere man in het dorp wilde haar tot vrouw nemen. Maar niemand kon tegen Fidali op. Ah, zo prachtig was Ghulams zus,' zei hij met een meelijwekkende zucht. 'Haar haar was zo zwart als de nacht, haar huid zuiver en zo zacht als voorjaarssneeuw – net als de goede mevrouw de dokter hier.' Ghulam schudde bedroefd zijn hoofd. 'Maar Fidali diende twee grote liefdes – niet alleen mijn zuster, moge zij rusten in vrede, maar ook azadi.'

'Azadi?' herhaalde Nick.

'Ja, azadi, meneer Nick. Die waardeloze hoer die jullie English "vrijheid" noemen,' antwoordde Ghulam, terwijl hij verachtelijk met zijn hand wuifde.

Nick kon het niet helpen dat hij om Ghulams ironie moest grinniken. Hij had nooit zo'n cynische interpretatie van het door de mens meest gekoesterde ideaal gehoord. En het leek des te vreemder nu die van Ghulam afkomstig was, iemand die zo zorgeloos was en zo volhardend optimistisch.

'Fidali stak de grens over om moedjahid te worden om de moslims van de hindoes te bevrijden. Toen hij terugkwam, sterker dan ooit, vocht hij twee, misschien drie jaar tegen de Indiërs. Hij was erg moedig; gerespecteerd door zijn vrienden, gevreesd door zijn vijanden. Maar na een tijdje ontdekten de Indiërs wie Fidali was. Iemand heeft voor een handvol roepies zijn mond voorbijgepraat.' Ghulam schudde zijn hoofd, niet als uiting van begrip of walging, maar om het onvermijdelijke uit te drukken. 'Waar de hoer te koop is, bestaat er altijd een klant. Omdat Fidali een belangrijk man was, moesten de Indiërs hem als voorbeeld stellen. Op een nacht, toen hij weg was om te vechten, kwamen Indiërs verkleed als moslims naar Fidali's huis. Zijn vader was thuis, zijn vrouw, Suraia, en Fidali's zoon, Abdul. We konden niets doen. Ze namen hen mee. Alle drie. Hun lichamen werden gevonden door een boer, aangespoeld bij de rivier. Suraia was verkracht en doodgeschoten. Fidali's vader en zoon was de keel doorgesneden. Als geiten.'

Nick slaakte een lange, nadenkende zucht. Ghulams verhaal haalde in zijn herinnering het antwoord naar boven van de commandant van de moedjahedien die hen naar de kliniek had gebracht. 'Fidali uit Kurgan?' had de rebellenleider hem gevraagd. De man had Fidali's naam blijkbaar herkend toen Nick hem had geïdentificeerd als zijn vriend die door de mijn was omgekomen. Toen was het verband Nick ontgaan. Maar nu was het duidelijk dat de rebellenleider Fidali kende, op z'n minst van reputatie, als mede-moedjahid. Misschien had de man daarom besloten hen naar Aisha's ziekenhuis te brengen.

'Alleen wat niet verloren kan gaan behoort een mens toe,' vervolgde Ghulam na een lange stilte. 'Suraia, Abdul, zijn vader... Ze betekenden alles voor Fidali. Nadat de Indiërs ze hadden vermoord, was hij vervuld van haat. Geen haat tegen de moordenaars, maar tegen zijn eigen demonen. Fidali pakte zijn geweer en verborg het onder zijn pheran. Hij wachtte bij het busstation op de bussen met familie van Indiase soldaten die uit het zuiden kwamen. Toen er een bus arriveerde stapte hij in en schoot ze allemaal dood. Hij slachtte er tot zijn kogels opraakten zoveel af dat de doden boven op elkaar lagen, voornamelijk vrouwen en kinderen van de soldaten. Ook schoot hij per ongeluk een paar dorpelingen dood.'

Nick schudde geschokt zijn hoofd. 'Fidali? Dat begrijp ik niet. Hij heeft mijn leven gered. Hij was... zo...'

'Goed,' zei Ghulam. 'Maar demonen, meneer Nick, zitten in ieder mens.' Ghulam zweeg enkele lange ogenblikken voor hij verderging, met zijn ogen gericht op de zwart met witte toppen die scherp afstaken tegen de hemel.

'Nadat hij dat had gedaan, hield Fidali op met vechten. Hij gaf alles wat hij bezat aan de armste mensen in het dorp. Toen sloot hij zichzelf op in zijn huis en weigerde eruit te komen. Hij wachtte.'

'Wachtte waarop?'

'Op de dood,' antwoordde Ghulam. 'Misschien hoopte hij dat de Indiërs hem kwamen vermoorden. Maar dat deden ze niet. Misschien zijn ze er nooit achter gekomen dat hij het had gedaan. Of misschien waren ze tot de conlusie gekomen dat hij zo goed als dood was en vonden ze dat het een betere straf was hem te laten verrotten en hem zichzelf een kogel door zijn kop te laten schieten dan een martelaar van hem te maken door hem eigenhandig om zeep te helpen.

'Hij bleef bijna een jaar in zijn huis. Hij at zo goed als niets. Hij werd vreselijk mager en was bijna doodgehongerd, als Ghulam hem niet had opgenomen. Ghulam bracht hem naar zijn huis en zorgde dat Fidali iets at. En in plaats van dood te gaan bleef Fidali leven...

'Maar hij was niet meer dezelfde, hij was veranderd. Hij was niet langer dezelfde Fidali – trots, altijd grote plannen. Hij werd de Fidali die u kende. Nog steeds moedig, natuurlijk, maar hij dacht daarna nooit meer aan zichzelf. Nog geen seconde, sinds hij al die mensen had doodgeschoten. Het was alsof hij niet eens meer wist dat Fidali nog bestond... of dat hij ooit had bestaan.

'Zijn lot is nu in Allahs genadige handen. Ghulam hoopt dat Hij mijn goede vriend waardig oordeelt, inshallah,' zei Ghulam, met zijn handen ten hemel geheven.

Nick dacht een tijdje na over Ghulams verhaal over Fidali's verleden. 'Dus was het uit schuldgevoel,' zei Nick ten slotte. 'Hij wilde goedmaken wat hij had gedaan.'

'Nee!' riep Ghulam, zo hard dat zijn stem luid door het dal weerklonk.

Verschrikt draaide Nick zich naar hem om. Ghulams ogen stonden wijd open van vurigheid. Toen hij sprak, was zijn stem vol emotie. 'Als u dat denkt doet u Fidali groot onrecht!'

Nick was zo onthutst door Ghulams uitbarsting dat hij niet merkte hoe iel zijn stem klonk toen hij antwoordde. 'Het spijt me. Ik wil Fidali's herinnering niet bezoedelen, Ghulam. Dat is het laatste wat ik de man die me het leven heeft gered wil aandoen... Maar als hij het niet deed uit schuldgevoel over wat hij had gedaan, dan snap ik het niet. Waarom zou hij het anders hebben gedaan?'

Ghulams ogen richtten zich weer op de besneeuwde pieken aan de horizon, alsof hun spitse, hoekige vormen een of ander door goden geschreven geheimschrift vormden dat alleen Ghulam kon ontcijferen. Hij bestudeerde de bergen en de stand van de zon en draaide daarbij als een verbijsterd kind zijn hoofd om. Toen hij weer sprak klonk zijn stem kalm.

'Het is niet aan ons te zeggen waarom iemand iets doet. U zou dat als geen ander moeten weten.'

'Wat bedoelt u? Waarom ik?' vroeg Nick verbijsterd.

Ghulam keek hem aan. 'Omdat u zijn geschenk hebt ontvangen.'

'Wat ook de reden mag zijn geweest om me dat te geven,' zei Nick fluisterend, 'ik heb niet het gevoel dat ik het heb verdiend.'

'Verander dan!' zei Ghulam. 'Zo niet voor uzelf, dan toch omwille van de gever.'

Nicks gezicht kreeg een sombere uitdrukking. 'Er is een heleboel gebeurd, Ghulam. Ze zeggen dat wie zijn billen brandt op de blaren moet zitten.'

Ghulam wierp een vluchtige, gealarmeerde blik op Nick. De twee mannen bleven een hele tijd zwijgend zitten, ieder opgaand in zijn eigen gedachten. De bergtoppen, nu in een roze gloed gehuld, tekenden zich zo duidelijk af tegen de heldere lucht dat ze bijna surrealistisch leken. Voor het eerst stond Nick het zichzelf toe de helderheid van de buitenwereld op te merken, en die diende alleen maar als contrast voor de gekmakende verwarring van zijn binnenwereld.

'U moet één ding onthouden, meneer Nick,' zei Ghulam. 'Verlossing zoeken is de grootste vergissing die een mens kan begaan. Een mens kan geen verlossing brengen, dat kan alleen Allah. Uw taak is het pad dat u hebt gekozen te veranderen. Niet proberen alle verkeerde dingen die u hebt gedaan goed te maken. Dat zal alleen maar terug leiden langs hetzelfde pad, zodat het verleden uw lot wordt. Wat geschreven staat, meneer Nick, kan nooit ongedaan worden gemaakt.'

Er was in de winter veel sneeuw gevallen en de hoge passen die toegang tot de Gilkamoshvallei gaven waren geblokkeerd. De dagen gingen langzaam voorbij, waarbij het werk in de kliniek het grootste deel van Nicks tijd opslokte. Tot ieders nieuwsgierigheid had Nick zich nog steeds niet in het dorp gewaagd, afgezien van de wekelijkse ritten om de voorraden aan te vullen. Als voortvluchtige misdadiger had hij ontdekt wat het betekende om te leven in de voortdurende angst gepakt te worden, en hoe verder hij bij welke autoriteiten dan ook uit de buurt bleef, des te beter hij zich voelde.

Hij gebruikte de korte pauzes in zijn rooster om alleen door het dal en langs de omringende bergkammen te wandelen, waarvoor hij van Omar een paar ouderwetse sneeuwschoenen leende, gemaakt van hout en twijndraad. Hij bracht die tijd in de wildernis door met denken, soms over wat hij zou gaan doen wanneer Ghulam hersteld zou zijn en hij weg zou moeten uit de kliniek, andere keren over Fidali en het tragische leven dat hij had geleid, maar meestal over Yvette.

De nachtmerries die hij in Peshawar en tijdens zijn vlucht over de bergen had gehad, waren teruggekomen. Yvette achtervolgde hem niet alleen in zijn dromen, maar spookte ook overdag door zijn hoofd. Hij probeerde zijn wroeging te bestrijden door zichzelf ervan te overtuigen dat zijzelf allereerst verantwoordelijk was voor haar dood; zij had zelf alle cruciale keuzes gemaakt die haar in de problemen hadden gebracht. Maar hoe hij het ook wendde of keerde, vanuit welk licht hij de gebeurtenissen ook bekeek, en hoe onvermijdelijk ze ook leken, niets kon hem van zijn schuldgevoel verlossen.

Bij tijden, wanneer zijn verdriet ondraaglijk was, liep hij over de hoge bergkammen boven het dal en keek langs de dodelijke afgrond naar de miniatuurboompjes beneden. Hij bedacht hoe eenvoudig het zou zijn om er gewoon van af te stappen en meer dan eens stond hij met zijn tenen over de rand, terwijl de wind in zijn gezicht huilde en hem spottend aanmoedigde. Op die momenten was hij ervan overtuigd dat dat het juiste was om te doen. Een aanval van zwaarmoedigheid, misschien een voorbijgaande vlaag van paniek, gevolgd door een scheut onstilbare pijn, zoog hem naar beneden. Dan opluchting. Kon iemand serieus beweren dat de wereld beter af zou zijn zonder hem? Yvette, Simon, zelfs de kleine Susie Cole — het meisje dat jaren geleden toen hij nog advocaat was in het pretpark van Nicks cliënt was omgekomen — al die mensen wier pad hij had gekruist kwamen terecht in een spiraal van dood en verderf. Toen hij tot de onvermijdelijke conclusie was gekomen dat hij een negatieve kracht in de wereld was, zocht Nick naar wat voor reden dan ook om vol te houden, maar kwam met lege handen te staan.

Maar er was er toch een: Fidali. Nick raakte nog meer geobsedeerd door Fidali's keuze dan vóór zijn gesprek met Ghulam. Zijn onverzadigbare behoefte om de onzelfzuchtige daad van één man te begrijpen, die niet gewoon uitgelegd te zien in termen van logica maar de ware essentie ervan te bevatten, spoorde hem aan door te gaan. Nick kon simpelweg die laatste stap van de rand niet zetten tot hij helemaal begreep waarom een vreemde zich genoopt voelde te sterven voor wat Nick zelf zo graag wilde vergooien.

Ghulams onthulling van Fidali's verleden droeg alleen maar bij tot zijn verwarring. Dat een moorddadige terrorist hem het leven had gered zette zijn wereldbeschouwing op zijn kop. Ondanks Ghulams dogmatische verzekering van het tegendeel, concludeerde Nick, moest Fidali hebben gehandeld vanuit een wens tot inlossing, of op z'n minst een gevoel van uiterste berusting ingegeven door schuldbesef. Waarom zou een massamoordenaar die zo'n minachting voor menselijk leven had getoond, iemand die zo gevoelloos was dat hij een buslading onschuldige vrouwen en kinderen afslachtte, er anders voor hebben gekozen om voor Nick te sterven? Iemand die hij nauwelijks kende, aan wie hij niets verplicht was of voor wie hij geen gevoelens van loyaliteit koesterde? In Nicks gedachten was de conclusie onvermijdelijk. Fidali's daad was geen geschenk aan Nick, maar een wanhoopsactie, zelfmoord uit schuldgevoel. Toch raakte iets van Ghulams woorden hem diep, waardoor hij zich afvroeg of Fidali's daad werkelijk zo eenvoudig te verklaren was.

Algauw begon de lucht warmer te worden; de geur van smeltende sneeuw was een aanwijzing voor de naderende lente. De beslotenheid van de winter was een toevluchtsoord waarvan hij wist dat het niet zou blijven bestaan.

36

Abdul zat in kleermakerszit de fijne, ingeweven geometrische motieven van het tapijt te bewonderen dat de vuile vloer van de kelder onder zijn huis bedekte – twaalf knopen zijde per anderhalve centimeter. Het was een Turkmeens tapijt en hij had het gekregen van een wapenbroeder, Mahmud, die het uit Hotan had meegebracht, een stad in een oase in wat Mahmud nooit zou erkennen als de provincie Xinjiang in China. Toen Mahmud het tapijt aan hem gaf, was Abdul bijna van emotie gestikt, want hij had nog maar weinig geschenken mogen ontvangen in zijn leven. 'Dat kan ik niet aannemen,' had Abdul tegen zijn vriend gezegd. 'Neem het alsjeblieft weer mee, want ik kan je niets van waarde teruggeven.'

'Nee, beste vriend,' had Mahmud geantwoord. 'Wanneer allebei onze landen – Kashmir en Turkmenistan – eindelijk bevrijd zullen zijn van het bestuur door ongelovigen, inshallah, dan mag je het me teruggeven. Maar tot dan moet je het houden.'

Nu straalde Abdul van trots. Stil bedacht hij dat de speciale betekenis van Mahmuds geschenk het tot een passend instrument maakte om de achterwerken van de grote jihadstrijders die in de kelder om hem heen zaten te koesteren.

De kelder was een grote, donkere ruimte waar gewoonlijk koren en rijst werden opgeslagen voor de lange winter. Momenteel diende hij echter als schuilplaats voor rebellen. Tegenover Abdul zaten Muzzafar Khan, die luid slurpend zijn thee dronk, en twee smerige moedjahedien die twee nachten geleden met hem de Line of Control waren overgetrokken en net een paar uur in Gilkamosh waren. Hun baarden waren stoffig van de reis, hun ongewassen lichamen bedierven de koude lucht met de stank van oud zweet.

Abdul, de jongen die jaren geleden, op die noodlottige dag dat Kazim Aisha voor het eerst ontmoette, de cricketbal in diens gezicht had geslagen, was Kazims vertrouwde luitenant. Kazim en hij waren van hetzelfde slag: beiden zoon van een geitenhoeder, leerlingen van moellah Yusuf en zeloot in de gewapende vrijheidsstrijd. Kazim had Abdul geïnspireerd zich bij de beweging aan te sluiten en hun vriendschap was zodanig dat het, toen Kazim de Line of Control eenmaal was overgestoken, een kwestie van tijd was dat Abdul zou volgen. Wanneer Kazim sprak, was in Abduls ogen respect te lezen, maar soms ook een tikkeltje broederlijke jaloezie. Toch twijfelden ze er geen van beiden aan dat ze hun hele leven tot het einde toe zij aan zij zouden blijven staan.

Abduls kelder, hoewel koud en donker, was een goede plaats om met elkaar af te spreken. Kazim voelde zich erg kwetsbaar wanneer hij en zijn mannen in het dorp bij elkaar kwamen. Abduls kelder was ideaal, omdat die gewoon in een huis was — waar de politie niet zo gauw zou gaan zoeken — en vooral omdat het een ruimte bij Abdul thuis was. In tegenstelling tot Kazim, die door zijn uitstraling en postuur het toonbeeld van een rebellenleider was, verdacht niemand de schriele, sproetige, roodbaardige Abdul ervan een opstandeling te zijn. En Kazim maakte zich niet ongerust dat dorpelingen hem of zijn mannen zouden overdragen aan de politie. De geldelijke beloningen die de Indiase antirebellenagenten uitloofden oefenden een grote aantrekkingskracht uit op een volk dat onder armoede te lijden had, waardoor in een groot deel van Kashmir informanten een voortdurend risico vormden. Maar in de hechte samenleving van Gilkamosh zou niemand er ook maar over denken hun eigen beroemde 'luipaarddoder' en zijn jongens, die zelfs helden waren voor degenen die niet bepaald blij waren met de oorlog, te verklikken.

Terwijl Abdul en zijn bezoekers ongeduldig op Kazim zaten te wachten, slenterde deze op zijn gemak door de hoofdstraat van Gilkamosh. Hij groette Faruq, de slager, en stond even stil om te praten met Asfaq, de winkelier die nog steeds Kazims opgezette sneeuwluipaard in zijn winkel uitgestald had staan, hoewel die een groot deel van zijn vacht had verloren en aardig was gekrompen; hij leek nu meer op een geschoren geit.

Toen hij Asfaqs winkel uit liep zwaaide Kazim achteloos naar een groep Indiase jawans, waarschijnlijk onderweg naar hun posten aan de Line of Control, die uit hun jeep klommen om er sigaretten te kopen.

Ze leken volkomen misplaatst met hun donkere, tropische huid en de lagen kleding die ze aan hun lijf hadden, hoewel Kazim het nogal zacht weer vond. Terwijl hij glimlachend knikte vroeg hij zich af of hij die mannen, die niets liever wilden dan Kashmir verlaten en nooit meer terugkomen, niet op een dag zou afslachten.

Tegen de tijd dat Kazim eindelijk bij Abduls huis kwam, hadden de mannen in de kelder alles gezegd wat ze tegen elkaar wilden zeggen. Muzzafar, die Abdul een strooplikker vond, was al geïrriteerd door zijn gewauwel. Voor Muzzafar was Abdul een typische Kashmiri, een volk dat hij verafschuwde, laffe wijven in mannenlichamen, slappelingen die te graag concessies deden. Onuitwisbaar bedorven door de godslasterlijke uitspraken van het soefisme en hindoeïsme, waren de Kashmiri een zwak ras van dansers en dichters, geitenhoeders en wevers en ontbeerden ze allemaal het vuur van het wahabitische fundamentalisme dat zo noodzakelijk was om een succesvolle jihad te kunnen voeren. Het was geen wonder dat ze zich de schande van het hindoejuk lieten welgevallen. Vooral Abdul, vond Muzzafar, was de ergst denkbare soort kontlikker, hoewel zijn geloof sterk genoeg was en hij dus zijn nuttige kanten had. Het was voor Muzzafar zelfs nog de vraag of Kazim, die veruit de beste van de groep was, genoeg ruggengraat had om aan de eisen die de jihad nu stelde te voldoen.

Toen Abdul Muzzafars ergernis jegens hem voelde, bleef hij zenuwachtig in de hoek zitten, bang om nog iets te zeggen en biddend dat Kazim opschoot en snel uit Passtu zou komen om de spanning te verlichten. Hij wilde zijn gasten graag behagen, maar vreesde Muzzafar en zijn volgelingen evenzeer – en terecht. Het waren machtige mannen, die niet dankzij hun tact maar door hun wreedheid in de gelederen waren opgeklommen.

Hoewel hij zich ongemakkelijk had gevoeld, was Abdul diep teleurgesteld toen Muzzafar hem wegstuurde nadat Kazim eindelijk was aangekomen. Hij had zo graag deelgenomen aan het maken van de plannen die, naar hij voorvoelde, nu zouden worden gesmeed. Het was uiterst vernederend in zijn eigen huis uit de vergadering te worden weggestuurd.

Nadat hij Kazim had omhelsd, verliet Abdul de kelder met een misnoegde frons en liet hem alleen met Muzzafar en diens gevolg. Kazim, van zijn kant, zag Abdul de trap op gaan en vroeg zich af wat het feit dat deze werd weggestuurd kon betekenen. Zijn verbanning leek voor een van beiden geen goed teken, maar hij kon niet zeggen of het Abdul was of hijzelf die hun toorn had gewekt.

'Salam aleikum, Kazim.' Muzzafar omhelsde zijn vroegere voetsoldaat. 'Je ziet er goed uitgerust uit. Ik begrijp dat je het kalm aan doet, deze winter.'

'*Wah aleikum salam*, Muzzafar. We hebben de Indiërs beziggehouden langs hun noordelijke bevoorradingsroutes. Heb je daar niet van gehoord?'

'Ik krijg gemengde berichten,' antwoordde Muzzafar rustig.

Kazim stapte over de kritiek van zijn commandant heen. Muzzafar kleineerde de resultaten van zijn soldaten altijd, niet alleen doordat het in zijn aard lag kritisch te zijn, maar ook omdat hij zijn mannen wilde stimuleren om meer te doen. 'Vervelend dat te horen,' antwoordde Kazim. 'Als je ons wat meer van die Amerikaanse spullen zou kunnen geven die je talibanbroeders in Afghanistan hebben gepikt – een kist met granaatwerpers, nachtkijkers, meer van die ontstekingsmechanismen die we gebruiken om boobytraps te maken – zouden we het tij van de opstand binnen een jaar kunnen keren. Maar wat jou hierheen voert moet wel belangrijk zijn. Ik weet dat je niet graag tijd in mijn geboorteland doorbrengt, tenzij het erom gaat Indiërs om zeep te helpen.'

'Dat heb je goed gezien.' Ineens veranderde Muzzafars stemming. Zijn vaderlijke gedrag werd koel en afstandelijk. Hij sprak, met zijn gebruikelijke Pasjtoe-accent, weloverwogen, klare taal.

'Kazim, we kennen elkaar nu tien jaar. Ik was bij je tijdens je eerste gevecht die nacht aan de Line of Control. Toen die sikh je bijna wurgde en jij als een klein meisje in je broek pieste.'

Muzzafars maten grinnikten toen Kazim het duidelijk warm kreeg. Zelfs nadat hij zichzelf talloze keren nadien had bewezen, schaamde Kazim zich nog altijd voor wat er tijdens zijn eerste gevecht was gebeurd. En het was echt iets voor Muzzafar om zoiets op een geschikt moment te gebruiken om iemands mannelijkheid aan te tasten en zo de overhand te krijgen. Muzzafar hield zijn hand op om de anderen tot stilte te manen.

'Mannen die samen de dood onder ogen zien zijn eerlijk tegen elkaar,' vervolgde Muzzafar. 'Dat wil ik niet ondermijnen met waarschuwende woorden die voor tweeërlei uitleg vatbaar zijn. Mijn bedoeling zal duidelijk zijn. Hou dat in gedachten als je nadenkt over wat ik nu zal zeggen.'

Kazim knikte, in geveinsde waardering voor Muzzafars openhartigheid. Intussen gingen zijn gedachten bezorgd alle kanten op.

'Je hebt de jihad goede diensten bewezen,' voegde Muzzafar eraan toe. 'Je hebt veel dappere aanslagen gepleegd op de strijdkrachten en de politie van de ongelovigen en jouw aandeel gehad in het doden van vijanden. Je hebt die ruggengraatloze pro-Indiase politicus Mustaq... Hoe heette hij ook alweer precies?'

'Mustaq Bhat,' vulde een van de anderen aan.

'Ja, die. Maar deze jihad, Kazim, gaat om meer dan wat schermutselingen met het Indiase leger en sporadische aanvallen op autoriteiten. Het gaat erom – en daar hoort het ook om te gaan – terug te veroveren wat rechtmatig moslimgebied is. Het is jouw vaderland dat ze geweld aandoen, om Allahs wil. Daarom hebben we jou een eigen groep gegeven. Maar jij hebt jouw aandeel in de strijd nog niet geleverd, mijn zoon.'

'Maar Muzzafar –'

'Val me niet in de rede.' Muzzafar stak een vinger op om Kazim tot zwijgen te brengen. 'Denk aan het doel van deze jihad. Die moet Kashmir zuiveren van alle hindoes en degenen die met hen samenwerken. Met het af en toe doden van soldaten en politieagenten komen we er niet. India is een land met meer dan een miljard ongelovigen – er zullen er altijd honderden zijn om iedere soldaat die we doden te vervangen. Nee, Kazim, de enige manier om te winnen is hun angst in te boezemen. Denk je nou echt dat de Afghaanse jihad tegen de Russen is gewonnen door slag te leveren met hun leger? Dan hadden we nooit enige kans gemaakt!'

'Dat begrijp ik,' antwoordde Kazim.

'Nee, ik denk niet dat je dat doet,' snauwde Muzzafar. 'Ik heb ooit een dorpsbewoner levend gevild, omdat hij een gewonde Russische soldaat had verbonden. Een andere keer heb ik mijn moedjahedien bevel gegeven alle mannen in een dorp dood te schieten toen ik erachter was gekomen dat ze geiten aan de Russen hadden verkocht. We brachten de testikels van de Russische soldaten die we gevangengenomen hadden in een doos naar hun commandant. De Russen hadden het grootste leger ter wereld, maar we hebben zo veel bloedbaden onder hen aangericht dat ze uiteindelijk in paniek zijn gevlucht. Jouw Kashmiri hoeven maar de helft van dat lef te hebben om nu vrij zijn.'

Hij zweeg even om weer wat tot rust te komen. Toen ging hij verder.

'Ik mag je, Kazim. Ik heb je altijd graag gemogen. Je bent slim, dapper, een goede commandant voor je mannen. Maar we dachten dat je een groot leider zou zijn. Je hebt ons teleurgesteld. We hebben niet meer het idee dat je het in je mars hebt.'

Kazim bevochtigde zijn lippen met zijn tong en stond op het punt iets te zeggen. Maar precies wetend wat Kazim wilde zeggen, stak Muzzafar zijn hand op.

'Ik wil niet nog meer leugens horen over die buslading vol ongelovigen die een paar jaar geleden zijn doodgeschoten. Je hebt je al te lang achter je valse claim voor die aanslag verscholen. Denk je dat ik achterlijk ben? Ik weet dat je daar niets mee te maken had.'

Kazim bleef nu met gebogen hoofd zitten. Hij had niets te zeggen. Hij had inderdaad ten onrechte de verantwoordelijkheid voor een aanslag met zijn handlangers aan de andere kant van de Line of Control opgeeist, die in werkelijkheid was uitgevoerd door iemand uit Kurgan die Fidali heette. Dat Muzzafar van dit bedrog wist was griezelig, vond hij.

'De tijd is gekomen, Kazim. Omdat ik een grootmoedig mens ben en je als een zoon beschouw, heb ik van onze welwillende leiders toestemming gekregen je een laatste kans te geven om jezelf te bewijzen. Ik weet dat je genoeg jongens hebt die graag hun leven geven voor de jihad. Kies er drie uit. Bereid ze voor op het martelaarschap. We zullen je de datum van de aanslag laten weten.'

Kazim wachtte even zwijgend om Muzzafars woorden te laten bezinken. Hij wilde hem vragen de plannen nu te verduidelijken, maar hij wist dat het niet zo werkte. Tot een paar dagen voor de aanslag zou er geen informatie worden gegeven.

'Natuurlijk,' zei Kazim zo vastberaden mogelijk. 'Bedankt, Muzzafar. Ik wacht je orders af.'

37

'Ghulam Muhammad lijkt aardig vooruit te gaan,' zei Aisha tegen Nick op een dag na een afmattende fysiotherapiesessie. Aisha had net de dosering van Ghulams pijnstiller verlaagd en hij had zo tegengestribbeld dat Nick zich, toen ze samen door de ziekenzaal liepen, had gevoeld als een uitsmijter die een weerspannige dronkaard meesleepte.

'Nou...' antwoordde Nick, die inging op haar sarcasme.

'Ik meen het. U doet het heel goed met hem.'

Nick keek haar in de ogen en bleef dat doen – voor het eerst in maanden. Hij zag de ernst in haar blik en knikte. 'Dank u. Hij heeft me geholpen toen ik in de put zat. Het is het minste wat ik voor hem kan doen.'

Ze richtte haar blik weer op een van haar vele lijsten. 'Hij zal over ongeveer een maand weer helemaal mobiel zijn. Dan kunt u allebei naar huis gaan,' voegde ze eraan toe.

'En als ik nou eens langer zou willen blijven?'

Ze keek naar hem op, met opgetrokken wenkbrauwen. 'Maar uw familie zit vast op u te wachten.'

Nick haalde zijn schouders op. 'Er is eigenlijk niemand. Ik heb geen haast om te vertrekken.'

'Dat vind ik moeilijk te geloven: nadat u in deze ellende verzeild bent geraakt?' Ze wuifde naar de rijen bedden met patiënten.

'U zit eraan vast, en toch gaat u ermee door.'

'Dat is anders. Gilkamosh is mijn thuis. Deze plek is mijn leven. En u, u kunt teruggaan naar Amerika, een huis kopen en een grote benzine slurpende auto, en elke dag bij de Pizza Hut eten. Een stevige, rijke Amerikaan worden klinkt mij behoorlijk goed in de oren. Het lijkt erop dat heel wat landgenoten van u daar tegenwoordig voor willen sterven.'

'En doden,' voegde Nick eraan toe.

Ze zweeg en streek haar haar uit haar gezicht, alsof ze voor het eerst iets aan Nick opmerkte. 'Wel, wel, een cynische Amerikaan?' zei ze. 'Misschien is er dan toch nog hoop voor de wereld. Bent u een gedesillusioneerde soldaat? Toen u hier een paar maanden geleden kwam opdagen, zag u eruit alsof u de hele weg van Kabul naar hier was komen lopen. En u rook ook zo.'

'Bedankt voor uw meedogenloze eerlijkheid,' antwoordde Nick. 'Nee, geen soldaat. In elk geval niet de soort die een geweer draagt. Maar ik heb mijn aandeel geleverd in het vechten voor rijke Amerikanen. Sommigen van hen zelfs stevig gebouwd. Het is mijn ervaring dat degenen die al rijk zijn, dat ook blijven door degenen die net als zij willen zijn hun smerige strijd te laten uitvechten.'

'Nou,' zei ze, 'dan is het overal hetzelfde. Het is de belofte die dodelijk is. Ik waardeer uw hulp en uw openhartigheid, meneer Sunder,' vervolgde ze. 'En ik hoop dat u hebt gevonden waarnaar u in deze uithoek van de wereld op zoek was. Helaas zal ik, wanneer Ghulam in staat is de reis naar zijn dorp zonder problemen te maken, geen middelen meer hebben om u langer in de kliniek te houden.' Ze draaide zich om en liep weg.

'Ik heb niet gezegd dat ik ergens naar op zoek was,' riep Nick haar na.

Ze bleef staan. 'Nee. Ik neem aan van niet,' zei ze. Ze stak haar kin een beetje omhoog en bestudeerde Nicks gezichtsuitdrukking. 'Dan had ik misschien moeten zeggen: ik hoop dat u ontsnapt bent aan datgene waarvoor u op de vlucht was.'

38

'Ik ben bang, Abdul.'

'Bang? Waarvoor, Kazim?'

'Voor de weg die onze leiders inslaan,' vertrouwde Kazim zijn vriend toe nadat Muzzafar en zijn trawanten bij het invallen van de duisternis het dorp uit waren geslopen.

'Waarom zeg je dat?' Abduls stem klonk bezorgd.

'Ik heb altijd het idee gehad dat we de bevolking aan onze kant moeten zien te houden als we ook maar enige kans van slagen willen hebben tegen de Indiërs, met al hun overmacht. En dat hebben we bereikt. De mensen hebben zich nooit tegen ons gekeerd. Maar stel dat dat verandert? Het zal het einde van onze strijd betekenen. Van onze droom.'

'Waarom zou het veranderen, Kazim? Wat heeft Muzzafar tegen je gezegd?'

Kazim aarzelde. Als hij met iemand anders praatte, zelfs een van zijn eigen mannen, zou hij nooit zo open zijn over zijn bedenkingen ten opzichte van Muzzafar en de leiding van Lashkar. Maar Abdul was zijn beste vriend uit zijn jeugd. Als hij iemand in de wereld kon vertrouwen, was het wel Abdul. 'Weet je, Abdul, ik had nooit voorzien dat we zo lang bij Lashkar-e-Tayyiba zouden blijven.'

Abduls gezicht kreeg een wezenloze uitdrukking. 'Dat begrijp ik niet,' zei hij verward. Hij had zich absoluut niet beziggehouden met de gecompliceerde verhoudingen tussen de lastige groeperingen van de moedjahedien en hun onderlinge rivaliteit. Als beïnvloedbare leerling aan de madrassa die de vurige zedepreken van moellah Yusuf met graagte in zich opnam, was hij altijd in de eerste plaats door zijn religie geïnspireerd geweest om tegen de Indiërs te vechten en niet door de politiek. Zolang hij in de jihad streed hadden de nuances van de politieke connecties hem nooit geïnteresseerd.

Kazim daarentegen begreep dat oorlog in wezen een politieke inspanning was en dat al het andere – vooral godsdienst – maar een kwestie was van welke draai de leiders aan het vuile werk van het doden van mensen wensten te geven. Daarom was de kern van het leiderschap van groot belang. 'Dit dorp, deze bergen en dalen, dit kleine stukje Kashmir, staat onder onze hoede. Het is ons thuis en we vechten voor onze vrijheid. Wij kennen ons volk beter dan welke buitenlander ook.'

'Dat spreekt vanzelf. Daarom ben jij onze leider. De mensen zijn dol op je. De jongens in de madrassa juichen als ze je naam horen. Je bent hun held.'

'Luister, Abdul. Er is geen enkele reden waarom we bevelen van de andere kant van de Line of Control zouden moeten opvolgen. Van Pasjtoes, Arabieren, Punjabi.'

'Maar Muzzafar is een moslim, we zijn allemaal broeders. Hij geeft ons richting en inspiratie om onze strijd voort te zetten.'

'Inspiratie? Abdul, geloof me. Ik ken zijn methoden beter dan wie ook. Hij inspireert alleen maar tot angst. Hoe kunnen we de mensen ervan overtuigen dat we voor hen vechten als ze bang voor ons zijn?'

'Maar ze moeten bang voor ons zijn. Dat moet. We zijn Zijn strijders, het leger der zuiveren.' Hij keek Kazim gealarmeerd aan. 'Ik begin me zorgen om je te maken, Kazim. Je was altijd…' Hij hield op met praten.

'Wat was ik altijd?' drong Kazim aan, terwijl hij zijn vriend onderzoekend aankeek. Abdul zat ongemakkelijk te schuifelen. Hij keek naar de grond. 'Zeg wat je denkt, Abdul.'

'Niets, Kazim. Je lijkt… tegenwoordig zo afstandelijk. Je bent mijn leider. Nog steeds. Dus… zeg me gewoon wat je wilt dat ik doe.'

Kazim deed zijn mond open om iets te zeggen, maar iets in Abduls ogen, een sprankje twijfel of een steels geknipper, deed hem aarzelen. 'Dat zal ik doen, Abdul. Wanneer ik bericht krijg. De opstand gaat veranderen. Ik wil alleen maar weten of je er klaar voor bent. Dat is alles.'

'Ik ben klaar, Kazim, dat kan ik je verzekeren. Ik ben bereid alles te doen wat je me vraagt.'

39

De pick-up gromde van inspanning toen hij via de steile, rotsachtige haarspeldbochten de weg naar Gilkamosh op klom. Het hobbelige, onverharde jeepspoor was een voor Kashmir typerende landweg, hoewel wegen in dat deel van Kashmir bepaald niet typerend waren. Feitelijk was het de enige weg in die streek, door het Indiase leger met dynamiet in de bergwand uitgehouwen als bevoorradingsroute naar de noordelijke delen van de Line of Control. Afgezien van de paar militaire nederzettingen waar de weg in noordelijke richting doorheen liep, waren alle andere dorpen binnen een straal van honderdtwintig kilometer van Gilkamosh alleen maar te voet bereikbaar.

Het geïsoleerde zijdal waarin Aisha haar kliniek had gevestigd was vanaf de weg toegankelijk via een kort jeepspoor. Van de kruising liep het dertig kilometer omhoog langs een schijnbaar eindeloze reeks scherpe haarspeldbochten naar het hoogste punt van een rotsige kam, vanwaar je de groene Gilkamoshvallei, omgeven door bergtoppen, beneden kon zien liggen. Hemelsbreed bevond de kliniek zich aan de andere kant van de rug van de steile bergen die haar van Gilkamosh scheidden op maar ongeveer vijftien kilometer afstand. Maar beperkingen bij het aanleggen vereisten dat de weg zijn langere, bochtiger route volgde. Er was ook een voetpad dat rechtstreeks naar Gilkamosh leidde, in verhouding korter dan het jeepspoor, maar door de steile, verraderlijke klim naar boven kostte het meer tijd om langs die route te lopen dan om over de weg te rijden.

De weg moest nog hersteld worden na de erosie door de winter, en het ging langzamer dan gewoonlijk. Het kostte Aisha bijna een uur om naar het hoogste punt van de kam te rijden. De stoffige en geërodeerde weg was in tweeën gedeeld door een dikke streep van rotspuin tussen de bandensporen, die door veelvuldig gebruik te diep waren uitgesleten. Om te voorkomen dat de bodem van de pick-up beschadigd raakte moest Aisha met de wielen aan de ene kant over de ongelijke bult van puin tussen de geulen rijden en met die aan de andere kant gevaarlijk dicht langs de rand van de weg. Steilere bochten in de weg boden naar beneden langs de kliffen vrij uitzicht op de onstuimige grijsblauwe rivier.

Nick zat op de passagiersstoel van de Nissan, die zowel dienstdeed als ambulance als om voorraden aan te voeren, en tuurde gespannen in de afgrond. 'Zou het niet veel makkelijker zijn geweest om het ziekenhuis in het dorp te bouwen?' vroeg hij, terwijl hij zijn best deed niet toe te geven aan zijn hoogtevrees.

'Logistiek gezien handiger. Maar in andere opzichten minder handig,' antwoordde Aisha.

Nick keek haar even aan. 'In andere opzichten? Proberen iemand te ontlopen?'

'Ha!' antwoordde ze. 'Lieve hemel, nee. Hier hoef je niemand te ontlopen, het gebied is te klein. We hebben allemaal met elkaar te maken. Maar dat vind ik niet bezwaarlijk. Het zijn de buitenstaanders om wie we ons zorgen moeten maken.'

'Buitenstaanders?'

'De politie, de veiligheidstroepen. Waar de kliniek nu is kan ik doen wat ik wil. Onder hun neus zou dat niet mogelijk zijn. Ze zouden het nooit goedvinden.'

'Dus offert u gemak op voor autonomie.'

'Ja, zoiets. Autonomie is hier de enige mogelijkheid om neutraal te blijven.'

'Wat bedoelt u?'

'Alle zieken zijn voor mij gelijk,' zei Aisha. 'Hun bloed is rood, of het nu van een dorpsbewoner, een soldaat of een rebel afkomstig is.'

'Ik begrijp het,' zei Nick en hij knikte. 'U bedoelt dat ze niet weten dat u moedjahedien behandelt?'

'Natuurlijk weten ze dat. Maar zolang ik het niet van de daken schreeuw knijpen ze een oogje toe. Vroeger is er een incident geweest, maar dat is in de kiem gesmoord. We hebben geluk. De autoriteiten in andere delen van Kashmir hebben niet overal zo veel eerbied getoond voor de eed van Hippocrates.'

'Maar is de afstand dan niet lastig voor de dorpsbewoners?'

'Een beetje. Maar we zijn een bergvolk, we zijn gewend elke dag veel verder te lopen om in onze basisbehoeften te voorzien. En als er een noodgeval is halen we patiënten op met onze trouwe ambulance.' Ze tikte op het dashboard.

Aisha schoof haar handen met de smalle vingers naar beneden, de motor van de pick-up pruttelde bij het beklimmen van de steile haarspeldbochten. Nick gluurde weer omlaag. Ver beneden zag hij het geraamte van een voertuig dat tegen de dikke stam van een dennenboom geklemd stond. Het was een minibus – een verwrongen en verroest wrak op de bodem van het ravijn.

Hij vroeg zich af wat er door de ten dode opgeschreven passagiers heen was gegaan op het moment dat ze merkten dat de banden hun grip verloren en ze de zwaartekracht voelden, die paar angstige seconden voor de klap. Dachten ze aan God? Aan geliefden die ze achterlieten? Waren ze diep teleurgesteld dat ze geen tijd meer hadden om goed te doen? Hij voelde een golf van schaamte dat hij nog maar een paar weken geleden zelf een dergelijke dood had overwogen.

'U gaat me toch niet vertellen dat u de *vindaloo* eruit gaat gooien?' vroeg Aisha.

Nick trok zijn bleke gezicht weer uit het raam naar binnen. 'De wat?'

'Vilashni's chicken vindaloo,' zei ze plagend. 'Dat hebt u bij de lunch gegeten. Ze zal het u nooit vergeven als u die uitbraakt.'

'O... nee, het gaat best. Het is alleen maar... een heel eind naar beneden.'

Nick had gemengde gevoelens gehad bij het idee met Aisha samen te zijn. Hij voorzag een gênante situatie waarin twee mensen tijdens een drie uur durende tocht niet met elkaar spraken. Meestal benaderde ze mensen, Nick inbegrepen, met zakelijke afstandelijkheid, alsof ieder mens eerder een toestand was die geanalyseerd diende te worden dan een persoon om mee te communiceren.

De afgelopen maand was hij echter kleine spoortjes persoonlijkheid gaan ontdekken die door de kieren sijpelden: een met een uitgestreken gezicht gemaakte sarcastische opmerking, een vluchtige grijns bij een van Ghulams lachwekkende anekdotes, of een moment waarop ze even moest slikken omdat een patiënt plotseling erg achteruitging. Nick vroeg zich af of ze uit pure noodzaak een muur om zich heen had opgetrokken, vanwege de talloze tragedies waarmee ze beroepshalve werd geconfronteerd.

Maar op een of andere manier bespeurde hij dat er meer met haar aan de hand was dan een rond een bloedend hart opgetrokken muur. Hij was door haar geïntrigeerd geraakt. Het kwam niet alleen door haar uiterlijke schoonheid. Natuurlijk was ze verbluffend mooi en sensueel, ondanks het feit dat ze zelden make-up gebruikte of sieraden droeg. Maar Nick werd vooral aangetrokken door haar raadselachtigheid. Hij had lang genoeg door moslimlanden gereisd om te weten dat een vrouwelijke arts in een traditionele islamitische cultuur op zich al een uniek verschijnsel was. Maar het feit dat ze ook nog mooi en ongehuwd was en met weinig financiële middelen een kliniek runde in een afgelegen oorlogsgebied, maakte haar tot het toppunt van anomalie. De tocht naar haar geboortedorp speelde in op Nicks nieuwsgierigheid, dus stemde hij er ondanks zijn bedenkingen mee in haar te vergezellen.

De aanleiding voor de onderneming was dat de maandelijkse lading bloed voor transfusies en andere voorraden moesten worden opgehaald, die vanuit Srinagar waren aangekomen. Aisha had iemand nodig die haar kon helpen de kisten in te laden en haar te vergezellen op de lastige tocht, die altijd het risico van motorpech of een klapband met zich meebracht. Nick was door een proces van eliminatie voor deze taak uitgekozen. Het was vrijdag, de islamitische gebedsdag en Omars vaste vrije dag. Vilashni had een zwakke rug en kon geen zware kisten tillen. En Aroon moest in de ziekenzaal op de vijf of zes patiënten letten, onder wie Ghulam, die net was begonnen zelfstandig te lopen met behulp van krukken.

Nu Ghulam mobiel was verklaarde Aisha dat hij een 'vreselijke lastpost' was. Hij hobbelde rond en stond overal in de weg, en vermaakte iedereen met zijn retoriek. Aisha had gedreigd hem te ontslaan als hij zich niet gedroeg. Hij leek goed op weg naar volledig herstel en kon waarschijnlijk de rest van de tijd wel thuis uitzieken, verpleegd door zijn vele vrouwen en dochters. Maar toen Aisha hem dat voorstelde raakte hij in paniek. 'Wat? Bent u gek geworden, mevrouw de dokter? Mijn familie is acht vrouwen! Ghulam zou binnen een week terug zijn – met hoofdpijn naast voetprobleem!'

De werkelijke reden zou kunnen hebben gelegen in Ghulams tegenzin om met lege handen naar zijn dorp terug te keren, nu hij zijn gesmokkelde sigaretten had verloren en alleen het slechte nieuws over Fidali's dood meebracht. Bovendien leek hij het leven in de kliniek prettig te vinden, waar hij zijn neiging om Vilashni eindeloos te plagen kon botvieren en iedereen vermaakte met anekdotes over zijn talloze bezigheden en mislukte avonturen en zijn erudiete citaten uit de Koran. Ondanks zijn ondeugendheid en tegen beter weten in liet Aisha hem blijven, om geen andere reden dan dat het personeel zijn aanwezigheid amusant vond.

Zoals Nick had verwacht, zei Aisha niet veel tijdens de rit naar het dorp en dat vond hij wel best. Ze was een slechte chauffeur en de weg was al verraderlijk genoeg zonder de afleiding van geklets over koetjes en kalfjes. Ze reed overdreven dicht langs steile afgronden en had de gevaarlijke neiging om elke hobbel, rotsblok en plag vol te raken, zelfs als het lastiger leek om tegen het obstakel aan te rijden dan het te vermijden.

Toen ze eindelijk van de berg af kwamen en de bodem van de Gilkamoshvallei bereikten, veranderde Nicks gevoel van opluchting in ontzag. Het weelderige groen van het dal, dat aan alle kanten was omgeven met spitse pieken van zwart basalt doorweven met bevroren gletsjerwatervallen, strekte zich uit als een bergoase. Voorjaarsbloemen bedekten de berghellingen met schitterende rode, gele en witte kleuren. Abrikozen- en appelbomen stonden aan weerszijden langs de weg, hun takken vol ontluikende roze en witte bloesem.

Aan de rand van het dorp flankeerden groepjes goed onderhouden huizen met lemen muren de weg. Sommige hadden schuine daken van lange houten latten, terwijl de meeste platte daken hadden in de stijl van huizen in Baltistan en Ladakh, met mest en hooi erop ter isolatie. Elk huis had zijn eigen lapje grond waarop groenten werden verbouwd en dieren werden gehouden. Er stonden veel grote fruitbomen omheen, die volop schaduw boden.

Het dorpscentrum bestond uit diverse bazaars, kunstnijverheidswinkeltjes, een hindoetempel en twee moskeeën, een soennitische en een sjiitische, tegenover elkaar gelegen. Kinderen stormden onbesuisd rond, renden achter ballen aan of speelden cricket, de ogen van peuters zwartomrand met kohl ter bescherming tegen kwade geesten. Meisjes, sommige gesluierd, liepen in groepjes elk naar hun eigen school, de ene soennitisch, naast de soennitische moskee, de andere een openbare school van de overheid. De moslimjongens droegen witte shalwar kamiz en sommige hadden kalotjes op. Rook kringelde omhoog uit de schoorstenen en over de staat reden jeeps en pick-ups af en aan.

Hoewel het dorp absoluut niet rijk was, zag Nick maar weinig tekenen van armoede. Hier en daar zaten bedelaars gehurkt onder de bomen naan te bakken in provisorische ovens. Even voorbij het centrum lag een migrantenkamp weggestopt op een paar stukken grond langs de rivier, waar hindoes uit lage kasten sjofele hutten hadden gemaakt van planken, stokken en canvas. Hun aantal zou tegen het einde van de zomer vooruitlopend op de oogst toenemen, maar een paar honderd woonden het hele jaar door in het kamp en doorstonden de barre winter in hun overvolle, gammele onderkomens.

'Dat is nog niks,' zei Aisha toen ze zag dat de hutten Nicks aandacht trokken. 'Volgende week zal het hele dorp er vol mee zijn. Elk jaar om deze tijd komen hindoes vanuit het zuiden – Jammu, Punjab en Gujarat – door de bergen op pelgrimstocht naar het noorden. Gilkamosh is een van de belangrijkste haltes op de route. Er zullen er nog duizenden komen.'

'Waar blijven ze allemaal?' vroeg Nick, verrast door Aisha's ongewone spraakzaamheid. Hij zag dat haar gezicht straalde en haar ogen glommen.

'Ze bivakkeren bij het migrantendorp, maar in drukke jaren nemen ze het halve dal in beslag. Ze blijven maar een paar dagen voor ze langs de voetpaden de bergen in trekken naar Passtu, het volgende dorp van het traject, voordat ze naar het westen gaan. Er zal een grote ceremonie zijn in de hindoetempel hier in het dorp, waar ze de zegen van Shiva zullen ontvangen en twee dagen lang offers zullen brengen voor ze zich in een grote optocht naar Passtu begeven.'

'Dat moet een heel spektakel zijn.'

'Ja, het is eigenlijk een groot reizend festival.'

'Zijn er wel eens problemen geweest? Sektarisch geweld?'

'Nee, niets ernstigs. Dit is Gilkamosh. Voor ik jaren geleden geneeskunde ging studeren in New Delhi waren er, voor zover ik me kan herinneren, nooit problemen tussen moslims en hindoes. Natuurlijk waren er soms kleine incidenten, ruzies en zo, maar nooit gewelddadig, zelfs toen de rellen in Srinagar aan de gang waren. Sinsdien zijn er in de bergen gevechten geweest tussen de moedjahedien en het leger, sommige behoorlijk ernstig. Maar hier in het dorp is er geen sprake geweest van geweld.'

'Dat is een hele opluchting.'

'Zeker. Maar er is iets veranderd, wat verontrustend is. De zogenoemde islamisten hebben meer invloed gekregen. Ze prediken haat tegen de hindoes en tegen andere moslims die het niet met ze eens zijn. Ik weet dat de moellahs in de madrassa openlijk hun afkeuring over mij uitspreken.'

'Waarom?'

'Ik ben arts en een vrouw. In hun optiek gaat dat niet samen.'

'Bent u nooit bang voor ze?'

'Waarom? Ik woonde hier al lang voor zij kwamen. Bovendien, ze kunnen wel met afschuw naar me kijken, preken tegen me houden of wat dan ook, maar ze zouden het hele dorp tegen zich krijgen als ze me uit Gilkamosh probeerden te verdrijven. Natuurlijk hebben mensen elders minder geluk gehad,' vervolgde ze. 'Er zijn onschuldige hindoes weggejaagd, meer liberale moslims zijn gedwongen zich aan de *purdah* te houden. Maar hier hebben we een overeenkomst.'

'Een overeenkomst?'

'De moedjahedien richten zich net als overal elders op de nationale regering – politie- en legerposten en zo. Maar hun commandaten zijn in deze streek opgegroeid. Net als iedereen die uit het dorp afkomstig is zijn ze, denk ik, er nog altijd erg op gesteld.'

'Zou daar geen verandering in kunnen komen?'

Hoewel ze nee schudde, verscheen er een grimmige uitdrukking op Aisha's gezicht. 'Ik ken hun leider. Ik heb er vertrouwen in.'

'Degene die Ghulam en mij naar jouw kliniek heeft gebracht?'

Aisha wilde antwoord geven, maar weerhield zichzelf daarvan. 'Ik weet niet waarom ik u dit allemaal vertel.'

'Omdat u dat rustig kunt doen,' antwoordde Nick. 'Ze zeggen dat het veel gemakkelijker is open te zijn tegenover vreemden, omdat ze er niet bij betrokken zijn.'

Aisha draaide zich om en keek naar Nick, om te zien of hij het meende. 'Daar kun je nooit helemaal zeker van zijn, in deze omstandigheden.'

'Ik ben maar een rugzaktoerist die pech heeft gehad. Dat is de waarheid.'

'Dat heb ik gehoord,' antwoordde ze.

'Gehoord?'

'Als je zoals ik op het scherp van de snede balanceert, kun je zonder informanten niet overleven,' repliceerde ze.

'Ik vroeg me al af waarom u me nooit uitvroeg over mijn achtergrond,' zei Nick.

'Waarom zou je vragen stellen aan iemand die waarschijnlijk toch zal liegen?'

Nick knikte. 'Raak.'

Ze waren de minder dichtbevolkte rand van het dorp gepasseerd en in het drukke centrum aangekomen. Dichter bij de dorpskern huppelden groepjes kinderen met blozende gezichten in blauwe schooluniformen achter de pick-up aan. 'Hallo, hallo!' riepen ze, terwijl ze achter het voertuig aan bleven hollen. Aisha glimlachte vrolijk naar hen, maar toen de auto een hoek om sloeg en ze langs een legerjeep kwamen waarop aan de achterkant een machinegeweer stond opgesteld, zuchtte ze.

'Ik kan je vertellen dat ik me meer zorgen maak over de Indiase veiligheidstroepen dan over de moedjahedien,' zei ze. 'Het leger is een stelletje criminelen. Ze gebruiken geweld tegen iedereen alsof het iets vanzelfsprekends is. Al jarenlang martelen ze mensen in de Kashmirvallei, soms tot de dood erop volgt, om informatie te krijgen. Tot nog toe hebben de Indiërs in Gilkamosh zich terughoudend opgesteld. Maar niet zo ver hiervandaan, in Kurgan, is een paar jaar geleden de familie van een rebel vermoord door schurken uit het leger die zich als moedjahedien hadden gekleed. De veiligheidstroepen hebben het natuurlijk ontkend.'

Kurgan? Waarschijnlijk Fidali's familie, dacht Nick, die zich het verhaal herinnerde dat Ghulam hem had verteld. 'Hoe komt het dan dat Gilkamosh zo veel geluk heeft?' vroeg hij.

'Geen geluk. Politiek. Ons dorpshoofd, een hindoe, is niet alleen welgesteld, maar ook een handig politicus, met de juiste connecties. Hij onderhoudt goede contacten met de plaatselijke politie en het leger, en heeft de veiligheidstroepen onder controle weten te houden. Hij is daar heel goed in. We hebben een afspraak: zolang ik Indiase soldaten behandel wanneer dat nodig is, houdt Advani de veiligheidstroepen op afstand en respecteren zij mijn neutraliteit.'

'Hoe kan een burger het leger in bedwang houden?' vroeg Nick.

Ze aarzelde, zich afvragend of ze wel door moest gaan. 'In de eerste plaats heeft Advani contacten met machtige mensen in New Delhi. Het leger durft hem niets in de weg te leggen. En daarbij is hij een gehaaid zakenman. Je kunt er donder op zeggen dat er ergens onderweg wel wat roepies van de ene hand in de andere zijn overgegaan.'

'Corruptie,' zei Nick onwillekeurig.

'Niet echt. Kun je het corruptie noemen als er met geld levens worden gered?'

'Nee, ik geloof van niet.'

'Zo gaat het in dit dorp al zolang iedereen het zich kan herinneren. De mensen hebben gewoon mededogen met buren die anders zijn, en op de een of andere manier valt alles, met Allahs hulp, op zijn plaats. Zo hebben wij het altijd weten te redden.'

40

Aisha parkeerde de pick-up langs de weg voor het grootste gebouw in de straat. 'Hier halen we onze voorraden op,' zei ze, voordat ze snel haar uiterlijk controleerde in de autospiegel. Hoewel het hem niet verraste, gezien haar verschijning, merkte hij dit kleine blijk van vrouwelijke ijdelheid op. Een trekje dat hij haar in de kliniek niet had zien vertonen, waar ze achter haar beroepsmatige pantser verschanst zat.

Het platte dak van het huis was nauwelijks te zien boven de hoge lemen muur die het terrein waarop het stond omgaf. Een poort met ijzeren tralies gaf toegang tot een binnenplein met een sintelpad naar de voordeur.

Het huis zelf was goed onderhouden en duidde op welstand, maar zag er absoluut niet overdadig of opzichtig uit. Het had vakwerkmuren; het pleisterwerk was pas opnieuw wit geschilderd. Ervoor bevond zich een tuinhuisje op een veld met wilde grassen omzoomd door roze rozenstruiken, dat rondom een paar tuinstoelen een cirkelvormig prieeltje vormde. De rozentuin, waar het zoemde van de kolibries en de bijen, was onberispelijk verzorgd.

'Smaakvol,' merkte Nick op.

'Het huis van Advani Sharma, de belangrijkste weldoener van onze kliniek.'

Nick knikte, hij herkende de naam. 'Dus hij is de man van de fondsen. Zoals u zelf zei, het loont als je goede contacten hebt.'

'Ik hou er anders niks aan over. Al het geld gaat op aan voorraden en onderhoud, en daarvoor is het niet eens toereikend.'

'Ik maakte maar een grapje. Na vijf maanden in de kliniek heb ik wel gemerkt dat er nauwelijks genoeg geld is.'

Er was een schuurtje aan het andere eind van het terrein, waarin kisten stonden opgestapeld. Aisha wees op de kisten om aan te geven dat het de voorraden voor de kliniek waren. Toen klopte ze, nadat ze een paar losse haren achter haar oren had geduwd, op de donkere houten deur. Nick bleef achter om de pick-up vol te laden.

Een kleine hindoeman met een lichte huid en een dikke buik, een snor en een kaal hoofd begroette Aisha met een grote grijns. Nadat ze wat beleefdheden hadden uitgewisseld nodigde hij Aisha uit binnen te komen, maar voordat hij de deur achter zich dichtdeed, keek hij naar buiten naar Nick en wenkte hem ook naar binnen. Nick sloeg het aanbod beleefd af door naar de kisten met voorraden te gebaren.

Toen hij klaar was kwam Aisha samen met Advani terug. Nick had gehoopt hem te kunnen ontlopen. Ergens in zijn achterhoofd zat nog altijd de dreiging dat de autoriteiten, zelfs hier in door India bestuurd gebied, gewaarschuwd waren dat hij uit Pakistan was gevlucht, of dat het incident met het Indiase leger aan de grens hem in verband had gebracht met de rebellen. Het was mogelijk dat de politie hem zocht en dat aan civiele ambtenaren als Advani had doorgegeven. Maar hij kon er niet onderuit, hij zat in de val.

'Meneer Sunder,' riep Advani, hem tot zijn verrassing bij zijn naam noemend. 'Bijzonder aangenaam u te ontmoeten.' Zijn stem klonk zangerig en geanimeerd en zijn scherpe, intelligente ogen leken te passen bij zijn joviale manier van doen.

'Insgelijks,' antwoordde Nick, die bewust oogcontact vermeed in een poging te voorkomen dat Advani een indruk van hem kreeg.

'Aisha heeft me verteld dat u vrijwilliger bent in haar kliniek. Wat goed van u. Bedankt voor uw dienst aan onze gemeenschap.'

Nick keek Advani vluchtig aan. 'Het genoegen is geheel aan mijn kant.' Hij probeerde het gesprek af te kappen door terug te lopen naar de pick-up, maar Advani was nog niet klaar.

'Wat interessant dat u hier in dit deel van Kashmir bent. We hebben in Gilkamosh in zo'n drie jaar geen westerling meer gezien. Afgezien van nu en dan een avontuurlijke journalist die iets wil schrijven over 's werelds grootste op hoogte spelende militaire conflict,' vervolgde Advani en hij gniffelde.

'Ik ben dol op bergen,' zei Nick, in een onhandige poging iets te zeggen.

'En u komt uit de Verenigde Staten?'

'Canada,' zei Nick, zijn gewone leugen van stal halend.

'Maar Aisha heeft me verteld dat u Amerikaan bent.'

Nick voelde dat hij rood werd. Hij was vergeten wat hij tegen Aisha had gezegd. 'Nou, ik ben het allebei. Canadees van moederskant, Amerikaans van...' Gevangen in zijn leugen, raakte Nick verstrikt in zijn woorden.

'Vaderskant.'

'Precies.' Nicks ogen dwaalden naar Aisha, die zijn ontwijkende gedrag opmerkte. Ze besloot tussenbeide te komen.

'Blijkbaar heb ik het verhaal niet helemaal begrepen,' zei ze. 'Bedankt, Advani. Ik ga even snel vader gedag zeggen en dan terug naar de kliniek. Er is weer van alles te doen nu het lente is geworden.'

'Ja, ik weet het – bedrijfsongelukken bij de boeren. Best. Ik wilde alleen meneer Sunder welkom heten in ons nederige dorp. Komt u alstublieft een keer op de thee.'

'Dank u wel,' antwoordde Nick en hij liep kordaat weg, op gevaar af onbeleefd over te komen.

Ze lieten de volgeladen pick-up voor Advani's huis staan en liepen langs de rustige driebaansweg van het dorpscentrum naar het huis van Aisha's vader. Nicks zenuwen, gewekt door zijn ontmoeting met Advani, kwamen een beetje tot rust bij de aanblik van taferelen van huiselijke rust – kinderen die voor huizen ravotten en jonge moeders, schoonheden met fijne gelaatstrekken, gekleed in felgekleurde shalwar kamiz die nieuwsgierig vanuit de deuropening naar Aisha en de vreemde man stonden te kijken toen die voorbijkwamen, sommige zwaaiend, andere bedeesd glimlachend.

Het huis waarin Aisha was opgegroeid was bescheiden van formaat, veel kleiner dan dat van Advani, maar knus. Kippen en geiten scharrelden vrijelijk rond over het erf, zich niet bewust van hun gebondenheid aan de mens. Aisha's vele broers en zussen hadden hun huizen naast dat van hun vader gebouwd, en alle huizen deelden een gemeenschappelijk stuk grond waar de uitgebreide familie groenten en graan verbouwde. De deur stond open; Aisha liep naar binnen en wenkte Nick dat hij achter haar aan moest komen.

Het interieur bestond uit één enkele grote kamer met een metalen houtkachel in het midden. Naast de kachel stond een houten tafel met potten en pannen en theeketels. Aan de rechterkant van de woonkamer, afgescheiden van de bijkeuken, lagen beddengoed en kussens uitgespreid op de met tapijt bedekte vloer. Aan de linkerkant was een aangrenzende kamer, zonder meubilair, die dienstdeed als de theekamer waar gasten werden ontvangen, die zo belangrijk was in moslimse huishoudens. Aan de muur hing een portret van de laatste *mirwaiz* van Kashmir.

Het huis was leeg. Aisha gebaarde Nick haar langs de gloeiende kachel in de woonkamer te volgen, naar de achterdeur van het huis, die op de gemeenschappelijke grond uitkwam. Daar troffen ze Naseem aan, Aisha's vader, die aan het andere eind van het veld bezig was blokken brandhout op te stapelen.

Een vluge blik leerde Nick dat Naseem, een witbebaarde dikkerd met grote, ruwe handen en een scherp profiel, iemand was die het grootste deel van zijn leven buiten had doorgebracht, en niet in een huiselijke omgeving. Nick vermoedde dat hij achter in de zestig was, maar hij zou ook een stuk ouder of jonger kunnen zijn, want de bergen kunnen iemand ofwel snel doen verouderen, ofwel hem zijn jeugd laten behouden. Hij had dezelfde hoge jukbeenderen als Aisha en een volle zilvergrijze haardos die alleen maar het resultaat kon zijn van wat ooit pikzwart haar was geweest.

Bij het zien van zijn dochter lichtten Naseems ogen op. Hij drukte haar met warme genegenheid eerst met haar ene schouder tegen zich aan, toen met de andere, en kuste haar vervolgens op haar voorhoofd, waarna Aisha Nick aan hem voorstelde. Omdat Naseem maar een paar woorden Engels sprak, kwamen ze niet verder dan een hartelijke handdruk. Naseem liep met hen mee het huis in en ze gingen in kleermakerszit op het vloerkleed bij de kachel zitten, terwijl Aisha thee schonk in porseleinen kopjes. Ze maakte een stuk of wat pakora's warm toen haar vele familieleden langzaam door de voor- en achterdeur kwamen binnendruppelen, opmerkzaam gemaakt op Aisha's komst door Naseems luide, opgewonden gepraat. Aisha stelde Nick voor aan iedereen die binnenkwam — haar diverse zussen, broers, schoonzussen en zwagers en nichten en neven — maar het waren er te veel en hun namen gingen bij Nick het ene oor in en het andere uit.

Aisha's zussen, allemaal ouder dan zij, leken op haar maar waren moederlijker en, hoewel op hun manier aantrekkelijk, niet zo oogverblindend. Niemand, ook Naseem niet, had Aisha's fascinerende ogen, die Nick zo uniek vond. De zussen gingen bij Nick en Aisha bij de kachel zitten, terwijl uitgelaten kinderen — nichtjes en neefjes van Aisha, te talrijk om ze in de gaten te houden — door de kamer renden terwijl ze giechelend steelse blikken op de rare buitenlander wierpen.

Algauw had de hele Fahadclan, bijna twintig in getal, zich rondom de kachel geschaard en zaten ze allemaal te praten en te lachen. Hoewel Nick geen woord begreep van wat er werd gezegd, vrolijkten de blije stembuigingen en hun opgewonden gezichtsuitdrukking hem op. Aisha's zussen wierpen blikken op hem en trokken gezichten naar elkaar, geheimpjes uitwisselend met hun ogen, en Nick voelde zich gevleid dat hij als een nieuwtje werd beschouwd. Want in tegenstelling tot Aisha hadden de anderen niet veel tijd buiten Gilkamosh doorgebracht. Een vreemde man in zo'n hechte gemeenschap was een curiositeit.

Het brandpunt te zijn van zo veel vrouwelijke aandacht, hoewel onschuldig, was een strelend voorrecht dat Nick niet had verwacht. De weinige keren dat hij tijdens zijn reizen door moslimlanden als gast bij mensen thuis was uitgenodigd, mochten de vrouwen niet eens door Nick, een vrijgezelle man, worden gezien, laat staan dat ze met hem mochten communiceren. Maar de Fahads volgden niet de strenge gedragsregel van de purdah waar sommige soennitische en sjiitische sekten aan hechtten en namen ten opzichte van bepaalde aspecten van hun geloof een liberalere houding aan. Iets wat, verklaarde Aisha later, onder de moslims in Gilkamosh en andere delen van Kashmir niet ongewoon was.

Aisha's broers verbaasden zich over Nicks baard en hielden vol dat hij wel een moslim moest zijn als hij over zo'n buitengewone gezichtsbeharing beschikte. Amerikanen waren in hun beleving jongensachtige, gladgeschoren Hollywoodfilmsterren; ze hadden er absoluut geen idee van dat een Amerikaan een baard kon laten groeien, laat staan eentje waarop een moellah jaloers zou zijn. De tweelingbroers Khaliq en Nabir staken naar Nicks idee boven de anderen uit, niet alleen vanwege hun uiterlijke gelijkenis, maar ook omdat ze Aisha zo overduidelijk vereerden. Te oordelen naar de manier waarop de jongens aan haar hingen, was Aisha een soort tweede moeder voor hen geweest. Ze waren nog geen zestien jaar oud en hadden grote bruine ogen die een argeloze onschuld uitstraalden. Ze zaten er zwijgend bij, uit eerbied voor Aisha en hun vader, die genoot van de aandacht die hem als hoofd van de clan ten deel viel. Khaliq en Nabir waren gezond en mager, hun jeugdige baarden nog donzig. Ze hadden een knap gezicht, met Aisha's hoge jukbeenderen en steile zwarte haar. Toen ze eenmaal moed hadden verzameld, wilden ze graag vriendschap sluiten met Nick en hun school-Engels gebruiken.

'U hebt vrouw in Amerika?' vroeg Khaliq, al zijn verlegenheid overboord gooiend met één enkele vraag. Aisha's zussen probeerden, met de hand op de mond, hun gegiechel te onderdrukken. De openbare school in Gilkamosh spande zich net zo energiek in om de meisjes Engels te leren als de jongens en de Fahadclan had beslist voordeel van deze gewoonte.

'Nee, ik heb geen vrouw,' antwoordde Nick.

'Waarom niet?' informeerde Khaliq nieuwsgierig.

'Khaliq, het is niet beleefd om dat te vragen,' merkte Aisha op.

'Dat geeft niks,' zei Nick grinnikend. 'Ik denk dat ik de ware nog niet ben tegengekomen.'

'Bent u niet verliefd geweest?' informeerde Khaliq opgewekt. De meisjes giechelden. Naseem fronste; zijn nieuwsgierigheid was geprikkeld door de commotie, maar hij was niet in staat het gesprek te volgen.

'Kunt u ons niet een Amerikaans liefdesverhaal vertellen, alstublieft?' viel zijn tweelingbroer Nabir hem bij.

'Nabir!' vermaande Aisha hem. Iedereen lachte. Nick kon zich geen tienerjongens voorstellen die zo gefascineerd waren door zoiets meisjesachtigs als liefdesgeschiedenissen. Op hun leeftijd was Nick beslist ook gefascineerd geweest door meisjes, maar niet vanuit het oogpunt van liefde. 'Ik ben bang dat ik er op dit moment geen kan bedenken,' antwoordde Nick. 'Misschien een andere keer.'

'Ik hou erg van liefdesverhalen,' zei Nabir teleurgesteld. 'Is het waar dat Amerikaanse vrouwen in het openbaar kleren dragen die eruitzien als ondergoed?'

'Nabir, wat heb ik nou gezegd?' vroeg Aisha.

Nick grinnikte. 'Nou, ja,' antwoordde hij, 'zo zou je dat op bepaalde plaatsen wel kunnen zeggen... zoals op het strand.'

Na drie koppen mierzoete thee en veel te veel pakora's verkondigde Aisha dat het tijd was om te vertrekken. Tot slot nodigde de tweeling Nick uit om een keer met hen op forel te gaan vissen, en toen begon de procedure van afscheidsomhelzingen. Voor Nick leek die bijna net zo lang te duren als het hele bezoek, vooral omdat hij, tot zijn verlegenheid, ook in de beproeving werd opgenomen. Toen ze eindelijk buiten stonden, liepen Aisha en hij met verwarmd hart weg om aan de terugtocht over de bergen naar de kliniek te beginnen.

Terwijl ze langs de weg terugliepen naar Advani's huis, waar de pick-up geparkeerd stond, kwamen ze voorbij de tempel en de moskee. Het was avond en de weg was verlaten; de meeste mensen waren naar huis om te eten, of voor het avondgebed. Toen ze bijna bij de auto waren stuitten ze op een tengere, pezige man, gekleed in een dikke shalwar kamiz met een kalotje op. Hij had een lange, smalle neus, een sproetig gezicht en een dunne, klittende roodbruine baard die tot op zijn borst hing. De man herkende Aisha al van verre en bleef voor hen staan.

Aisha viel stil, haar gezichtsuitdrukking werd ernstig en verloor de warmte die het door het bezoek aan haar familie had gekregen. De roodbaardige man staarde haar vijandig aan. Hij verschoof zijn blik naar Nick en toen weer naar Aisha. Hij sprak in het lokale dialect, maar later vertelde Aisha Nick wat er was gezegd.

'Salam aleikum, Aisha.' Ondanks de vredesgroet uit de Koran klonk zijn stem vol verachting.

'Wah aleikum salam,' antwoordde Aisha kortaf.

'Ik zie dat je alweer ons dorp hebt onteerd door moellah Sharifs verordening te schenden.'

'Moellah Sharif spreekt niet namens het dorp. En ook niet namens mij.'

'Ja, dat weet ik. De ongelovige Advani spreekt namens jou.' Nu was hij pal voor hen gaan staan en blokkeerde de weg naar de auto.

'Nee, Abdul, ik spreek namens mezelf. Hou nu je mond maar en ga uit de weg.'

'Stomme slet!' snauwde hij.

Aisha bleef staan en beantwoordde zijn starende blik uitdagend en venijnig. Hoewel ze ongeveer even lang waren, leek ze boven hem uit te torenen. Hij deinsde een halve stap terug, geïntimideerd en tegelijkertijd vol afkeer, alsof ze besmet was met een of andere weerzinwekkende ziekte.

'Ik zal net doen alsof ik niet heb gehoord wat je zei,' diende ze hem van repliek. Zonder de woorden te begrijpen voelde Nick de spanning toenemen. Hij deed instinctief een stap naar voren. Abduls ogen namen hem van top tot teen onderzoekend op.

'Dus je herbergt nu ongelovigen? Je onteert de *oemma* al net zozeer als je de Koran negeert.'

'Het gaat jou niet aan wat ik doe,' snauwde Aisha. 'En verdwijn nu uit mijn buurt of ik laat je arresteren, jij waardeloze vent. Of ben je vergeten hoe machteloos je werkelijk bent?'

Ze liep langs hem heen, met Nick in haar kielzog. Een paar nieuwsgierige bijstaanders – twee moslimjongeren – hadden de vijandig klin-
kende stemmen gehoord en gaapten hen van een afstandje aan. De
roodbaardige man liep achter hen aan als een wolf die een prooi achter-
nazit, nog bozer door haar kleinerende opmerking.

'Je denkt dat je beter bent dan anderen, hè?' zei hij. Zijn woede was
in ergernis veranderd. 'Kijk maar liever uit. Binnenkort is er niemand
meer om je te beschermen.'

Ze waren bij de pick-up aangekomen. Aisha klom erin. Nick wachtte,
tussen haar en de man in, tot ze veilig was ingestapt. De man daagde
Nick met zijn blik uit. Maar iets aan hem, misschien de manier waarop
hij bewust zijn kin omhoogstak, deed Nick vermoeden dat hij onder al
zijn gebluf gewoon bang was.

'Nick, stap in,' zei Aisha grimmig, terwijl ze de motor startte. Omdat
hij zelf niet in problemen wilde raken, deed Nick haar dat genoegen en
hij liep langzaam achteruit om ervoor te zorgen dat de boze man niet
op hem af kwam. Zodra Nick op de passagiersplaats klom gaf Aisha gas.

'Ik zeg het voor je eigen bestwil!' riep Abdul naar de achteruitrijden-
de auto.

41

De eigenaardige confrontatie met de roodharige man, zo in contrast met de gebeurtenissen van de rest van de dag, bedierf de terugrit naar de kliniek. Nick en Aisha zwegen opgelaten, hun ogen gericht op de gevaarlijke weg.

Halverwege besloot Nick de spanning te doorbreken. 'Jaloers exvriendje?'

Aisha huiverde. 'Wou u me van zo'n slechte smaak beschuldigen?'

Ze wilde geen verklaring geven tot Nick haar aanspoorde. Omdat hij getuige was geweest van de confrontatie, vond Nick dat hij enigszins recht op een antwoord had.

'Hij heet Abdul,' zei Aisha. 'Ik ken hem al vanaf onze kindertijd. Hij heeft een opleiding gehad, hij is niet dom. Net als veel andere jongens uit zijn omgeving wier familie zich de openbare school niet kan veroorloven, heeft hij op de madrassa gezeten. De moellah die hem heeft onderwezen was een extremist en heeft mij nooit gemogen. Ik denk dat zijn lessen Abdul naar het hoofd zijn gestegen.'

'Hoe kon die moellah moeite met u hebben? U was nog maar een meisje.'

Aisha wendde haar ogen van de weg af en gluurde naar Nick. Hij had het gevoel dat ze hem probeerde in te schatten, om te bepalen of ze open kaart zou spelen. 'Het kan u als westerling vreemd in de oren klinken. Toen ik nog een meisje was, had ik een speciale positie in het dorp. Ik was een soort dorpsgenezeres. De mensen dachten dat ik... over genezende vermogens beschikte.'

'Dat is ook zo. Ik heb het gezien.'

'O? Dat is te hopen. Ik ben gediplomeerd arts. Maar dat is niet wat ik bedoel. Toen ik nog een kind was berustte mijn status als genezeres zuiver op bijgeloof. Dat is voor een deel waar de moellah bezwaar tegen had.'

Nick dacht na. 'Als een sjamaan?'

'Zoiets. Maar sjamanen zijn mannen. In elk geval, ik was een gevoelig kind. Ik vatte mijn rol heel serieus op. Net als iedereen begon ik echt te geloven dat ik een bijzonder gave had,' zei ze grinnikend. 'Weet u, in een zo traditionele gemeenschap als Gilkamosh heeft een meisje geen ander vooruitzicht dan trouwen en kinderen krijgen zodra ze daar lichamelijk rijp voor is. Dus gaf het me een speciaal gevoel, een gevoel van trots eigenlijk. Omdat de mensen me als genezeres vertrouwden, luchtten ze bij mij hun hart, op manieren die voor een kind ongekend zijn. In feite werd ik een soort psycholoog. De mensen vertelden me al hun problemen, verlangens en angsten. Ik was nog erg jong en ik wist niet wat ik tegen ze moest zeggen. Meestal zei ik niets, ik luisterde alleen maar. Ik denk dat ze zich alleen al beter voelden door hun hart te luchten.'

Onwillekeurig begon Nick te lachen.

'Wat is daar zo grappig aan?'

'Ik... ik zie het al voor me, u als klein meisje, met grote ogen, terwijl de dorpsvrouwen al hun geheimen openbaren. Ik wil erom wedden dat het heel nuttig kan zijn geweest, in een klein plaatsje, om al die geheimen voor het grijpen te hebben.'

'Ja. Maar het was vooral een enorme verantwoordelijkheid. Tot op de dag van vandaag heb ik nog nooit iemands vertrouwen geschonden.'

'Dan bent u nobeler dan ik op die leeftijd was. Of eigenlijk op welke leeftijd dan ook.'

'Het was geen kwestie van nobelheid. Ik wist dat als ik ook maar één geheim verklapte, hoe klein ook, het als een lopend vuurtje door het dorp zou gaan. De mensen zouden me nooit meer vertrouwen.'

'Dan nog zou ik er minstens één keer iets uit hebben geflapt,' zei Nick.

Aisha zuchtte. 'Nou, dat zegt genoeg. Als u niet goed geheimen kunt bewaren, kan ik u beter niets meer vertellen,' zei ze.

'Kom op, Aisha. Wie zou ik iets moeten vertellen? Je bent de enige in de kliniek die voldoende Engels beheerst om een gesprek te kunnen voeren.' Bijna als vanzelf was hij haar gaan tutoyeren. 'Behalve Ghulam, en die is momenteel te druk bezig om Vilashni gek te maken om nog aan andere dingen te kunnen denken.'

Er verscheen een glimlach op haar gezicht. Nick vond het prettig dat hij haar aan het lachen maakte.

'Denk je dat Ghulam aan het flirten is?'

Nick krabde nadenkend aan zijn kin. 'Voor zover ik weet, absoluut. Maar ik weet zeker dat het voor de lol is. Hij is al diverse keren getrouwd.'

Ze lachte. 'Een moslimman mag zo veel vrouwen trouwen als hij aandurft. In feite wordt het zelfs aangemoedigd. Ik ben bang dat monogamie een christelijke deugd is.'

'Dat is waar. Maar dan nog, dat zijn kuisheid en trouw ook. Het hele systeem is in elkaar gezet om ervoor te zorgen dat mensen blijven zondigen,' zei Nick, verbaasd dat hij Aisha zag blozen. Hij overwoog de mogelijkheid dat ze nog maagd was – in de westerse wereld bijna ondenkbaar op haar leeftijd, maar gezien de plaatselijke zeden heel goed mogelijk.

'Hoe dan ook,' vervolgde hij, 'die vent viel me bijna aan. Wat zit daarachter? Ik denk dat ik daarop wel antwoord mag krijgen.'

'Het is een triest verhaal. Weet je zeker dat je het wilt horen?'

Nick knikte. 'Heel zeker.'

'Toen Abdul nog maar twaalf was, bekende zijn moeder, Yasmeen, dat ze overspel had gepleegd met een hindoe, een soldaat. Het was gebeurd voordat ik geboren was en ik kende de man niet. Maar toen ze over hem vertelde, merkte ik dat ze nog verliefd op hem was. Hij was knap, zei ze, en erg aardig voor haar. Yasmeens echtgenoot daarentegen was een bruut. Hij behandelde haar als een slavin – ze zwoegde lange uren op de velden en moest ook voor de maaltijden voor hem en hun zoons zorgen. Hij sloeg de kinderen, Abdul inbegrepen. Yasmeen zei dat hij dat deed om ze discipline bij te brengen, maar het was waarschijnlijker dat hij het deed omdat hij gewoon wreed was. Toen Yasmeen haar afkeuring uitsprak over de manier waarop haar echtgenoot de kinderen behandelde, begon hij ook haar vreselijk te slaan. Een paar keer kwam ze bij me met twee blauwe ogen, en een keer met gebroken ribben. Ik was een jong meisje. Ik kon niets doen.' Er klonk iets van schuldgevoel in haar stem. 'De man beweerde natuurlijk dat hij volgens bepaalde passages in de Koran zijn vrouw mocht slaan om haar discipline bij te brengen. En niemand zou daar tegenin gaan.'

'Het verbaast me dat iedereen iets wat meer dan duizend jaar geleden is opgeschreven zo letterlijk opvat.'

'De fundamentalistische filosofie kan zich niet inlaten met zoiets als anachronisme. Elk woord moet het ware woord van God zijn, tijdloos, precies zo opgeschreven als het is voorgedragen. Want als één woord onwaar is of als verouderd wordt beschouwd, dan is het mogelijk dat ze allemaal onwaar zijn. Met hen valt niet te redetwisten. In elk geval,' vervolgde ze, 'komt hier het geheim. Abdul, zo vertelde Yasmeen me, was de zoon van haar hindoegeliefde – niet van haar echtgenoot. Ze heeft het de jongen nooit verteld. Hoe had ze dat ook kunnen doen? En voor zover ik weet is Abdul niet op de hoogte, zelfs nu niet.'

'Denk je dat ze het hem ooit zal vertellen?'

'Dat kan ze niet. Ze is dood.'

'Heeft haar echtgenoot haar vermoord?'

'Hij en een paar anderen. En ik neem aan dat zij daar in zekere zin ook verantwoordelijk voor was. Het was wat ik indirecte zelfmoord noem. Ik heb het diverse keren meegemaakt. Ze kon het leven niet meer aan, getrouwd met die despoot die haar altijd sloeg en haar behandelde alsof ze een lastdier was. Dus vertelde ze haar man over haar verhouding. En toen hebben haar man en zijn broers haar gestenigd.'

Nick viel stil en keek uit het raam. Aisha wierp een blik op hem. 'Weet je zeker dat je niet wagenziek wordt?' vroeg ze, terwijl ze een ruk aan het stuur gaf om ervoor te zorgen dat ze niet te dicht langs de rand reden. 'Ik weet dat ik af en toe grillig rij.'

'Ja, dat is... Maar nee, het gaat best. Alleen... waarom stenigen?'

'De straf voor overspel onder de *sharia* is dood door steniging. De familie, degenen die door het misdrijf in hun eer zijn aangetast, voert het vonnis uit.'

'Dit is India. Wordt de wet niet geacht seculier te zijn?'

'In theorie, maar de mensen passen de wetten toe die zij in hun afgelegen dorpen juist achten. En wanneer een vonnis eenmaal is uitgevoerd, zijn de autoriteiten terughoudend om iemand te arresteren. Dat gold helemaal voor die tijd, aan het begin van de opstand, toen de regering er erg gevoelig voor was als godsdienstig intolerant over te komen.'

'Intolerant? Doodstenigen, dat lijkt me pas intolerant – niet het voorkomen ervan.'

'Dat ben ik helemaal met u eens. Maar als de regering mensen in de gevangenis gooit omdat ze het vonnis van een dorpsmoellah hebben uitgevoerd, roept iedereen dat moslims onrechtvaardig worden behandeld. Wat niet helemaal onwaar is, omdat dorpsraden in hindoegemeenschappen vrouwen tot vergelijkbare straffen veroordelen en er dan zelden iets wordt ondernomen. Ziet u, een wrede behandeling van vrouwen heeft niets te maken met moslim of hindoe zijn. Over de grens gaat het precies hetzelfde. Hoewel in deze contreien zulk extremisme altijd erg zeldzaam is geweest – tenminste, tot voor kort.'

'Wat heeft dit allemaal te maken met wat er vandaag is gebeurd?'

'Met Abdul? Dat weet ik eigenlijk niet. Misschien helemaal niets. Of misschien haat Abdul alle vrouwen, en dus ook mij, omdat zijn moeder overspel heeft gepleegd en hem uiteindelijk in de steek heeft gelaten. De plaatselijke moellah heeft een verordening uitgevaardigd dat alle moslimvrouwen een sluier moeten dragen. Sjiieten kan het natuurlijk niet schelen wat een soenniet zegt, maar die zijn altijd al behoudender geweest. Er zijn echter velen als ik, die – hoewel soenniet – nooit een sluier hebben gedragen en die zich gewoon niet laten zeggen wat ze moeten doen. Die Abdul gedraagt zich als een godsdienstige dwinge-land. Weinigen luisteren naar hem – mijzelf inbegrepen.'

'Hij leek vreselijk heftig over zo'n kleine overtreding.'

'Dat is nieuw. Hij heeft vroeger wel fanatieke uitspraken gedaan, maar hij heeft zijn vijandigheid nooit zo… onbelemmerd laten merken,' antwoordde ze.

'Waarom vertel je Advani er niet over? Als hij zo veel invloed heeft als jij zegt, moet hij de macht hebben hem het zwijgen op te leggen.'

'O, ik kan Abdul wel aan. Hij is altijd alleen maar een onbetekenende, vervelende vent geweest.'

'Nou, hij leek me anders aardig in staat om schade aan te richten.'

'Ja, daar leek het wel op. Ik vraag me nog altijd af,' dacht Aisha hard-op, 'of Abdul, als hij zou weten wie zijn echte vader was en dat hij half hindoe is, ook zo fanatiek zou zijn. Ik bedoel, het is zielig, eigenlijk ab-surd. Hij preekt altijd haat tegen hindoes. Toch is het zijn eigen volk, en hij weet het niet eens.'

'Misschien moet je het hem vertellen.'

'Nee, dat kan ik niet doen.'

'Waarom niet? Het zou hem kunnen helpen een andere kijk op de we-reld te krijgen. Een betere.'

'Hij zou me niet geloven, Nick. Door haat verblinde mensen horen alleen maar wat ze willen horen. En zoals ik al zei,' voegde ze eraan toe, 'het vertrouwen dat de dorpsbewoners in mij hebben berust erop dat ik hun geheimen bewaar. Als ik één geheim prijsgeef, verraad ik hen allemaal. Dat hebben ze niet verdiend. Ik ben hun investering. Zij hebben mijn studie betaald. Ik ben voor hen allemaal verantwoordelijk.'

'Jij bent de dorpsdokter. Misschien heb je ook tegenover hem een verantwoordelijkheid – dat hij de waarheid kent – voor zijn eigen bestwil. En die van alle anderen, in feite. Hij is zo'n opgewonden standje; als je het hem vertelt, kan dat misschien ooit iemands leven redden.'

Aisha zuchtte. 'Dat is het gewetensconflict waarmee ik worstel. Je begrijpt nu wel dat ik niet in een benijdenswaardige positie verkeer.'

Het was avond toen de pick-up over de steile kam terug naar de kliniek reed. De zon zakte achter de westelijke horizon en zette de besneeuwde bergen in een roze gloed. Ondanks het sombere gesprek en de bijtende kou voelde Nick zich toen ze uiteindelijk bij de kliniek aankwamen met warmte doorstroomd.

42

Kazim liep naar Abduls kelder, waar zijn vriend met drie jongens – Gani, Tariq en Aatef – op hem zat te wachten. Ze waren alle drie niet ouder dan achttien.

Kazim groette terug en keek hen stuk voor stuk in de ogen. Hij voelde dezelfde verwarrende mengeling van gelatenheid en empathie als de keer dat hij naar het lichaam keek van de eerste man die hij had gedood, de sikh wiens schedel hij zoveel jaren geleden aan de Line of Control met de kolf van zijn geweer had verbrijzeld. Die nacht had zijn geest gestreden om zijn intuïtieve weerstand tegen geweld te onderdrukken vanwege de taak die hij had te vervullen. Nog steeds kon hij zijn mededogen met de man die hij het graf in had gestuurd niet helemaal de baas. Hij vroeg zich af of gerechtvaardigd doden altijd dergelijke gevoelens met zich meebracht: tegenzin om het te doen vermengd met mededogen met het slachtoffer.

Als dat het geval was, zou hij zichzelf ervan kunnen overtuigen dat hij nu uit zelfverdediging handelde, bedacht hij. Als het de last van zijn beslissing om hen de dood in te sturen maar lichter maakte.

'Salam aleikum, vrienden,' zei hij uiteindelijk.

'Wah aleikum salam, leider,' zeiden de jongens enthousiast.

'Abdul, heb je de gewaden geregeld?'

'Ja, Kazim,' antwoordde Abdul. 'Hier heb ik ook de kaart.' Abdul rolde een met de hand getekende plattegrond van het dorp Gilkamosh uit.

'Uitstekend,' zei Kazim. 'Abdul en ik hebben de omgeving vanmorgen verkend. De plek die jullie het best kunnen kiezen is hier, waar de weg langs de binnenplaats van de hindoetempel loopt. Precies een uur voor de processie begint moeten jullie op je plaats zijn. Tariq en Aatef gaan hier staan,' zei Kazim, terwijl hij op de kaart wees. 'En aan de overkant van de straat, Gani, dat is jouw positie, naast de ingang van de tempel. Vanaf de twee uitkijkposten zal het voor de politie lastiger zijn jullie te lokaliseren en dan zullen jullie meer tijd hebben om te doen wat je moet doen voor jullie... martelaren worden, inshallah.'

Kazim zweeg even en keek hen weer in de ogen.

'Mannen, zijn jullie er klaar voor?' Hij noemde hen mannen, heel goed wetend dat het nog maar jongens waren. Kinderen die man probeerden te zijn, wist hij uit ervaring, waren de beste strijders, omdat ze gewelddadigheid en het verlangen naar een goede prestatie optimaal combineerden.

'Ja, leider,' antwoordden ze onthutst, alle drie wachtend om er zeker van te zijn dat de anderen instemden.

'Zorg ervoor dat je elkaars geweren extra controleert en dat ze allemaal goed functioneren. Neem ieder vier magazijnen mee. Voor veertig schoten, twee aan twee met tape aan elkaar geplakt, met de bovenkant tegen de onderkant, zodat je elk paar gemakkelijk kunt losmaken. Verberg de twee extra magazijnen onder je gewaad.'

'Ja, leider,' antwoordden ze weer.

Kazim aarzelde en probeerde een opgewekt-ernstige toon aan te slaan bij wat hij nu ging zeggen. Hij was bang dat hij in plaats daarvan verontschuldigend zou klinken.

'Als martelaren hoeven jullie niet tot de Dag des Oordeels te wachten om het paradijs binnen te gaan. Jullie zijn bevoorrechte mannen!' riep Kazim uit met vlak wordende stem. 'Wees deze laatste dagen goed voor je ouders, zodat ze een dierbare herinnering aan je hebben. Ze zullen trots op je zijn. Denk aan je ablutie – jullie willen gezuiverd en rein naar Hem toe gaan. Probeer je geest leeg te maken van al het andere dan de taak die voor je ligt, zodat je niet wordt afgeleid. En wanneer je wordt geraakt en niet meer kunt schieten, denk dan alleen aan Hem... Als je het plan uitvoert, precies doet wat je is gezegd, niet meer en niet minder, zal eeuwige roem je deel zijn. Ik vertrouw op jullie moed. Jullie zijn moedjahedien. Ga met Allah – inshallah.'

Kazim omhelsde de jongens een voor een teder, alsof het zijn eigen kinderen waren. Zijn ogen werden vochtig. Maar hij droogde ze vlug, want voor de bevoorrechten mochten geen tranen worden vergoten.

'Dank u, meneer,' zeiden de jongens, getroffen door de ontroering van hun commandant.

'Allah-o-Akhbar!' zei Kazim krachtig, in een poging de trilling in zijn stem te verdrijven. Toen hij zich omdraaide en de ruimte uit liep, zag hij een spoor van verrassing op Abduls gezicht verschijnen. Hij geloofde niet dat ik het in me had, dacht Kazim.

43

De tocht naar Gilkamosh had de afstand tussen Nick en Aisha over-brugd. Nick op zijn beurt gaf haar wat informatie over zijn verleden die hij haar naar zijn idee wel kon toevertrouwen. Hij verzweeg Yvette en Akhtar, en de echte reden waarom hij de gevaarlijke oversteek naar het door India bezette deel van Kashmir had gemaakt. En Aisha drong er nog steeds niet bij hem op aan over zijn verleden te vertellen.

Als Aisha niet zo veel eerlijkheid had uitgestraald, zou Nick haar be-wering dat ze nooit in liefde geïnteresseerd was geweest – niet toen ze in Delhi studeerde en ook niet daarna – niet hebben geloofd. Toen hij vroeg of ze ooit een vriendje had gehad, gaf ze toe dat ze verloofd was geweest met een jongen uit een dorp in de buurt, maar dat ze uit elkaar waren gegroeid tijdens haar studie in Delhi. Haar hechte familie voor-kwam eenzaamheid, maar het gemis aan intimiteit en romantiek in haar leven omgaf haar met een aura van droefheid. Die enkele kwetsbare plek maakte haar in Nicks ogen alleen maar mooier.

Algauw na de tocht merkte Nick dat hij naar haar aanwezigheid hun-kerde. Hoewel zijn gevoelens vaak werden bedolven onder terugkeren-de golven van bezorgdheid en wroeging over Yvettes dood, werd hij zich bewust van zijn verlangen om dat wat Aisha miste aan te vullen. Het zaad van aantrekkingskracht was al in het begin geplant. Voor hun tocht naar Gilkamosh had haar onverschilligheid jegens hem zijn genegenheid voor haar dwarsgezeten. Nu had het gevoel dat ze naar elkaar toe waren gegroeid haar aantrekkingskracht sterk vergroot.

Het was geen puur seksueel verlangen, zoals bij Yvette, maar een diepgaander gevoel. Soms leek alles wat betrekking op Aisha had sterk te contrasteren met Yvette, zo sterk dat het hem verbaasde dat hij zich aangetrokken kon voelen tot zulke tegengestelde persoonlijkheden.

Yvettes overduidelijke gekunsteldheid trok begerige mannen aan. Haar seksualiteit was haar levensbloed, een doel dat ze niet had hoeven nastreven maar al had bereikt, een kaartje naar het hedonistische leven dat ze wilde leiden voordat het zo gewelddadig eindigde. Aisha's seksualiteit daarentegen straalde raadselachtigheid uit; onder het wijde, traditionele gewaad dat ze droeg viel slechts een vermoeden van haar lange welgevormde lichaam te bespeuren, en dat deed Nick er alleen maar meer naar verlangen het te ontsluieren. Yvette had mannen uitgenodigd haar te bezitten en hen tot waanzin gedreven als ze dat uiteindelijk niet konden. Om van Aisha te kunnen houden moest iemand eerst een plaats in haar leven verdienen, dat te zeer leek te worden opgeslokt door haar toewijding aan haar volk om nog ruimte voor iets anders over te laten.

Toch had Nick het gevoel dat Aisha's melancholie een uiting was van een verlangen naar intimiteit. Hij vroeg zich echter af of de drang om die te krijgen reddeloos was verspild aan de ene man uit haar verleden die ze had genoemd.

Twee weken na de bevoorradingstocht naar Gilkamosh kwam een grijsbaardige geitenhoeder met de naam Rasheed naar de kliniek gerend. Hij was buiten adem en in paniek en had vijf kilometer over bergpaden afgelegd vanaf zijn afgelegen gehucht. Hij zei dat zijn 'meisje', waarschijnlijk zijn vrouw of een dochter, aan het bevallen was. Hij vreesde dat er ernstige complicaties waren en het was te laat om haar nog naar de kliniek te brengen.

'Is er geen vroedvrouw bij haar?' vroeg Aisha.

Rasheed schudde zijn hoofd.

'Wat dacht je, beste man?' riep Aisha. 'Weet je dan niet dat je haar hier moet brengen voor ze begint te bevallen? Waarom hoor ik hier nu pas van?'

Toen Aisha haastig haar dokterstas ging halen, mopperde ze in het Engels, zodat Rasheed niet wist wat ze zei: 'Die verdomde koppige geitenhoeders. Ze zullen me ook nooit vertellen dat hun vrouw zwanger is. Hoe vaak heb ik al niet gezegd dat ik de armen niets in rekening breng, en toch denken ze dat ik een jaarloon van ze vraag. Dus spelen ze met het leven van hun vrouw. Nick, je kunt beter met me meekomen,' zei ze. 'Omar is vrij vandaag. En het zou kunnen dat ik een paar sterke armen nodig heb om haar op een brancard naar de kliniek te dragen als er problemen zijn.'

Nick bracht Aisha en Rasheed over de kronkelige weg naar de Gilkamoshvallei, maar in plaats van helemaal naar het hoogste punt van de pas te rijden, stopten ze bij een uitwijkplaats aan het begin van een rotsachtig voetpad. Ze klommen uit de pick-up en begonnen het steile bergpad op te lopen. Bijna een uur later kwamen ze bij een klein gehucht dat bestond uit een stuk of tien stenen hutten aan de voet van een majestueuze groene vlakte die werd opgefleurd door de eerste voorjaarsbloemen. De voet van het gebergte rondom de weide was dichtbegroeid met dennen en sparren. Door de wei liep een bergbeekje, dat in het bos verdween. 'Kom,' zei Rasheed, die vooruit was gerend en vanaf zijn huis stond te wenken.

Aisha was echter verrast toen Rasheed hen niet voorging naar binnen, maar hen om de hut heen leidde, waar hij op een gammele constructie met stenen muren wees. Het was een verblijf voor vee.

'Rasheed,' zei Aisha berispend, 'je wilt toch niet zeggen dat ze hierbinnen is! Een barende vrouw moet in een schone omgeving zijn.'

Rasheed liet van schaamte zijn kin zakken. Hij zwaaide de houten deur van het onderkomen open, waar door spleten en gaten in de stenen muren gedempt licht naar binnen viel. Liggend op haar zij op de met stro bedekte vuile vloer, moeizaam ademhalend terwijl haar gezwollen buik ritmisch inzakte en uitzette, bevond zich daar geen vrouw maar een geit, met een lage bariton blatend van de pijn.

'Heb je ons ons vijf kilometer laten haasten voor een geit?' riep Aisha uit, niet zonder boosheid. 'Ik ben geen veearts, Rasheed. Ik behandel mensen! Weet je wel… die hebben twee benen en geen hoeven!'

Rasheed keek haar verontschuldigend aan. Hij praatte tegen haar in dialect. 'Het spijt me, mevrouw. Dit is mijn meisje, mijn beste fokgeit. Ze heeft me zo veel geweldige kleintjes geschonken. Kijk naar haar. Ze heeft het moeilijk. Alsjeblieft, laat deze worp niet haar laatste zijn. Ik kan het me niet veroorloven haar te verliezen.'

Aisha stond naar het arme beest te staren en schudde haar hoofd. 'Gezien je leeftijd, Rasheed, had ik moeten weten dat deze zwangerschap dubieus was.'

De geit haalde met korte tussenpozen adem, waarbij ze haar grijsachtige tong uitstak, die droop van het speeksel. Nick begreep waarom Rasheed haar niet naar de kliniek had kunnen brengen. Haar buik was enorm en de vliezen waren al gebroken, waarbij dik, stroperig vocht over de vloer was gestroomd.

'Jij bent geitenhoeder, Rasheed. Jij zou beter moeten weten hoe dit moet dan ik.'

'Ik heb het geprobeerd, mevrouw de dokter. Het lam zit vast. Ik heb uw speciale gaven nodig. Geiten, mensen, is dat niet zelfde zelfde?'

Aisha zuchtte geïrriteerd. 'Nee, Rasheed. Dat is niet zelfde zelfde.'

Rasheed, die de moed verloor, boog zijn hoofd en aaide het dier teder. 'Sorry, mevrouw. Ik dacht dat u me kon helpen.'

Een moment lang kon Nick niet zeggen wie er in een pijnlijkere, erbarmelijkere staat verkeerde: Rasheed of zijn geit. Aisha zuchtte, keek toen naar Nick, die zijn schouders ophaalde. 'Kijk niet zo naar me,' zei hij. 'Ik heb ook geen verstand van geiten.'

Rasheed keek Aisha met droevige, smekende ogen aan.

Aisha zuchtte geërgerd. 'Je mag blij zijn dat mijn vader geiten hield.'

Ze zette haar tas neer, greep erin en haalde er een paar rubberen handschoenen en een verlostang uit. Ze ging naast het achterwerk van de geit staan. 'Ik heb jullie allebei nodig om haar poten vast te houden zodat ze me niet in mijn gezicht trapt,' instrueerde ze. Toen Nick en Rasheed het worstelende dier goed vast hadden, wrikte ze voorzichtig met de tang de baarmoederhals open en keek naar binnen.

'Lieve help! Een tweeling... nee, een drieling... wacht, nee!' Ze keek verbaasd naar Rasheed. 'Op één punt heb je gelijk, vruchtbaar is ze zeker. Gefeliciteerd, Rasheed, je meisje krijgt een vierling!' Ze glimlachte naar Nick en stak vier vingers op.

'Geen wonder dat ze verstopt zit,' zei Nick geamuseerd.

'Ik denk dat ik beter een keizersnede kan doen, anders bloedt ze misschien dood.'

Aisha gaf Rasheed de instructie de buik van de geit te scheren, terwijl zij in haar tas rommelde en haar operatie-instrumenten tevoorschijn haalde, en de grootste scalpel pakte. Nick en Rasheed hielden het dier vast terwijl ze voorzichtig de lange kromme incisie in de baarmoeder maakte en er vier slijmerige, blatende lammetjes uit trok. Ze liet Rasheed de navelstreng doorsnijden. Nadat ze de wond had gehecht en schoongemaakt, gaf ze de geit, die nog hysterisch was van de traumatische ervaring tegen de grond te worden gedrukt en opengesneden te worden, een kleine dosis morfine en antibiotica.

De hele procedure leek nog viezer dan de verlossing van een menselijke baby, en Aisha's kleren waren helemaal besmeurd met bloed en vruchtwater. Nadat Nick en zij de lammetjes in een deken hadden gewikkeld, liep Rasheed weg, buiten zichzelf van vreugde. Hij kwam terug met een houten dienblad met tinnen bekers gevuld met helder vocht: illegaal gestookte sterkedrank van gefermenteerde moerbeien met een flink alcoholpercentage. Nick keek Aisha onderzoekend aan toen ze een van de bekers aannam.

'Waarom kijk je zo naar me?' zei ze verdedigend tegen Nick, met een sprankje ondeugendheid in haar ogen. 'Gilkamoshwater maakt al eeuwenlang deel uit van onze cultuur, sinds we heidenen waren die op trommels sloegen. Bovendien noemen steeds meer dorpsbewoners me tegenwoordig een afvallige, dus wat maakt het uit?' Ze hief de beker op naar Rasheed, en toen naar de vier geitjes, die nu, nog vochtig van het vruchtwater, ingespannen aan hun moeders uier lagen te zuigen. 'Op onze vier nieuwe wollige vrienden in Gilkamosh,' zei ze. 'Opdat ze ontkomen aan sneeuwluipaarden en lynxen, en voorgoed gespaard blijven voor het slachtblok van Rasheed.'

Aisha zette de beker aan haar lippen en nam een klein slokje voor ze hem weer op het dienblad zette. Nick en Rasheed dronken hun bekers gretig tot op de bodem leeg. Toen keken ze gedrieën vol verrukking toe terwijl de moedergeit haar lammetjes zoogde, tot Aisha zich woordeloos verontschuldigde en naar buiten liep.

Nick sloeg met Rasheed nog een paar bekers Gilkamoshwater achterover. Toen knikte hij, lichtelijk aangeschoten door de alcohol op zijn lege maag, bij wijze van felicitatie naar Rasheed en stapte naar buiten om de instrumenten schoon te maken. 'Ik moet ze afspoelen.'

Rasheed vermoedde wat Nick van plan was en wees naar het kreupelhout, waar tussen de bomen een beekje stroomde. Nick bedankte hem en droeg het gereedschap, onder het bloed van de operatie, naar de bosjes.

Verwarmd door de drank ging hij aan de oever zitten en begon de instrumenten in het heldere water af te spoelen, toen hij vanuit zijn ooghoeken tussen de bomen iets zag bewegen. Hij keek op maar zag niets. Op zijn hoede omdat misschien een beer of luipaard die de geur van het bloed op de medische instrumenten had geroken achter hem aan was gekomen, stond hij op en liep van de beek weg om beter zicht te krijgen.

Eerst zag hij alleen haar rug. Maar toen ze het koord van haar shalwar losmaakte, draaide ze zich een beetje, waardoor Nick zich genoodzaakt zag achter een boomstam te gaan staan.

Hij deed zijn ogen dicht en haalde diep adem. De vluchtige aanblik van haar blote huid alleen al deed hem trillen. Hij probeerde zich te beheersen en begon weg te lopen, zachtjes, zodat ze het niet zou horen. Niet zozeer om zijn onbeschaamdheid te verbergen als wel om haar de gêne te besparen van de wetenschap dat ze was gezien.

Maar toen bleef hij ineens staan. Hij legde zijn handen tegen de boom en draaide zich om, kon de verleiding niet weerstaan. Hij deed zijn ogen open.

Ze stond ongeveer vijf meter van hem vandaan, in het schemerige licht onder het gebladerte van de bomen, die bij de beek dichter op elkaar stonden. Ze had haar bovenlichaam naar Nick toe gekeerd om de warmte van de zon op te vangen. Haar borsten waren vol en stevig, de donkere cirkels om haar tepels deels verborgen achter haar lange zwarte haar dat over haar schouders omlaagviel, en toen ze haar haar met beide handen naar achteren deed en haar kin omhoogstak, kwamen ze als volmaakte kegels, die zich naar haar schouders toe verbreedden, naar voren. Toen draaide ze, met een snelle, behendige beweging, als een kind dat ineens een bevlieging kreeg, rond en boog zich elegant voorover om haar onderarmen, die nog rood waren van het bloed van de geboorte van de lammetjes, in de beek te wassen. Haar billen, twee zachte halvemanen gescheiden door een snoer van donzig haar, liepen over in lange benen met een volmaakte bruine huid.

Nick voelde warmte opstijgen vanaf zijn benen. Zijn handen werden vochtig van het zweet. Hij wist dat hij zich zou moeten omdraaien en weggaan, en hij voelde zich beschaamd over zijn brutaliteit. Maar hij verroerde zich niet, gebiologeerd, en liet de zuivere schoonheid van haar naakte lichaam tot een verborgen hoekje van zijn geheugen doordringen.

Toen, plotseling, voelde ze dat er iemand was en draaide ze zich om. Om een of andere reden deed Nick geen moeite zich weer achter de boom te verschuilen. Misschien was hij te zeer afgeleid om te kunnen reageren, of misschien wilde hij onbewust betrapt worden. Hoe dan ook, de uitdrukking op haar gezicht toen ze elkaar aankeken zou hij zich telkens weer voor de geest halen, elke keer mooier gemaakt, misschien vertekend, door zijn eigen erotische onderbewustzijn.

Eerst was er de schok — zoveel was duidelijk toen ze verbleekte en vlug achteruit stapte. Toen bleef ze staan, misschien uit berusting, maar, zoals Nick later zou veronderstellen, misschien ook gefascineerd doordat ze zo hulpeloos was overgeleverd aan de genietende blikken van een man die haar van haar intiemste kant zag, als seksueel wezen. Want ze had haar armen over haar borst kunnen kruisen, of een beschermende hand op haar kruis kunnen houden. Maar ze deed niets van dat alles. Ze bleef daar maar staan en keek hem recht aan met haar lippen een beetje van elkaar, gedurende wat verscheidene lange, gezegende ogenblikken leken te zijn, toegevend aan het verlangen in zijn ogen, voordat ze ten slotte haar kleren opraapte en op haar gemak verdween in de wirwar van wilgen die langs de oever stonden.

Duizelig drukte Nick zijn voorhoofd tegen de boom en zag zweetparels van zijn kin op de donkere bosbodem druppelen.

Aisha zei niets over het voorval gedurende de terugtocht naar de uitwijkplaats waar de pick-up geparkeerd stond. Ze was natuurlijk boos, dacht Nick, en in verlegenheid gebracht door wat er was gebeurd. Hij was er zeker van dat ze hem bij de kliniek weg zou sturen zodra ze terug waren. En wie zou haar dat kwalijk kunnen nemen? Hoewel hij in zekere zin geïntrigeerd was door de manier waarop ze op zijn voyeurisme had gereageerd, was hij dodelijk verontrust over wat hij had gedaan. Hij had niet alleen haar privacy geschonden door zijn ogen niet af te wenden, maar waarschijnlijk ook hun ontluikende vriendschap vernietigd, net nu hij eindelijk haar vertrouwen had gewonnen. Hij voelde zich genoodzaakt op z'n minst zijn verontschuldigingen aan te bieden. Het hele incident was tenslotte zijn schuld, dus de verplichting om iets recht te zetten lag op zijn schouders, niet de hare.

'Aisha… het spijt me,' zei hij. Ze liep voor hem uit en hij kon niet zien hoe ze reageerde. Het bleef lang stil en Nick veronderstelde dat ze naar een antwoord zocht.

'Waarvoor verontschuldig je je?' vroeg ze uiteindelijk.

Nick zuchtte. Ja, ze was echt boos. En voor straf dwong ze hem de vernedering te ondergaan om uitdrukkelijk toe te geven wat hij had gedaan. 'De beek, Aisha… Het spijt me wat er bij de beek is gebeurd.'

'Ik weet niet waar je het over hebt,' zei ze bruusk, zonder zich om te draaien en hem aan te kijken.

Nick deed zijn mond open om nog iets te zeggen en hield toen op. Als ontkenning de manier was waarop zij met de situatie om wilde gaan, waarom zou hij dat dan niet respecteren? Was dat niet haar voorrecht?

Later, tijdens de stille terugrit naar de kliniek, begon hij eraan te twijfelen of ze hem wel had zien kijken. Hij had op een behoorlijke afstand van haar gestaan. Zijn zicht, en dat van haar zeker, was sterk belemmerd door dicht gebladerte en boomstammen. En zou dat slokje Gilkamosh-water, omdat ze niet gewend was te drinken, niet haar waarnemings-vermogen kunnen hebben aangetast? Misschien was haar blik van her-kenning, haar vrijwillige onderwerping aan zijn voyeurisme maar een verzinsel van Nicks erotische verbeelding geweest, die sinds de dood van Yvette pijnlijk had geleden onder onthouding, en was dit er allemaal aan ontsproten. Ondanks zijn twijfel zweefde Nick boven de vergifti-gende drempel van pure verrukking naar duistere wanhoop, een punt waar alles mogelijk leek terwijl het net zo makkelijk volkomen onvoor-stelbaar was.

Na een paar dagen raakte Nick in zekere zin teleurgesteld dat Aisha het incident in het bos helemaal niet had opgemerkt. Aan de andere kant wist hij dat hij het feit dat ze dat niet had gedaan moest beschouwen als een zegen. En hij was natuurlijk opgelucht dat hij niet haar toorn had opgewekt en niet was gedwongen de kliniek te verlaten. Aisha en Nick bleven onder hetzelfde dak werken alsof er niets was gebeurd, hartelijk, vriendelijk, terwijl ze van elkaars gezelschap genoten.

Dat Nick en Aisha samen tijd doorbrachten bleef door het personeel niet onopgemerkt. Vilashni gaf moederlijk haar goedkeuring te kennen wanneer ze elkaars gezelschap opzochten. 'U bent goed voor mevrouw de dokter,' zei ze op een ochtend tegen Nick. 'Ga niet bij haar weg,' vermaande ze, vermoedend dat hij ooit terug zou gaan naar Amerika.

Ghulam was ook al geprikkeld door het vooruitzicht van een moge-lijke romance. Met zijn neiging om alles in spirituele termen te vertalen voelde hij zich, tot Aisha's grote verlegenheid, gedwongen Nick en haar erop te wijzen dat hun vereniging door Allah was beschikt.

'Meneer Nick,' zei Ghulam op een middag tegen Nick. 'Ghulam weet het. U vindt mevrouw de dokter aardig. En mevrouw de dokter vindt u aardig.'

'We zijn gewoon vrienden.'

'Vrienden? U en ik zijn vrienden, meneer Nick. Luistert u. Ghulam weet het.'

'Ssst!' Nick hield zijn vinger op zijn lippen, bang dat Aisha het hoorde.

'Laat me u vertellen, meneer Nick: een vrouw als mevrouw de dok-ter zonder echtgenoot door het leven te laten gaan, dat is de ergste zonde die een man kan begaan. Bijna erger dan shirk! Allah beveelt dat een man vrouwen neemt. Het staat geschreven!' Hij hief zijn handen smekend op.

Nick dacht even na. 'Nou, hoe zit dat dan met jou en Vilashni?' antwoordde hij, in een poging de bal terug te kaatsen.

'Wat bedoelt u?' antwoordde Ghulam, ongewoon verlegen.

'U weet best wat ik bedoel, Ghulam,' zei Nick plagend.

'Ghulam begrijpt het niet,' zei hij, terwijl hij zijn blik bedeesd afwendde.

'U vindt Vilashni aardig. Dus waarom neemt u haar niet tot vrouw?'

'Ah! Ghulam begrijpt wat meneer Nick probeert te doen. U denkt dat u Ghulam kunt foppen? U wilt de ezel midden op het pad verwisselen. Maar het zijn verschillende dieren. Ze gaan de andere kant uit.'

'Nee. Het is zelfde zelfde,' repliceerde Nick, Ghulams karakteristieke uitdrukking gebruikend.

'Niet zelfde zelfde. Anders.'

'Hoezo, anders?' vroeg Nick.

'Ghulam heeft al twee vrouwen. En zeven dochters. Ghulam heeft zijn deel van het graan al geoogst. Hebzucht is een zonde. Maar meneer Nick heeft nog helemaal geen vrouw genomen.' Hij zwaaide met zijn vinger en stak zijn onderlip naar voren om aan te geven dat Nick zich moest schamen.

'Misschien wil ik niet afgeleid worden. Zoals u zelf hebt gezegd, Ghulam, moet ik me erop concentreren te veranderen. U weet wel, mijn pad vinden,' zei Nick, enigszins schertsend, trots dat hij Ghulams woorden tegen hem kon gebruiken.

'Ha!' Ghulam zwaaide met zijn vinger. 'Een jonge student vroeg zijn moellah eens om leiding bij het een worden met Allah,' zei Ghulam met twinkelende ogen. 'De moellah zei tegen de student: "Ik merk dat je nooit het pad van de liefde hebt bewandeld. Ga weg en word verliefd. Kom dan weer naar me toe."'

Nick keek Ghulam uitdrukkingsloos aan. Hij haalde zijn schouders op. 'Dus...'

'Dus, meneer Nick, op het pad naar Allah, om vrede te vinden en Hem lief te hebben, moet men een vrouw trouwen.'

'Maar Ghulam, dat kan nooit wat worden. Ik kom uit Amerika. Haar leven is hier, in Kashmir,' zei Nick.

'Geen probleem. U komt hier wonen. Ghulam zal u helpen een huis te bouwen. Dan gaat u naar Amerika, dan komt u terug, en gaat, en komt terug. Ghulam doet hetzelfde wanneer hij weggaat van huis om werk te zoeken. Ghulam is soms wel een of twee jaar niet thuis. Maar hij houdt nog steeds van zijn vrouw en dochters. Zelfs nog meer wanneer hij niet bij hen is. Begrijpt u? Geen probleem.'

'Nou, ik zal in overweging nemen wat u zegt,' stemde Nick toe, alleen maar om het gesprek te beëindigen. Maar Ghulam beschouwde het als een overwinning en hobbelde opgewekt op zijn krukken rond.

'O ja, meneer Nick, denk erover na! Denk, denk! Maar niet te lang. Voor elke zonde bestaat vergiffenis, behalve voor het verspillen van tijd. Dat staat –'

'Het staat geschreven,' onderbrak Nick hem. 'Ik weet het.'

Ghulam hobbelde naar Vilashni toe. 'Meneer Nick gaat erover nadenken!' vertelde hij haar, waarna ze samenzweerderig in lachen uitbarstten.

Natuurlijk had Nick alleen maar een grapje gemaakt. Hij had geen duidelijk idee wat Aisha echt voor hem voelde. Hij wist dat ze bij gelegenheid zijn gezelschap prettig vond, maar betwijfelde dat ze diepgaandere gevoelens voor hem koesterde, en dat leek vooral waar na haar glasharde ontkenning van wat er zich die dag op de open plek in het bos achter Rasheeds geitenhok had afgespeeld. Bovendien was ze, hoewel ze gematigd was in haar godsdienstige opvattingen, een devoot moslima. Ze sloeg nooit een gebed over en, met uitzondering van haar kleine heildronk met Gilkamoshwater nadat ze Rasheeds geit had geholpen bij het werpen, ze onthield zich van drinken en roken. Ergens in zijn achterhoofd besefte Nick dat ze hem, een niet-gelovig christen met weinig kennis van haar volk en haar gewoonten, nooit zou accepteren. Misschien, vroeg hij zich af, was dat de reden waarom ze die dag het incident bij de beek zo vlug ontkende.

Toch gaf Aisha Nick iets om naar uit te kijken, terwijl er zo lange tijd niets dan verdriet en angst was geweest. Het feit dat er een gerucht van een romance was verlichtte ieders gemoed en deed het personeel ronddartelen als een stelletje schoolkinderen. Het was een betoverende lente – een laatste viering van het leven, voor alles veranderde.

44

In een tijdsspanne van enkele dagen was het rustige dorpje Gilkamosh veranderd in een krioelende mensenmenigte.

Duizenden hindoeïstische pelgrims uit werkelijk heel India hadden zich verzameld langs de rand van het dorp en provisorische kampementen opgezet op bijna elke vierkante meter van de Gilkamoshvallei, met uitzondering van het dorpscentrum. Rook van ontelbare kampvuren verduisterde de berglucht met een astma verwekkende nevelsluier. Het tumult van het veelvuldige geschreeuw, gelach en geruzie was dag en nacht in de hele vallei hoorbaar.

Elk jaar kronkelde de krioelende *yatra* – een kilometerslange menselijke stoet – door de Gilkamoshvallei, in een handvol dorpen halt houdend om bij tempels langs de weg te worden gezegend, tot hij bij een grote grot hoog in de bergen uitkwam waar, volgens de mythe, de fallus van Shiva de grote baarmoeder van Moeder Aarde penetreerde, waaruit het Leven werd geboren. Gilkamosh was het beginpunt van het menselijke konvooi. Zo lang iedereen zich kon herinneren arriveerden de pelgrims net als de voorafgaande jaren geleidelijk aan. Begin augustus eerst in sporadische groepjes. Later, een paar dagen voor de openingsceremonie, die in de Shivatempel in Gilkamosh werd gehouden, kwamen ze in groten getale. Bij de tempel werden de pelgrims gezegend door de heilige mannen van het dorp voor ze massaal door Gilkamosh paradeerden op weg naar Passtu, het volgende belangrijke dorp op de pelgrimsroute. Ze werden geflankeerd door langharige *sadhoes* in lendendoeken en drommen beschilderde heilige mannen die oranjegele gewaden droegen. Nadat de stoet was vertrokken, verviel het dorp tot de volgende zomer in zijn gewone slapende staat van rust.

Dit jaar was de menigte *yatri's* bijzonder buitensporig. De pelgrims waren meestal arme hindoes van het subcontinent – hele families, van kleine kinderen tot bejaarde grootouders. De vrouwen waren fleurig gekleed in bonte oranje, roze en rode sari's en overdadig opgesmukt met neusringen, kleurige *bindi's* op hun voorhoofd en enorme aantallen koperen armbanden van pols tot elleboog. Sommigen droegen rieten manden met geurende rode, oranje en gele hyacinten, goudsbloemen, azalea's en hibiscusbloesems als offergaven. Anderen hielden hun in felgekleurde doeken gewikkelde slapende, jammerende of aan hun moeders blote borst zuigende kleine kinderen in hun armen. De mannen, de meesten van hen uitgemergelde vegetariërs, zaten in kleermakerszit in kleine groepjes zelfgerolde *bidi's* te roken in afwachting van het ochtendlijke uur waarop ze zich met hun familie bij de processie zouden voegen om bij de tempel de heilige zegeningen te ontvangen voor ze aan hun inspannende tocht door de bergen zouden beginnen. Tien dagen lang zouden ze door zeer angstaanjagend en adembenemend terrein trekken, kamperend wanneer dat uitkwam. Zodra ze het yatra-circuit hadden afgelegd, zouden ze aan de lange terugreis naar hun dorpen in het eigenlijke India beginnen, per vrachtwagen, bus of trein.

In de loop der jaren waren de dorpsbewoners gewend geraakt aan de chaos gedurende de weken vanaf het moment dat de yatri's zich begonnen te verzamelen tot het moment dat ze weer weggingen. De pelgrims waren welgemanierd en vrolijk, slechts geïnteresseerd in hun godsdienstige ritueel en onschuldig plezier maken. Veel dorpelingen, moslims net zo goed als hindoes, waren er trots op dat hun dorp een heilige functie had. De kooplieden uit het dorp verdienden bakken geld aan de pelgrims door hun etenswaren, plaatselijk gekweekte bloemen voor de offergaven en benodigdheden voor de trektocht te verkopen. De politie en het leger, in aantal verviervoudigd door extra eenheden die waren opgeroepen om de vaste bezetting te versterken, zetten het dorpscentrum af zodat het dagelijks leven van de inwoners nog enigszins gehandhaafd bleef gedurende de yatra.

In dezelfde tijd dat de menigte yatri's zich klaarmaakte voor de openingsceremonie bij de Shivatempel, zat Kazim met Abdul in diens kelder te vergaderen over de laatste voorbereidingen.

Als leider van de cel was het natuurlijk niet Kazims taak te sterven met de aanvallers. Abdul zou de eer van het martelaarschap aan zich voorbij moeten laten gaan omdat hij de aanval moest coördineren, en de volgende, en de daaropvolgende, waarbij hij zou leren van de successen en mislukkingen, totdat er in het hele land zo veel bloed was vergoten dat de Indiërs hun handen omhoog zouden steken en weggingen. Zo luidde althans de theorie. En dat was ook Muzzafars plan.

De drie martelaren – de drie die zich vrijwillig hadden opgegeven om te sterven – waren niet aanwezig. Ze waren in afzondering aan het bidden, om hun geest en lichaam te reinigen ter voorbereiding op hun toetreding tot het paradijs, die, als alles volgens plan verliep, de volgende ochtend na zeven uur zou plaatsvinden zodra de veiligheidstroepen hen zouden neerschieten en de aartsengel Gabriël hen de weg zou wijzen.

Kazim en Abdul werden verondersteld jaloers te zijn op de drie martelaren. In werkelijkheid waren ze dat niet, hoewel ze dat nooit openlijk zouden toegeven. Wat Kazim betreft, hij had medelijden met hen, ook al gingen ze alle drie vrijwillig. Het feit dat hij een van hen, Gani, al vanaf diens kindertijd kende, maakte het idee hem de dood in te sturen onverdraaglijk, en hij had het uit zijn gedachten moeten zetten. Gani, een nieuwe rekruut die nog geen strijd had geleverd, kwam uit Kazims dorp Passtu. Hun vaders waren vrienden. Ze hielden elkaar vaak gezelschap tijdens de zomers op de bergweiden waar ze hun geiten maanden achtereen lieten grazen. De twee andere jongens kwamen uit het buitenland, maar ze hadden meer dan een jaar tot Kazims cel behoord. Tariq was een Pakistaan uit Rawalpindi, en zijn vriend Aatef was een Afghaanse vluchteling uit de streek rond Peshawar die zich onder Kazims bevel had onderscheiden tijdens de eerste aanval van het strijdseizoen van dat jaar, na het smelten van de sneeuw. Kazim had Aatef liever voor de zelfmoordactie gespaard, omdat hij zo'n waardevolle strijder was. Maar Aatef had erop gestaan.

Het waren goede jongens, zei Kazim tegen zichzelf, ook al was Aatef de enige geboren soldaat onder hen. Hij vroeg zich af hoe hun leven eruit zou zien als morgen niet kwam. Zouden ze misschien over hun verlangen naar martelaarschap en jihad heen groeien en ooit een normaal bestaan leiden? Of waren ze voorbestemd om slachtoffer van de oorlog te worden? Kazim zou graag het laatste hebben gedacht – dat ze onvermijdelijk in de bloei van hun jeugd aan hun einde zouden komen – maar hij kende de jongens te goed. Ze waren niet zoals Muzzafar, wie het doden in het bloed zat. Er zou hoop zijn geweest op een ander lot als de verzachtende factor van de tijd hun werd gegund. Misschien zouden ze verliefd zijn geworden en kinderen hebben gekregen, een vak hebben geleerd en alles over jihad en martelaarschap zijn vergeten.

Toen Kazim en Abdul hun lijst met laatste voorbereidingen hadden afgewerkt, keek Kazim onthutst naar zijn vriend. Abdul was de afgelopen weken veranderd. Kazim kon er de vinger niet op leggen, maar er was iets veranderd in de manier waarop Abdul zich gedroeg. Hij was opvliegender, maar tegelijkertijd leek hij Kazims orders minder graag op te volgen, en zijn tred was niet zo verend als anders. Hoewel Kazim vroeger de mogelijkheid zou hebben verworpen, vroeg hij zich nu af of Abdul misschien door twijfel was bekropen.

'Dat is het, Abdul. Het ziet ernaar uit dat we klaar zijn,' zei Kazim, terwijl hij naar de ruwe schets van het dorp keek die tussen hen op de grond lag uitgespreid.

'Inshallah,' antwoordde Abdul.

'Ja, inshallah... Wat denk jij, mijn vriend?' peilde Kazim.

Abdul knikte. 'Zoals je zei: alles is geregeld,' antwoordde hij, de eigenlijke vraag niet begrijpend, of misschien ontwijkend.

'Nee, ik bedoel, ben jij er klaar voor? In je hoofd?' vroeg Kazim, die een teken uit Abduls ogen probeerde af te lezen. 'Je weet dat hierdoor alles anders wordt.'

'Ja, natuurlijk. En jij, Kazim?' repliceerde Abdul, de rollen omdraaiend.

Kazim aarzelde. 'Abdul, we zijn sinds we kinderen waren als broers voor elkaar geweest. Ik heb tegenover jou al eerder mijn bedenkingen geuit over het doden van niet-strijders.'

Abduls gezicht werd donker. Zijn stem werd laag en galmend. Het was de stem van een vreemde. 'Wat zeg je, Kazim? Ben je niet bereid ermee door te gaan?'

'Dat zeg ik niet,' antwoordde Kazim, terugdeinzend voor Abduls verheven toon. 'Natuurlijk ben ik bereid. Ik suggereer alleen dat er misschien een andere manier is — een betere manier — waar we niet aan hebben gedacht.'

'Welke dan? Muzzafar zei dat niets anders heeft gewerkt. We kunnen de Indiërs niet op de knieën krijgen door een paar jawans te doden. Zoals Muzzafar zei, er zullen er altijd genoeg zijn om iedereen die we doden te vervangen.'

Kazim dacht na. Voor het eerst van zijn leven voelde hij zich onzeker over zijn vriend; hij merkte een bijna intimiderende aura aan hem op.

Waar was de Abdul aan wie hij zijn leven had toevertrouwd? Maar het was nu niet de juiste tijd om te piekeren.

'Ik heb nu al jaren geluisterd naar wat Muzzafar te zeggen heeft. Wat weet hij eigenlijk van ons land? Stel dat we de aanval afblazen,' zei Kazim. 'We kunnen onze eigen strategieën bedenken, onze eigen methode van oorlogvoering, een waarbij we de sympathie van de dorpsbewoners in ons voordeel gebruiken, in plaats van die voorgoed te vergooien. Een die de bevolking zal steunen. Begrijp je dan niet dat als we meer mensen aan onze kant krijgen –'

'Je bedoelt onze leider verraden?' snauwde Abdul. 'Probeer je dat te zeggen? Ik kan niet geloven dat je zelfs maar op het idee komt.' Abduls ogen flitsten, waardoor Kazim zijn woorden inhield. Hij had Abduls loyaliteit jegens Muzzafar onderschat. En misschien, zo leek het, zijn eigen invloed op zijn vriend overschat.

'Ik zat alleen maar hardop te denken. Ik ben gewoon erg op de jongens gesteld. Ze herinneren me aan jou, Abdul, toen je jonger was. Zo vol strijdlust... En je weet dat ik jou nooit de dood in zou kunnen sturen. Ook al weet ik hoe graag je naar de gelegenheid verlangt om jezelf als martelaar op te offeren.'

Kazim keek Abdul in de ogen en zocht opnieuw naar enig spoor van onzekerheid. Maar nu was daar niets van te bespeuren.

45

Bij het aanbreken van de dag waren de pelgrims op de straat voor de Shivatempel samengedromd. Ze stonden schouder aan schouder en met borst en rug tegen elkaar aan gedrukt, met de kinderen tussen hun benen en onder hun armen gestopt, zo dicht opeen dat ze een ware menselijke muur vormden die de weg aan het zicht onttrok. Die strekte zich uit van de ingang van de tempel tot in de uithoeken van de migrantenkampen vier kilometer van het dorpscentrum. Op de trottoirs stonden op willekeurige afstand van elkaar, maar met niet meer dan tien meter tussenruimte, hindoeheiligen met blote schouders in oranjegele gewaden, die de rand van de processie markeerden.

Vanaf zijn uitkijkpost op het platte dak van Abduls huis kon Kazim de menigte in vogelvlucht overzien. In het hele dorp deden veel inwoners hetzelfde: het spektakel bekijken vanaf de comfortabele afstand van iemands dak was een soort jaarlijks terugkerend vermaak voor de inwoners van Gilkamosh. Maar niemand keek met hetzelfde diepgaande gevoel van ontzetting. Het zou gemakkelijker zijn geweest als hij een van de martelaren was, dacht Kazim. Maar het was nu te laat om nog iets te doen, of om het anders te doen.

Voordat de zon over de bergen in het oosten opkwam was alles saai en dofgrijs geweest. Maar ineens, alsof een of andere bovenaardse kracht een schakelaar had omgezet, troffen de levendige kleuren van de gewaden van de pelgrims Kazims netvliezen in een golf van oogverblindend roze, rood, indigoblauw, paars en geel, extra schitterend afstekend tegen de diepdonkere huid en het blauwzwarte haar van de mensen. Iedereen had handenvol bonte bloemen bij zich en het zoete aroma van bloemen en wierook vervulde de lucht zodanig dat Kazim het op meer dan tweehonderd meter afstand kon ruiken, terwijl hij daar vol misse-lijkmakende verwachting neergehurkt zat.

Hoezeer hij ook sinds zijn jongensjaren wrok was gaan koesteren tegen het hindoeïstische India — vanwege zijn onderdrukkende arrogan-tie, afgoderij, haat tegen de islam en aanhoudende hebzucht — hij ont-kwam er niet aan zich geraakt te voelen door het magische schouwspel vóór hem. Het was een vuile, armzalige massa ongelovigen, vond hij, maar afgezien van het verachtelijke en irrationele geloof in valse goden werd hij op een of andere manier getroffen door de levendige massa re-citerende, uitgelaten pelgrims die in hun tijdloze ritueel opgingen. Geen levend menselijk wezen kon de levenslustigheid van de hordes hindoes die ochtend aan zich voorbij laten gaan. Het was een fascine-rende aanblik.

Maar voor Kazim verergerde deze plotselinge, onverwachte aanval van mededogen alleen maar de vrees die hem in zijn greep had en die zijn longen vernauwde tot hij alleen nog maar naar adem kon snakken. Wat er stond te gebeuren had hij niet gewild. Hij had zijn mogelijk-heden overwogen, keer op keer. Maar uiteindelijk had hij de enige be-slissing genomen die hij naar zijn idee op de Dag des Oordeels kon ver-antwoorden.

Die wetenschap bracht echter geen verlichting. En ineens voelde hij een hevige drang om te vluchten, om niet te hoeven zien hoe het zich allemaal ontvouwde. Maar hij was een te redelijk mens om de gevolgen van zijn eigen dwaasheid te ontvluchten, en hij wist ook dat er geen *wudu* was die de smet van zijn medeplichtigheid kon uitwissen. Hij had zichzelf als jongen verdoemd toen hij ervoor had gekozen verliefd te worden op de azadi. Maar het was een verleidster geweest die zijn liefde niet waard was. En nu voelde hij de vreselijke onafwendbaarheid van ie-mand die in het bos is verdwaald en beseft dat hij zijn laatste krachten heeft gebruikt om op precies dezelfde plaats uit te komen.

De zegeningscermonie van de yatra begon toen een groepje van vijf heilige mannen in oranjegele gewaden en met ijzeren drietanden de tempel uit kwam. Ze hadden baarden en waren blootsvoets, en hun ge-zicht was versierd met witte en okergele verf. Hun lippen bewogen on-hoorbaar en ze daalden in trance de trappen van de tempel af. Ze stap-ten het plein voor de tempel op en naderden de menigte, die door een kordon van politieagenten van de binnenhof van de tempel werd afgescheiden. Toen de heilige mannen aankwamen, bestrooiden de gelovigen hen met bloemen. Ze gooiden ze met handenvol in enorme hoeveelheden naar de galerij waar de priesters stonden om de zegen uit te spreken, en even was alles – de mensenmassa, de priesters, de tempelgalerij, zelfs de zon – aan het zicht onttrokken door een stortvloed van oogverblindende kleuren.

Maar Kazim wendde zijn blik snel af van de ceremonie en concentreerde zich op de omgeving, waar zijn jongens hun posities hadden ingenomen. Daar zag hij Aatef en Tariq, aan de straatkant tegenover de tempel. Ze zagen eruit als alle andere hindoeheiligen, maar terwijl die op het ritmische reciteren van de menigte meebewogen stonden zij stokstijf stil. Alleen een opmerkzame blik zou de lichte bult onder hun gewaad hebben opgemerkt. Aan de andere kant van de straat stond Gani. In tegenstelling tot de anderen zag hij er verdacht uit, verontrustend, zelfs van waar Kazim zat te kijken.

Kazim speurde de menigte af en zag twee of drie politieagenten achter Aatef en Tariq. Maar hun positie was verre van ideaal – er stonden honderden opeengepakte feestvierders tussen hen en Kazims mannen. Als de agenten begonnen schieten, zouden yatri's als koren worden neergemaaid. 'Idioten!' mompelde Kazim. Ze waren niet eens in staat een basisprincipe op het gebied van veiligheid juist uit te voeren: de mensen afschermen van de hoeken vanwaaruit ze mogelijk aangevallen konden worden.

Kazim keek op zijn horloge en slikte het vuistgrote brok in zijn keel weg. Nog één minuut te gaan – een eindeloze minuut voor het moment waarop alles wat hij tot dan toe in zijn leven had gedaan zou worden bezoedeld door wat erna zou gebeuren.

Zijn ogen dwaalden over de menigte yatri's tot hij Gani weer had gevonden, die moeite had om kalm te blijven. Hij zag dat de jongen het op de zenuwen kreeg. Kazim had er rekening mee gehouden dat dat kon gebeuren. Aatef en Tariq waren betrouwbaar. Het zou voor hen gemakkelijker zijn omdat ze met z'n tweeën waren. Kazim voelde zich koud worden toen hij de rij vrouwen en kinderen voor de twee jongens zag.

Nog tien seconden! Kazim zag Tariq en Aatef onder hun gewaad grijpen en er iets onder vandaan halen. Hij kneep zijn ogen tot spleetjes om de afstand te overbruggen. 'Granaten?' hoorde hij zichzelf ontzet zeggen. Zijn jonge moordenaars, uit op een slachtpartij, hadden geïmproviseerd. Hun ellebogen kwamen naar achteren toen ze de pin eruit haalden en de explosieven onder hun kleding verborgen hielden. Aan de overkant graaide Gani onhandig naar de AK-47 die onder zijn gewaad verstopt zat, gehypnotiseerd door de mensenmassa die van hem weg zwermde.

Vijf seconden! Aatef en Tariq haalden de granaten tevoorschijn. Op hetzelfde moment zakte Gani aan de andere kant van de weg die barstensvol yatri's was, op zijn ene knie. Toen zwiepte hij met een onhandige zwaaiende beweging zijn gewaad naar achteren, zodat zijn geweer open en bloot naar beneden hing. Hij probeerde wankelend weer op te staan en morrelde met zijn vingers aan het wapen om er vat op te krijgen.

'Allah sta me bij!' riep Kazim hardop, terwijl hij zijn handen voor zijn gezicht sloeg.

Toen het erop aankwam was Kazim, hoewel hij zo veel mannen in zijn leven had gedood en had zien sterven, niet in staat te kijken. Maar hij hoorde het wel. Niet veel, maar een allesdoordringende kreet, alsof de hele menigte beklagenswaardige armen van India één enkel organisme was dat het plotseling had uitgeschreeuwd van de pijn.

Gani

Abdul Gani Dar was achtenveertig uur wakker geweest toen hij ineens voor de horde kwebbelende ongelovigen stond.

Hij had niet kunnen slapen. In plaats daarvan had hij gebeden, en hij had zijn gebed alleen onderbroken voor de rijst en chapati die zijn bezorgde moeder, Rukshana, voor hem had klaargemaakt. Rukshana had hem gevraagd wat er aan de hand was, omdat hij niet uit zijn kamer wilde komen om samen met zijn vader bij de kachel te eten. Gani vertelde haar dat hij zich niet lekker voelde. Dus bracht ze hem, toegewijde moeder als ze was, zijn eten op zijn kamer.

Gani's vader, Mohammad Sabir, had bezwaar gemaakt. 'Zorg dat dat moederskindje hier komt eten!' schreeuwde hij tegen zijn vrouw, zo hard dat Gani het door de lemen muren van hun kleine onderkomen heen wel moest horen. Gani was enig kind en Mohammad verweet Rukshana dat ze hem te veel in de watten legde. Volgens Sabir had ze een slappeling van Gani gemaakt. 'Moederskindje,' zei hij altijd vol afkeer waar Gani bij was, in de hoop dat het zijn zoon zou aanmoedigen om een man te worden als hij hem voortdurend kleineerde.

Toen zijn moeder hem zijn eten bracht op zijn kamer, zat Gani te huilen. 'O Gani toch,' zei ze bedroefd. 'Laat je vader het maar niet horen.'

Ze zou binnenkort niet meer voor hem kunnen zorgen en dat stemde Gani droevig. Hij was zo verdrietig dat hij al het eten uitbraakte. Maar nu kon hij tenminste wat troost vinden in het feit dat hij echt ziek was; hij hoefde niet meer tegen zijn moeder te liegen, in elk geval niet daarover. Kazim, Gani's mentor en leider, had tegen Gani en de andere jongens gezegd dat ze die laatste dagen aardig moesten zijn voor hun ouders, en Gani wilde niet het Oordeel tegemoet gaan terwijl hij tegen zijn moeder had gelogen.

De steek die hij voelde, die vernederende blik in zijn vaders ogen wanneer hij hem een moederskindje noemde, had hem naar de plaats gedreven waar hij zich op de dag van de yatra bevond. Zo ver hij kon kijken zag hij donkergetinte mensen in felle, kleurige kleding, geparfumeerd met de misselijkmakende geur van hibiscus en wierook. Als uit één mond reciteerden ze gebeden, terwijl hun groezelige kinderen jammerden en met vettige vingers aan hun gewaden en sari's trokken. Ze fascineerden hem. En maakten hem bang. Zo veel open monden met stinkende adem en zo veel ontstoken ogen. Het waren geen individuen meer, maar één massale entiteit, één reusachtige ongelovige die hem met huid en haar dreigde op te slokken, net zoals iedere yatri door de massa was verzwolgen terwijl hij naar de tempel kroop. Gani was bang dat zelfs hij, een gelovige, er deel van zou gaan uitmaken; als een heiden reciterend en lopend en zwetend en bloemen naar afgoden werpend. Hij kon schieten wat hij wilde, maar zou nauwelijks schade aanrichten. Eén enkel salvo uit zijn geweer zou hoogstens een schampschot betekenen. Bij het tweede salvo zou de massa alleen maar dichter worden, om hem heen zwermen, honderden zwarte ogen dof van woede, tot ze hem als een amoebe opslokte.

Zijn knieën knikten. Hij stak zijn hand omlaag, alsof hij zijn benen tot rust wilde brengen, en voelde dat zijn bovenbeen drijfnat was. Zijn saffraangele gewaad was dieper oranje geworden. Hij had de controle over zijn blaas verloren. Hoe stom moet ik eruitzien, dacht hij, met die magere blote benen die beefden als rietstengels in de wind, bedekt door niets anders dan een natte lap. Hij had in schone kleren naar Allah willen gaan – moslimkleren. Dat zou gepast zijn geweest. Nu zouden zijn ouders zijn lichaam als een ongelovige gekleed moeten zien en weten dat hij in zijn broek had gepiest. Er kwamen tranen in zijn ogen. Hij had martelaar willen worden om zichzelf te bewijzen, maar zelfs bij zijn laatste gebaar maakte hij zich belachelijk.

Toen, ineens, zat Gani in het stof geknield over te geven. Hij kon zich niet herinneren dat hij door zijn knieën was gezakt en het kon hem ook niet schelen. Hij wilde daar alleen maar opgekruld blijven liggen. Waarom is mijn leven hierop uitgedraaid? De vraag flitste door hem heen met een diepgaand gevoel van onrecht toen hij een muur van ongelovigen naar hem zag staren. Hij probeerde zich het besluit te herinneren waardoor hij op deze plek terecht was gekomen, of welke beslissing dan ook. Maar het leek alsof hij op niets van wat er in zijn onbetekenende leven was gebeurd – van de eerste keer dat hij aan zijn moeders borst zoog tot het moment van daarnet dat hij het in zijn broek deed – ook maar enige invloed had gehad. Hij was een jongen die nooit keuzes had gekend, alleen maar reacties op de eisen van anderen. Maar toen Gani knielde, geschrokken van de waanzinnige menigte die bezig was hem in te sluiten, zag hij het beeld voor zich van zijn vader die hem beschimpte. Vernedering, de meest onderschatte en gevaarlijkste van alle menselijke emoties, gaf hem de kracht door te gaan.

Hij stond op. 'Allah-o-Akhbar!' hoorde hij zichzelf roepen met de trillende stem van de adolescent die hij was. Alle voorbereidingen vergetend reikte hij met zijn rechterhand naar de rand van zijn gewaad en sloeg met een slappe arm de stof terug over zijn schouder, waardoor de kalasjnikov die aan zijn schouderriem hing zichtbaar werd. Hij pakte hem bij de handgreep. Maar zijn vingers, glad van het zweet, gleden eraf. Het wapen viel uit zijn handen, maar bleef aan de riem hangen.

Weer greep hij ernaar, en ten slotte vonden zijn stuntelige, trillende handen de trekker. Hij zette het geweer onder zijn arm zoals ze het hem in het kamp hadden geleerd en richtte de loop op de wijd open zwarte ogen en gapende monden die nu op hem af kwamen en stof opwierpen dat in het licht hing als oranje mist. Toen werden al zijn zintuigen opgeschrikt door een schel, dom geschreeuw; hij hoorde het niet alleen, maar hij voelde dat het geluid hem trof met de kracht van een aanvallende jak.

Een schampschot! Dan maar een schampschot! dacht Gani ten slotte, voor hij een harde stoot voelde. Hij keek met wijd open ogen omlaag en zag dat het natte gewaad tegen de botten van zijn ingezakte borst aan plakte. En tegen de tijd dat hij zijn ogen weer opsloeg trokken honderden handen aan zijn lichaam.

Aatef

Aatef Jalladin Khan stond met opgeheven kin. Hij had er recht op een *sahid* te zijn. Hij had het verdiend.

Twee maanden tevoren had hij tijdens zijn eerste gevecht drie jawans gedood. Ze zaten verschanst achter een stel zandzakken en vuurden met hun machinegeweren naar de bergwand waar zijn kameraden en hij achter hoge rotsblokken verscholen zaten. Hij sloop achter de post langs en wachtte tot ze moesten herladen. Toen trok hij de pin eruit, telde tot zes en rende onbevreesd naar voren, terwijl hij de granaat liet vallen. Een luide knal en hij werd bedolven onder lichaamsdelen. Er was bloed in zijn mond gekomen, wat hem herinnerde aan het ongare ezelvlees dat hij als jongen af en toe had moeten eten.

Hij had het geluid van die granaat prachtig gevonden. Het geluid van pure macht. Hij wilde dat geluid nog één keer horen voor hij stierf. Daarom had hij besloten het ding mee te nemen. En toen Tariq achter zijn plan kwam, had hij erop gestaan er ook een te krijgen, want hij wilde niet dat Aatef hem ergens mee kon overtroeven. Hij en Tariq waren goede vrienden, dus kon hij het niet weigeren. Ze spraken af de pin er tien seconden voor de geplande tijd onder hun gewaad uit te trekken en ze dan, als gelijken, samen in de menigte te gooien.

De trots die hij had gevoeld toen hij die Indiase soldaten doodde was een van de verrukkelijkste gevoelens in zijn korte leven geweest. Maar er zouden meer goede tijden komen. Hem was verteld dat er in het paradijs wijn zou zijn en maagden en muziek en dans, en alle andere genoegens die in dit leven verboden waren. En als martelaar zou hij naar het paradijs gaan zonder de Dag des Oordeels te hoeven afwachten zoals de anderen. Zo zou hij als eerste de mooiste meisjes kunnen uitkiezen.

Wat een dichte menigte! Dit wordt gemakkelijk, dacht hij terwijl hij in de massa staarde. De kleine kinderen die tussen de benen van de volwassenen rondliepen herinnerden hem aan hemzelf tien jaar terug. Zijn vader greep hem bij zijn kraag en droeg hem naar een tuktuk en dan reden ze samen door de eindeloze zee van vluchtelingen naar de stad. Daar liet zijn vader hem de menigte in de bazaar afwerken. Hij zocht een plaatsje, net als die kleine ongelovigen, en wurmde zich tussen benen en onder armen en tafels door om met zijn behendige kleine handjes losse roepies, horloges, sieraden en wat hij maar te pakken kon krijgen te stelen. Maar uiteindelijk kregen de mensen zijn spelletje door en was er niet veel meer te pikken. Toen liet zijn vader hem andere dingen doen om aan geld te komen – met oude mannen, achter geitenstallen, in stegen en hokjes van openbare wc's. Later zouden de moellahs hem zeggen dat het immoreel was wat de mannen hem hadden laten doen. Maar hij had het alleen gedaan omdat het loonde. En toen hij bij zijn familie wegliep om op straat te gaan leven, ging hij ermee door, omdat het de enige manier om te overleven was die hij kende. Dat, en vuilnis afstropen. Maar toen een islamitische liefdadigheidsinstelling hem onder haar hoede nam, hield hij op met die slechte dingen. Er is altijd een manier om jezelf te verlossen, vertelden de moellahs hem. Allah is genadig en vergevend. Vooral voor zijn strijders.

Ja, hij had een hoop schade kunnen aanrichten in deze menigte, dacht hij met een vreemde nostalgie, net zoals hij nu een heleboel schade ging aanrichten, maar van een ander soort.

Met nog maar een paar seconden voor de gestelde tijd keek hij naar Tariq en hun blikken verstrengelden zich. Tariq keek ernstig, koel, bijna vredig. Maar hij was dan ook een gelovige jongen. Hij geloofde in martelaarschap, jihad en al die dingen. Aatef ook, maar met Tariq lag het anders. Aatef hield van vechten, Tariq hield alleen van Allah. Aatef glimlachte naar zijn vriend, en hoewel Tariq zijn glimlach niet beantwoordde, wist hij dat zijn vriend in gedachten bij hem was. Hij trok de pin uit zijn granaat en zag Tariq hetzelfde doen. Toen Aatef weer opkeek leek het of de menigte terugdeinsde, over elkaar struikelend. Vreemd, dacht hij. Hij liep naar voren zodat hij ze kon bereiken. Sinds hij in het trainingskamp zijn arm had gebroken, kon hij niet goed meer gooien, en hij was ook al nooit een goede werper geweest bij cricket.

Net op dat moment hoorde Aatef in de verte een schot door de lucht knallen, en toen een ander salvo, dichterbij. Hij keek in de richting waar het geluid vandaan kwam en zag Tariq, met zijn armen naar achteren boven zijn hoofd gestoken, alsof hij zich overgaf aan een tornado. Zo bleef hij even stil in de lucht hangen, een beetje draaiend, voor hij op de grond viel.

Er flitste iets aan Aatefs linkerkant. Iemand, een van de heilige mannen in oranjegele gewaden, hurkte neer en richtte een wapen. Plotseling wenste Aatef dat hij zijn eigen geweer in zijn handen had, en niet zijn granaat. Hij boog zijn arm naar achteren om hem naar de gewapende man te gooien. Maar voor hij hem naar voren kon slingeren doorboorde een scherpe pijn zijn schouder en verloor hij alle gevoel in de ene helft van zijn lichaam. Hij voelde dat er iets zwaars op zijn blote voet viel en zijn lichaam beefde onbeheersbaar, alsof hij een marionet was die alle kanten uit werd getrokken.

Zijn hoofd viel als een enorm gewicht op zijn borst, zodat het laatste wat hij zag, net op het moment dat hij viel, zijn dierbare granaat was. Een withete flits boorde zich in zijn buik. En toen was er niets meer.

Tariq

Zijn zintuigen waren op dat moment scherper dan ze ooit waren geweest. De rotsachtige grond onder zijn sandalen voelde aan als een verlenging van zijn benen. Hij zag de krioelende menigte transpirerende halfnaakte lichamen en rook de muskusachtige geur van hun zweet, proefde de lucht van brandende wierook op de punt van zijn tong. Zijn oren gonsden van het niet-aflatende reciterende gezang van de ongelovigen, het geklingel van hun bellen en het gestamp van hun vuile, blote voeten op de aarde.

Er was zoveel te zien, te ruiken, te proeven en te horen. Maar niets daarvan drong echt tot hem door. Zijn geest was volkomen losgekoppeld van zijn zintuigen en was alleen vervuld door de Ene – Allah. Hij voelde zich gezegend.

Tariqs gezegende gevoel was echt, net zo echt als de aarde onder zijn voeten en de blauwe hemel boven hem. En als de zwetende menigte ongelovigen voor hem. Hij voelde zich gezegend in zijn geest, zijn lichaam en zijn hart, voelde de zegen door zich heen stromen en zijn binnenste verwarmen.

Dit is het! De openbaring trof hem als een donderslag. Hij had eindelijk bereikt waar hij naar had verlangd: het hoogtepunt van een gelovig leven, begonnen op de madrassa buiten Rawalpindi, waar zijn vader, een civiel ingenieur, hem en zijn vijf broers naartoe had gestuurd. Sinds zijn achtste, toen hij voor het eerst had geleerd over martelaarschap en jihad, was hij gefascineerd door verhalen over de heilige vervoering die een sahid voelde vlak voor hij stierf. Hij wist dat het zijn roeping was. Vanaf dat moment had zijn hele leven naar dit moment toe geleid.

Nu had hij eindelijk zijn enige ware doel bereikt. Met het martelaarschap voor ogen, zich alleen op Allah concentrerend, had hij zich weten los te maken van zijn zintuigen, zodat zelfs zijn eigen zelf was verdwenen. Hij had geen andere ideeën, gedachten of gevoelens dan de gezegende kracht van Allahs liefde die door zijn geest en zijn lichaam stroomde. Hoewel hij niet kon denken, want er was geen ruimte voor gedachten in zijn hoofd, was hij zich volledig van alles bewust. Het leek alsof hij een nieuw bewustzijn van Allah had gekregen en van daaruit handelde.

Zonder zelfs maar naar hem te kijken, was hij zich ervan bewust dat zijn vriend Aatef links van hem stond en dat diens warme glimlach zijn teken was. Hij was zich ervan bewust dat hij de pin uit zijn granaat trok en wachtte, mediterend over Allah en Zijn oneindige grootheid. Hij ging op in het voorrecht de heilige vervoering in zich te voelen opwellen. Hij wenste dat hij de wereld kon verkondigen wat hij nu wist: dat de zegen van het martelaarschap Waarheid was! Want dan zouden miljoenen in zijn voetspoor volgen en zou Zijn koninkrijk in ere worden hersteld.

Ineens begon de menigte te struikelen en te wankelen. Tariq wist niet waardoor die plotselinge beweging was ontstaan, maar dat maakte niet uit. Hij stapte gewoon naar voren. Maar toen gingen ze nog verder weg, en weer liep hij achter hen aan, tot hij de terugtrekkende vijand bleek te achtervolgen. Rustig haalde Tariq de granaat van onder zijn gewaad tevoorschijn en kromde zijn arm. Met een wijde onderhandse boog en een jubelkreet zwaaide hij zijn arm naar de ongelovigen.

Het volgende dat tot hem doordrong was dat hij naar de hemel staarde. Het paradijs? dacht hij. Maar toen hij geschreeuw van pijn hoorde wist hij dat dat het niet was. Want in het paradijs bestaat geen pijn. Teleurgesteld keek hij rond tot zijn blik op zijn eigen borst bleef rusten. Een grote plas helderrood bloed kwam door een gat in zijn verbrijzelde borstbeen sijpelen en stroomde langs zijn nek en kin. Hij had het koud. Alle geluiden vervaagden, tot hij zijn eigen reutelende ademhaling bijna niet meer hoorde.

Toen wist hij het. Hij was martelaar geworden, hier in het stof. Hij sloot zijn ogen en probeerde nog eenmaal de zegen te ervaren. Maar voor hij die kon terughalen, ontplofte zijn granaat en werd hij uiteengescheurd.

Sergeant Ravindra

Sergeant Kaushal Ravindra van het team voor speciale operaties van de grensbeveiligingstroepen stond te kijken, te wachten en te zweten. Het dikke kogelwerende vest onder het oranjegele gewaad maakte dat hij zich voelde en eruitzag als een enorme dikke yamswortel die in de zon lag te roosteren.

Hij had zijn orders die ochtend drie keer nauwkeurig bestudeerd en wist zeker dat hij op de juiste plek stond: tussen de vijfde en de zevende sadhoe aan de oostelijke kant van de optocht, recht tegenover het binnenplein van de tempel. Hij was feitelijk de zesde sadhoe. Maar niets in zijn buurt leek verdacht.

De orders vermeldden de 'stellige mogelijkheid' dat er een aanslag zou worden gepleegd op de yatra, wellicht door als sadhoes vermomde terroristen. 'Stellige mogelijkheid' was een kans van tien procent, tamelijk klein, wat betekende dat de bron van de waarschuwing geen vertrouwde politie-informant was. Maar toch was hij op aandringen van een lokale politicus daar neergezet, uitgedost als heilige man, met de opdracht de andere heilige mannen in de gaten te houden en hen indien nodig neer te schieten. Maar alle sadhoes om hem heen leken echt. Het zal wel weer vals alarm zijn, dacht hij. 'Politici!' bromde hij minachtend.

In zijn verveling wenste sergeant Ravindra dat hij een sigaret kon opsteken. Maar de procedures verboden dat. Hij begreep niet waarom. In het gewone leger, waar hij vijftien jaar had gediend, maakte niemand zich ooit druk over zulke stomme regeltjes. Het ging erom dat je een goed soldaat was. En hoewel hij een ervaren scherpschutter was, schoot hij altijd beter met wat nicotine om zijn hersens op te peppen. Het maakte zijn zicht scherper, alsof zijn pupil in een menselijk oogdopvizier was veranderd – volkomen gecentreerd gericht, van oog naar doel, als een laserstraal. Klootzakken! dacht hij en hij spuugde speeksel met paan uit, terwijl hij de grensbeveiligingstroepen vervloekte om hun bureaucratische domheid.

Hij speurde met uitpuilende ogen de menigte af. Vlakbij zag hij niets verdachts. Maar toen hij verder keek merkte hij iets vreemds op aan twee sadhoes rechts van hem. Misschien vielen ze uit de toon door hun lichtere huid. Of doordat ze zo jong waren. Of doordat ze niet meededen met reciteren, zoals de anderen. Toen hij hen onder hun gewaad zag grabbelen, ging in zijn hoofd een alarm. Wat waren ze aan het doen? Hij voelde een adrenalinestoot. Langzaam stak hij zijn hand onder zijn eigen gewaad, tastte naar de veiligheidspal van zijn machinepistool en zette die op half automatisch. Hij keek hoe ze – het leek wel een eeuwigheid te duren — zwijgend bleven staan, rustig, met hun hand onder hun gewaad, tot de jongeman het dichtst bij hem zijn hand eronder vandaan haalde. Hij hield iets ronds vast. Onmiddellijk wist sergeant Ravindra wat het was.

In een waas zette hij het wapen aan zijn schouder en nam de dichtstbijzijnde op de korrel. Net op het moment dat hij zijn vinger om de trekker legde klonk er een schot van de overkant van de weg. De menigte wankelde. Sergeant Ravindra deinsde achteruit en verloor zijn doel uit het oog. Hij vloekte. Toen hij het weer zocht was de man verdwenen.

Hij reikhalsde om zijn doel op te sporen. Toen kreeg hij een tweede 'heilige man' in het oog, die met iets in zijn handen naar de yatri's toe rende. Sergeant Ravindra's oog richtte zijn denkbeeldige laserstraal recht vooruit tot ongeveer een meter voor de man, die eigenlijk een jongen was. Hij haalde de trekker over. De kogel trof de jongen midden op het saffraangele gewaad en er spoot een straal bloed uit zijn rug.

Er steeg een onmenselijk gegil op uit de massa yatri's, hoog en doordringend als een oorverdovend krekelkoor. De schelle golf van geluid deed hem even opschrikken, maar hij was op mensenjacht en zijn geest was alweer bezig zijn prooi te traceren. Al snel en misschien met een beetje geluk vond hij de eerste 'heilige man', ook een jongen, slechts enkele meters van hem vandaan. Met ogen vol haat keek hij sergeant Ravindra dwars door de waanzinnige menigte recht aan. Hij komt recht op me af, dacht Ravindra ongelovig. De arm van de jongen was gebogen, klaar om te gooien. Maar dat was niet wat Ravindra in beweging bracht. Voor hem was zijn doelwit al dood. Hij hield zijn adem in en haalde de trekker zo zachtjes over dat hij zich verbaasde toen het geweer in zijn handen schokte.

De jongeman liet de granaat vallen, maar stond nog steeds overeind. Dus schoot sergeant Ravindra nog drie kogels in zijn borst. De jongen draaide rond, zakte toen in elkaar en viel neer, met zijn buik in het stof, voor hij doorrolde. Een fractie van een seconde later slingerde een doffe explosie hem vijf meter de lucht in en kwam hij in stukken naar beneden vallen.

Later, toen duidelijk was dat het voorbij was en de yatri's het dorp waren ontvlucht, liet sergeant Ravindra zijn wapen zakken en rookte zijn sigaret.

Kazim

Het gegil vanaf de straat deed Kazims bloed stollen. Maar toen hij zichzelf eindelijk dwong de slachting onder ogen te zien, was het niet zoals hij had gevreesd.

Hij zag een groep yatri's met bebloede gezichten die een lichaam aan stukken scheurden – Gani, nam hij aan. Aan de andere kant van de mensenmassa lagen Aatef en Tariq in het straatvuil; een plas bloed kleurde het stof rondom hun overblijfselen zwart. Een paar soldaten met hun geweer in de aanslag stonden eromheen. Politie rende overal in het wilde weg rond, niet in staat de menigte die uit het dorp weg probeerde te komen onder controle te krijgen. Het gedrang dreigde uit te lopen op een wilde vlucht die gevaarlijker was dan de verijdelde aanslag geweest zou zijn. Maar de politie was slim genoeg de menigte niet te hinderen en de zwerm drong noordwaarts naar de bergen zonder al te veel mensen te vertrappen.

Hij telde slechts drie doden: zijn eigen moedjahedien. Enkele yatri's wankelden in shock rond; misschien waren ze geraakt door scherven van de ontploffende granaten, maar niemand leek ernstig gewond. Hij voelde een vlaag van opluchting. Het was hem gelukt te falen.

Maar tegelijkertijd voelde hij een vreselijke angst. De precisie en vlekkeloosheid waarmee de politie de aanslag had verijdeld zou hem worden aangerekend. Als de politie, zoals hij had gehoopt, de omgeving met geüniformeerde agenten had schoongeveegd in plaats van undercoverspecialisten in te zetten, en het meer op een routineoperatie had doen lijken, zou het feit dat Kazim zijn eigen jongens had verraden gemaskeerd zijn gebleven. Maar nu zou alles uitkomen en was het slechts een kwestie van tijd voor Muzzafar naar hem toe zou komen. Zijn vrijheidsstrijd was uitgedraaid op een strijd om te overleven.

46

Abdul stond op een rotsachtige kam en zag de stoet het dorp uit stromen en zich voortbewegen als een slang langs de weg die naar de vallei
leidde. Hij was verbaasd dat het zo vloeiend ging. Als water dat door een
goot stroomde begon de menigte ongelovigen onrustiger te bewegen
toen ze door de smalle kloof werd ingeperkt. Terwijl ze onder hem door
renden en duizenden zich door de kronkelende pas wrongen waar eigenlijk maar de helft van hen in een keer doorheen kon, was hij dichtbij genoeg om de angst van hun gezichten te kunnen lezen.

Kazim had hem daar als uitkijk neergezet met het bevel een radio-
bericht te sturen als hij eenheden van het leger het dorp zag naderen.
Maar Abdul wist dat Kazim hem eigenlijk alleen maar uit de weg wilde
hebben. Wat verwachtte Kazim te kunnen doen als er meer soldaten
kwamen? De aanslag afblazen? Het was per slot van rekening een zelf-
moordaanslag. Toch vond Abdul het wel best om daar op de bergkam te
zitten. Vandaar kon hij in vogelvlucht zien hoe de doodsbange yatri's
in de val liepen. Zíjn val, door hem gecoördineerd en op bevel van
Muzzafar, en die hij volgens diens instructies voor Kazim geheim had
gehouden.

Wat is Muzzafar toch geniaal om een tweede hinderlaag te leggen
voor het geval dat de eerste mislukte! dacht Abdul dwepend. Hij voelde
zich enorm vereerd dat hij was uitgekozen om die te coördineren, helemaal alleen. Muzzafar was een echte leider van moedjahedien, bedacht Abdul. Niet zoals Kazim, die te weekhartig leek te zijn geworden.

Abdul was echt in verwarring gebracht door Kazims gebrek aan vastberadenheid van de laatste tijd. Kazim was altijd een van de moedigste
strijders geweest, een voorbeeld voor alle jongens in de madrassa, hijzelf inbegrepen. Maar ergens onderweg had Kazim de overtuiging om

te doen wat nodig was verloren. Hij werd zelfs in beslag genomen door lasterlijke gedachten die verraad jegens Muzzafar inhielden.

Muzzafar had voordat Kazim die dag naar de schuilplaats was gekomen tegen Abdul gezegd dat het Kazim vanaf het begin aan lef had ontbroken, dat hij simpelweg jarenlang iedereen voor de gek had gehouden. Misschien had Muzzafar gelijk. In elk geval werd die bewering ondersteund door Kazims poging, jaren geleden, om de aanslag van die Fidali ten onrechte zelf op te eisen. Alleen al vanwege het feit dat Kazim zo oneerlijk was geweest, had Abdul het gerechtvaardigd gevonden Muzzafar erover in te lichten.

Misschien had die hoer, die Aisha, hem betoverd en verzwakt en hem van zijn principes beroofd. Natuurlijk voelde ook hij – Abdul – haar verleiding en hij vroeg zich vaak af of hij wel de wil had gehad voor de jihad te strijden als zij hem in plaats van Kazim had uitgekozen toen ze nog jongens waren. Abdul kon haar naam niet eens noemen, laat staan het over haar schending van de purdah hebben, zonder dat Kazim haar woedend begon te verdedigen.

Toch had Abdul het niet kunnen geloven toen Muzzafar zei dat de moedjahedien in Gilkamosh misschien een nieuwe leider nodig hadden. Nu, nadat hij er wekenlang over had nagedacht, zag Abdul grote wijsheid in Muzzafars uitspraak. Vastbesloten aan Muzzafars test te voldoen, had hij er nauwlettend voor gezorgd dat alles zo werd uitgevoerd als deze had gevraagd. Als Abdul voorbestemd was het leiderschap van Kazim over te nemen, dan was dat Allahs wil. En zo zou het geschieden.

Toen hij op de berg de echo's van het schieten en de explosies vanuit het dorp hoorde, voelde Abdul zich opgelucht en teleurgesteld tegelijkertijd: opgelucht omdat zijn vriend de aanslag niet had afgeblazen. Maar als Kazim het bevel niet had opgevolgd, maakte Abdul meer kans het commando over de groep te krijgen.

Er werden echter zo weinig schoten afgevuurd dat Abdul aannam dat de aanslag niet geslaagd was. Of dat al dan niet aan Kazim te wijten was, daar kon Abdul pas later achter komen, wanneer Muzzafar zijn oordeel gaf. Tot dan was er nog hoop. Maar dat was nu niet belangrijk. Abdul moest zich op zijn eigen taak richten en dan zou alles op zijn plaats vallen. Het vooruitzicht Kazim in de schaduw te stellen bracht hem in vervoering. Hij kon de macht van zijn eigen groeiende grootsheid bijna voelen.

Beneden in de vallei kwam de horde op hol geslagen yatri's aan bij de top van een steile heuvel en daalde toen af naar het smalste stuk van de weg, omgeven door steile bergwanden, dat beslist als flessenhals zou fungeren. Ze renden voor hun leven, weg van de schietpartij in het dorp. Zoals hij al had gehoopt, was er niet één politieagent of soldaat om hen te begeleiden, want die waren allemaal in het dorp op de plek waar de aanslag had plaatsgevonden. Precies volgens plan drong daar waar de kloof smaller werd, de kolonne van mannen, vrouwen en kinderen, opgestuwd als boomstammen in een snelstromende rivier, nog meer samen.

Plotseling schoot er een lichtflits midden door de menigte, gevolgd door een dreunende explosie. Kreten van pijn, versterkt door de wanden van de kloof, werden slechts onderbroken door nog meer explosies waarbij vuur en rook in de hulpeloze mensenmassa uitbarstten. Lichaamsdelen wervelden door de lucht. Vrouwen en kleine kinderen gilden. De ene explosie na de andere. Tien, twaalf, vijftien granaten – zoveel dat Abdul de tel kwijtraakte.

Toen doken er vier mannen op uit het bos aan weerszijden van de weg – zíjn mannen, met zwarte kappen over hun hoofd en kalasjnikovs in hun handen. Ze vuurden een regen van munitie af op de hulpeloze pelgrims, magazijn na magazijn. Abdul hoorde het geluid van kogels die zich in het vlees boorden terwijl de yatri's over elkaar heen klauterden en kropen en dekking zochten onder de doden en stervenden. Sommigen kropen naar de schutters toe tegen de helling op in de hoop de bomen te bereiken, maar ze werden al snel neergemaaid en hun lichamen rolden terug het bloedbad in.

Toen de schutters eindelijk door hun munitie heen waren, klommen ze over de bergkam en glipten weg tussen de bomen. Ze lieten de afgeslachte pelgrims achter, die verdronken in een rivier van bloed. Die stroomde bergafwaarts, net als de lenteregens.

47

Op de ochtend dat de yatra in Gilkamosh begon, hadden Khaliq en Nabir Nick kort voor het aanbreken van de dag opgehaald met Advani's jeep, die ze van hem hadden mogen lenen. Ze reden naar het zuiden, langs een aantal dalen en bergkammen, en bereikten bij zonsopkomst het begin van het pad. Er waren geen yatri's op de weg te bekennen; alle pelgrims waren in het dorp samengekomen voor de zegen die het begin van de pegrimstocht markeerde.

Nadat ze jarenlang getuige waren geweest van de yatra was die voor de tweelingbroers niet interessant meer en daarom hadden ze ervoor gekozen die ochtend te gaan vissen in plaats van in het dorp te blijven. Nick had het spektakel eigenlijk wel willen meemaken, maar besloot het aanbod om met Aisha's broers te gaan vissen aan te nemen. Het leek hem beter de politie en de soldaten die naar het dorp waren geroepen om de veiligheid te bewaken uit de weg te gaan.

Khaliq zette de jeep neer aan de zijkant van de weg bij het begin van het pad dat naar het bergriviertje liep en de broers pakten hun hengels achter uit de auto, samen met twee aluminium blikken vol sprinkhanen die ze op het land hadden verzameld.

'Vandaag wordt het erg warm,' zei Khaliq toen ze begonnen aan de vermoeiende tocht langs de nallah omhoog naar het begin van de beek. 'Goed dat we vroeg beginnen.'

Nick was nog duf van het vroege opstaan en hij sjokte in een slaperige verdoving door de met rotsblokken bezaaide kloof achter de kwieke broers aan. Maar toen ze hoogte wonnen begon de tocht Nick energie te geven. De heldere lucht was vervuld van de zoete geur van dennen. Woudzangers en vinken zaten op de takken van de dichte coniferen te kwetteren.

'Grote beer erg dichtbij!' zei Nabir, de meer verlegen van de twee, terwijl hij op de stam van een grove den wees die kortgeleden van zijn bast was ontdaan. 'Wees erg voorzichtig.' Ze zagen geen beer – alleen zijn uitwerpselen – maar ze ontdekten een kleine lynx die voor hen uit het pad over rende.

Algauw werd de helling minder steil en hoorden ze water stromen. De lucht werd koeler en zwaar van het vocht, de dennenbomen stonden dichter op elkaar, en toen ze het pad over een laatste bergkam volgden kwamen ze bij het water. Het was een prachtig riviertje: helder, door een bron gevoed turkooise water met diepe poelen en kleine stroomversnellingen. 'Veel grote forellen,' zei Khaliq en hij wees op het diepste stroompje, met een glad oppervlak als gepolijst glas. 'We proberen het daar.'

'Ik kan beter eerst toekijken,' antwoordde Nick. Als jongen had hij wel gevist, maar hij was de juiste techniek allang vergeten en wist niet wat hij aan moest met de primitief ogende uitrusting die de broers bij zich hadden.

'Geen probleem. Ik laat het u zien,' zei Khaliq. Nick volgde de tweeling langs de steile en nogal verraderlijke oever naar beneden. Ondanks de losse grond renden ze enthousiast de helling af, opgewonden en vol verwachting.

Toen ze bij de rand van het water kwamen spraken de broers even in dialect. Nabir liep weg en verdween stroomopwaarts. Nick liep stroomafwaarts achter Khaliq aan tot ze bij de uitstroom van de diepe poel kwamen die Khaliq vanaf de steile oever had aangewezen. De beek was vlak bij de oever ondiep, maar vormde naar de andere oever toe, waar het water snel stroomde over een reeks onder water liggende rotsen die roodachtig oplichtten in de dageraad, een diepe trechter. Khaliq knikte beslist en nadat hij zijn hengel op de oever had gelegd, stapte hij met schoenen en al het water in. Hij wenkte Nick dat hij hem moest volgen.

Nick kromp in elkaar toen hij in aanraking kwam met het ijskoude water. Na enkele seconden raakte hij er een beetje aan gewend en volgde hij Khaliq totdat ze tot aan hun dijen in het water stonden. Voorzichtig, om niet over de rotsblokken te struikelen, waadden ze naar de rand van de stroom, waar het langzamere water zich langs de stroomversnellingen plooide die een diepe geul in de beekbedding groeven.

Khaliq pakte de hengel die Nick droeg, een oude bamboehengel uit één stuk met een roestige metalen molen waar het draad onregelmatig omheen gewonden zat. Hij maakte een grove aashaak vast aan de lijn en stak de hengel toen onder zijn arm om zijn handen vrij te maken. Khaliq trok een blik met aas uit een vismand die om zijn schouder hing en maakte voorzichtig het deksel los. Hij stak zijn hand in het blik en haalde de grootste sprinkhaan eruit – een spartelend, heldergroen exemplaar van zo'n zeven centimeter lang. Khaliq prikte de punt van de haak met een zacht ploppend geluid door het lijf van het insect. Toen gooide hij het spartelende beestje in het water.

Hij pakte de hengel bij het handvat vast, trok de lijn van de molen en liet hem meevoeren met de stroom. Hij gaf de lijn een stroomopwaartse zwiep, waardoor de sprinkhaan in het sneller stromende water belandde. De stroom sleurde het insect mee, dat razend met zijn poten trappelde en weg probeerde te komen, maar werd belemmerd door de haak en de oppervlaktespanning van het water.

'Ziet u dat rotsblok? Goede plek voor forel,' zei Khaliq. Hij gaf de hengel weer een zwiep, waardoor de sprinkhaan over het wateroppervlak schaatste tot hij recht naar een gedeeltelijk onder water staand rotsblok aan het begin van het stroompje dreef. 'Oké. Nu gaat u.' Khaliq overhandigde Nick de hengel.

Ze hielden de sprinkhaan met toegeknepen ogen in de gaten terwijl hij stroomafwaarts dreef en steeds kleiner werd, tot hij bij de voorkant van de rots kwam, waar het water opborrelde en zich eromheen vertakte. Toen hij bij het opborrelende water kwam, wipte de sprinkhaan op en tolde rond in het gewoel van de verschillende stromingen. Toen verdween hij.

'Trek!' brulde Khaliq.

Nick haalde de hengel op. Hij boog ver door, maar hield daar ineens mee op. Even dacht Nick dat hij de rots aan de haak had geslagen. Maar toen begon de hengel heftig te trillen en boog het stijve bamboe door tot aan het begin van het handvat.

De vis schudde woedend met zijn kop en dook toen diep naar de bodem, de lijn over de rotsen slepend in een poging los te komen. Hij bleef behoorlijk lang in het woelige water voordat hij stroomafwaarts begon te zwemmen, waarbij hij de lijn van de piepende molen trok. In een salto schoot de vis hoog boven het water uit en kwam neer in een explosie van opspattend water voordat hij meer lijn van de molen trok, tot er niets meer aan zat dan een grove knoop om hem in bedwang te houden. 'Ga erachteraan!' schreeuwde Khaliq. Nick stapte met de stroom mee naar de vluchtende vis om ervoor te zorgen dat de lijn niet brak. Toen de forel als een torpedo uit het water schoot struikelde hij.

'Meneer Nick!' riep Khaliq toen Nick onder water werd getrokken.

Nick maaide met zijn armen en zwaaide zijn benen naar voren in een poging zijn hakken in de beekbedding te zetten, terwijl het water hem meesleurde en zijn schouder en zijn knieën tegen onder water liggende rotsen sloegen. Uiteindelijk wierp de rivier hem tegen een groot rotsblok, waardoor zijn vaart zodanig verminderde dat Khaliq, die achter hem aan was gewaad, hem kon vastgrijpen. Khaliq pakte hem bij de kraag van zijn kamiz en hield hem stevig vast tot Nick weer grond onder de voeten kreeg. Tot Khaliqs verrassing had Nick de hengel niet losgelaten. Toen Nick hem ophaalde zat de vis nog aan de haak. Nick draaide zich om naar Khaliq, die ongelovig terugkeek. Ze barstten in lachen uit.

Twintig minuten later lag de ruim twee kilo zware bruine forel, die te groot was voor Khaliqs mand, op de oever te spartelen. Nick en de broers toostten op zijn eerste trofee met een stevige slok Gilkamoshwater. Toen Nick doorvroeg bekenden de jongens dat hun vader, Naseem, het had gestookt, natuurlijk clandestien vanwege het islamitische verbod op alcohol. Naseem was een soort kenner en had de kunst, die haar oorsprong had in het pre-islamitische verleden van zijn voorvaderen, aan zijn zonen doorgegeven.

Nicks forel bleef die dag de enige vangst, maar het was een grote, genoeg voor een feestmaal. Hij bood hem de broers aan, maar ze stonden erop dat hij hem hield. 'Nee, nee, u hebt ervoor moeten zwemmen!' Dat kwam Nick wel goed uit. Vilashni zou er een heerlijke maaltijd voor het personeel van maken en hij genoot van de mogelijkheid nu eens een keer voor eten te zorgen in plaats van het alleen maar te consumeren. Vrolijk van het Gilkamoshwater zette de tweeling Nick af bij de zijweg naar de kliniek, vol plannen om hem gauw weer te komen halen voor een nieuwe poging. Ze sjeesden er bergopwaarts vandoor naar Gilkamosh en lieten Nick zijn vangst verder naar huis sjouwen.

Op het moment dat Nick trots met zijn forel zwaaiend de kliniek binnenwandelde, hoorden ze de eerste vrachtwagen. Alleen al het moeizame gekreun en holle gekuch van de motor leek een onheilspellend voorteken. Aisha, Nick en Omar stapten naar buiten om te kijken. Met hun ogen volgden ze de truck die langs de bergwand omlaag scheurde en een wolk van stof deed opwaaien. Het leek een militaire vrachtwagen. Het had een verwachte levering van voorraden kunnen zijn, als de truck niet met zo'n halsbrekende snelheid was komen aanrijden.

In een stofwolk kwam de vrachtwagen slippend tot stilstand vlak voor de kliniek op de plek waar de stoffige weg ophield en eindigde in een keerpunt. De chauffeur, een hindoe van middelbare leeftijd, gekleed in pelgrimsgewaad, strompelde naar buiten. Omdat er die dag helemaal geen trucks verwacht werden, wachtten ze tot hij de reden van zijn bezoek zou verklaren. Sprakeloos en met ogen vol ontzetting kon hij alleen maar wijzen, en buiten zichzelf gebaarde hij naar de achterkant van de truck. Nick, Aisha en Omar liepen eromheen naar de laadklep, waar Vilashni en Ghulam bij hen kwamen staan.

Wat ze zagen was onvoorstelbaar. Mensen, sommige dood, andere levend, maar de meeste ertussenin, lagen in de laadbak opgestapeld als geslachte dieren, boven op elkaar, in groteske hopen. Verwrongen lichaamsdelen en huilende kleine kinderen lagen in grote plassen bloed over de bodem verspreid. De gewonden verkeerden in shock en staarden voor zich uit, hun bloederige lichamen bedekt met een laag zwart stof van de weg. Sommigen kreunden en gilden in doodsnood, terwijl anderen alleen maar lagen te snikken. De meesten waren te ver heen om de zwermen vliegen te verjagen die eropuit waren eitjes in hun gapende wonden te leggen.

De omvang van de slachting was middeleeuws. De geur van bloed en ingewanden en het koor van stervenden deden Nick op zijn knieën zakken. Vilashni huilde. Ghulam, die met de anderen vanaf de ziekenzaal was meegehobbeld, hield haar ter ondersteuning onder haar armen vast. 'Allah haq,' bleef Ghulam almaar ademloos mompelen, terwijl Aroon zich in zichzelf terugtrok en naar de grond staarde. Een lang moment stonden ze daar als door de tijd versteend, verdoofd door het schokkende tafereel. Hun met stomheid geslagen toestand zou nooit zijn doorbroken als Aisha er niet in was geslaagd zichzelf tot actie aan te zetten.

'Omar! Aroon!' barstte ze hortend en stotend uit. 'Maak alle bedden leeg! Nu! Vilashni, haal de hele bloedvoorraad tevoorschijn... en ik heb alle morfine nodig die er is! Nick! Help me ze uit de vrachtwagen te halen. We selecteren terwijl we bezig zijn. De doden en stervenden blijven buiten. Er zal voor hen geen ruimte zijn in de ziekenzaal.'

'Maar er komen er nog meer,' zei de chauffeur, met wanhoop in zijn stem.

Aisha keerde zich naar hem om, haar gezicht van ongelovige ontzetting vertrokken. 'Wat hebben ze gedaan?'

De chauffeur spreidde zijn armen in hopeloze verwarring. 'Ik... ik weet het niet, mevrouw. Ze hebben zo veel mensen neergeschoten... zo veel...'

Aisha wankelde en wreef over haar slapen, alsof ze probeerde alles enigszins op een rijtje te zetten.

'Aisha?' Nick stapte naar haar toe, omdat hij dacht dat ze om zou vallen.

Ineens snauwde ze hem af. 'Leg de doden daar neer!' commandeerde ze, terwijl ze naar de linkerkant van de ziekenzaal wees. 'Dodelijk gewonden aan de andere kant. Geef ze een kwart dosis morfine om de pijn te verlichten. Dat is alles wat we kunnen missen.'

'Wat kan ik doen, mevrouw de dokter?' vroeg Ghulam.

'Met dat been? Naar binnen, om te assisteren bij operaties.'

Ze begonnen de gewonden uit de vrachtwagen te slepen en legden ze allemaal op de grond zodat Aisha ze kon onderzoeken. 'Naar binnen' betekende dat de patiënt onmiddellijk geopereerd moest worden. 'Rechtermuur' betekende hopeloos en 'linkermuur' dood. Het eerste slachtoffer dat uit de truck werd gehaald was een peuter – een 'linkermuur' – van ongeveer drie jaar, zonder duidelijke verwondingen. Toen Aisha zijn overhemd omhoogtrok zag ze dat zijn borstkasje in elkaar was gedrukt – het eerste van vele slachtoffers van vertrapping die ze te zien zouden krijgen.

Het eerste dode kind zette de toon, en het werd niet beter. Slachtoffers waren uit elkaar gerukt, doorzeefd, verpletterd en van hun ingewanden ontdaan en vertoonden alle voorstelbare soorten granaat- en kogelwonden. Armen en benen waren eraf geschoten, hoofdwonden hadden hersens in de truck achtergelaten, vlees was tot gehakt vermalen. Mensen met verwondingen aan een slagader waren doodgebloed. Ze gleden uit in het geronnen bloed, hun kleren waren binnen enkele minuten met bloed doorweekt, en ze hielden een race tegen de klok om de slachtoffers die nog tekenen van leven vertoonden weg te halen. Hoe ze zich ook haastten, de patiënten stierven bij bosjes terwijl ze nog lagen te wachten tot ze uit de vrachtwagen werden gedragen. Aisha's instructies om binnen te blijven negerend, liet Ghulam zijn krukken voor wat ze waren. Hij klom op de wagen om te helpen tillen en dragen, ondanks de hevige pijn in zijn benen door de inspanning van het slepen met de gewonden.

Het aantal mensen dat geopereerd moest worden was veel te groot voor de enig aanwezige dokter. Omar, Aroon, Ghulam, Vilashni en Nick deden uit pure noodzaak het werk van een dokter, hoewel geen van hen de vereiste opleiding had, en dat was nog niet genoeg. Er was geen tijd voor onzekerheid over hun gebrek aan opleiding. Zonder hulp van Aisha drukten Omar en Nick de dijbeenslagader van een vrouw net op tijd dicht om haar leven te redden – door in de spier te snijden om bij het leeglopende bloedvat te komen en het dan dicht te drukken en af te binden, terwijl Vilashni voor antiseptische middelen en de intraveneuze toediening van vers bloed zorgde. Aisha controleerde hun werk snel, zich ervan overtuigend dat de bloeding was gestopt en dat er voldoende levenstekenen waren, en dat was het enige wat ze kon doen. Het dichtbranden, hechten en verbinden zou later moeten gebeuren.

Een man had zijn uitpuilende ingewanden tot een bal opgerold en wiegde ze als een baby om ze op hun plaats te houden. Ghulam en Nick stopten ze zonder handschoenen aan terug in zijn buik nadat ze hem morfine hadden toegediend. Maar zijn organen waren zo beschadigd dat hij enkele minuten later stierf. Een andere vrouw was in haar rug geschoten. Ze leek niet leeg te bloeden, dus gaven ze haar morfine en gingen verder. Haar operatie werd uitgesteld tot later, wanneer Aisha haar kon opensnijden om de kogel eruit te halen.

De ziekenzaal was gevuld met het hartverscheurende geschreeuw en gekreun van de verminkten. Vooral de jongste kinderen gilden hysterisch; ze begrepen niet wat er was gebeurd. Een klein meisje met een gewond been huilde onophoudelijk tot Nick haar morfine gaf. Haar voet en scheenbeen waren te ernstig beschadigd door granaatscherven om ze nog te kunnen redden en ze verloor snel veel bloed, zodat er geen tijd was om de vele wonden te stelpen.

'Haal dat been eraf!' schreeuwde Aisha tegen Nick, terwijl ze haastig iemands schedel oplapte. 'Hier!' Ze pakte een botzaag en gooide hem naar Nick.

Nick pakte hem met trillende handen vast. Hij keek Aisha ongelovig aan.

'Jij of Vilashni, maar beslis nu!'

Vilashni schudde haar hoofd. 'U doet het, meneer Nick. Ik kan het niet!' zei ze in paniek en haar ogen vulden zich met tranen toen ze naar het kind keek. Vilashni gaf het kind nog een dosis morfine en haalde toen vlug bloedstollende middelen en hechtgaren. Ze draaide een van de ouderwetse tourniquets, nog onder het bloed van de vorige patiënt, net boven de knie om het been van het meisje. Ze trok de riem strak tot de druk goed was, waardoor het kind ineenkromp. Ten slotte drukte ze de kleine schoudertjes van het kind op de tafel en keek Nick aan. 'Oké...' zei Vilashni zwakjes, voor ze haar hoofd afwendde.

Nick staarde ontzet naar het meisje. Toen hij de zaag onder haar knie zette, slaakte het kind een bloedstollende kreet, kromde haar lichaam en schreeuwde haar longen uit haar lijf. Toen ze ten slotte geen adem meer had, bleef ze stil liggen en keek Nick met van paniek vervulde chocoladebruine ogen aan. Nick kon het niet.

'Je moet het doen! Het been is al verloren!' riep Aisha van de andere kant van de ruimte toen ze Nick zag worstelen met de opdracht. Nick pakte het glibberige, bloederige been vast, deed zijn ogen dicht, hield zijn adem in en begon te zagen. Het kind gilde en kronkelde van de pijn en haar jonge bloed stroomde op de vloer. Maar de zaag ging alleen door huid en vlees en kwam nauwelijks door het bot heen.

'Kunnen we haar meer morfine geven?' informeerde Nick, die probeerde het trappelende been vast te houden terwijl hij met de zaag bezig was.

'Nee, verdorie. Ze is te klein, het zou haar dood worden. Je moet echt harder zagen, Nick! Je martelt haar!'

Nick vloekte binnensmonds, sloot even zijn ogen, klemde zijn kaken op elkaar en zaagde dieper door. Hij zaagde verwoed, met al zijn kracht doorduwend. Er spatte bloed op zijn gezicht, waarover de tranen begonnen te stromen toen het gegil van het meisje tot onmenselijke toonhoogte steeg. Toen het been van het meisje eindelijk met een plof op de vloer terechtkwam, viel Nick tegelijkertijd neer.

Even later werd hij wakker toen Ghulam water over zijn gezicht gooide. Hij dronk wat, waste het bloed van zijn armen en ging weer naar binnen. Er zat niets anders op, want er was nog een vrachtwagen gekomen, en toen nog een. De ziekenzaal stroomde over van de slachtoffers, hun gebroken en bloedende lichamen waren willekeurig over het terrein van de kliniek verspreid. De rijen doden en stervenden waren zo in aantal toegenomen dat het knekelhuis aan de linkerkant van de ziekenzaal werd geflankeerd door stapels lichamen die wemelden van de groene vliegen en waarvan sommige al begonnen op te zwellen.

Binnen moesten er patiënten naar het kantoor en Nicks slaapkamer worden verplaatst – overal waar maar ruimte was – waar ze bij gebrek aan bedden op de vloer werden gelegd. De elektrische ventilatoren die aan het plafond zoemden konden de muffe, vochtige lucht die over de rijen kreunende patiënten hing niet verbeteren. Dunne lichtstraaltjes speelden over bleke, van pijn verwrongen gezichten; sommigen schokten zo hevig dat ze aan hun bed moesten worden vastgebonden en alle kreten, gejammer en gekreun van de afzonderlijke patiënten smolten samen tot één enkele, niet-aflatende doodskreet.

Vroeg in de middag waren ze door het verband heen, dus sneden ze beddenlakens in stukken om die in plaats daarvan te gebruiken. Bovendien was de morfine bijna op en de nieuw gearriveerden, van wie velen er nog slechter aan toe waren dan de eerste patiënten, moesten hun vreselijke pijnen verduren met Percocet en codeïne. Velen raakten bewusteloos van de pijn. Het allerergste was dat de bloedvoorraad snel afnam, zodat ze daarop bezuinigden bij patiënten die minder bloed leken te hebben verloren. Het was vreselijk om een patiënt niet genoeg bloed te kunnen geven, maar er zat niets anders op.

Tegen het einde van de ochtend waren er vrijwilligers, zowel moslims als hindoes, uit het dorp naar de kliniek gekomen om te helpen, onder wie ook Aisha's broers. Ze brachten dekens, vers water en eten mee. Ze hielpen de doden te verplaatsen en de stervenden te verplegen en zetten tenten op voor de honderden hysterische, rouwende familieleden. Een hotel uit het dorp bracht een heleboel bedden. Ze stuurden radioberichten naar de dichtstbijzijnde ziekenhuizen, die geen van alle dichterbij lagen dan een dag rijden, om om hulp en voorraden te vragen.

Tegen de ochtend van de volgende dag waren alle patiënten of gestabiliseerd of gestorven terwijl ze op behandeling wachtten. Pas toen kwamen er wat ambulances en helikopters uit Srinagar, Kargil en Leh en de diverse legerhospitalen daar in de buurt. Ze brachten het hoognodige bloed, morfine en hydratievloeistof, namen zoveel mogelijk van de meest kritieke patiënten mee en kwamen net zolang terug tot alle patiënten met levensbedreigende verwondingen naar de grotere, beter uitgeruste ziekenhuizen kilometers verderop waren overgebracht.

Achtenveertig uur nadat de achtste en laatste vrachtwagen was aangekomen, kon Aisha eindelijk rust nemen. Nick zat uitgeput onder een grove den te roken toen ze bij hem kwam zitten. Ze zag eruit alsof ze alle kracht die ze overhad nodig had om haar geschokte zenuwen in bedwang te houden.

'Ik rook niet,' was het enige wat ze zei en Nick wist dat hij haar nu een sigaret moest aanbieden. Ze zaten ongemakkelijk zwijgend naast elkaar hun sigaret te roken en naar de bergen te kijken, die nu purper waren in het afnemende licht. Terwijl Nick zich afvroeg hoe zo veel schoonheid kon blijven bestaan in het aangezicht van zo veel leed, inhaleerde Aisha diep, alsof de sigarettenrook op een of andere manier de leegte kon vullen die door het verdriet in haar ziel was veroorzaakt. Maar toen ze de rook uitblies in de windloze lucht, dik van de geur van de dood, huilde ze. Nick aarzelde even. Toen nam hij haar in zijn armen en hield haar vast tot ze uitgehuild was.

Deel IV

48

Gilkamosh was van de ene op de andere dag van een vreedzaam utopia in een politiestaat veranderd. De dorpsbewoners verkeerden in shocktoestand; de winkels waren gesloten en de mensen hielden zich thuis verscholen terwijl de Indiase veiligheidstroepen het dorp doorkruisten en huizen en auto's doorzochten. Vrachtwagens vol troepen met machinegeweren kwamen aan uit het zuiden, zetten wegblokkades op, bouwden bunkers en stelden een avondklok in. Iedereen die na het invallen van de duisternis over straat liep werd, ongeacht leeftijd en sekse, als verdachte militant gevangengezet. Gewone burgers werden zonder reden meegenomen naar politiebureaus voor verhoor en onder druk gezet om namen te noemen en als informant op te treden.

De totale omvang van de massamoord werd pas dagen later duidelijk. Aisha's kliniek had zeker 218 mannen, vrouwen en kinderen opgevangen. Van degenen die naar de kliniek waren gebracht, waren er 27 bij aankomst gestorven of op de operatietafel overleden. Bijna 60 waren voor dood achtergelaten op het slagveld. Bij elkaar kwam het aantal mensen die bij de terreuraanslag waren gedood uit op 129. Het aantal gewonden werd, hoewel dat nooit helemaal met zekerheid kon worden vastgesteld, geschat op niet minder dan 240. De relatief beschaafde opstand in Gilkamosh was op een apocalyptische manier veranderd.

Er was in de weken na de aanslag nog een heleboel werk te doen. De ziekenzaal was nog steeds ruim boven de capaciteit bezet en veel van de zwaargewonden zouden weken hersteltijd nodig hebben voor ze konden worden vervoerd. Een hulporganisatie had ladingen krukken en protheses gebracht, evenals rolstoelen voor de verlamden. Die waren in grote, rommelige bergen aan de buitenkant van de ziekenzaal gedeponeerd en het personeel begon langzaam de spullen te sorteren en passende hulpmiddelen voor de patiënten te zoeken. De protheses verschilden duidelijk in maat en kwaliteit en toen de patiënten de opslagplaats eenmaal hadden ontdekt, kregen verscheidene het met elkaar aan de stok over de beste stukken. De emotionele beroering bij rouwende familieleden, wanhopige verlamden en boze kreupelen betekende voor iedereen een beproeving: voor patiënten en personeel, maar vooral voor Aisha.

Aisha was in een zware depressie geraakt. Nick had gedacht dat het feit dat hij haar tijdens de nasleep van de massamoord had getroost de belofte van een emotionele band inhield. Maar ze trok zich in zichzelf terug. Wanneer hij met haar probeerde te praten over wat er was gebeurd, stak ze afwerend haar hand op en belette hem het spreken, alsof ze een dam was die door woorden kon doorbreken, en als die eenmaal was doorgebroken alles er samen met haar verdriet uit zou stromen.

Haar extreme reactie op de massamoord was beslist begrijpelijk, maar was ook op een ander niveau verrassend. De pure omvang van de slachting die dag was verpletterender dan alles wat zij allemaal tot dan toe hadden meegemaakt. Maar Aisha was altijd het toonbeeld van kracht geweest. Niemand had verwacht dat ze zo diep gedemoraliseerd zou raken dat het leek alsof ze alle passie voor haar werk had verloren, en helemaal voor haar eigen leven. Door de diepgaande bezorgdheid om haar welzijn was het personeel bijzonder gespannen. Ondanks de vele tekenen van vermoeidheid weigerde ze rust te nemen, zelfs voor een paar uur, en in plaats daarvan ging ze als een robot door met opereren en behandelen.

Toen na verloop van tijd haar geestesgesteldheid niet was verbeterd, voelde Nick de behoefte iets te doen om haar tot zichzelf te brengen. Hij besloot bij de eerste de beste gelegenheid naar het dorp te gaan en met Aisha's vader te praten, in de hoop dat wanneer hij hem vertelde hoe urgent Aisha's toestand was, Naseem haar hele familie bijeen zou roepen om steun te geven aan de gezamenlijke poging van het personeel om haar moreel op te vijzelen.

Een paar dagen later, toen Omar een telefoontje kreeg dat er een vracht medicijnen bij Advani was aangekomen, meldde Nick zich om de spullen op te halen. Hij vroeg Ghulam mee als tolk. Die was inmiddels aardig hersteld, en hoewel hij mank liep, was hij weer zijn oude, gewone zelf.

Toen Nick en Ghulam over de bergkam afdaalden en de rand van het dorp naderden, kwamen ze bij een pas opgezette naka van de grensbeveiligingstroepen op ongeveer twee kilometer van het dorp. Een houten hek versperde de weg, versterkt door een bunker van zandzakken met een dak van golfplaat. Voor een schietgat in de bunker stond een machinegeweer strategisch op de weg gericht opgesteld en de hele fortificatie was met camouflagenetten bedekt in de hoop granaten te weren. Een stuk of vijf jawans stonden bij het hek wantrouwig naar hen te turen, met hun geweren op de naderende truck gericht.

Terwijl hij op de wapens af reed, begon Nick te denken dat hij zichzelf had verdoemd door zich vrijwillig te melden voor dit uitstapje. Maar gelukkig herkende een lokale politieman bij de jawans hem als een medewerker van de kliniek en liet hen zonder problemen passeren. Inmiddels was Nick vele malen in het dorp geweest om boodschappen te doen en de meeste dorpelingen, de plaatselijke politie inbegrepen, gingen ervan uit dat hij een buitenlandse hulpverlener was. Nick nam aan dat Advani deze enigszins onjuiste informatie had verspreid en was blij met de dekmantel.

Toen ze bij de belangrijkste winkels in het dorpscentrum aankwamen, waren de kibbelende straatventers en roddelende buren waar de stoffige wandelwegen normaal gesproken van wemelden nergens te bekennen. Hier en daar stonden alleen wat handelaren enthousiast hun spullen te verkopen. Gehelmde, besnorde Indiase soldaten liepen twee aan twee patrouille, met hun lange geweren om hun borst, en bekeken achterdochtig de weinige voorbijkomende moslims.

De veiligheidstroepen hadden een grote bunker met twee geschutspoorten gebouwd voor de hindoetempel, die nu was afgezet met prikkeldraad. Op verschillende plaatsen in het dorp stonden jeeps met machinegeweren erop strategisch opgesteld. Achter de wapens zaten zenuwachtige soldaten die de straat af speurden op enig teken van onrust. Toen Nick al die veranderingen zag werd hij door verdriet overmand. Gilkamosh maakte sinds ruim een jaar deel uit van zijn leven. Nu leek de idyllische microkosmos voor altijd verloren te zijn gegaan.

Alvorens naar Advani's huis te rijden om de voorraden op te halen besloot Nick eerst bij Naseem en Fatima langs te gaan. Zijn bezorgdheid om Aisha knaagde aan hem en hij was er te zeer door afgeleid om het bezoek nog langer uit te stellen.

Ze parkeerden voor het huis van de Fahads. Zodra Naseem, die er bleek en triest uitzag, opendeed, voelden Nick en Ghulam dat hij zich grote zorgen maakte.

Naseem nodigde hen uit binnen te komen, waar twee van Aisha's oudere zussen ernstig om de gloeiende kachel zaten. Rechts van Naseem zat Fatima, wier ravenzwarte haar wat meer sporen van grijs leek te vertonen dan de laatste keer dat Nick haar had gezien. Haar ogen waren bloeddoorlopen, alsof ze niet had geslapen.

'Wat is er aan de hand?' vroeg Nick.

Naseem schudde zijn hoofd en staarde zwijgend in het smeulende vuur.

'Naseem?' drong Nick aan.

Naseem haalde diep adem, en begon toen te praten. 'De Indiërs namen mijn zonen mee.'

'Wat hebben ze gedaan?'

'Nabir, Khaliq... Indiërs namen ze mee.'

'Waarom?'

Voor Naseems minieme kennis van het Engels was dat te veel gevraagd. Hij wendde zich tot Ghulam en sprak tegen hem in een Kashmiri-dialect, dat deze nauwelijks kon verstaan.

'Hij zegt dat zijn zonen naar huis liepen vanaf de moskee,' vertaalde Ghulam. 'Indiase soldaten trokken hen in een jeep en reden weg. Hij weet niet waar ze hen naartoe hebben gebracht.'

'Wat zegt de plaatselijke politie? Weet die niets?'

'Het leger pakte ze op, niet de politie. Het leger vertelt politie niets, ze vertrouwen die niet. Het leger zei tegen Naseem dat zijn jongens moedjahedien waren. Maar Naseem zegt dat ze dat niet zijn,' zei Ghulam.

'Het zijn goede jongens. Ze zijn geen probleem,' kwam Naseem tussenbeide, met wanhoop in zijn stem.

'En Advani? Kan hij niets doen om ze vrij te krijgen?'

Ghulam vertaalde Nicks vraag voor Naseem, die zijn handen omhoogstak en antwoord gaf.

'Advani is naar de legerbasis gegaan en heeft voor hen gepleit. Ze luisteren niet,' zei Ghulam.

'Heeft Advani kunnen ontdekken waar ze zijn?'

'Hij heeft het geprobeerd. Het leger zei tegen Naseem dat de jongens ergens worden ondervraagd. Maar ze wilden niet zeggen waar.'

'Welke reden hebben ze om hen te beschuldigen?' vroeg Nick. 'Ik was bij ze op de ochtend van de aanslag. Kan ik niet voor hen getuigen?'

Ghulam keek ontmoedigd. Hij schudde zwijgend zijn hoofd. 'Het heeft geen zin. Wij zijn moslims. We zijn bij voorbaat al verdacht. Ik heb dit al eerder meegemaakt.' Hij sloeg zijn arm om Naseems schouders.

Nick zuchtte. 'We moeten toch iets kunnen doen. Kent hij een advocaat?'

'Advocaat?' vroeg Ghulam. 'Er zijn geen advocaten in Gilkamosh.'

Met doffe ogen staarde Naseem, volkomen ontmoedigd, onbeweeglijk in de smeulende kachel. Zijn hoofd rustte in zijn handen.

'Wat vreselijk. Is er iets wat ik kan doen?' vroeg Nick.

Naseem greep Nicks hand vast. 'Shukria,' zei hij, dankbaar knikkend. 'Inshallah,' voegde hij eraan toe, voor hij weer in dialect tegen Ghulam begon te praten.

'Hij vraagt waarom we zijn gekomen, meneer Nick. We moeten het hem vertellen, denk ik.'

Nick aarzelde. Hij wilde Naseem en zijn familie eigenlijk niet met nog een probleem belasten. Maar zijn bezorgdheid voor Aisha was sterker.

'We zijn gekomen vanwege Aisha. Ze is er sinds de aanslag slecht aan toe. Iedereen in de kliniek maakt zich zorgen. We dachten dat een bezoek van u en uw familie haar misschien goed zou doen. Ze zal niet zelf hiernaartoe komen.'

Terwijl Ghulam vertaalde wat Nick zei, pookte Naseem zwijgend het vuur op, blijkbaar met zijn gedachten bij zijn zonen. Nick begon zich af te vragen of hij wel had geluisterd. Toen hij uitgesproken was, raakte Ghulam Nicks elleboog aan en fluisterde: 'We moeten gaan, meneer Nick.'

'Ik hoop dat uw zoons gauw terugkomen, Naseem,' zei Nick toen hij zich omdraaide om weg te gaan.

Pas toen Ghulam en Nick bij de deur waren gaf Naseem antwoord. 'Zeg tegen Aisha dat we gauw komen.'

'Dank u, Naseem. Salam aleikum.'

Van streek door Naseems slechte nieuws reden Nick en Ghulam door het dorp naar Advani's huis. Bij Nicks eerdere bezoeken was de toegang tot het terrein altijd open geweest, zodat het huis vanaf de straat duidelijk zichtbaar was. Ten teken dat de tijden veranderd waren, was hij nu gesloten.

Nick klopte hard op de geribbelde metalen poort. Een oudere hindoe met een ruige witte snor en gewapend met een Lee Enfieldgeweer uit de Eerste Wereldoorlog deed de deur open.

'Wie bent u, meneer?' vroeg hij Nick in het Engels met een zwaar accent.

'We zijn van de kliniek. We komen voorraden ophalen – medicijnen en zo – die bij meneer Sharma's huis zijn afgeleverd.'

'Een ogenblik alstublieft.' Hij deed de poort op slot en ze hoorden het geluid van zijn voetstappen die in de richting van het huis gingen. Binnen een minuut kwam hij terug en haalde de poort weer van het slot. Hij hield hem voor hen open, stijf rechtop staand, in militaire houding, toen ze binnenkwamen.

'Meneer Sharma wil graag dat u dokter Fahad een boodschap overbrengt. Hij verzoekt haar naar hem toe te komen. Zo snel mogelijk.'

'Ik zal het tegen haar zeggen,' antwoordde Nick, wiens nieuwsgierigheid was gewekt.

'Komt u alstublieft mee. De voorraden staan hier.' De oude man bracht hen naar de schuur naast Advani's huis. Ze laadden de kisten in de pick-up en toen ze wegreden zag Nick dat Advani door een raam naar hem stond te gluren. Toen Nick diens blik opving glipte Advani vlug weg achter het gordijn.

Terug bij de kliniek trof Nick Aisha in de ziekenzaal. Ze onderzocht een twaalfjarig meisje dat bij de slachtpartij diverse schotwonden had opgelopen. Aisha streelde het meisje over haar haar. Niet in staat te spreken, staarde ze Aisha met een vragende frons aan. Ze was lusteloos en haar ogen leken leeg, afstandelijk.

Toen Aisha uiteindelijk Nicks aanwezigheid opmerkte, maakte haar tedere uitdrukking meteen plaats voor de depressieve vermoeidheid die haar sinds het bloedbad kwelde.

'Hoe hou je het vol?' vroeg Nick, nadat hij haar aandacht had gekregen.

'Wat?'

'Dit werk. Ik bedoel, wanneer heb je voor het laatst geslapen, Aisha? Of gegeten?'

Ze draaide zich om en negeerde zijn vraag. 'Dit meisje,' zei ze, 'is ineens hard achteruitgegaan. Ik denk dat ze het niet lang meer maakt.'

Aisha maakte voorzichtig het verband op de buik van het meisje los, waardoor diepe, etterende wonden zichtbaar werden. 'Haar ouders zijn waarschijnlijk dood – niemand heeft naar haar gevraagd,' zei ze, terwijl ze de wond bedekte met een katoenen doek. 'Ze heeft geen woord gezegd sinds ze hierheen is gebracht. Ik weet zelfs niet hoe ze heet. Ik noem haar Supriya – "alom geliefd".'

'Aisha,' zei Nick, 'als je niet goed voor jezelf zorgt, word je zelf nog patiënt.'

Ze gaf antwoord zonder naar hem te kijken. 'Ik richt liever mezelf te gronde dan dat ik het iemand anders laat doen.'

Nick fronste zijn wenkbrauwen. 'Dat klinkt nogal fatalistisch.'

'Ik ben moslim,' antwoordde ze.

Nick zuchtte. Er heerste een ongemakkelijke stilte terwijl hij worstelde met het feit dat hij haar verdriet nog erger moest maken met het nieuws over haar broers.

'We hebben je vader vandaag opgezocht.'

Ze draaide zich nieuwsgierig naar hem om. 'Waarom in hemelsnaam?' vroeg ze kortaf.

'Ik maakte me zorgen om jou. Dat doen we allemaal.'

'Dus heb je hem nu ook ongerust gemaakt? Dat klinkt erg logisch,' zei ze.

'Hij is je vader, Aisha.'

'Van mij en nog tien anderen. Hij heeft genoeg aan zijn hoofd. Ik wil niet dat mijn familie in deze rotzooi betrokken raakt.'

Nick boog zijn schouders en staarde naar de vloer. 'Dat zijn ze al, Aisha. Het spijt me dat te moeten zeggen.'

Ze keek Nick uitdrukkingsloos aan. 'Wat bedoel je?'

'Je broers zijn opgepakt door de veiligheidstroepen.'

Ayhsa schudde heftig haar hoofd, alsof wat Nick zei onwaar werd als ze het verwierp. 'Nee, dat is onmogelijk.'

'Je vader vertelde dat er gisteren soldaten naar het huis zijn gekomen. Ze hebben Khaliq en Nabir meegenomen toen ze uit de moskee kwamen. Ze zeiden tegen Naseem dat ze in een militaire gevangenis werden vastgehouden op verdenking van collaboratie met de moedjahedien. Niemand weet waar precies.'

Aisha wankelde toen het nieuws eindelijk tot haar doordrong. Ze liet de arm van het meisje los, strompelde achteruit en viel neer op de stoel achter haar. Ze drukte haar handen tegen haar wangen, met haar mond wijd open van volslagen ongeloof.

'Aisha...?' zei Nick, voor hij zichzelf de mond snoerde. Hij voelde een sterke drang om haar in zijn armen te nemen, zoals hij nog maar enkele dagen eerder had gedaan. Maar hij wist dat ze het nu niet zou accepteren. Hij maakte geen deel uit van de wereld die om haar heen afbrokkelde en kon slechts het stukje van haar lijden met haar delen waarvoor zij hem uitnodigde. Hij liet haar met rust.

49

Twee weken na de 'glorieuze aanslag', zoals ze de slachtpartij noemden, kwamen Abdul en Muzzafar en diens gevolg van luitenants bij elkaar in hun nieuwe schuilplaats, een verlaten bahik met stenen muren in de bergen ten noordwesten van het dorp.

Door de alomtegenwoordige aanwezigheid van veiligheidstroepen in het dorp was het niet meer mogelijk samen te komen in Abduls kelder. De afgelopen week hadden de Indiërs de meeste plaatselijke moslimmannen en -jongens opgepakt, ook Abdul. Sommigen werden vrijgelaten, maar anderen, zoals Aisha's broers, waren niet zo gelukkig. Elke dag verzamelden zich verontruste ouders en echtgenotes bij de plaatselijke legerbases en politiebureaus om informatie te vragen over hun kinderen en eega's. De veiligheidstroepen negeerden hen. Het gevolg was meer geweld: er werden stenen naar de jawans gegooid en pogingen gedaan om politiebureaus te bestormen. De uitbarstingen werden onderdrukt met wapenstokken, waarschuwingsschoten en nog meer arrestaties. Maar het toenemende geweld tegen de Indiase overheid – volkomen nieuw voor Gilkamosh – verergerde de toch al wijdverbreide spanning ten gevolge van de massamoord en veranderde de eens zo rustige, afgelegen buitenpost in een kruitvat.

Abdul was een van de gelukkigen die zonder kleerscheuren aan het oog van de autoriteiten wisten te ontsnappen. Hij was begin dertig, ouder dan de veronderstelde leeftijd van de meeste militanten: vijftien tot vijfentwintig. Dat gold niet voor de mehmaan-moedjahedien, die elke leeftijd konden hebben, maar eenvoudig te herkennen waren aan hun buitenlandse taal. Na een ondervraging van enkele uren lieten de agenten van de Indiase binnenlandse veiligheidsdienst hem gaan. En hoewel het nog mogelijk was dat een of andere gevangene hem onder druk zou verklikken, was de kans op een dergelijk verraad minimaal. Iedereen wist wat voor ernstige gevolgen dat zou hebben. In nabijgelegen dorpen waren *mukhbirs* zonder vorm van proces geëxecuteerd, waarbij de keel doorsnijden nog het meest humane voorbeeld was. Zulke represailles zorgden ervoor dat de mensen hun mond hielden. Maar het was algemeen bekend dat de veiligheidstroepen ook verdachten martelden en het kwam voor dat dezelfde gevangene door de veiligheidstroepen met geweld tot praten werd gedwongen en daarna door de rebellen werd vermoord omdat hij een mukhbir was. Je moest het treffen met een beul en een manier zien te vinden om je kansen open te houden.

Muzzafar had de vergadering belegd om 'knopen door te hakken'. Abdul hoopte dat dit betekende dat Muzzafar een beslissing had genomen over de mogelijkheid dat hij het commando zou krijgen over Kazim, die sinds het bloedbad bij Gilkamosh door niemand meer was gezien. Onbenullig als hij was, had Abdul echter geen idee van de volle omvang van de implicaties van Kazims verdwijning; hij verwachtte eigenlijk nog steeds dat Kazim bij de vergadering zou komen opdagen.

Abduls traagheid van begrip, die Muzzafar weliswaar bij tijden ergerde, kwam hem ook heel goed uit. Hij had er schoon genoeg van steeds achteraf te merken dat Kazim het beter wist. Wat hij nu nodig had was een volgzame figuur, iemand die zijn bevelen zonder nadenken gehoorzaamde, die geen last had van gewetensbezwaren bij het uitvoeren van de bloedige plannen die hij in petto had om de opstand op het volgende, noodzakelijke niveau te brengen.

Het eigenlijke doel van de bijeenkomst werd enigszins gemaskeerd door het feit dat de slachtpartij reden gaf tot een lofzang. Volgens Muzzafars wereldvisie, die hij deelde met de grote moellahs die in het geheim vanuit schuilplaatsen in Afghanistan en Pakistan aanslagen organiseerden, was de massamoord een zege voor de rechtvaardigheid. De orders die hij zelf had gekregen hielden in dat hij snel moest handelen, om het momentum van de aanslag uit te buiten zodat de tanende strijd om Kashmir — een van de belangrijkste fronten in de wereldwijde strijd om islamitische landen weer in handen te krijgen — nieuw leven werd ingeblazen.

'We zijn getuige geweest van een grote overwinning voor de jihad,' preekte Muzzafar tegen Abdul en de anderen. 'We moeten de vruchten ervan plukken, haar in ons voordeel gebruiken, als we de Indiase reus willen verpletteren en uit onze landen willen verdrijven.'

'Ja, Muzzafar,' antwoordde Abdul.

'Als we zwak worden, als we onze ruggengraat verliezen, zal de gelegenheid die Allah ons heeft geschonken ons door de vingers glippen. De jihad heeft leiders nodig die de overwinning ruiken en zich door niets laten weerhouden om die te behalen,' zei Muzzafar.

Abdul deed zijn best om Muzzafars hartstochtelijke toon te imiteren, maar zijn antwoord klonk kruiperig en geforceerd. 'Ja, Muzzafar, ik… ik kan haar ruiken.'

'De ongelovigen zullen hard terugslaan,' waarschuwde Muzzafar. 'Ze hebben al veel van onze broers en zonen gevangengezet.'

'Dat zal ons niet weerhouden, Muzzafar. Ons niet,' zei Abdul opgewonden.

'Ik heb besloten dat jij nu het commando krijgt over de groep, Abdul. Jij eerbiedigt de toorn van Allah evenzeer als Zijn mededogen. Ik weet dat ik erop kan vertrouwen dat je doet wat juist is, inshallah.'

'O, dank u! Dank u, moellah! Ik ben zeer vereerd. Ik zal u niet teleurstellen, inshallah!'

'Er is veel te doen. Moeilijke taken die een ijzeren wil van je vergen. Ik denk dat jij de juiste man bent om ze uit te voeren. Anders zou ik jou niet hebben uitgekozen.'

'Wat u maar wilt, Muzzafar. Zeg het maar. Wat u maar wilt.'

'Om te beginnen moet je de opstand van verraders ontdoen.' Muzzafar boog zich naar Abdul toe en keek hem strak in de ogen. 'We zijn verraden, Abdul. Wij allemaal. Maar jij vooral.'

'Verraden?' Zijn ongelovige uitdrukking kon zijn opkomende woede nauwelijks maskeren. 'Ik…?'

'Ja, jij,' antwoordde Muzzafar en hij onderdrukte een zelfvoldane glimlach.

'Door wie dan, Muzzafar? Zeg het me, zodat ik een einde kan maken aan de plaag, inshallah!'

'Dat kan ik niet. Hij staat je te na. In de jihad kunnen we het ons niet permitteren ons te laten motiveren door wrok en wraakgevoelens, alleen door Zijn woord.'

'Dat begrijp ik, moellah. Maar alstublieft, als ik niet weet wie de mukhbir is, hoe kan ik dan zijn verraad vergelden?'

Muzzafar aarzelde. 'Nou goed dan. Het is Kazim. Hij is degene die ons heeft verraden.'

Abdul had moeite met Muzzafars beschuldiging. 'Dat brengt me in verwarring, Muzzafar. Hij heeft toch het bevel tot de aanslag gegeven?'

'Broeder, soms gaat je verstand niet gelijk op met je vastberadenheid,' zei Muzzafar met een zucht. 'Maar Allah heeft ieder van ons zijn eigen sterke en zwakke kanten geschonken. Kazims mannen hebben alleen maar gefaald omdat hij ze heeft vermoord.'

Abdul verbleekte. 'Vermoord? Kazim?'

'Ja, Abdul. Hij heeft de plannen voor de aanslag aan de ongelovigen verteld. Daarom zijn zijn martelaren doodgeschoten voor ze kans van slagen hadden. Jouw mannen hebben alleen gezegevierd omdat we veel moeite hebben gedaan om het tweede deel van de aanslag – jóúw aanslag, Abdul – voor hem geheim te houden. Waarom denk je dat hij gevlucht is?'

Abdul trok aan zijn rode baard, terwijl hij probeerde te begrijpen wat Muzzafar zei.

'Ik heb hem op de proef gesteld en hij is tekortgeschoten,' voegde Muzzafar eraan toe toen hij zag dat Abdul moeite had om het te begrijpen. 'Zo simpel is het.'

'Op de proef gesteld?'

'Ja, Abdul, dat zei ik,' antwoordde Muzzafar, die zijn geduld begon te verliezen. 'Ik verwachtte dat hij ons zou verraden. Hij bewees dat ik gelijk had. Jij bent geslaagd waar hij heeft gefaald. Jij bent zuiver en hij is een mukhbir.'

Abdul sloot zijn ogen en drukte zijn vingers tegen zijn slapen. Hij had geweten dat Kazim op de proef werd gesteld en dat hij bedenkingen had gehad over de aanslag, maar hij had nooit gedacht dat Kazim – zijn jeugdvriend – zijn eigen mannen zou verraden. Bij die gedachte kwam er woede in hem op, zowel vanwege zijn eigen stommiteit dat hij zich voor de gek had laten houden als vanwege het verraad zelf.

Muzzafar merkte de woede op die Abdul op het gezicht geschreven stond en maakte van de gelegenheid gebruik om het mes er tot aan het heft in te steken. Hij tikte Abdul zachtjes op de schouder, tilde toen met zijn vingers zijn kin op en keek hem vol genegenheid in de ogen.

'Mijn beste Abdul, ik weet dat het pijnlijk is te worden verraden door iemand aan wie je je leven zou toevertrouwen. Maar bedrog is het werk van de duivel. Kazim, hoe verstandig ook, heeft de kunst van het kwaad geleerd. Hij is ijdel en ambitieus. Maar het ontbreekt hem aan geloof en morele kracht. Hij heeft jouw vertrouwen misbruikt en je leugens op de mouw gespeld om je dienstbaar te houden. Dat deed hij omdat hij bang voor je was, Abdul. Weet je waarom?'

'Waarom, moellah?'

Muzzafar had zich nooit voorgedaan als een volleerde moellah, maar gevleid als hij was door de betiteling zag hij geen reden Abduls vergissing recht te zetten. 'Jij bent zuiver van hart. En de zuiveren triomferen altijd over de corrupten, hoe slim die ook mogen zijn, omdat het hart sterker is dan de geest. Daarom heb ik jou uitgekozen als leider.'

'Dank u, moellah. Dank u.'

'Goed. Vandaag – de dag waarop we deze overwinning van jou en je strijders vieren – is het begin, Abdul.'

'Het begin? Waarvan, moellah?'

'Het begin van de zuivering.'

'Zuivering?'

'Ja, Abdul, de zuivering. Daarvoor ben jij van groot belang. Om te beginnen zullen we, met de hulp van Allah, Gilkamosh ontdoen van mukhbirs. Dan zullen we, in het ene dorp na het andere, alle ongelovigen in Kashmir verslaan. We houden niet op, om geen enkele reden, tot we ze verdreven hebben, eens en voor altijd. Of tot ze allemaal dood zijn. Het is de enige manier om je vrijheid te veroveren, Abdul. De enige manier om een einde te maken aan India's hebzucht.'

50

De ochtend nadat Nick haar het nieuws over haar broers had verteld, stond Aisha vroeg op om naar het dorp te gaan, om zoveel mogelijk details over hun detentie te weten te komen. Misschien hoopte ze dat haar status in de gemeenschap gewicht in de schaal zou leggen en dat de veiligheidstroepen tegenover haar toeschietelijker zouden zijn dan tegenover haar vader. Aan de andere kant kon ze ook niet het vermoeden onderdrukken dat haar broers er juist vanwege haar uit waren gepikt.

Een gevaarlijke complicatie was dat Khaliq en Nabir naar alle waarschijnlijkheid wisten welke jonge mannen in het dorp de opstand steunden en ongetwijfeld wisten wie de leiders waren. De moslimgemeenschap van Gilkamosh was erg hecht en het beleid van de veiligheidstroepen om nagenoeg de hele islamitische jeugd in de strijdbare leeftijd te ondervragen was, praktisch gesproken, niet helemaal van redelijkheid gespeend. Maar de jongens zouden de namen van vrienden niet vrijwillig geven, uit respect voor hun geloofsgenoten en anders wel uit vrees voor vergelding. Aisha wist dat koppig weigeren de kans vergrootte dat haar broers door hun Indiase ondervragers grof werden bejegend. En het feit dat een prominente hindoe als Advani niet in staat was geweest de vrijlating van de tweeling te bewerkstelligen was voor de Fahads extra reden tot bezorgdheid.

Deze keer aarzelde Aisha of ze zich door Nick naar Gilkamosh zou laten vergezellen. Niemand van het personeel kon worden gemist op de ziekenzaal, die nog steeds overbezet was. Maar het was uitermate onverstandig om als moslimvrouw in haar eentje de militaire controleposten te passeren. Er werd na aanslagen op hindoes, wanneer Indiase soldaten amok maakten in een verlangen zich te wreken, in de kranten vaak melding gemaakt van verkrachting van moslimvrouwen door de veiligheidstroepen. Aisha was er de persoon niet naar om zich om zulke risico's te bekommeren, maar Vilashni pakte de sleutels van de pick-up. Ze wilde ze pas afgeven nadat Aisha erin had toegestemd zich door een man – liefst Nick, omdat hij een buitenstaander was die minder gauw de toorn van de soldaten zou opwekken – te laten vergezellen.

Nick reed. Ze waren voorbij het schaduwrijke bos van grove dennen, waarvan de donkere takken over het jeepspoor hingen en het zicht op de kliniek achter hen belemmerden. Zonnestralen drongen door de takken en verlichtten de door de dennenbomen omzoomde weg

Voor ze aan de afdaling begonnen zagen ze een man van achter een groepje grove dennen opduiken. Hij zag er woest uit, met een kalasjnikov om zijn schouder. Hij tuurde naar de auto, liep naar het midden van de weg en bleef op een meter of veertig afstand voor hen staan.

Nick trapte abrupt op de rem zodat de pick-up slippend tot stilstand kwam. Hij schakelde in de achteruit en zette zijn voet op het gaspedaal, klaar om de hele weg terug naar de kliniek achteruitrijdend af te leggen.

'Stop,' zei Aisha, met haar ogen op de man gericht, die onbeweeglijk bleef staan en geen enkele poging deed om te communiceren of naar hen toe te komen.

Nick draaide zich paniekerig naar Aisha om, in afwachting van een verklaring. Ze aarzelde, duidelijk in tweestrijd. 'Het is in orde,' zei ze uiteindelijk. 'Ik ken hem.'

'Weet je het zeker?' Nick keek ongerust naar de onverstoorbare figuur.

'Ja.' Ze knikte.

Nick wachtte even tot het stof dat door de slippende wielen van de pick-up was opgeworpen was neergedaald. Toen deed hij wat ze vroeg. Hij reed langzaam vooruit, naar de vreemdeling uit het bos.

Toen ze dichtbij genoeg waren om zijn gezicht te zien, zette Nick de auto stil. Hij herkende de man als Kazim, de commandant van de moedjahedien die hem en Ghulam meer dan een jaar geleden naar de kliniek had gebracht.

Zijn haar was nu langer en dof van het stof, zijn shalwar kamiz donker geworden van rookvlekken en roet, alsof hij wekenlang in de bergen had geleefd. Terwijl zijn ogen op Aisha bleven rusten, bewoog de man zich niet. Hij sprak geen woord. Aisha keek strak terug, hun wederzijdse stilzwijgen zwaar van de spanning. Nicks ogen gingen van Aisha naar Kazim en weer terug.

Ineens begon Aisha te trillen van boosheid. Ze deed het portier open, klom de auto uit en stormde op hem af.

'Aisha!' riep Nick. Voor hij het in de gaten had viel ze de man aan en stompte hem woedend op zijn borst en in zijn gezicht. Kazim bood geen enkele weerstand. Hij onderging haar stompen zonder zich zelfs maar af te wenden, ook niet toen ze met haar gebalde vuisten op zijn kaak en de brug van zijn neus begon te timmeren. De tranen stroomden Aisha over de wangen. Ze barstte uit in een geschreeuw dat van heel diep uit haar binnenste kwam. Nick had het idee dat ze met heel haar wezen op hem inbeukte.

'Waarom!' schreeuwde ze vlak bij Kazims gezicht.

Onzeker over wat hij moest doen, klom Nick uit de pick-up en liep naar hen toe. Voorzichtig ging hij tussen Aisha en de moedjahid staan en stak zijn armen uit om haar tegen te houden. Maar ze bleef blindelings slaan, zonder te beseffen dat het Nick was die ze raakte. Verward deinsde hij terug.

'Klootzak! Moet je alles kapotmaken waar ik van heb gehouden?' Ze viel op haar knieën.

Nick stak zijn handen uit om haar te helpen opstaan. Maar een stevige greep op zijn schouder weerhield hem. 'Laat haar,' zei Kazim. 'Ik moet met haar praten. Onder vier ogen.'

Nick keek Kazim aan. Hij kende de man weliswaar niet en voelde zich beledigd door de toon die deze aansloeg, maar Kazim had Aisha niet vijandig bejegend. En het was duidelijk dat ze een gezamenlijke geschiedenis hadden, iets wat afgehandeld moest worden. Nick liep terug naar de auto, dichtbij genoeg om haar indien nodig te beschermen.

Kazim knielde naast Aisha neer, die op haar knieën op de weg zat, nog buiten adem van haar woedeaanval. Hij legde troostend een hand op haar schouder, terwijl Aisha haar hoofd schudde, met haar handen voor haar ogen. 'Hoe kon je? Hoe kon je dat doen?'

Kazim boog zijn hoofd. 'Ik heb geprobeerd het tegen te houden, Aisha. Het spijt me.'

'Spijt! Wat maakt het uit wat je vandaag hebt geprobeerd te doen, of gisteren, of twee weken geleden? Je hebt de beslissing die hiertoe heeft geleid jaren geleden al genomen. Waarvoor? Zeg het me, Kazim: is dit jouw azadi?'

Hij wendde zijn hoofd af, alsof ze hem had geslagen. Aisha keek op en fronste, niet van afkeer maar van verlatenheid. 'Het is voorbij,' zei ze, terwijl de tranen over haar wangen stroomden.

Kazim drukte zijn handen tegen zijn slapen en boog zijn hoofd. 'Je hebt gelijk,' zei hij gefrustreerd. 'Je hebt altijd gelijk gehad. Ik had naar je moeten luisteren, jaren geleden, toen we nog onnozele kinderen waren. Toen wist je het al beter.'

'Verdomme, doe niet zo neerbuigend! Ik weet niets van goed of kwaad. Dat weet jij beter dan wie ook. Het enige wat ik weet sinds je bij me bent weggegaan, is dat deze plek alles is wat ik heb. En nu heb je die verwoest, en mij daarbij!'

Aisha verborg haar gezicht in haar handen, schokkend van onderdrukte snikken. Kazim deed even zijn ogen dicht; hij had moeite zich te beheersen.

'Ik kwam je zeggen dat je in gevaar bent,' zei hij rustig. 'Ik ben niet meer de leider. Abdul voert nu hun bevelen uit. Je weet hoe hij is. Hij zal alles doen wat ze vragen. Aisha, je moet de kliniek sluiten. Tot ik alles weer onder controle heb.'

'Nee,' antwoordde Aisha.

'Aisha... Ze hebben het op jou voorzien.'

'Ik ga de veiligheidstroepen om bescherming vragen. Advani zal ervoor zorgen.'

'Hij kan je niet beschermen. Niet meer. Luister naar me. Als iemand het kan weten, ben ik het wel.'

'Nou, laat ze dan maar komen. Ik ben vast niet de enige. Het was toch maar domme fantasie. Dat we een oorlog in de hand konden houden en als een boze geest in een fles konden stoppen.'

Kazim zuchtte ontmoedigd. 'Aisha, alsjeblieft. Ik heb niet veel tijd. Ik weet dat je me niets verschuldigd bent. Maar als je het niet kunt doen voor jezelf of omwille van je familie... kun je het dan alsjeblieft doen vanwege de herinnering aan wat we ooit samen hebben gehad?'

'Wat we samen hadden, heb je me afgepakt,' snauwde ze.

Hij weifelde en schudde toen zijn hoofd. 'Het was jouw droom om arts te worden, Aisha.'

'Jíj was mijn droom.'

Hij staarde enkele ogenblikken naar het bos, niet in staat haar aan te kijken. Toen hij zijn hoofd uiteindelijk omdraaide, stond zijn gezicht ernstig. 'Gaat het daarom? Is het om mij te straffen? Je begrijpt me niet,

Aisha. Dat heb je nooit gedaan. Waar ik naar verlangde, waarvoor ik streed, dat heeft voor jou nooit enige betekenis gehad...'

'Ik begrijp wat je wilt. Het gaat om de manier waarop je het probeert te bereiken – die zal ik nooit accepteren.'

'Alsjeblieft, Aisha, ik smeek je – sluit de kliniek.'

Ze schudde haar hoofd. 'Ik vecht óók een oorlog uit. Op mijn manier. Laat me nu maar met rust. Dankzij jou zitten mijn broers nu gevangen, dus zul je begrijpen dat ook ik hier geen tijd voor heb. Nu niet en nooit niet.'

'Je broers...?'

Aisha stond op. 'Ik wil je nooit meer zien, Kazim. Ga nu maar,' zei ze, voor ze terug begon te lopen naar de auto.

Hij bleef volkomen verbijsterd staan toen ze wegliep.

'Aisha, wacht!' Hij rende naar haar toe en ging voor haar staan. 'Luister naar me,' zei hij, terwijl hij haar bij haar arm pakte. 'Ga naar de veiligheidstroepen. Geef ze mijn naam. In ruil voor hun vrijlating.'

'Wat?'

'Geloof me, ik ken de Indiërs. Het is de enige mogelijkheid.'

'Ze zullen achter je aan gaan en je doden.'

'Ze zitten al achter me aan.'

Aisha keek hem een lang ogenblik aan. Ze ontworstelde haar arm aan zijn greep. 'Ga weg, Kazim.'

Kazim bleef op de weg staan en keek toe terwijl Aisha in de pick-up klom. Nick startte de motor en trok op. Kazim wachtte even en begon toen aan de passagierskant mee te rennen. 'Aisha... Doe wat ik heb gezegd,' smeekte hij.

Aisha keek niet naar hem. Terwijl de auto vaart maakte en zich van hem verwijderde, riep hij nog een keer: 'Vertrouw me voor deze ene keer, Aisha! Het is echt waar!'

51

Advani's bewaker maakte de poort van het terrein open en bracht hen naar de salon, waar ze op Advani wachtten. Tot nog toe had Nick niet opgemerkt hoe verwaarloosd en klein de bewaker was. Zijn verouderde Lee Enfield leek langer dan hijzelf en hoewel Nick niet aan de doelmatigheid ervan twijfelde, zette het wapen de man in een tamelijk komisch, bijna absurd daglicht.

'*Kitna nam hey?*' informeerde Nick.

'Ik Sundip,' antwoordde hij in zijn zwaar aangezette Engels.

'Aangenaam kennis te maken, Sundip. Ik ben Nick.'

Sundip knikte ten antwoord en schonk Nick en Aisha thee uit een porseleinen pot die hij op een dienblad midden op de vloer zette. Hij leek als bewaker bar weinig voor te stellen, eerder gemoedelijk dan afschrikwekkend, en toen Advani binnenkwam bleef Sundip, in plaats van hen alleen te laten, als een huisknecht in de deuropening staan. Ondanks zijn onschuldige voorkomen voelde Aisha zich ongemakkelijk in zijn aanwezigheid. Ze gaf er de voorkeur aan te praten zonder vreemden erbij. Advani had dat in de gaten en stuurde de oude man weg, die buiten gehoorsafstand in de hal bleef staan wachten.

Na een eerste uitwisseling van beleefdheden begon Aisha over de actuele onderwerpen. 'Er zijn twee dingen die ik met je wil bespreken. In de eerste plaats mijn familie. Vertel me alsjeblieft alles wat je weet over mijn broers.'

Advani fronste zijn voorhoofd. Hoewel hij altijd discreet was, klonk die ochtend in zijn stem de hopeloosheid door van iemand die ooit invloedrijk was geweest, maar nu had ontdekt dat hij vleugellam was geworden.

'Ik heb inlichtingen ingewonnen bij de kolonel van het politiebureau van Jammu en Kashmir en de regiokapitein van de grensbeveiligingstroepen, zowel hier in het dorp als in Kargil en Srinagar. De politie weet niets; zij hebben er niets over te zeggen. De commandant van de veiligheidstroepen geeft toe dat ze je broers hebben. Zijn mensen hebben me gezegd dat ze in een van hun 'centra' worden ondervraagd – ze hebben niet gezegd welk precies – samen met een heleboel andere jongens uit ons dorp. Ze worden vastgehouden op verdenking van steun aan terroristen.'

Aisha keek geagiteerd, maar voor ze kon uitbarsten hield Advani zijn hand op om haar tot stilte te manen.

'Alsjeblieft, Aisha. Ik heb ze verteld dat het volkomen onzinnig is, dat jouw familie – vooral Naseem – altijd voor de unie is geweest.' Advani hield op met praten, alsof hij niets meer te zeggen had.

'Nou?' spoorde Aisha hem na een korte stilte aan.

'Dat is alles wat ze me wilden vertellen.'

'Hebben ze niet gezegd hoe lang ze vastgehouden zullen worden?'

'Tot het onderzoek is afgerond, zeiden ze. Jij en ik weten allebei dat dat van alles kan betekenen, van enkele dagen tot jaren. Ze houden zich niet in bij dit onderzoek.'

'Wat voor bewijs hebben ze tegen hen? Ze moeten toch iets van bewijs hebben om ze voor onbepaalde tijd vast te kunnen houden.'

Advani wreef nerveus over zijn kruin. 'Misschien. Het had geen zin het te vragen.'

'Heb je het niet eens gevraagd?' vroeg Aisha vinnig.

'Aisha, je weet dat ze alles kunnen verzinnen wat ze maar willen. Onder de antiterreurwetten is een gerucht al voldoende. Ze hoeven niet eens de bron bekend te maken.'

Aisha zuchtte. Ze wist dat hij gelijk had, maar daardoor frustreerde de wetenschap dat de Indiërs het leven van haar broers volkomen in hun macht hadden haar nog meer.

'Misschien heeft een andere gevangene je broers genoemd,' opperde Advani voorzichtig.

'Dat is onmogelijk.'

'Dat is heel goed mogelijk. Iemand kan hun namen hebben gegeven, juist omdat ze niets met de rebellen te maken hebben. Op die manier wordt de informant vrijgelaten omdat hij bij de politie in een goed blaadje is komen te staan, terwijl hij tegelijkertijd zichzelf beschermt tegen vergeldingsmaatregelen van de militanten.'

'Of misschien hebben ze mijn broers gevangengezet om mij te pakken,' opperde Aisha.

Advani keek haar aan. 'Weet jij iets wat ik niet weet?'

'Kom op, Advani. Het is voor hen zonneklaar dat ik kan vertellen wie degene is die ze willen hebben. Net zo goed als jij.'

Advani's ogen schoten ongemakkelijk naar Nick.

'Het is in orde, Advani,' verzekerde Aisha hem. 'Nick is te vertrouwen.'

Advani aarzelde, toen knikte hij. 'Nou, vooruit dan. Luister naar me,' antwoordde hij ernstig. 'Wat je ook doet, waag het niet erover te denken een overeenkomst met ze te sluiten. De officieren van de grensbeveiligingstroepen zijn niet zoals onze plaatselijke politie. Ze luisteren alleen naar de militaire autoriteiten in Delhi. Als je ook maar enigszins laat doorschemeren dat we informatie voor ze hebben, zullen ze er geen enkel probleem mee hebben ons in de gevangenis te gooien. Het is niet hun beleid om overeenkomsten te sluiten, met niemand. En ze zouden niets liever willen dan een bekende dokter en een dorpspoliticus arresteren vanwege het achterhouden van informatie, gewoon om een voorbeeld te stellen.'

Aisha keek hem sceptisch aan. Ze knikte.

Advani zuchtte opgelucht. 'Je moet me niet zo laten schrikken.'

'Het spijt me, Advani. Je hebt gelijk. Ik pieker er niet over om aan te bieden een overeenkomst te sluiten.'

'Nou, het gerucht gaat dat iemand onjuiste informatie geeft aan de veiligheidstroepen, ofwel om degenen die de militanten niet steunen een hak te zetten, ofwel om de onderzoekers op een dwaalspoor te zetten,' zei Advani. 'Ik geloof dat die figuur – en niet jij – de oorzaak is van de ellendige situatie van je broers.'

'Wie?'

'Nou, ik herhaal dat het slechts een gerucht is. Maar men zegt dat het Abdul Mohammad is. Ik heb van mijn informanten gehoord dat hij nieuwe verantwoordelijkheden op zich heeft genomen in de Gilkamosh-cel. Desondanks is hij, toen hij gevangen was genomen, maar kort vastgehouden en al snel vrijgelaten.'

'Heb je met hem gesproken?'

'Ik zou graag een paar dingen tegen die idioot zeggen. Maar hij is al ruim een week niet meer in het dorp gezien. Zoals ik al zei, weet ik niet zeker dat hij degene is die je broers erin heeft geluisd. Ook al organiseert Kazim de schietpartijen niet meer, ik denk niet dat Abdul jouw familie zal beschuldigen zolang Kazim nog...' Advani hield ineens op.

'Nog leeft?' maakte Aisha de zin voor hem af. 'Dat kun je gewoon zeggen, Advani,' zei ze verdedigend.

'Maar natuurlijk leeft hij nog. Tenzij jij iets weet wat ik niet weet.'

'Nee,' antwoordde ze vlug. 'Ik weet niets over van hem.'

Meegaand in haar leugen staarde Nick naar de vloer.

'Nou, wat kunnen we nog meer doen?' informeerde Aisha.

'Behalve met de politie en de veiligheidstroepen,' verklaarde Advani, 'heb ik gesproken met vrienden in Srinagar en Delhi, met onder anderen Lakshmi Bhalla, mijn vriend in het parlement. Ik heb nog niets van hem gehoord. En dat is het uiterste van mijn politieke connecties, die hier niet meer veel gewicht in de schaal lijken te leggen. Om eerlijk te zijn baart dat me zorgen, Aisha.'

'Ik zou zelf met de kapitein van de veiligheidstroepen moeten praten, om in elk geval de druk op de ketel te houden.'

'Doe dat maar niet, Aisha,' vermaande Advani. 'Je bent een islamitische dokter die gewonde moedjahedien heeft behandeld. Wat je ook zegt, het zal tegen jou en je broers worden gebruikt. Ik hoop dat het alleen maar hun manier is om de dorpelingen een lesje te leren en dat je broers gauw terug zullen komen.'

'Ik weet niet...' antwoordde ze. 'Er is zo veel hindoebloed vergoten. Ik betwijfel of ze genoegen willen nemen met een "lesje".'

Advani steunde met zijn kin in zijn handen, diep in gedachten. 'Er is één andere mogelijkheid waar ik aan denk,' zei hij. 'Als je er een advocaat bij kunt halen. Laat hem een *habeas corpus*-verzoekschrift indienen wegens illegale detentie. Het zal niet tot vrijlating leiden, maar het zou kunnen dat de veiligheidstroepen erdoor geïntimideerd worden en dat kan hen ervan weerhouden de jongens kwaad te doen. Maar advocaten zijn natuurlijk duur.'

'Mijn vader kan zich dat niet veroorloven. En jij doet de boekhouding, dus weet je dat er geen sprake is van een salaris voor mij.'

Advani knikte. 'Ik zou de advocaat graag betalen. Je weet hoe dierbaar jouw familie me altijd is geweest. Maar zoals de zaken er de laatste tijd voor staan, kan ik het niet.'

'Zoals altijd dank ik je voor wat je tot nog toe hebt gedaan, Advani,' antwoordde Aisha na een tijdje.

'Bedank me niet zo vlug, Aisha. Je hebt het ergste nog niet gehoord.'

'Wat bedoel je?'

Advani aarzelde. 'Je had twee punten die je wilde bespreken. Ik heb het gevoel dat wat ik je moet zeggen vanzelf ter sprake komt.'

Aisha keek ontzet. 'Oké,' zei ze aarzelend. 'Nu de veiligheidssituatie in het dorp nog verder is verslechterd, maak ik me zorgen over mijn personeel. Zoals je weet hebben we met de kliniek altijd maar één doel voor ogen gehad: levens redden. We houden ons aan de gedragscode voor artsen om neutraliteit te betrachten op medisch gebied. We behandelen iedereen die geneeskundige hulp nodig heeft zonder vragen te stellen. Dat is iets wat waarschijnlijk helaas niet meer zal worden getolereerd gezien de kennelijke verandering in de leiding van de rebellen.'

Advani stak zijn hand op. 'Zoals ik al zei brengt dit me op wat ik tot mijn spijt moet zeggen. Ik kan de veiligheid van de kliniek niet langer garanderen. De dagen dat de veiligheidstroepen toelieten dat je moedjahedien behandelde zijn voorbij. Zo simpel ligt het. En zelfs als je nu zou besluiten de deuren te sluiten voor rebellen, en in feite in de ogen van de militanten een regeringsziekenhuis wordt, zal de staat je geen jawans ter beschikking stellen. Ze zouden liever zien dat je je biezen pakt en weggaat uit de vallei. Dat heeft de commandant van de grensbeveiligingstroepen me tussen de regels door laten weten.'

Het was even stil terwijl Aisha de implicaties van wat Advani had gezegd probeerde te vatten.

'We moeten de kliniek sluiten, Aisha,' zei hij, om alle twijfel uit te bannen.

'Dat is absoluut geen optie.'

'Het is de enige optie.'

'Wat zeg je nou? Trek je de fondsen terug?'

'Ja. Er is geen andere manier om de veiligheid van jou, je personeel of je patiënten te garanderen. Jij weet net zo goed als ik dat de spelregels zijn veranderd. Dat is helaas het gevolg van het terrorisme.'

'De kliniek is het levenssap van het dorp, Advani. Ze heeft het tot een andere plaats gemaakt, de boel bij elkaar gehouden. Hindoes en moslims werden gelijkelijk behandeld. Daarom hebben we het zo lang volgehouden. Je kunt dat niet opgeven na één vreselijke aanslag.'

'Aisha, het is niet veilig meer.'

'Dat is verdomme het hele punt, Advani!' schreeuwde Aisha, met van boze wanhoop vervulde stem. 'Er bestaat geen veiligheid in een oorlog. Wij moeten óók vechten, verdomme! Als dat niet kan door middel van de kliniek, hoe dan wel?'

Advani gaapte haar aan, verdoofd door haar plotselinge uitbarsting. 'Ik weet niet waar je het over hebt, het spijt me.' Hij haalde zijn schouders op.

'Verontschuldig je niet, luister alleen maar naar wat ik zeg! Begrijp je het dan niet? We vechten door levens te redden, de levens die zij proberen te nemen!'

Toen Advani's bewaker de kamer binnenkwam om te kijken waarom er zo geschreeuwd werd, legde Nick zijn hand op Aisha's schouder, in de hoop haar te kalmeren. Uit de geschokte blik van Advani maakte hij op dat deze Aisha nog nooit zo opgewonden had meegemaakt. In diens ogen was ze nog altijd het vroegrijpe kleine meisje dat de genegenheid van het dorp had veroverd door haar mededogen en haar genezende vermogens. Voor het eerst zag hij haar in een heel ander licht: als een hartstochtelijk, misschien tragisch pleitbezorgster van een verloren zaak. Toen begon hij weer te praten, rustig, maar heel duidelijk.

'Aisha, kijk eens goed naar wat je probeert te doen. Je kunt de kliniek niet openhouden als een soort politieke verklaring. Als je dat doet breng je je personeel en de patiënten in gevaar.'

'Het is geen politieke verklaring, het is een menselijke verklaring!' antwoordde Aisha.

Het bleef doodstil toen Advani zijn ogen dichtdeed en zijn hoofd boog alsof hij mediteerde. Toen hij eindelijk weer sprak kwamen zijn woorden er fluisterend uit. 'Mijn besluit staat vast.'

Aisha keek hem met boze ogen zwijgend aan. Langzaam stond ze op en liep de kamer uit.

Naseem had holle ogen van slapeloosheid toen hij de deur voor Aisha en Nick opendeed. Zijn baard was verwilderd en zijn huid was grauwgeel geworden, alsof zijn gelaatskleur door de giftige invloed van zijn voortdurende, zenuwachtige gerook uiteindelijk permanent was bedorven. Fatima leek er niet veel beter aan toe te zijn: bleek, met bloeddoorlopen ogen en in zichzelf gekeerd.

Aisha en Nick luisterden naar Naseem, die zijn zorgen uitsprak en de schokkende geruchten herhaalde over gevangenen, niet met name genoemde jongens uit het dorp, die geslagen en gemarteld waren door de

Indiërs, terwijl Fatima haar gezicht met haar handen bedekte en huilde. Aisha deed haar best haar ouders gerust te stellen door te zeggen dat het om valse geruchten ging die alleen maar in de wereld waren geholpen om sympathie bij de mensen te wekken. Natuurlijk kon niemand daar zeker van zijn en Nick zag aan Aisha's neergeslagen ogen dat zij zelf weinig geloofde van haar geruststellende woorden.

In navolging van Advani's suggestie raadde Aisha haar vader aan een beroep te doen op de Fahadclan om geld bij elkaar te leggen voor een advocaat. Nick wenste dat hij de wettige papieren voor hen kon klaarmaken, maar hij kon geen documenten in de plaatselijke taal opstellen. Ook was hij niet bekend met de Indiase wetgeving en zou hij geen toegang krijgen tot dossiers bij het plaatselijke gerechtshof. Zoals verwacht zei Naseem dat hij zich geen advocaat kon permitteren, en omdat hij trots van aard was wilde hij zijn uitgebreide familie en buren niet om geld vragen.

'Baba, dit is niet het moment om je door je trots te laten leiden,' vermaande Aisha hem. 'We moeten iets doen.'

Uiteindelijk kwamen ze tot een compromis. Aisha bood aan de volgende dag de voltallige familie bij elkaar te roepen en in aanwezigheid van Naseem het punt van geld inzamelen voor een advocaat aan de orde te stellen. Op die manier zou Naseem in elk geval tot op zekere hoogte zijn gezicht redden.

Maar Naseem was niet optimistisch over de vooruitzichten om genoeg geld bij elkaar te krijgen: iedereen zat krap. De zaken liepen al jaren slecht, nu de toeristenindustrie volkomen was verdwenen en de oorlog op elk gebied een slechte invloed had op de lokale economie, de wolhandel inbegrepen. Zijn familie en hij hadden weer voor het eerst sinds Naseem jong was, moeten overgaan op landbouw voor eigen gebruik.

Het was avond toen ze eindelijk besloten hadden hoe ze het zouden aanpakken. Omdat het algauw donker zou zijn, had Naseem Nick aangeboden de nacht in het huis door te brengen om te voorkomen dat ze de avondklok zouden schenden door 's avonds te rijden. Omar had dienst in de kliniek en Aisha dacht dat hij eventuele noodgevallen wel kon afhandelen. Ze belde hem op vanuit het postkantoor in het dorp om te zeggen dat Nick en zij pas de dag daarop terug zouden komen.

Aisha zei niets tegen haar ouders over de dreigende sluiting van de kliniek en ook niet over het feit dat Kazim erop had gestaan dat ze hem zou aangeven in ruil voor de vrijlating van haar broers. Nick had het idee dat het haar tegenstond iets te doen wat hem zou kunnen schaden, ook al had hij haar gesmeekt zijn naam te noemen. Een restant van de band die er ooit tussen hen was geweest had de vergetelheid doorstaan. Nu leek dat haar voor een afschuwelijke keuze te stellen. Het vervulde Nick met droefheid. Want hij wist nu, voor het eerst in zijn leven, wat het betekende om het verdriet van iemand anders te ervaren alsof het van hemzelf was.

52

De bijeenkomst van de Fahadclan die volgende dag had niet veel opge-leverd. Er was maar weinig spaargeld beschikbaar. Bij lange na niet ge-noeg om een advocaat in te huren en een verzoekschrift in te dienen om de detentie van Khaliq en Nabir aan te vechten. Zonder dat er iets was besloten keerden Aisha en Nick terug naar de kliniek.

'Wat ga je iedereen vertellen?' vroeg Nick toen ze over de berg reden.

'De waarheid. Dat de geldkraan is dichtgedraaid en dat ik hen niet meer kan betalen.'

'En wat dan?'

'Ik ga door met het werk.'

'Zonder geld?'

'Als ik de enige ben die het werk doet, hoeven er geen salarissen te worden betaald. Ik moet de boel draaiend kunnen houden met het klei-ne beetje subsidie dat ik van islamitische liefdadigheidsinstellingen krijg, in elk geval een tijdje. Ik weet niet hoe lang de voorraden toereikend zullen zijn, maar ik zal zoveel mogelijk bij elkaar schrapen, zolang het nog kan.'

'Hoe zit het dan met jouw veiligheid?'

'Wat er ook gebeurt, het zij zo.'

'Aisha, wees niet zo koppig. Waarom luister je niet naar Advani en sluit je de kliniek niet, in elk geval voor een tijdje? Over een halfjaar of een jaar kun je weer opengaan. Maar als je wordt gedood zal er niemand zijn om de kliniek te leiden. Nooit meer.'

'Je begrijpt het niet. Je bent niet van hier. Er staat meer op het spel dan alleen mijn welzijn. Als ik nu opgeef is de strijd verloren. Niet voor mij, maar voor het hele dorp.'

'Wat bedoel je? Ik dacht dat je werd verondersteld neutraal te zijn,' zei Nick.

'Precies. Mijn strijd is de strijd tegen hun strijd. Ik kan me er niet zomaar bij neerleggen. Nu Advani zich heeft teruggetrokken, is het aan mij. Ik kan het hem niet kwalijk nemen. Hij heeft de afgelopen jaren zoveel voor me gedaan. Maar ik wil gewoon niet hetzelfde doen.'

'Dat is waanzin, Aisha. Denk aan je familie. Denk aan...' Nick hield plotseling op.

'Denk aan wat?' vroeg ze verward. 'Jou? Deze oorlog heeft niets met jou te maken, Nick. Ga naar huis. Terug naar Amerika.'

'Zo eenvoudig is dat niet.'

'Waarom niet?'

Terwijl Aisha reed, richtte Nick zijn blik op de hemel achter de bergen, die was gemarmerd met katoenpluizen van wolken die in een eeuwig doorgaande cyclus vervaagden en vervormden. Hij voelde de plotselinge drang haar alles te vertellen: over Yvette en Akhtar, zijn vlucht, zijn gevoelens voor haar. Maar hij had zo lang met zijn leugen geleefd. Ze zou het nooit begrijpen, in elk geval niet nu. Misschien later, wanneer haar problemen minder groot waren.

'Ik heb hier zoveel meegemaakt, ik kan niet zomaar weggaan.'

'Vergeet het maar. Zoals ik al zei: het is niet jouw oorlog.'

Hij dacht na. 'Dat is het wel, in zekere zin.'

Ze keek hem onthutst aan. 'Ik begrijp je niet. Je bent niet makkelijk te plaatsen.'

'Is dat bedoeld als compliment?' vroeg hij humoristisch, om haar af te leiden.

Ze keek hem even onderzoekend aan en haar ogen vatten zijn insinuatie. 'Ja,' antwoordde ze ernstig. 'Ik geloof dat raadselachtigheid wel te prijzen is. Maar op nóg een vraagstuk zit ik nu niet bepaald te wachten.'

Nick fronste. 'Ik zou willen dat alles anders was, Aisha,' zei hij en hij kon het verlangen in zijn stem niet verbergen.

'Ik ook,' antwoordde ze.

'Je vriend, de moedjahid... Je bent nog steeds verliefd op hem, nietwaar?'

Ze zette haar stekels op bij de vraag, alsof die een of ander innerlijk verdedigingsmechanisme in werking had gesteld. Maar toen werd ze, tot Nicks verrassing, ineens milder.

'We waren nog maar kinderen toen we ons verloofden,' zei ze gelaten. 'Toen kwam de oorlog en werd alles anders. Nu ben ik gehecht aan de jongen die Kazim ooit was, niet aan de man die hij is geworden. Ik weet niet meer wat liefde betekent. Niet dat soort, in elk geval.'

'Waarom doe je niet wat hij vraagt? Voor je broers?'

Er viel een langdurige stilte. Aisha richtte haar glazige, vermoeide ogen op de kronkelige weg terwijl ze naar de pas klommen. Toen ze een bocht om gingen, trof een glimp zonlicht haar gezicht en onthulde de gekweldheid in haar ogen.

'Hij vraagt me een deel van mezelf te verraden,' zei ze. 'Het enige deel dat ooit echt van mij is geweest.'

Toen Aisha de anderen vertelde dat de financiering van de kliniek was stopgezet en dat ze hun salarissen niet meer kon betalen, was de reactie niet zoals ze had verwacht. Al het personeel – Aroon, Vilashni, Omar en Ghulam (die sinds de massamoord een bescheiden salaris had gekregen voor zijn werk, dat in een grote behoefte voorzag) – wilde beslist blijven. Ze zouden minder uren maken, zeiden ze, zodat ze tijd hadden om te doen wat nodig was om in hun onderhoud te voorzien, maar zouden onbezoldigd in de kliniek blijven werken.

'Ik kan dat niet toestaan,' zei Aisha. 'Het is te gevaarlijk. Als jullie iets overkomt zal ik het mezelf nooit vergeven.'

'Mevrouw de dokter,' las Vilashni haar de les. 'We zijn niet uw kinderen. We weten wat het gevaar is. We doen het uit vrije wil.'

'Je begrijpt het niet. Ik wil jullie hier niet meer hebben,' drong Aisha aan, terwijl ze haar best deed niet te laten merken hoe ontroerd ze was door hun trouw.

'Hoe kunt u de kliniek in uw eentje draaiende houden? Dat is onmogelijk,' merkte Omar op.

'Ik speel het wel klaar. En nu wil ik er niets meer over horen.'

'Mevrouw de dokter, we moeten blijven!' bracht Ghulam vurig te berde, heftig zwaaiend met zijn wijsvinger. 'We zijn niet bang voor die vreselijke mensen. Liefdadigheid is Allahs werk.'

'Ghulam, ik ben niet in de stemming voor een preek. Ik heb het niet over liefdadigheid, ik heb het over de werkelijkheid. En vooral jij zou moeten weten dat het hoog tijd is dat je naar huis gaat, naar je vrouwen. Luister allemaal naar mij. Ik ben de baas en jullie zijn allemaal ontslagen. Jullie moeten hier morgen weg zijn.'

De volgende ochtend, toen Aisha plichtmatig haar ronde kwam doen, zag ze dat iedereen net als altijd zijn werk deed.

'Ik heb jullie ontslagen, verdorie! Ga weg!' riep ze stampvoetend, maar omdat ze eruitzag als een driftig klein meisje hadden ze moeite niet in lachen uit te barsten. Nu de eerste aanpak niet bleek te werken ging ze over op smeken. Maar niemand schonk daar aandacht aan. Omar, Aroon, Vilashni, Nick en Ghulam, die hun best deden een grijns te onderdrukken, werkten gewoon door, terwijl Aisha bleef tieren.

Hetzelfde gebeurde de volgende ochtend en alle ochtenden daarna, tot Aisha uiteindelijk haar pogingen om haar voltallige personeel weg te sturen opgaf.

De dagen verstreken en de oorlog ging door; na de massamoord waren er bijna elke week wel schermutselingen. Meer burgers raakten in het kruisvuur verwikkeld en werden ter behandeling opgenomen. Er werd zelfs incidenteel een politieagent of soldaat naar de kliniek gebracht, maar geen moedjahedien. Ondanks het gebrek aan geld om hen te betalen waren de personeelsleden nog meer toegewijd aan hun werk dan ooit.

Toen de dorpsbewoners hoorden dat de kliniek ondanks alle bedreigingen doorging en nauwelijks nog geld kreeg, deden ze wat ze konden om te helpen. Vrijwilligers kwamen eten brengen, hielpen de ziekenzaal en het terrein schoon te houden en verzorgden de patiënten. Er waren nauwelijks voorraden, maar ze zorgden ervoor dat ze het redden met wat er was. Sommige dorpsbewoners reden zelfs naar Srinagar en vroegen de ziekenhuizen daar om bloed, morfine en andere noodzakelijke dingen.

Op deze eenvoudige manier herontdekte een volk zijn levenskracht. Een volk dat leed onder een staat van beleg en de last droeg van het feit dat zo veel van hun zonen waren opgepakt door een regering die meer belang hechtte aan het eigendom van de stoffige bodem onder hun voeten dan aan loyaliteit. Het was alsof de mensen in hun collectieve hart wisten dat alleen zij de oorlog konden winnen, en niet de nationale regering en haar reactionaire veiligheidstroepen die hen achterdochtig bekeken, of de moedjahedien met hun dogma's. Een nieuw vertrouwen, dat voortkwam uit empathie, maar ook in niet geringe mate uit opstandigheid, had hun weer kracht gegeven. En dat kwam allemaal door Aisha en haar kliniek.

53

Advani had er genoeg van opgesloten te zitten. Hij had zich de hele ochtend in zijn werkkamer teruggetrokken om zich bezig te houden met zijn financiële situatie, die een troosteloos teken van de tijd was.

Zijn textielhandel die, in weerwil van wat algemeen werd gedacht, nu al jaren in een neerwaartse spiraal zat, was de laatste tijd steed verder afgezakt. De bestelling van een fabriek in Bombay die hij had verwacht was na de zomer niet gekomen. Toen hij zijn klant opbelde, werd hem verteld dat er weinig vraag was door de daling van de export van Indiaas textiel naar de Europese Unie en de Verenigde Staten, waar protectionistische politici hoge invoerrechten op goedkope import hadden geheven.

Gelukkig had Advani nooit op grote voet geleefd en had hij zijn schulden tot een minimum weten te beperken. Maar nu begon hij het te merken. Wat hij Aisha had verteld was waar: hij had het ziekenhuis niet veel langer kunnen financieren, zelfs als het gevaar voor haar en haar personeel geen realiteit was geweest.

Nu Aisha echter ondanks de gevaren de kliniek in bedrijf hield en het dorp zich achter haar schaarde door haar wat ze zich ook maar aan bescheiden donaties konden permitteren te geven, deed hun steun hem een beetje een vrek lijken. Maar hij was blij voor haar. Misschien had ze gelijk dat ze doorging met het ziekenhuis, ook al had haar veerkracht in het aangezicht van zijn capitulatie zijn eigen reputatie geschaad. Hij besloot de kliniek opnieuw te steunen wanneer zijn geldstroom weer toenam, wat uiteindelijk wel zou gebeuren. De situatie was nu gewoon nog te onzeker. Gelukkig ontdekte hij een manier om zijn gezicht nog een beetje te redden door zijn jarenlange vriend, Aisha's vader, te helpen. Daarmee hielp hij indirect ook Aisha.

Advani had zich wekenlang ernstig zorgen gemaakt om de situatie van Naseems jongens en die van de vijf andere tieners uit het dorp die de veiligheidstroepen nog steeds vasthielden. Het was al ruim twee maanden geleden dat ze de jongens hadden gearresteerd en nog steeds had de commandant met geen woord gerept over mogelijke vrijlating. Normaal gesproken bezocht Advani Naseem elke dag. Het dorp was klein en het was makkelijk om even aan te wippen. Maar sinds Naseems zonen gevangen waren gezet en Advani daar niets tegen had kunnen doen, durfde Advani zijn vriend, evenals de andere dorpsbewoners wier kinderen in de gevangenis zaten, niet meer onder ogen te komen. Hij voelde zich zo vernederd door zijn machteloosheid dat hij uit schaamte zelfs niet meer over straat durfde, in zijn eigen dorp nota bene.

Toen hij geruchten hoorde dat jongens uit het dorp in de gevangenis werden gemarteld, was dat voor hem niet te verdragen. Aisha had hem verteld dat de familie Fahad niet genoeg geld bij elkaar had kunnen krijgen voor een advocaat. De andere families waren evenmin in staat dat te doen; de meeste waren slachtoffers van de neergang van de wolhandel. Dus besloot hij, gewend als hij was om dorpsproblemen aan te pakken, zijn favoriete methode toe te passen: geld inzamelen bij de dorpsgemeenschap, zoals hij jaren geleden had gedaan voor Aisha's studie. Als genoeg families in het dorp hun steentje bijdroegen kon hij de hulp inroepen van een advocaat in Srinagar die hij kende. Advani had terecht het idee dat deze man een gereduceerd tarief zou rekenen in ruil voor toezeggingen van Advani voor ander werk in de toekomst.

Advani's plan had nog beter uitgepakt dan hij zich had voorgesteld. De dorpsbewoners, al in actie gekomen doordat Aisha koppig doorging met de kliniek, waren enorm enthousiast en vol vertrouwen dat ze alles konden bereiken als iedereen het maar wilde. Hoewel ze het hem aanvankelijk behoorlijk kwalijk hadden genomen dat hij was opgehouden de kliniek te financieren, brachten de dorpelingen genoeg geld bij elkaar om het gereduceerde tarief van de advocaat voor een verzoekschrift voor alle zeven gevangengenomen jongens uit Gilkamosh te kunnen betalen.

De dag ervoor had Advani een telefoontje van de advocaat gekregen dat de verzoekschriften waren ingediend en persoonlijk waren overhandigd aan luitenant-kolonel Sunil Patel, de regionale commandant van de veiligheidstroepen in Srinagar. Hoewel de advocaat er weinig vertrouwen in had dat het verzoekschrift door het hof goed ontvangen zou worden – gezien de grote ruimte die de antiterreurwetten de veiligheidstroepen gaven – was het indienen op zich goed nieuws. Nu hun een rechtszaak boven het hoofd hing, wisten de veiligheidstroepen dat ze door een invloedrijke persoon in de gaten werden gehouden en zouden ze wel twee keer nadenken voor ze de zonen van de dorpsbewoners zouden mishandelen.

Om de druk te vergroten had de advocaat, op aandringen van Advani, ook een verslaggever van de *Srinagar Times* gebeld. Tegelijk met het indienen van het verzoekschrift stond er een kop met betrekking tot het proces op de voorpagina van de krant: AFGELEGEN DORP KLAAGT VEILIGHEIDSTROEPEN AAN WEGENS MOGELIJK ONWETTIGE DETENTIE VAN MOSLIMJONGEREN.

Nu de pers zich met de zaak bezighield waren de dorpsbewoners niet alleen aan het terugvechten, maar gingen ze ook tot de aanval over. Dat zou het begin zijn van een nieuw tijdperk van gespannen verhoudingen tussen het dorp en de militaire autoriteiten, iets wat Advani altijd met grote moeite had geprobeerd te vermijden. Hij was politicus en diplomaat, absoluut geen activist. Hij had verscheidene keren geprobeerd samen met de commandant tot een oplossing voor de situatie te komen, maar was telkens op onverklaarbare wijze bits afgewezen. Uiteindelijk hadden de dorpsbewoners de militaire autoriteiten gegeven wat ze verdienden.

Erop gebrand het goede nieuws over de petitie persoonlijk bekend te maken, besloot Advani een wandeling door het dorp te maken, en eerst bij Naseem langs te gaan en dan naar de andere families. Het zou voor het eerst sinds lange tijd zijn dat hij zich alleen naar buiten waagde. Deze keer zou hij dat met opgeheven hoofd doen.

Nadat hij tegen zijn vrouw had gezegd dat hij wegging, besloot Advani Sundip niet te vragen hem te vergezellen. Hij voorzag dat hij behoorlijk wat tijd bij Naseem en de anderen zou doorbrengen en ging liever alleen. Bovendien vond hij het gênant als de mensen hem met een lijfwacht zagen lopen. Wat voor voorbeeld zou het geven als de burgemeester te bang was om over straat te gaan zonder een gewapende escorte?

De beste Sundip had Advani tot een mikunt van spot gemaakt. Advani had hem na de massamoord op aandringen van zijn vrouw, Shanti, in dienst genomen. Hij vond het een idioot idee, maar Shanti had er de hele tijd op aangedrongen en toen het geweld eindelijk thuis had toege-

slagen, had ze haar zin gekregen. Sundip was een gepensioneerde politieagent uit Delhi die jaren geleden naar de Kashmirvallei was verhuisd
toen hij een baan had aangenomen bij het hof in Srinagar. Hij reageerde
bijna meteen op Advani's advertentie voor een huisbewaker, omdat het
idee naar een bergdorpje te verhuizen hem aantrok.

Toen Sundip op zijn eerste werkdag verscheen met een witte krul-
snor en een oranje tulband, en met een wapenstok en zijn achterhaalde
Lee Enfield als enige bewapening, was Advani niet weinig sceptisch.
Maar Sundip was erg ijverig en kon een heleboel wapenfeiten vertellen uit zijn goeie ouwe tijd bij de politie in Delhi. Nadat hij een 9mm-
pistool voor hem had gekocht, nam Advani hem in dienst. 'Hier, nu ben
je een moderne bewaker,' zei Advani tegen hem toen hij hem het nieuwe wapen gaf.

Sundip was niet onder de indruk van het handvuurwapen. 'Dit pistool
is niet goed,' beweerde hij, terwijl hij liefdevol op zijn geweer tikte.
'Met de Enfield kan ik schurken van heel, heel ver raken. Met een pistool moeten ze erg dichtbij zijn. Te dichtbij, meneer.'

Na wat gemarchandeer kwamen ze tot een compromis, waarbij Sundip beide wapens droeg, en wanneer Advani een eindje ging wandelen,
marcheerde Sundip, tot groot vermaak van het dorp, stijfjes naast hem
met zijn Enfield om zijn schouder als een ouderwetse Rajput-*sepoy*.

'Sundip, ik ga wandelen,' zei Advani tegen de oude man, die op zijn
stoel net binnen het hek zat te soezen. Sundip schrok wakker en
schaamde zich voor zijn door ouderdom veroorzaakte vermoeidheid.
'Ik ga met u mee, meneer,' zei hij en hij sprong overeind.

'Nee, bedankt, Sundip. Ik ga vandaag op bezoek bij Naseem en ik wil
niet dat mevrouw Sharma het al die tijd zonder jou moet stellen.' Tegenwoordig voelde Shanti zich niet veilig wanneer Advani haar langere
tijd alleen liet.

'Weet u het zeker, meneer? Wilt u niet dat ik Naseem vraag hierheen
te komen?'

'Heel zeker, Sundip, dank je. Ik red het wel.'

Sundip opende de poort voor Advani en keek nauwlettend naar beide kanten de straat in. Hij hield zijn hand boven zijn ogen en zag niemand. Tevredengesteld dat alles rustig was, wenkte hij Advani. Omdat
hij Sundips goedbedoelde maar overbodige voorzorgsmaatregelen wel
komisch vond, liep Advani grijnzend de poort uit naar het centrum van
het dorp.

Voor het eerst sinds maanden in een goed humeur, slenterde Advani langs de huizen van zijn buren. Achter de huizen lagen korenvelden en daarachter het rivierdal. Door de velden leidden paden naar de rivier, waar de vrouwen de was deden en hij zag flitsen van kleuren door het weelderige gebladerte van de bomen schitteren waar ze hun geverfde textiel op de oever hadden uitgespreid om te drogen. De oogsttijd naderde en de wereld rook naar rijp graan, appels en papavers. Vogels fladderden tsjilpend tussen de bladerrijke bomen door. Het vredige geluid van de sijpelende irrigatiekanalen maakte dat hij zich afvroeg of het onbeschrijfelijke geweld dat een paar maanden eerder had plaatsgevonden niet slechts een verschrikkelijke droom was geweest. Want hoe was het mogelijk dat oorlog en haat de kop opstaken op zo'n prachtige, gezegende plek?

Zijn gedachten bleven kabbelen en richtten zich uiteindelijk op Naseems beproeving. Je moest je vreselijk hopeloos voelen wanneer je kinderen zonder uitleg bij je weg werden gehaald, door je eigen regering. Het was een wonder, peinsde hij, dat zich niet meer mensen hadden aangesloten bij de militanten. Want dit India, een land dat verwikkeld was in een godsdienstige en etnische strijd, had zijn moslims lange tijd als onvolwaardige burgers behandeld, en vervolgens, bij het eerste teken van onlusten, als vijanden. Als India Kashmir verloor zou het India's eigen schuld zijn – niet die van Pakistan of een of andere internationale samenzwering van jihadisten, een opvatting die onder de intelligentsia van de staat in zwang was.

Afgeleid door deze benauwende overdenkingen en doordat zijn blik naar het oppervlak van de rivier werd getrokken – een zilveren glinstering in het licht van de middagzon – merkte hij de twee mannen niet op die kwamen aanlopen vanaf de plaats waar de paden naar de oever samenkwamen. Als hij niet zo bezig was geweest met de stijfkoppigheid van de leiders van zijn eigen land, had hij misschien gezien dat een van hen zijn hand onder de rand van zijn pheran stak en hem over zijn schouder sloeg. Want toen Advani eindelijk opkeek was het te laat om nog iets anders te zien dan de loop van de kalasjnikov. Geen gezichten, geen gestalten, geen vormen – alleen een vernauwde blik op het blauwige staal, dat plotseling tot leven kwam, in voorbijgaande opwinding heen en weer sprong en hete damp tegen zijn borst ademde, de adem van een moordenaar, tot het ophield.

De tijd moest een slag hebben overgeslagen, want het volgende dat hij wist was dat hij op zijn rug lag, niet in staat te bewegen en starend naar de kobaltblauwe lucht van de Himalaya. Het ene moment nog werd hij opgeslokt door diepe zorgen over de benarde situatie van een vriend; het andere zakte hij weg in de vergetelheid. Een schaduw verduisterde het licht en verving het door het gezicht van de moordenaar, een en al rode baard en meedogenloze onnozelheid, voordat het in het donker opging.

54

Aisha stelde degene die opbelde geen enkele vraag. Ze luisterde zonder een spoor van emotie en haar onverstoorbare manier van doen maakte dat Nick zich afvroeg of ze op een of andere manier intuïtief had geweten om wat voor nieuws het ging. 'Zeg tegen de anderen dat Advani is vermoord,' droeg ze Nick op voordat ze zich terugtrok in haar kantoor, met de deur dicht.

De moord op Advani drukte het herwonnen moreel, dat het resultaat was van de eendracht waarmee de dorpsbewoners zich na de massamoord rondom de kliniek hadden geschaard, de kop in. Met één druk op de trekker was de morele en financiële bron van het dorp en Aisha's levenslange weldoener weggevaagd. Iedereen had het vreselijke gevoel dat Advani het begin en het einde was, en dus betekende zijn dood het einde van Gilkamosh zoals ze dat allemaal kenden.

De volgende ochtend vroeg Aisha Nick of hij met haar naar het dorp wilde rijden. Ze had een afspraak geregeld met de commandant van de veiligheidstroepen, die persoonlijk van Srinagar naar Gilkamosh was gekomen om de moord op Advani te onderzoeken. Een van diens ondergeschikten had haar verteld dat hij maar twee dagen zou blijven, dus moest Aisha meteen gaan.

'Wat ga je bij hem doen?' informeerde Nick bezorgd, terwijl hij de steile helling op weg naar het dorp af reed. Het was pas half oktober, maar de bladeren van de eiken hingen omlaag door vroeg ingetreden vorst. Aisha droeg een dikke wolle trui om de doordringende kou te weren. Haar haar zat achter haar oren weggestopt, maar een paar strengen rebelleerden in de wind en tikten tegen haar gladde jukbeenderen.

'Het enige waar ik aan kan denken om mijn broers te redden.'

Nick draaide zich naar haar toe en keek haar aandachtig aan. 'Aisha,' zei hij bezorgd. 'Denk aan wat Advani heeft gezegd: je kunt geen overeenkomsten met ze sluiten.'

'En kijk wat er met hem is gebeurd.'

'Wat bedoel je?'

'Het lijkt me vreemd dat Advani op klaarlichte dag is vermoord en dat er niemand in de buurt was die dat kon verhinderen. Elke keer dat ik in het dorp ben geweest sinds de massamoord wemelde het van de jawans.'

Nick dacht na over wat ze had gezegd, terwijl hij de pick-up door de verraderlijke haarspeldbochten loodste. 'Zo doen die figuren dat: ze wachten tot er niemand is voor ze toeslaan. Daar zijn ze erg goed in.'

'Ja, dat is zo. Maar tegenwoordig kun je niet eens langs de weg lopen zonder dat je in de gaten wordt gehouden. Tenzij degene die verondersteld wordt de boel te bewaken de andere kant op kijkt.'

Nick stopte voor het onlangs uitgebreide hoofdkwartier van de grensbeveiligingstroepen, een bezet schoolgebouw in de buurt van het dorpscentrum. Na de slachting was de basis van de grensbeveilingstroepen schijnbaar van de ene dag op de andere uitgebreid. Een versterkte muur van B2-blokken met daaromheen een uitgestrekte prikkeldraadomheining was om het terrein opgetrokken om potentiële bomaanslagen te voorkomen. Op de hoeken van het complex waren verscheidene bunkers met schietgaten voor machinegeweren gebouwd. Tientallen officieren hadden zich op tijdelijke werkplekken in het gebouw gevestigd; ze waren overgeplaatst naar aanleiding van recente rapporten van de inlichtingendienst dat de regio Gilkamosh een nieuwe brandhaard van de opstand begon te worden.

Toen ze bij de basis aankwamen vroeg Aisha Nick in de auto te wachten. Haar onderhandelingen, verklaarde ze, moest ze in haar eentje voeren.

Luitenant-kolonel Sunil Patel was achter in de vijftig, een lange, donkergetinte Punjabi met vierkante schouders, een pokdalige huid en een netjes getrimde snor die, door de duidelijke zorg die aan het onderhoud werd besteed, niet paste bij de dichte, zwarte, aaneengegroeide wenkbrauwen. Als beroepsmilitair was hij er nooit helemaal overheen gekomen dat hij twee jaar eerder was 'gepromoveerd' tot commandant van de regio Gilkamosh, een bijzonder ongewenste post vanwege het gebrek aan actie. Hij was ervan overtuigd dat zijn verbanning een vergelding was omdat hij een keer kwaad had gesproken over een voormalige meerdere tegenover zijn huidige, die – ongelukkig genoeg zonder dat Patel het wist – de zwager was van zijn vroegere meerdere. Patel was afkomstig uit een vlak gebied en verfoeide geïsoleerde streken; reden waarom hij er de voorkeur aan gaf het grootste deel van zijn tijd in Srinagar door te brengen, waar in vergelijking met Gilkamosh nog een beetje leven in de brouwerij was. Na de massamoord was hij echter genoodzaakt met tussenpozen naar Gilkamosh te komen om de schijn op te houden dat hij repressieve operaties coördineerde. Zijn huidige bezoek, waarvan hij hoopte dat het niet langer dan twee dagen zou duren, diende ogenschijnlijk voor 'onderzoek' naar de moord op Advani Sharma, iemand met wie hij in het verleden regelmatig overeenkomsten had gesloten.

Als zoon van hindoevluchtelingen uit een dorp in het tegenwoordige Pakistan had Patel een aangeboren haat tegen moslims geërfd van zijn vader, die hen primair verantwoordelijk hield voor de gewelddadigheden die op de Afscheiding waren gevolgd. Maar toen Patels ogen zich in Aisha verlustigden, was hij bereid zijn aversie opzij te zetten en naar haar te luisteren, in elk geval voor even.

Patel nodigde haar uit in zijn kantoor en liet haar vervolgens wachten terwijl hij zijn gevolg van luitenants toesprak, die onderdanig om hem heen zwermden en om zijn aandacht wedijverden voor een heleboel logistieke kwesties: aflossing van troepen, voorraadtekorten, voorzorgsmaatregelen met betrekking tot vroeg invallende sneeuw. Aisha keek rustig toe terwijl Patel met een air van gewichtigheid orders rond brulde. Ze vermoedde dat hij overdreef om indruk op haar te maken. Uiteindelijk stuurde hij zijn personeel weg en waren ze alleen.

'Ach, dokter Fahad,' kirde hij, terwijl hij het haar van zijn linkerwenkbrauw tussen duim en wijsvinger ronddraaide. Hij liep om zijn bureau heen naar voren en ging erop zitten. 'Het spijt me dat ik u moest vervelen met zulke banale dingen. Mensen denken dat een legerofficier romantisch werk heeft. Maar negentig procent van de tijd is het behoorlijk alledaags, vooral wanneer je betrokken bent in een niet al te heftig conflict, zoals hier in Kashmir.' Hij ging van het Hindi op het Engels over om Aisha ervan te doordringen dat hij haar opleiding evenaarde. 'Het doet me werkelijk plezier u te ontmoeten.'

'Dank u, kolonel,' zei ze. Ze stoorde zich aan zijn arrogantie.

'Zo'n beschaafde vrouw is echt een zeldzaamheid in deze afgelegen streken van ons subcontinent.'

'Nogmaals dank.' Aisha bleef ondanks zijn gevlei ernstig.

'Wat kan ik voor u doen?' vroeg hij, licht gepikeerd door haar onwil om over koetjes en kalfjes te praten.

'Nou, zoals u misschien al vermoedt ben ik hier voor een deel vanwege de moord op Advani Sharma. Hij was een goede vriend van me.'

'Een tragedie voor ons allemaal. Ook voor mij was hij een geweldige vriend.'

'Goh. Maar natuurlijk.'

Hoewel Aisha moeite deed het te verbergen, was ze nerveus. Luitenant-kolonel Patel was een machtig man, ondanks het feit dat hem in de bureaucratische onderlinge strijd in de gelederen van het leger beperkingen waren opgelegd, en Aisha stond op het punt hem te benaderen op een manier waarvoor niet veel burgers de moed zouden weten op te brengen.

'Advani was de voornaamste begunstiger van onze medische kliniek hier in Gilkamosh, zoals u waarschijnlijk wel weet,' vervolgde ze.

'We zijn op de hoogte van het meeste wat zich hier afspeelt. Het zijn de weinige dingen waar we niet van weten die ons dwarszitten. Jullie zijn erg gesloten.'

Patel trok zijn lippen op in een poging een zelfgenoegzaam toegeeflijk lachje te produceren, waarbij hij alleen maar zijn door paan-gebruik gevlekte tanden ontblootte, en plukte toen onwillekeurig weer aan zijn wenkbrauw. Aisha constateerde dat Patels linkerwenkbrauw – die waar hij steeds aan trok – dunner leek dan de rechter, zelfs een beetje plukkerig waar hij het haar er helemaal uit had getrokken. Ze vroeg zich af of dat zomaar een tic was of dat hij zich bewust was van zijn borstelige doorlopende wenkbrauwen en het niet kon laten die wat uit te dunnen.

'Het is een klein dorp,' antwoordde ze. 'Ik heb het over Advani's vrijgevigheid, kolonel, om te benadrukken dat ik er persoonlijk belang bij heb zijn moordenaars voor het gerecht te brengen.'

'Natuurlijk. Dat hebben we allemaal. Het zijn terroristen,' zei hij. 'En doordat Advani en u de slachtoffers van hun terreuracties hebben genezen, bent u hun doelwit geworden. Het is duidelijk dat ze daarom achter Advani aan zaten.'

'Precies. En dat zorgt ervoor dat ik niet graag informatie die ik mogelijk kan ontdekken bekendmaak, informatie over de identiteit van de militanten die in deze streek opereren.'

Patel aarzelde, verrast door de wending die het gesprek had genomen. Alsof hij de zoveelste saaie uiting van teleurstelling over het gebrek aan veiligheid dat tot de moord op Advani had geleid had verwacht, in plaats van een aanbod voor informatie van een vrouw die hij nog niet eens had geprobeerd om te kopen of te bedreigen. Nu zijn interesse was gewekt, schraapte hij zijn keel en boog zich naar haar toe. 'Nou, mevrouw Fahad, ik begrijp dat u bang bent. Maar u kunt op mijn bescherming rekenen. U hebt mijn woord.'

'Zoals u Advani hebt beschermd?'

Patel viel stil. Zijn wenkbrauw kreeg het nog zwaarder te verduren. Aisha merkte met voldoening op dat er zweet op zijn voorhoofd begon te parelen en dat zijn bakkebaarden krampachtig bewogen doordat hij zijn kaken op elkaar klemde.

'Ik zal open kaart met u spelen, kolonel,' zei ze. 'Ik denk dat u heel goed weet dat mijn broers door uw troepen in verzekerde bewaring worden gehouden.'

Na een korte stilte schudde hij onverschillig zijn hoofd. 'We hebben het afgelopen jaar zo veel terroristen gevangengenomen dat ik onmogelijk alle namen kan onthouden.' Hij wendde zich van Aisha af en keek uit het raam, broeiend over de aantasting van zijn machismo die haar onmiskenbare laatdunkendheid veroorzaakte.

'Het zijn geen terroristen. Ze heten Khaliq en Nabir Fahad, kolonel. U hebt twee dagen geleden persoonlijk een verzoekschrift overhandigd gekregen.'

Patel haalde zijn schouders op, onwillig haar de eer te gunnen dat hij zich de namen van haar broers herinnerde. Maar hij moest bij zichzelf toegeven dat hij hen herkende nu ze de rechtszaak ter sprake had gebracht. 'Ach ja, ik geloof dat me nu een lichtje opgaat. Van een of andere zemel van een advocaat in Srinagar,' zei hij minachtend.

'Mijn familie heeft meer dan een maand niets van mijn broers gehoord. En ik weet zeker dat ze niets met de massamoord of de militanten te maken hebben. Absoluut niets. Net zomin als u.'

'O ja?' zei hij, terwijl hij zijn hoofd in zijn nek gooide.

'Ja,' antwoordde ze en ze beantwoordde zijn boze blik. 'En hier is mijn voorstel. De mensen in dit dorp zullen nooit iets tegen u zeggen. Voor hen bent u een bezettende legermacht en ze hebben liever dat u weggaat. U zou dat toch intussen moeten weten, na al uw dienstjaren in Kashmir. Het is voor iedereen duidelijk dat u onze jongens gevangen hebt genomen om informatie uit ons te persen – misschien wel speciaal uit mij.'

'Als u denkt dat ik hier blijf zitten terwijl u –'

'Laat me uitspreken, kolonel,' onderbrak ze hem, 'dan zult u begrijpen dat ik u probeer te helpen.'

Patel grinnikte luidruchtig en wuifde toen sarcastisch met zijn hand. 'Ik heb uw hulp niet nodig. Maar ga verder,' zei hij, verveeldheid veinzend, 'zeg wat u te zeggen hebt.'

'De dorpsbewoners zullen u niet vertellen wat u wilt weten, kolonel. En ook de jongens die u gevangen hebt gezet niet, want ze weten maar al te goed wat de militanten zouden doen als ze wel deden. Tenzij u hen martelt. En dat kunt u beter niet doen nu u door advocaten en journalisten in de gaten wordt gehouden.'

'Ha!' zei Patel spottend.

Aisha deed de waarheid geweld aan. Ze wist best dat Patels ondervragers de jongens zouden martelen, ongeacht een dreigende rechtszaak en mogelijke negatieve publiciteit. Als puntje bij paaltje kwam zouden de rechters aan de kant van de veiligheidstroepen staan.

'Maar ik ben bereid u de namen te bezorgen die u wilt hebben,' vervolgde ze. 'Op voorwaarde dat u mijn broers en de andere jongens vrijlaat.'

Ze wachtte om haar aanbod te laten bezinken. Patel deed alsof hij kwaad was en sloeg met de rug van zijn ene hand in de palm van de andere. Maar ze zag dat haar aanbod hem intrigeerde.

'Ik zou u direct moeten arresteren,' zei hij plotseling. 'U geeft toe dat u informatie hebt over de identiteit van terroristen en toch houdt u die achter. Dat, dokter, is een flagrante schending van de antiterreurbepalingen.' Hij pakte de telefoon, alsof hij iemand ging bellen om haar te arresteren.

Aisha gaf geen krimp. 'Ik zei niet dat ik die informatie heb. Ik zei dat ik die kan krijgen. Maar ga uw gang, arresteer me,' daagde ze hem uit. 'Dan zult u nooit de informatie krijgen die u wilt hebben. Zelfs als u me martelt zal ik niet praten. Dat wil zeggen, niet over de terroristen.'

Hij zette de telefoon weer terug. 'Wat moet dat betekenen?'

'Ik zal het niet hebben over de terroristen, maar ik zou iets kunnen zeggen over betalingen die de afgelopen jaren door bepaalde leden van de veiligheidstroepen, uzelf inbegrepen, zijn aangenomen om uw troepen buiten dorpszaken te houden. Om nog maar te zwijgen over het toeval dat Advani slechts enkele dagen nadat hij had geholpen de rechtszaak tegen uw troepen aan te spannen wegens het onterecht gevangennemen van onze jongens is vermoord.'

'De richting die dit gesprek op gaat bevalt me niet,' snauwde Patel.

'Dat neem ik u niet kwalijk,' antwoordde Aisha onbewogen.

Patel keek haar boos aan. 'Na alles wat ik voor u heb gedaan. Ik zie nu in dat het een grote vergissing was om op aandringen van Advani uw kliniek door te laten gaan, terwijl u terroristen behandelde!'

'Mijn kliniek kon blijven bestaan doordat Advani u betaalde om uw veiligheidstroepen ervan te weerhouden haar te sluiten. Met edelmoedigheid van uw kant heeft dat niets te maken. In feite heeft het hele dorp zo'n lange tijd een vreedzaam bestaan geleid juist doordat we u smeergeld betaalden om uw werk niet te doen. En ineens, nu u zelf betrokken bent geraakt bij ons dorp, is Advani vermoord.'

'Dat is absurd! Wilt u insinueren dat wij iets te maken hebben met Advani's dood? Bedoelt u dat?'

'Ik acht dat niet onmogelijk. Op z'n minst hebt u de andere kant op gekeken terwijl u wist dat hij op de dodenlijst stond. Als Advani uit de weg was geruimd, hoopte u al uw vuile zaakjes onder het tapijt te kunnen vegen.'

'Ik heb u overschat. Ik dacht dat u een intelligente vrouw was. Als mijn troepen smeergeld aannemen, zoals u beweert, waarom zouden we daar dan niet gewoon mee doorgaan?'

'Dat is vrij simpel,' antwoordde Aisha. 'U staat nu onder druk van uw superieuren om met harde hand tegen ons dorp op te treden als vergelding voor de massamoord op de yatri's. U kon zich onmogelijk nog aan uw deel van de afspraak houden... en het zou me niet verbazen als Advani had gedreigd de omkoping publiek te maken toen u hem vertelde dat u het dorp de duimschroeven zou aandraaien,' voegde ze eraan toe. 'Advani zou alles hebben gedaan om zijn mensen te redden, zelfs als hij daarmee zichzelf schuldig zou verklaren. Toen hij werd vermoord, werd het risico dat u als corrupt te boek zou komen te staan geëlimineerd. Het was voor u een godsgeschenk. Maar een dat veel te goed uitkwam en op een veel te geschikt moment om zuiver toeval te kunnen zijn.'

'Dat is het onbeschaamdste, achterlijkste en meest misplaatste wat iemand ooit tegen me heeft gezegd,' zei hij smalend.

Aan de blik in Patels ogen zag Aisha dat ze een gevoelige snaar had geraakt. Ze slikte moeizaam, beseffend dat ze gewaagd had gesproken en zichzelf daarmee in gevaar had gebracht.

'Als u mijn aanbod niet aanneemt en mijn broers en de andere jongens niet vrijlaat,' zei ze na een lange denkpauze, 'breng ik het feit dat u smeergeld van Advani hebt aangenomen in de openbaarheid. Ik ken genoeg verslaggevers die dat willen publiceren. Ze houden u nauwlettend in de gaten.'

Aisha loog, want ze had geen enkele journalist gesproken. Maar met het artikel over de *habeas corpus*-petitie leek haar bluf geloofwaardig, zelfs zonder enig bewijs. Patel stond op en liep heen en weer door de kamer, met zijn rug naar Aisha toe.

'Laat me het even duidelijk stellen. U biedt aan namen van terroristen te noemen in ruil voor de vrijlating van uw broers, die volgens u onschuldig zijn. Als ik uw broers niet vrijlaat, zult u nare, valse geruchten over mij en mijn mensen verspreiden.'

'In de moslimkranten zullen dat geen geruchten worden genoemd,' antwoordde Aisha. 'Jarenlang smeergeld aannemen, samenzwering tot moord, dat lijkt waarschijnlijker. De regering zal gedwongen zijn er onderzoek naar te doen; de publieke opinie zal dat eisen.'

'Dus houdt u me een wortel voor en dreigt tegelijk met de stok.'

Aisha dacht daar even over na. 'Dat is een aardige karakterisering. De wortel zodat u succes kunt melden bij uw superieuren met een paar belangrijke arrestaties en de strafexpeditie tegen het dorp kunt rechtvaardigen. En de stok om ervoor te zorgen dat u zich aan de overeenkomst houdt en er niet met de wortel vandoor gaat.'

Hij lachte honend. 'Bent u niet bang hetzelfde lot te ondergaan als uw vriend? U weet net zo goed als ik dat de rebellen u niet zullen sparen alleen maar omdat u moslim bent.'

'Natuurlijk niet,' zei ze. 'Dat is van ze te verwachten. En van u.'

Patel keek Aisha strak aan. Hij schudde zijn hoofd. 'U bent een dwaze vrouw. Morgenochtend krijgt u antwoord.'

55

Aisha vertelde haar ouders niet over haar ontmoeting met de kolonel. Ze wilde niet dat ze zich ongerust maakten, of erger nog, dat ze de hoop op de vrijlating van hun zoons opgaven. Maar ze vertelde alles aan Nick, en die maakte zich genoeg zorgen voor allemaal.

'Aisha, als ze in staat zijn zich te ontdoen van Advani, met al zijn politieke invloed – of ze het nu zelf hebben gedaan of op de achtergrond hebben toegekeken terwijl de militanten hem doodschoten – kunnen ze met jou hetzelfde doen.'

'Ik heb hem gezegd dat ik op het punt sta naar de pers te gaan.'

'Maar dat doe je niet. Ik bedoel, wat houdt ze tegen om je morgen te arresteren? Ze hebben reden genoeg om dat te doen, nu je ze hebt bedreigd. Dan word je god weet waar gevangengezet, net als de anderen.'

'Ik weet dat dat mogelijk is.'

'Nee, Aisha, het is niet alleen mogelijk, het is zelfs waarschijnlijk. Begrijp je dat dan niet? Door met de pers te dreigen heb je ze juist extra gestimuleerd om je nu te arresteren, voor het te laat is.' Nick zweeg, in gedachten verzonken. 'Ken je wel journalisten?'

'Nee. Maar er is altijd nog degene met wie Advani heeft gesproken. Het zal niet moeilijk zijn om zijn naam te vinden in de krant, wanneer die in Gilkamosh aankomt. We lopen altijd een paar dagen achter met kranten uit Srinagar.'

Na een tijdje kwam Nick tot een conclusie. 'We moeten het allemaal opschrijven in de vorm van een beëdigde verklaring, ondertekend in aanwezigheid van getuigen. Nu meteen. Dan kan ik, als ze je oppakken, naar Srinagar gaan en het verhaal zelf aan de journalist overhandigen. Het is niet veel, maar als ze je morgenochtend als je hier terugkomt arresteren, kan ik je verhaal tenminste openbaar maken.'

'Beëdigde verklaring? Ik heb geen tijd om naar Srinagar te gaan om een advocaat te bezoeken, Nick.'

Die avond dook Nick, de zwervende vluchteling, diep in zijn verleden en werd weer advocaat. Hij nam Aisha's verklaring op, in het Engels gesteld, tot in detail opgemaakt en beëdigd, waarin alles werd vastgelegd wat ze wist over de omkoopsommen die door Advani in de loop der jaren aan de veiligheidstroepen waren betaald in ruil voor hun toezegging de kliniek niet te sluiten en de neutraliteit ervan te accepteren. Ze voegden er ook een stukje aan toe over Advani's pogingen te onderhandelen over de vrijlating van de gevangengezette jongens en zijn daaropvolgende geldinzamelingsactie voor de petitie. Natuurlijk werd er voornamelijk indirect gewezen op mogelijke betrokkenheid van de autoriteiten bij Advani's dood en werd de waarheid hier en daar enigszins geweld aangedaan, zoals meestal het geval is met doeltreffende affidavits. Maar het was sappig genoeg voor de kranten en zou een hoop stof doen opwaaien in het geval dat Aisha de volgende ochtend gearresteerd zou worden.

'Ik had er geen idee van,' zei Aisha. Ze was onder de indruk van het tot in de puntjes verzorgde, bijzonder professioneel ogende document dat Nick haar voorhield.

'Waarvan?'

'Nou… Het klinkt misschien bot, maar ik wist niet dat je had gestudeerd, laat staan dat je een ervaren advocaat was. Ik bedoel, het spijt me, maar laten we er geen doekjes om winden: je ziet er niet uit als een advocaat,' zei ze, ondanks de ernst van de situatie met lichte ironie. 'Je loopt er veel te behaard en onverzorgd bij. En die kleding…'

'Voormalig advocaat,' antwoordde Nick. 'En je hoeft je niet te verontschuldigen. Je weet het niet, maar wat je zei was een soort compliment. Niet dat over behaard zijn en zo, maar…'

Aisha tekende het affidavit na veel aarzelen, ondanks de noodzaak ervan. 'Ik kan Advani's naam niet door het slijk halen,' zei ze. 'De mensen zullen denken dat hij corrupt was.'

'Je kunt het geen corruptie noemen als je geld betaalt om levens te redden. Dat heb je me zelf ooit gezegd,' hielp Nick haar herinneren. 'Ditmaal kan een van die levens het jouwe zijn.'

De volgende ochtend ging Aisha, die het ergste verwachtte – arrestatie, verhoor en mogelijk marteling – weer naar het kantoor van de kolonel.

Maar tot haar verrassing begroette hij haar vriendelijk en stuurde zijn ondergeschikten direct weg.

'Ik begrijp, dokter Fahad, dat u de afgelopen jaren in uw kliniek veel van onze soldaten een dienst hebt bewezen.'

Zijn diplomatieke optreden bracht Aisha van haar stuk. Ze vermoedde een addertje onder het gras, maar voelde aan dat ze het spelletje het best mee kon spelen.

'Ik begrijp niet waarom u zo verbaasd doet, kolonel. Ik ben Indiaas staatsburger, net als u. Het klopt dat ik veel Indiase soldaten heb behandeld en een aantal van hen het leven heb gered. Sommigen waren uit uw eigen onderdeel afkomstig. Dat zou toch geen nieuws voor u moeten zijn.'

'Inderdaad. We zijn u dankbaar voor alles wat u de afgelopen jaren voor de Indiase veiligheidstroepen hebt gedaan, dokter.'

Aisha merkte op dat hij luid en duidelijk sprak, wat haar vreemd voorkwam.

'Ik moet u echter zeggen,' vervolgde hij, 'dat u erg onvoorzichtig bent geweest als het gaat om uw veiligheid en die van uw personeel. De terroristen beschouwen u als doelwit omdat u Indiase soldaten hebt behandeld. In het verleden hebben we al het mogelijke gedaan, maar de situatie is veranderd nu het terrorisme in deze streek is opgevlamd. We kunnen u niet de hele tijd beschermen. Daar hebben we niet genoeg mankracht voor.'

'Dat weet ik. Ik heb altijd geweten dat ik niet op uw bescherming kan rekenen.'

'Nou... natuurlijk kunt u op ons rekenen voor zover het in ons vermogen ligt. Maar we kunnen niet altijd overal meteen zijn. In elk geval wil ik hiermee zeggen dat we u adviseren onmiddellijk op te houden met uw werk in de kliniek. We kunnen u niet dwingen iets tegen uw wil te doen. Ik zeg u alleen maar heel duidelijk dat we uw veiligheid en die van uw patiënten en uw personeel niet kunnen garanderen, ondanks alle moeite die we ons getroosten. U werkt in een oorlogsgebied en behandelt strijders. Dat doet u op eigen risico.'

Aisha kon bij deze van eigenbelang vervulde verklaringen een huivering nauwelijks onderdrukken. Op dat moment zag ze dat de hoorn van de telefoon op zijn bureau van de haak lag. Ze trok haar conclusies. Iemand moest via de telefoon hun gesprek afluisteren en nam het misschien op om een voor de veiligheidstroepen gunstig verslag te maken ingeval het nodig was tegenwicht te bieden voor Aisha's dreigement een publicitaire ramp te veroorzaken.

'In elk geval,' vervolgde Patel met krachtige stem, 'heb ik als blijk van dankbaarheid voor wat u voor mijn mannen hebt gedaan de zaak van uw broers en de andere jongens bekeken en er is me verzekerd dat ze snel zullen worden vrijgelaten.'

Er verscheen een vleugje hoop op Aisha's gezicht. Had haar plan gewerkt? Het zag ernaar uit dat Patel, een trotse man, op een bedekte manier op haar eisen inging zodat hij zijn gezicht zou redden. Dat vond Aisha best, zolang ze maar zekerheid had.

'Wanneer?'

'Zo spoedig mogelijk.'

Ze aarzelde. 'Dat is niet afdoende,' zei ze tegendraads. 'Misschien wel voor degene die nu door uw telefoon meeluistert, maar niet voor mij. U moet specifieker zijn. Mijn broers zitten al meer dan een maand vast.'

Patel keek haar kwaad aan, stak zijn hand uit naar zijn bureau en legde de hoorn op de haak. Wat er nu kwam moest binnenskamers blijven.

'Ze zullen worden vrijgelaten zodra de rechtszaak is afgelopen. Zeer waarschijnlijk tegen het einde van de maand,' zei hij koeltjes.

'Oké, dan praten we verder wanneer ze zijn vrijgelaten,' antwoordde Aisha. Ze stond op om weg te gaan.

'Wacht!' Patel sprong overeind en stapte naar haar toe, zo dichtbij dat ze zijn goedkope reukwater en de curry die hij als ontbijt had gegeten kon ruiken. 'Ik vertrek vandaag naar Srinagar. U moet me nu vertellen wat u weet.'

'Kolonel, u begrijpt vast wel dat ik niet –'

'Zwijg!' Patels hand schoot uit en sloeg haar hard op haar wang. Geschokt sprong Aisha op. Haar boezem deinde toen ze vlug haar gezicht met haar mouw afveegde om hem niet de voldoening te gunnen haar in tranen te zien. Toen keek ze hem met wrok in haar ogen aan.

Patel was onaangedaan door haar verontwaardiging. 'Ga zitten!' commandeerde hij en hij duwde haar naar achteren tot ze op de stoel terugviel. 'Luister eens naar me, arrogante moslimteef! Ik steek mijn nek uit om je broers vrij te krijgen en ik ga niet met lege handen terug naar Srinagar. Als je mij met alle geweld wilt blijven chanteren, heb ik je ziekenhuis binnen vijf minuten gesloten wegens het verlenen van hulp aan de vijand en laat ik je in de gevangenis gooien voor het huisvesten van een vluchteling.'

'Een vluchteling?' Aisha dacht meteen aan Kazim. Ze moesten op de hoogte zijn van zijn rol bij de militanten, dacht ze, ondanks haar pogingen hem te beschermen.

'Dat klopt. Hij wordt gezocht wegens moord in Pakistan.'

Aisha hield verward haar hoofd schuin.

'Hij heet Sunder. De Amerikaan. Je kent hem behoorlijk goed, heb ik gehoord.' Patel trok insinuerend zijn wenkbrauwen op. 'Bekijk dit maar eens.' Hij gaf haar een vel papier met een gekopieerde portretfoto van Nick, met kortere baard, zijn gezicht minder verweerd. Onder de foto stond een bijschrift dat hij werd gezocht wegens moord op een Pakistaanse politierechercheur, die hij had gedood toen hij het land wilde ontvluchten omdat hij verdacht werd van de moord op een Franse vrouw. Het bericht verzocht om zijn arrestatie en uitlevering naar Pakistan in het geval dat hij in India werd aangetroffen.

Aisha was stomverbaasd. Ze deed moeite zich te beheersen, maar haar handen trilden en ze liet het papier vallen. 'Hij is hulpverlener. Hier weet ik niets van, als het al waar is.'

'O, het is waar. Denk je dat we zo stom zijn zoiets buitensporigs te verzinnen dat zo eenvoudig kan worden nagegaan?'

Aisha gaf geen antwoord. Patel stak zijn kin omhoog en sloeg zijn armen over elkaar, een zelfingenomen, vergenoegde houding. Hij wist dat hij haar had verslagen.

'Ik zou graag geloven dat je niets wist van de criminele achtergrond van je vriend,' vervolgde hij. 'Niettemin valt me dat moeilijk, gezien je innige vriendschap met hem. Jullie zijn heel wat keren samen in het dorp gesignaleerd. Sommigen zeggen dat jullie... een romance hebben.'

Aisha zou het liefst zijn zelfgenoegzame glimlach van zijn gezicht slaan. 'Met wie ik een romance heb gaat u niets aan,' zei ze kwaad. 'En in elk geval heeft hij me hier nooit iets over verteld. Hij wilde als vrijwilliger in de kliniek werken tegen kost en inwoning. Ik ging daar dankbaar op in, want ik kon de hulp goed gebruiken.'

Patel schudde zijn hoofd. 'Onder normale omstandigheden zou ik geneigd zijn je te geloven. Maar naar mijn idee ontbreekt het jou aan geloofwaardigheid. Een vluchteling onderdak verlenen is een ernstig vergrijp. En niemand gelooft een misdadiger, laat staan een vrouw met een twijfelachtige moraal die genoeg redenen heeft om te liegen. Zelfs krantenlezers geloven dat niet.' Hij wachtte en gluurde met insinuerende ogen naar haar. 'Je kunt natuurlijk altijd je hand uitspelen en kijken waar de kaarten terechtkomen. Vanuit een gevangeniscel.'

Aisha was sprakeloos.

'Laat me je een voorstel doen,' zei Patel, die van haar verbijstering genoot. 'Ik ben een inschikkelijk mens. Meewerken is de beste manier om mijn vertrouwen te herwinnen. Ik kom over vijf minuten terug. En dan vertel je me wat je volgens mij al weet. Of je gaat de gevangenis in. Als je beslist je aantijgingen wilt publiceren – en ik vraag me af hoe je dat kunt doen van achter tralies zonder bezoek – wij kennen ook verslaggevers. Geloof me, we weten op dit moment genoeg van je om je leven voorgoed te ruïneren.'

Hij liep het kantoor uit en liet Aisha verslagen achter. Het kostte haar maar even om tot het besef te komen dat ze geen troeven meer overhad. De rollen waren omgedraaid, en dat allemaal doordat ze was misleid door degene die ze het meest vertrouwde.

'Abdul Mohammad is de leider van de Gilkamosh-cel. Dat is hij geweest sinds de opstand zich naar deze streek heeft uitgebreid. Hij is geschoold op de madrassa onder leiding van Yusuf, de reizende moellah die hier tot vier jaar geleden onderwijs gaf. Moellah Yusuf rekruteerde voor de Pakistaanse geheime dienst. Ik heb gehoord dat hij nu ergens in Doda lesgeeft. U weet hem vast wel te vinden.

'Abdul heeft zijn training in Pakistan gekregen, onder leiding van een Pasjtoe die Muzzafar Khan heet. Muzzafar voert het bevel over de lokale cel van moedjahedien vanaf de andere kant van de Line of Control en komt twee of drie keer per jaar naar Gilkamosh om aanslagen te coördineren. Hij was het brein achter de massamoord op de yatri's van 30 augustus. Hij heeft Abdul gebruikt om die uit te voeren, evenals de jongens uit de buurt die door uw mannen zijn gedood. Dat zijn uw boosdoeners: Khan, Abdul en Yusuf.

'Ik heb een gerucht gehoord dat Muzzafar twee dagen geleden nog in de buurt van Passtu is geweest, waar hij in een herdershut in een van de weiden boven Kurgan verbleef, die ze als schuilplaats gebruiken. Als u haast maakt, kunt u hem misschien gevangennemen. Dat is alles wat ik weet.'

'Hoe weet je dit allemaal?'

Ze aarzelde, en deed haar best niet ontwijkend over te komen terwijl ze over haar antwoord nadacht. 'Ik ken Abdul Mohammad mijn hele

leven al,' antwoordde ze. 'Sinds we kinderen waren. Ik heb hem onlangs behandeld toen hij gewond naar het ziekenhuis kwam. Hij heeft
het me verteld.'

'Je zult getuigen als we hem gepakt hebben.'

'Ik zal niet getuigen tenzij ik anoniem kan blijven. Mijn kliniek — maar
belangrijker nog, het leven van mijn familie en mijn personeel — staat
op het spel. Ik zal hem identificeren als dat nodig is. Dat moet genoeg
zijn.'

Patel dacht hier in stilte over na. Wat ze hem had verteld was meer
dan acceptabel en Aisha wist dat.

'Mijn luitenants zullen nog vragen hebben. Ik vertrek vanmiddag naar
Srinagar.'

'Hoe zal het aflopen met Nicholas Sunder?' vroeg ze, zonder te denken aan de gevolgen van haar vraag.

'Dat heb ik nog niet besloten.'

'Ik denk niet dat hij in staat is tot... moord.'

'Ik heb geleerd nooit te geloven wat de Pakistanen zeggen. Terwijl
alles op het tegendeel wijst, ontkennen ze nog steeds dat ze de opstand
steunen, wat meer dan absurd is. Toch blijft het een feit dat Sunder een
vluchteling is.'

'Wanneer neemt u een beslissing?'

Patel stond op, liep naar de deur van zijn kamer en deed die open. 'Ik
heb je alles verteld wat je moet weten.'

56

In een poging zijn gedachten af te leiden en te voorkomen dat hij zich de hele tijd zorgen zou maken om Aisha, bood Nick Naseem aan te helpen bij het oogsten van het graan op het veld achter het huis van de Fahads. Het was een heldere herfstochtend, de zon scheen over de bijna manshoge korenhalmen. Een koel windje waaide door de rijpe aren, waardoor ze ruisten en ritselden. Beide mannen zwaaiden ritmisch met hun sikkel. De bladen schitterden in het zonlicht en bij elke haal kwam de geur van vers gemaaid graan vrij. Halverwege de ochtend vervulde de pijn in zijn vermoeide spieren, samen met de pracht van de oogst, Nick met een vervoering die alleen maar verkregen kan worden door lichamelijke arbeid op het land. Hij zou aan dit soort werk gewend kunnen raken, bedacht hij.

De twee mannen zwoegden tot hun lichaam hen dwong rust te nemen en gingen toen zitten op een plek die uitzicht bood over de rivier. Ze dronken zoete thee met geitenmelk die Naseem op een kerosinebrander had klaargemaakt. Ze ademden de sfeer in van het dal, de spitse bergen en de wolkeloze hemel. In de verte klonk het serene geruis van de rivier in de vallei onder hen, het gemaaide graan rook heerlijk, en toch had Nick last van een verwarrend gevoel van neerslachtigheid Het scheen hem toe dat alle elementen van de natuur een voorteken waren van iets wat alleen maar het einde betekende. Het einde van het groeiseizoen en de zonnewarmte en, op dat moment, het einde van zijn tijd in Gilkamosh.

'U gaat gauw terug naar Amerika?' informeerde Naseem, alsof hij gedachten kon lezen.

'Ik denk dat ik dat niet wil.'

'Ah, u houdt van mijn land?'

Nick knikte. 'Ja.'

Naseem spreidde zijn armen, alsof hij de hele vallei ermee wilde omvatten, waarna hij zijn duim opstak, iets wat hij ongetwijfeld in de loop der jaren van Engelse toeristen had geleerd.

'Ja, het is erg mooi,' stemde Nick in, als antwoord op Naseems onuitgesproken commentaar.

'Aisha beter,' merkte Naseem op.

'Misschien een beetje,' antwoordde Nick en hij voelde zich schuldig dat Naseem helemaal niet wist dat zijn dochter zich op dat moment aan een afschrikwekkend gevaar blootstelde.

'Ze is erg bezorgd over haar broers.'

'Ja,' merkte Naseem somber op. 'Maar ik denk zij beter. U goede vriend voor haar. Shukria.'

'Ik heb niets gedaan,' zei Nick.

'Jawel. U doet erg veel.' Naseem wees op Nick en toen op zichzelf. 'Ik... u... Vriend.'

'Ja, Naseem. Vrienden.' Toen hij naar hem keek, verdreef de oprechtheid in Naseems ogen elke onbeholpenheid die het moment had kunnen veroorzaken. Er was even een verstandhouding tussen hen, een stilte die boekdelen sprak, voordat beide mannen zwijgend hun thee opdronken.

Later arriveerde Aisha ongedeerd. Ze namen afscheid van Naseem en begonnen, zonder een woord te wisselen, aan de terugrit naar de kliniek. Haar gezichtsuitdrukking was stug maar gelaten, en Nick wist dat ze, wat er tijdens de bijeenkomst ook was gebeurd, niet wilde praten. Hij wachtte tot ze het dorp achter zich hadden gelaten voor hij er uiteindelijk naar vroeg.

'Zal Patel je broers vrijlaten?'

'Dat weet ik niet.'

Dat bracht hem in de war. 'Bedoel je dat hij geen informatie wilde hebben?'

'Nee. Die heb ik hem gegeven,' zei ze kortaf.

Hij kon zijn oren niet geloven. 'Maar waarom, Aisha? Dat zou je pas doen als ze waren vrijgelaten. Nu ben je je pressiemiddel kwijt.'

'Ja, dat klopt. Alles!'

Er heerste een lange stilte, waarin Nick probeerde te bedenken welke mogelijke redenen er konden zijn geweest voor haar ernstige misstap voor ze weer begon te praten.

'Wat voor leven heb je eigenlijk precies geleid voor je naar mijn kliniek kwam, Nick?'

Haar toon was insinuerend, maar de woede werd getemperd door de onderliggende teleurstelling. Ze had het recht hem te ondervragen, dacht Nick. En hoewel hij altijd had geloofd dat liegen als antwoord op bepaalde vragen een noodzakelijk deel van het leven uitmaakte, was Aisha iemand tegenover wie hij niet wilde liegen.

'Rusteloos,' antwoordde hij. 'Alsof ik tegelijkertijd alles en niets wilde, en iedereen benijdde die iets had wat ik niet had, zonder te weten waarom... Maar sinds ik hier ben is het niet zo belangrijk meer wat ik allemaal wilde. Ik kan er mijn vinger niet op leggen. Ghulam heeft me een tijdje geleden gezegd dat ik een soort geschenk heb gekregen. Misschien heeft hij gelijk.'

'Een geschenk,' mompelde ze, terwijl ze ongelovig haar hoofd schudde.

Nick keek naar haar. Hij werd overspoeld door droefheid. Elke keer dat hij het gevoel had dat hij dicht genoeg bij haar kwam om haar te kunnen aanraken, leek het zijn lot te zijn dat hij haar juist van zich af duwde. 'Geloof jij dat mensen kunnen veranderen, Aisha? Ik bedoel, echt veranderen?'

Ze gaf geen antwoord. Haar ogen waren gericht op de bodem van het dal voor hen.

'Ik begin te denken dat we tot op zekere hoogte allemaal beslissingen nemen, dingen doen, die de loop van ons leven voor altijd veranderen,' zei Nick, 'of we nu trots zijn op wat we hebben gedaan of niet. Mensen hebben het over de kracht om anderen te vergeven, maar de kracht om jezelf te vergeven lijkt mij de sleutel tot overleven. Want als we onszelf niet kunnen vergeven, hoe kunnen we dan verwachten dat anderen dat doen? Hoe kunnen we ooit veranderen?'

Aisha schudde haar hoofd en keek uitdrukkingsloos naar Nick. Maar ondanks haar ondoorgrondelijke blik begreep ze, in elk geval gedeeltelijk, wat hij bedoelde. Haar leven als volwassene was in zijn totaliteit onverbiddelijk gevormd door haar beslissing die dag in de regen, aan de oever van de rivier, met Kazim.

Niet ontmoedigd door haar zwijgzaamheid ging Nick verder en liet hardop zijn gedachten de vrije loop. 'Maar er zijn duidelijk dingen in het leven die onvergeeflijk zijn. Zoals de massamoord op de pelgrims. Wat doe je in zulke omstandigheden, als je voor zoiets verantwoordelijk bent? Er zijn mensen die zeggen dat je nooit mag vergeten wat onvergeeflijk is, zodat verschrikkelijke dingen zich niet kunnen herhalen. Dat is, vermoed ik, de essentie van berouw: boeten voor het verleden. Maar Ghulam zei ook dat vergeten – volledig, totaal – de enige manier voor mensen is om echt te veranderen. Anders zijn we voorbestemd om onze fouten te herhalen.'

Aisha boog nadenkend haar hoofd. Door iets wat Nick in zijn betoog had gezegd was haar geest op drift geraakt. 'Kazim is veranderd,' zei ze. 'Dat moet wel. Hoe kon anders een jongen die zo'n zuiver hart had, van wie ik dacht dat hij alleen maar goed kon doen, tot zulke vreselijke daden komen?'

'Zijn mensen niet méér dan een optelsom van hun daden? Misschien leeft een deel van die jongen nog steeds in hem.'

Aisha haalde haar schouders op. 'Ik dacht altijd dat mensen in wezen óf goed óf slecht waren. Ik wil dat nog steeds geloven. Maar ik weet nu dat het niet waar is. Elk zwaard heeft een scherpe en een botte kant. Maar het maakt niet uit of er in mensen goed of kwaad schuilt, los van wat ze hebben gedaan. Uiteindelijk worden we alleen op onze daden beoordeeld.'

Aisha wachtte en keek Nick in de ogen. 'Voor mij is liegen – bedriegen – iets onvergeeflijks. Kazim heeft, dat geloof ik echt, nooit tegen me gelogen. Zelfs niet toen het pijnlijk was om de waarheid te vertellen.'

Nick zweeg, beseffend dat ze hem veroordeelde. Hij wendde zijn blik af en richtte die op de weg.

'Misschien heb je een probleem met de waarheid,' zei ze, 'en niet met vergeving.'

Er viel een lange stilte. Nick draaide zich naar haar toe. 'Wat is er gebeurd, Aisha?'

'Je hebt me misleid, dat is er gebeurd.'

Nick trapte op de rem. In een wolk van stof kwam de pick-up slippend abrupt tot stilstand.

'Wat doe je?' barstte Aisha in paniek uit.

Nick pakte haar stevig bij haar armen. 'Zeg me wat hij je heeft verteld!'

'Blijf van me af!' Ze probeerde zich los te trekken en weg te lopen, maar Nick hield haar vast. Er verscheen angst in Aisha's ogen. Nick voelde zich schuldig dat hij haar bang maakte, maar tegelijkertijd voelde hij zich genoodzaakt dat te doen.

'Zeg het!' drong hij aan, krachtig haar armen schuddend.

'Laat me los, verdomme! Dat weet je best!'

Nick hield op. Hij wist het.

'En jij hebt weer tegen mij gelogen door te doen alsof je het niet wist.'

Hij liet haar polsen los. Hij drukte zijn handen tegen zijn slapen en sloot zijn ogen. Hij voelde de onmetelijke last van zijn leugens op zich drukken. 'Ik wilde het je vertellen, Aisha, dat wou ik echt, maar...'

'Maar dat heb je niet gedaan.'

'Je zou me geen kans hebben gegeven als ik het had gedaan.'

'Dus in plaats daarvan heb je maar gelogen,' zei ze rustig. 'En heb je mij en de kliniek als schuilplaats gebruikt en al mijn mensen in gevaar gebracht.'

'Het zou maar voor een paar weken zijn. Maar toen liep het allemaal anders. Ik raakte betrokken... Bij wat je deed. Bij jou.'

Nick keek haar aan, wanhopig verlangend naar een aanwijzing dat ze hem geloofde. Maar haar ogen waren op de bergen gericht.

'Ze zullen je arresteren, Nick,' zei ze zonder zich om te draaien.

Hij dacht na. Vervolgens zei hij: 'Wat denk je dat ze met je broers zullen doen? En met jou?'

'Ik weet niet wat er met Khaliq en Nabir gaat gebeuren. En met mij? Ze hebben gedreigd me gevangen te zetten vanwege het bieden van onderdak aan een vluchteling. Maar ik denk niet dat ze dat doen, tenzij ik weer herrie ga schoppen.'

'Je wist niets van me, Aisha. Ze kunnen je niet vasthouden op de aanklacht dat je een vluchteling onderdak hebt geboden.'

Ze lachte spottend. 'Ze hebben genoeg om tegen me te gebruiken.'

Ze bleven zwijgend zitten, met gebogen hoofd. Nick werd verteerd door een overweldigend gevoel van hopeloosheid. Het leek alsof hij nooit verder zou komen. Elke keer wanneer hij het probeerde haalde zíj hem weer in en sleurde hem terug naar het ijskoude water van het gat onder in de gletsjer waar het oude ijs niet een nieuw begin mogelijk maakte, maar slechts het verleden in bewaring hield. Hij had geprobeerd te doen wat Ghulam tegen hem had gezegd: de toekomst op een blanco vel papier schrijven — maar elk nieuw hoofdstuk bracht hem terug naar wat er eerder was geschreven. *Yvette.*

'Je moet weg, Nick,' zei Aisha uiteindelijk.

'Nee. Als ik nu vlucht denken ze dat je mij getipt hebt.'

'Ik héb je getipt. Maar dat maakt niet uit. Ze hebben me toch al waar ze me hebben willen.'

'Ik ga mezelf aangeven. Ik zal zeggen dat je nergens van wist,' zei hij vastbesloten.

'Ze zullen je niet geloven. Vergeet het maar. Vergeet alles – de kliniek, deze oorlog, alles. Wat is er in hemelsnaam met jou aan de hand? Ga terug naar Amerika, waar het veilig is! Er is hier niets anders dan dood en verderf!'

'Ik wil niet terug.'

'Ga!'

'Je begrijpt het niet, Aisha. Ik hou van je.'

Ze viel stil en legde haar hoofd in haar handen. Toen ze eindelijk op-keek, zag Nick een glimpje groen van haar ogen. Haar onderlip trilde even, alsof hij weer iets gemeens had gedaan. Toen keerde ze zich naar de zon, die begon te verdwijnen achter de spitse bergen – stenen schild-wachten die haar op het laatst in de steek hadden gelaten.

'Wat je ook mag denken dat er die dag in het bos achter Rasheeds hut tussen ons is gebeurd... dat heeft niet plaatsgevonden. Morgen ga je weg. Of ik vraag de veiligheidstroepen je te komen halen.'

57

Die avond vertelde Nick het personeel dat hij de volgende ochtend zou vertrekken. 'Het is tijd,' was zijn enige verklaring.

De anderen hadden wel verwacht dat Nick uiteindelijk weg zou gaan. Maar sinds de massamoord waren ze een hechte groep geworden en op zijn aankondiging volgde een doodse stilte.

'Zo vlug al?' vroeg Omar, die niet begreep waarom Nick er niet eerder iets over had gezegd.

'Het spijt me dat ik het niet eerder heb verteld. Ik heb het zelf pas besloten,' zei Nick als uitvlucht.

'Wanneer komt u terug? Over een paar weken?' vroeg Aroon, die duidelijk geen idee had van de enorme afstand tussen Kashmir en Amerika.

Vilashni brak in tranen uit en haar verdriet werd nog verergerd toen Ghulam besloot dan ook maar te vertrekken. Ghulam had Vilashni's leven de laatste maanden opgevrolijkt en was deel van hun kringetje gaan uitmaken. Maar hij was al te lang bij zijn familie weg geweest. En nu Nick zijn vertrek aankondigde, was zijn vriendschap met hem niet langer een stimulans om te blijven.

Ghulam bood zijn vriend aan hem te vergezellen tot zijn dorp, Kurgan, dat op de weg naar Leh lag, waar Nick had besloten naartoe te gaan. Nick dacht dat Leh voor hem de beste optie was. In die stad kwamen veel buitenlanders en er was in het algemeen geen geweld. Hij ging ervan uit dat hij daar in betrekkelijke anonimiteit zijn tijd kon doorbrengen terwijl hij uitzocht welke verdere stappen hij moest ondernemen – iets wat hij ondanks zijn bijna twee jaar durende verblijf in Aisha's kliniek niet had gedaan. Sommige dingen gebeurden nu eenmaal wanneer het er tijd voor was en de dagen waren omgevlogen. Hij was niet alleen opgegaan in zijn werk en zijn gevoelens voor Aisha, maar ook in de ban geraakt van het hele dorp, met zijn rust en zijn benarde situatie. Dat de veiligheidstroepen zijn verleden hadden uitgepluisd, had hem er pijnlijk van bewust gemaakt dat zijn tijd in Gilkamosh niet meer dan een afleidingsmanoeuvre was geweest. Uiteindelijk was hij er alleen maar in geslaagd het onvermijdelijke uit te stellen.

Die avond pakte Nick zijn spullen in een canvas rugzak die Omar hem had gegeven als afscheidscadeau. Het grootste vak vulde hij met een trui en levensmiddelen die Vilashni had klaargemaakt — een stuk of tien naanbroden, wat groentecurry, gedroogde abrikozen en cashewnoten — en wat van Aroons handgerolde bidi's om onderweg te roken. Hij had nog steeds geen identiteitsbewijs of iets dergelijks — geen enkel officieel bewijs dat hij en Nicholas Sunder een en dezelfde persoon waren — sinds hij alles had verloren bij de rampzalige gebeurtenissen in Pakistan. Nu maakte dat hem, om een of andere onduidelijke reden, echter lang niet zo onzeker meer.

Toch kwamen er bij het inpakken vreselijke herinneringen boven: de klop op de deur van zijn hotelkamer, de twee Pakistaanse politieagenten die de kamer binnenvielen, het verhoor en de martelingen, en het pijnlijkst van alles: Yvettes volmaakte lichaam met de blauwe lippen. Hij huiverde; haar dood spookte nog levendig door zijn hoofd. Hij herinnerde zich de keren dat hij, kort na zijn aankomst in Gilkamosh, op de kliffen had gestaan die op de kliniek uitkeken en erover had gedacht een einde aan zijn leven te maken. Hij vreesde dat, nu hij wegging, de last van Yvettes dood hem weer naar de rand zou duwen.

Omar bood aan Nick en Ghulam 's ochtends naar de zijweg tussen Gilkamosh en Kargil te brengen, ongeveer vier uur rijden over het jeepspoor. Van daaraf was het anderhalve dag lopen naar Kargil, of een stuk korter rijden als Nick een jeep kon vinden waarop hij kon meeliften. Eenmaal in Kargil kon hij gemakkelijk langs de Indus een lift proberen te krijgen naar Leh of erheen lopen. Voordat hij in Kargil aankwam, zou Ghulam hem verlaten om naar het afgelegen Kurgan te gaan, dat alleen maar te voet bereikbaar was.

Terwijl Nick zich klaarmaakte om te vertrekken, sloot Aisha zich op in haar kantoor en zorgde ze ervoor dat ze daar niet uit kwam zolang hij in de ziekenzaal was. Nick wist niet wat hij nog meer tegen haar had moeten zeggen. Toch verlangde hij ernaar haar nog een laatste keer te zien, misschien in de hoop nog een aanwijzing, een glimp van een mogelijkheid te ontdekken dat ze werkelijk iets voor hem voelde. Zou haar plotselinge ontkenning dat er die dag in het bos achter Rasheeds hut iets van betekenis was voorgevallen – na het hele incident zo lang te hebben geweigerd te erkennen – niet kunnen betekenen dat ze impliciet toegaf dat er wel degelijk emoties aan te pas waren gekomen? Of misschien was het maar een waanidee, dacht hij, en was dit de echte kwelling.

De volgende ochtend, toen het tijd was om te gaan, werd Nicks wens vervuld. Er kwam bij geen van beiden een woord over de lippen. Maar hij kreeg een laatste beeld dat hij voor altijd kon bewaren, iets waaraan hij kon denken, een teken van wat er had kunnen zijn als hij een ander pad had bewandeld. Spijt, vond hij, was een beter gezelschap dan onzekerheid.

Ze verscheen in de deuropening van de ziekenzaal toen Nick zijn rugzak naar de pick-up bracht. Haar ogen hadden de kleur van jade, haar zijdeachtige haar viel langs haar hals naar beneden en ze droeg een strakke wollen trui op een mannen-shalwar. Haar slanke lichaam, waarmee ze tegen de deurpost geleund stond, boog zich naar hem toe. Zelfs van die afstand kon Nick zien dat ze bedroefd was. Hij wilde naar haar toe gaan, en zonder erbij na te denken maakte hij aanstalten om dat te doen. Maar met een lichte handbeweging deed ze hem op zijn schreden terugkeren. Daarna stuurde ze hem met een al even lichte hoofdknik weg.

Niet veel later stuurde Omar de pick-up langs de hobbelige weg naar Gilkamosh. Nick zat achter Ghulam op de passagiersstoel. Hij voelde een loodzware druk op zijn borst, alsof hij wegging van de enige plaats waarnaar hij gedurende zijn hele leven had verlangd en die hij nu eindelijk pas kende. En die plaats was niet alleen Gilkamosh of de persoon die hij naar zijn gevoel daar zou kunnen worden. Het was Aisha.

Terwijl de pick-up de eerste haarspeldbocht bergopwaarts nam en daarbij een stofwolk veroorzaakte die zijn uitzicht op de kliniek uitwiste, riep zijn geest de vorige keer dat hij zo'n diepgaand gevoel van verlies had ervaren in zijn herinnering.

De man die zichzelf Prince noemde was volgens afspraak voor het Rose Hotel in Peshawar verschenen in een vaalgroene Fiat uit 1976, bestuurd door een jongeman met de naam Babar, een tiener met steil donker haar dat over zijn al even donkere wenkbrauwen en zijn ronde, jongensachtige gezicht viel.

Yvette had Prince verteld dat Simon, die de tocht had georganiseerd, buikloop had. Nadat hij beleefd zijn spijt had betuigd, kon het Prince blijkbaar verder niet schelen, zolang hij maar betalende klanten mee-nam. Dus waren Nick en Yvette ingestapt, waarna ze door de stedelijke warboel van Peshawar in de richting van Afghanistan waren gereden.

Yvette zat achterin met haar knieën tot aan haar borst opgetrokken uit het raam te staren. Haar ogen waren verborgen achter een modieuze zonnebril. Ze droeg een helderrode sjaal die er niet in slaagde de onregelmatige blonde strengen haar die eronder vandaan sprongen bedekt te houden. Tegenover haar zat Nick zich zwijgend op te winden over het feit dat ze de nacht in Simons hotelkamer had doorgebracht. In zijn geest streden allerlei boze vragen waarop hij antwoord wilde hebben om voorrang, maar die trots hem belette te stellen. Misschien had hij in Peshawar moeten blijven, dacht hij, zoals zij beslist had gewild. Maar hij had een onweerstaanbare drang gevoeld om mee te gaan, en dat was niet uitsluitend omdat hij Prince niet met haar alleen vertrouwde.

Misschien had Prince de spanning tussen zijn twee gasten opgemerkt, want na ruim twintig minuten staakte hij zijn pogingen om een beleefdheidsgesprek te voeren. Hij haalde een blokfluit onder zijn kamiz vandaan en begon erop te blazen om de ongemakkelijke stilte te verdrijven. Het instrument klonk schel en werkte Nick op de zenuwen.

'Ik ben muzikant, weet u?' verklaarde hij trots. 'Mooi?'

'Erg mooi,' antwoordde Nick, terwijl hij zijn ergernis over zowel het gefluit als Babars grillige rijstijl probeerde te verbergen. De jongeman wierp door de achteruitkijkspiegel voortdurend steelse blikken naar Yvette en meer dan eens ontweek hij ternauwernood loslopende geiten en wiebelige, met passagiers overladen brommers.

Ten slotte verlieten ze de Grand Trunk Highway. Toen ze bij de controlepost voor de Stamgebieden kwamen, stapte een stamlid met een kalasjnikov in een donkergroene shalwar kamiz — het uniform van de grenswachten — op de auto af. Prince draaide het vuile raampje open. De twee mannen begroetten elkaar als oude vrienden in joviaal Pasjtoe. De grenswachter gluurde naar Nick en Yvette achterin.

'Welk land?' vroeg hij.

'Ze komen uit Canada,' antwoordde Prince voor ze iets konden zeggen en hij gaf de wachter een opgevouwen krant. De grenswacht keek er nonchalant in en tuurde toen weer achter in de auto, waarbij zijn blik van Nick naar Yvette ging en weer terug.

'Canada oké,' zei hij en hij stak zijn duim naar hen op voor hij hen langs de controlepost wenkte.

Toen ze op veilige afstand waren draaide Prince zich om. 'Vanaf hier beter dat u Canadees bent. Begrepen?'

'Haten ze ons zo erg?' vroeg Nick nonchalant, hoewel hij niet echt een antwoord verwachtte of wilde hebben.

'Amerika heeft bommen gegooid niet ver van hier. Vrouwen en kinderen dood. Beter geen risico nemen.'

'Er is maar één Amerikaan in deze auto,' antwoordde Yvette vinnig.

'Ja, mevrouw. Maar als iemand het vraagt, alstublieft, u komt allebei uit Canada. Anders denken ze dat u niet getrouwd bent,' waarschuwde hij.

'Dat zijn we ook niet.'

'Ja. Maar waar we naartoe gaan, een vrouw alleen in de bazaar, zo mooi... dat begrijpen ze niet. Beter dat u doet alsof.'

'Waarom moet iedereen me vertellen wat ik moet doen!' snauwde ze, met haar kleine neusgaten opengesperd van woede. 'Ik heb daar echt genoeg van.'

Het gezicht van Prince kreeg een norse uitdrukking. Hij draaide zich weer om om haar aan te kijken, met een geforceerde glimlach om niet te laten merken dat hij beledigd was. 'Zoals u wenst, mevrouw.'

Nick porde tegen haar bovenbeen en waarschuwde haar met zijn ogen.

'Dat slaat op jou, Nicholas,' zei ze berispend. 'Ik heb je nog zo gezegd dat je niet mee moest gaan.'

Nick stond op het punt haar ervan langs te geven, maar bedacht dat het beter was ervoor te zorgen dat ze niet een nog hevigere uitbarsting kreeg en beet op zijn tong.

De weg liep langs verdroogde velden en incidentele lemen huizen met platte daken en kronkelde daarna kilometers lang over rotsige heuvels, waarvan sommige aan de top versterkt waren met veldschansen van uit B2-blokken opgebouwde muren. Na bijna twee uur rijden kwamen ze eindelijk aan op een grindachtig parkeerterrein. Ze stapten uit de Fiat en lieten Babar bij de auto achter. 'Beter dat de jongen blijft,' verklaarde Prince, 'anders hebben we straks misschien geen benzine en geen banden meer.'

Hij leidde hen langs een lange rij kraampjes waarop hele verzamelingen gesmokkelde elektronische artikelen lagen uitgestald – computers, tv's, radio's. Uit verscheidene luidsprekers schalde Chinese en Indiase popmuziek; de vele flarden muziek smolten samen tot een krijsende herrie. Op lange houten tafels stonden sloffen gesmokkelde Marlborough en Dunhill opgestapeld. Ze kwamen langs een automobielafdeling, waar kibbelende mannen de banden, wielen en willekeurige motoronderdelen die op de grond lagen uitgespreid doorsnuffelden. Er was zelfs een hele Mercedes-Benz te koop — een uiterst luxe zwarte sedan uit de C-klasse met getinte ramen.

Aan het einde van de rij overdekte kramen kwamen ze bij een muur van B2-blokken. Een klein hek van aluminium golfplaat, niet breed genoeg voor voertuigen, gaf toegang tot een smal voetpad. Voor het hek stond een met een automatisch pistool gewapende bewaker met een tulband op. Hij herkende Prince, groette hem in het Pasjtoe en stapte opzij.

Na een korte wandeling door de steeg maakte Nick uit het soort te koop aangeboden goederen op dat ze het geheimste deel van de bazaar hadden bereikt. De winkels lagen hier vol met wapens, veel ervan getrouwe kopieën die gemaakt waren in de provisorische werkplaatsen van Darra en andere stamdorpen. Andere leken gloednieuw — AK-47's en granaatwerpers, uitgestald in kisten met Chinees en Russisch opschrift.

Na de wapenmarkt roken ze de hasj nog voordat ze die zagen — het zoete, aardachtige aroma vervulde de lucht. Blokken diepgroene hasj lagen hoog opgestapeld op lange houten tafels, samen met zakken vol donkere opiumhars. Er was geen enkele poging gedaan de waar te verbergen.

Terwijl ze met grote ogen door de drugsbazaar struinden, draaiden stamleden en jonge jongens hun hoofd en richtten hun blik op Yvette. Verscheidenen stonden op en riepen hun vrienden, totdat er een hele menigte achter haar aan kwam. Na meer dan een maand in Pakistan dacht Nick dat hij eraan gewend was geraakt dat mannen naar haar lonkten. Maar dit voelde anders — alsof hij een gewond konijn naar een horde hyena's had meegenomen. Toen hij over zijn schouder keek deinsden ze terug. Maar zodra hij zich omdraaide voelde hij dat ze vlak achter hen aan liepen. Als een van hen had gejouwd, gefloten of een ander schunnig geluid had gemaakt, had het hem misschien niet zo dwarsgezeten. Maar de stilte en hun berekenende wellustige blikken brachten hem helemaal van zijn stuk.

'Laten we dit snel afhandelen en maken dat we hier wegkomen,' zei hij. 'Die kerels doen alsof ze nog nooit een vrouw hebben gezien.'

'Wat kan het mij nou schelen dat ze naar me staren,' zei Yvette smalend. 'Dat is jouw probleem, niet het mijne.'

Prince, die niets over de menigte had gezegd, stapte een van de hasj-winkeltjes binnen – een kraam met een zinken afdak die open was aan de kant van de weg. Een paar van de mannen probeerden achter hen aan te schuifelen, maar de winkelier brulde iets naar hen in het Pasjtoe en toen bleven ze buiten, waar ze van een afstandje bleven staan gapen. Binnen, achter een toonbank vol plakken hasj, zat een grijnzende jongen met een witte pet op en een zweem van dons rond zijn kin. Hij was knap, had gitzwart haar, opvallende blauwe ogen en een prettig, verfijnd gezicht. Bij het zien van Yvette lichtten zijn ogen op. Buitenlanders waren al zeldzaam, maar net als de stamleden die buiten stonden te kijken had hij nog nooit zo iemand als Yvette gezien, zo graatmager en zo ongewoon blond.

Glimlachend gaf de jongen gehoor aan de aanwijzingen van de winkelier en stopte een stuk hasj ter grootte van een kiezelsteen in een houten pijp. Hij gaf die aan Prince, die hem Yvette voorhield. 'Dit zal goed zijn voor meneer Simons buik, mevrouw,' zei Prince.

Yvette nam de pijp in beide handen en sloot haar lippen eromheen. De jongen haalde een lange houten lucifer tevoorschijn, streek ermee langs de tafel en stak de brand in de pijp. Yvette zoog er flink aan, haar pupillen vernauwden zich een beetje toen ze diep inhaleerde. Toen ze de rook uitblies kwam er een grote witte pluim uit haar neus en mond kringelen.

'Goed?' vroeg Prince. Yvette knikte en nam vervolgens zonder te vragen nog een lucifer uit een koperen pot op de tafel. Ze stak de pijp opnieuw aan.

'Kalm aan, mevrouw,' waarschuwde Prince. Toen ze klaar was pakte Prince de pijp uit haar handen en vulde hem met een verse plak. Hij overhandigde hem aan Nick. 'Meneer?'

Nick aarzelde. Hij voelde zich kwetsbaar, te paranoïde om in het openbaar te roken, met zo veel kijkers op het voetpad. Maar omdat hij niet onbeleefd wilde zijn nam hij de pijp aan. De hasj was zacht en hij voelde geen aandrang om te hoesten. Het duurde maar even voor de details om hem heen op een bijna surrealistische manier tot leven kwamen – de uitdrukkingen van de starende mannen, hun mompelende geluiden, zelfs zijn eigen ademhaling. Zijn hoofd begon te tollen en hij had het gevoel dat hij geen lucht kreeg. Hij greep de tafel vast om zijn evenwicht te bewaren.

Toen het weer stil was keken Prince en de jongen hem geamuseerd aan. 'Wat denkt u ervan, meneer?' vroeg Prince.

'Denken?' antwoordde Nick.

Prince en de jongen grijnsden veelbetekenend. 'Hoeveel wilt u?' vroeg Prince.

'Een beetje hiervan gaat lang mee. Ik zou zeggen, dertig gram is wel genoeg,' antwoordde Nick, met een blik op Yvette om te zien of ze bezwaar zou maken. 'Hoeveel kost het?' voegde hij eraan toe.

Prince praatte kort met de jongen in het Pasjtoe, tot ze het eens waren.

'Vijfentachtig Amerikaanse dollars.'

'Oké,' antwoordde Nick en hij verkneukelde zich om het belachelijk lage bedrag.

Prince wenkte naar de jongen, die een stuk met zijn vingers afmat en het toen afsneed met een lang mes met een benen heft. Hij woog het stuk op een ouderwetse metalen weegschaal, voegde nog enkele kleine stukjes toe om de juiste hoeveelheid te krijgen en pakte alles vervolgens in een stuk krantenpapier. Nick tastte in zijn geldgordel, gaf de jongen een stapel bankbiljetten, vochtig van het zweet dat door zijn broek heen was gedrongen. Zodra hij had betaald, kwam Yvette tussenbeide.

'Zeg hem dat ik de heroïne wil zien,' zei ze tegen Prince.

'Pardon, mevrouw?'

'Heroïne. Ik wil heroïne kopen.' Het klonk bijna ruzieachtig.

Prince aarzelde even. 'Natuurlijk, mevrouw.'

'Yvette,' bemoeide Nick zich ermee, nog wiebelig van de sterke hasj.

'Hou je erbuiten,' zei Yvette chagrijnig.

Prince' ogen gingen van de een naar de ander. 'Mevrouw,' zei hij. 'Misschien heeft meneer gelijk. Misschien is het geen goed idee.' Zijn toon was te kruiperig om gemeend te zijn.

'Loop allebei naar de hel!' Ze liep rood aan van ergernis. 'Ik ga niet weg voor ik heb gekregen waarvoor ik ben gekomen.'

De ogen van Prince schoten ongerust naar de menigte. 'Alstublieft, mevrouw. Die woorden, die zijn niet goed.' Hij wendde zich tot Nick.

Deze staarde verbijsterd naar Yvette. 'Sinds wanneer spuit je heroïne?'

'Hou je mond, Nicholas! Wat weet je eigenlijk van me? Ik moet het hebben, oké?'

Nick schudde vol afschuw zijn hoofd. 'O, ik begrijp het. Eerst neuk je met hem, en nu dit? Weet je wat? Ga je gang. Wees zijn junkiehoer als je dat zo graag wilt. Maar ik ga het niet betalen.'

De dunne spieren bij Yvettes slapen begonnen te trillen. Misschien reageerde ze traag door de hasj. Toen ze uiteindelijk antwoord gaf klonk haar stem doordringend. 'Egoïstische klootzak die je bent! Moet dan altijd alles om jou draaien? Ik heb jou of je verdomde geld niet nodig!'

Nick pakte haar bij haar elleboog. Hij trok haar de winkel uit, waardoor de mompelende menigte toeschouwers in tweeën spleet. Verschrikt door zijn hardhandigheid reageerde Yvette verongelijkt en met ziedende ogen probeerde ze zich los te wringen. 'Laat me los!' schreeuwde ze.

Buiten in de steeg zette de gloed van de zon, vermengd met het stof dat door hun worsteling werd opgeworpen, de gestalten van de stamleden in een roodbruin waas. Daar, voor de getulbande schaduwen die om hen heen dromden, viel ze hem aan met vuisten en voeten. 'Ga weg!'

Pas toen hij eindelijk haar polsen beet had, zag Nick dat de menigte hen langzaam maar zeker insloot. Van hun gezichten was een mengeling van verontwaardiging en wellust af te lezen.

'Yvette!' zei Nick gedempt. Hij trok haar stevig tegen zich aan, met zijn ogen op de roerige menigte gericht.

Ze beet hem. Hij schreeuwde het uit van schrik. Ze rukte zich los. 'Ik zei: Raak me niet aan!' snauwde ze en ze stapte achteruit.

Hij stoof op haar af. Ze deinsde weer naar achteren. 'Ja, ik heb vannacht met Simon geneukt!' schreeuwde ze. 'Oké?'

Hij bevroor ter plekke, met stomheid geslagen, alsof haar woorden alleen al het bewijs vormden van zijn waardeloosheid. Hij zag haar toen, voor het eerst, als onbereikbaar, zelfs in haar ellende.

'Laat me nu met rust en laat me dit doen.'

Door het gedrang van de stamleden om hen heen verloor Nick haar uit het oog. Hij draaide zich om. De groep, nu aangegroeid tot een mensenzee, had hem ingesloten, zo dicht dat hij de stank van hun adem rook. Hij keek onderzoekend naar de donkere, boze gezichten die door de stekelige baarden heen schemerden vanonder de slonzige tulbanden. Hij hoorde een zachte plof, alsof iemand een tapijt uitklopte, gevolgd door een gesmoorde snik.

Toen hij Yvette weer zag, stond ze naar een vettige vlek op haar borst te staren. Aan haar voeten lag een dikke hoop mest. 'Wat... Wie...?' stotterde ze, zoekend naar woorden. 'Jullie... jullie varkens!'

Een andere hoop mest raakte haar en bleef in haar warrige blonde haar hangen. Ze draaide zich om en veegde het vol walging af.

'Wie voor de duivel...?' Nick zocht de menigte af op tekenen die verrieden wie er had gegooid. De stamleden keken terug. Geen van hen lachte of gniffelde zelfs maar.

Achter hem klonk een stem. 'Sla haar.' Het klonk bijna smekend. Verward draaide Nick zich om. Het was Prince.

Op dat moment doorbrak een woedend geschreeuw de stilte. Vol haat viel Yvette een van de mannen aan die iets in zijn hand had. Ze sloeg en klauwde naar hem, maar een muur van mensen duwde haar naar achteren, op haar zitvlak. Er kwam nog iets op haar af vliegen, dat haar recht in haar rug raakte. *'Merde!'* schreeuwde ze.

Nick zocht op de grond en zag dat het een steen was. 'Hé!' schreeuwde hij. Met gebalde vuisten rende hij op de dader af. Maar de stem van Prince hield hem opnieuw tegen. 'Nee, meneer, niet doen, niet doen!' drong hij aan. 'Alstublieft. U moet haar slaan. Het is de enige manier om hun eer te herstellen.'

Nick keek naar Prince, toen naar Yvette. Ze zat geknield, haar haar onder de mest en haar boezem zwoegde ongerust onder de strakke stof van haar T-shirt.

'Doe het nu! Om haar op te eisen moet u haar slaan!'

Nicks ogen zochten de hare. Hoewel hij haar aankeek zag hij haar niet. In plaats daarvan zag hij alleen een vluchtige glimp van zichzelf, afgetekend tegen de roodachtige mist die in haar pupillen werd gereflecteerd. Terwijl hij daar stond, doorboord door de ogen van de gekrenkte menigte, maakte de trance waarin hij zichzelf met de hasj had gebracht de keuze voor iemand die een botsing van tegenstrijdige culturen moet zien te voorkomen bepaald niet makkelijker.

Later, toen hij zich een weg baande door de toestromende aanvallende stamleden, wist hij dat hij tot geen van beide meer behoorde.

58

Hij voelde het bloed in zijn achterhoofd en zijn slapen kloppen. Zijn benen, zwaar van vermoeidheid, sleepten over het losse puin, waardoor stenen onder hem naar beneden rolden terwijl hij klom. Om de paar stappen gleed hij weg en greep zich met zijn bebloede handen aan de rotsen vast. Maar hij ging nog steeds door en klauterde op handen en voeten naar het hoogste punt van de bergkam, met zijn kalasjnikov bungelend aan zijn riem op zijn rug.

Toen hij de kam bereikte, hijgend in de ijle berglucht, viel hij uitgeput op zijn knieën. Snakkend naar adem hief hij zijn hand naar zijn voorhoofd om zijn ogen tegen de verblindende zon te beschermen. Hij speurde de vallei beneden af. Daar moeten ze zijn, dacht hij.

Bij het aanbreken van de dag had hij maar een paar uur op hen achtergelopen, te oordelen naar de smeulende sintels die hij in de bahik had aangetroffen. Ze waren slordig geweest. Hij zou een kampplaats nooit zo hebben achtergelaten dat patrouilles er zoveel aan konden aflezen. Maar hun stommiteit was voor hem een zegen. Want nu was hij hen op het spoor, en in zijn tempo was het slechts een kwestie van uren voor hij hen zou inhalen.

Hij had hen nu al dagen gevolgd, terwijl zij dachten dat ze achter hem aan zaten. Sinds de moord op Advani had hij alle plaatsen doorzocht waar ze konden zijn, in de hoop hen te pakken te krijgen voor ze naar deze vallei kwamen, naar hij wist hun eindbestemming. Hij had hun spoor echter pas laat gevonden. Nu was hij wanhopig en uitgeput. En voor het eerst sinds hij tien jaar geleden zijn vuurdoop had ondergaan wat doden en sterven betreft, was hij bang.

Daar! Een... twee... drie, in het dal beneden, stevig doorstappend in één enkele rij, als marcherende mieren. Hij keek naar de zon achter hem, toen weer naar de mannen, en vervolgens op zijn horloge. Ze liepen nog steeds meer dan een uur op hem voor, hoewel ze twee keer zo langzaam waren als hij. Te ver. Moge Allah me vleugels geven, bad hij in stilte.

59

'Meneer Nick, waarom gaat u weg bij mevrouw de dokter?' vroeg Ghulam, die een laatste poging wilde doen om Nick van gedachten te laten veranderen. 'U kunt nog steeds terug. Jullie passen zo goed bij elkaar.'

'Ik denk niet dat ze het daarmee eens zou zijn, Ghulam,' antwoordde Nick terwijl de pick-up hobbelend van de kliniek wegreed.

Ghulam krabde op zijn hoofd. 'Ghulam begrijpt het niet. Meneer Nick, u bent een goede man. Toen ik u ontmoette in de woestijn dacht ik: niet erg goed. Maar nu: goed,' zei hij en hij stak vol overtuiging zijn onderlip naar voren.

Ondanks zijn enorme verdriet moest Nick erom glimlachen. 'U bent waarschijnlijk de enige die dat denkt en ik aanvaard het compliment. Bedankt, Ghulam.'

'Ghulam denkt niet, Ghulam weet.'

Omar stuurde de auto langs de steile haarspeldbochten omhoog richting de pas naar de Gilkamoshvallei. Een valk vloog over en krijste om de vermoeide herfstzon te begroeten die langzaam boven de ijzige toppen uit klom. Twee maanden geleden was de zon krachtig geweest en had de aarde doen broeien tot er gouden velden uit waren gesproten, die waren geoogst door dezelfde zongebruinde armen die de zaden maanden eerder hadden gezaaid. Maar nu miste de zon de kracht om de koude adem van de winter te verdrijven die hun botten verkilde, terwijl ze zich klein maakten onder wollen dekens. De aarde had het groen van zich afgeschud en allerlei schakeringen bruin aangenomen. Het oorlogsseizoen zou algauw worden opgeschort door de winter, wanneer God, alsof Hij zich schaamde over Zijn eigen schepping, sluiers van sneeuw zou laten vallen om de nieuwe grafstenen van de laatste slachtoffers van Zijn grootste dwaasheid – de mens – te bedekken.

Nick keek naar Ghulam, zijn vriend die hem de afgelopen anderhalf jaar voortdurend had vertrouwd. Iets wat hij niet verdiende en wat hij daarom altijd als blind vertrouwen had gezien, maar wat naar hij nu begreep weloverwogen was geweest. Het was nog steeds dezelfde monnikachtige Ghulam, kinderlijk maar wijs, vreedzaam maar ook altijd vol levenslust. Nick had grote eerbied gekregen voor zijn snelle, verziende blik, altijd in de weer, uitkijkend naar alle wonderen om hem heen. Hij was iemand die over een onverklaarbaar vermogen beschikte de dingen te zien zoals ze waren – niet zoals ze eruitzagen vanuit het vertekenende prisma van waarneming, overweging en vervormende gedachten. Devoot, maar gezegend met de luchthartigheid van iemand die vrede heeft met zijn lot, was Ghulam oneindig tevreden, zelfs terwijl hij moeite had te overleven in een land dat zo gebukt ging onder leed en verdriet en tegelijkertijd zo'n schoonheid bezat.

Terwijl hij de vallei in de diepte zag verdwijnen, bleven Nicks ogen rusten op de kliniek, klein in de verte. De plek die het thuis was van de ziel waarvan hij was gaan houden verdween achter de trotse stammen van hoge populieren en dennenbomen die naar de onmogelijk blauwe lucht reikten.

De lange rookspiraal bewoog nauwelijks in de roerloze ochtendlucht, als een statische wervelwind die boven het groepje bomen waartussen de kliniek lag uit rees. Als hij ook maar een seconde later van de aarde was opgestegen, zou de pick-up de kam al hebben bereikt en aan de afdaling zijn begonnen, waardoor de ramp die zich beneden afspeelde aan hun ogen zou zijn onttrokken.

'Stop!' schreeuwde Nick en hij wees naar de rook die boven het hoogste punt van de bergrug opsteeg.

Omar keek van achter het stuur over zijn schouder, waardoor hij bijna uit de bocht vloog en van de weg af schoot.

'Stoppen, Omar!' commandeerde Nick weer. Slippend kwamen ze precies op het hoogste punt van de klim tot stilstand.

Nick keek naar Omar en die keek naar Nick, en beiden draaiden ze zich om naar Ghulam. Zonder iets te zeggen keerde Omar met slippende koppeling de pick-up voordat ze in woeste vaart naar de kliniek terugreden.

Gedurende de hele tien minuten die het kostte om de berg af te racen was Nick zo gefixeerd op de onheilspellende rookkolom dat hij niet merkte dat de auto door kuilen en over keien bonkte en gevaarlijk dicht langs de rand van het klif zwenkte. De rook werd dikker naarmate ze dichter bij de kliniek kwamen en liet zwarte roet hoog de lucht in rijzen.

Ze bereikten de voet van de berg en reden met hoge snelheid over de vlakke, beboste bodem van het dal. De lucht was doordrongen van de geur van verbrande motorbrandstof. Toen ze de laatste dennenbomen passeerden zagen ze de ziekenzaal. Oranje vuurtongen, bulderend als een ontplofte oven, sprongen vanaf de onderkant van de muren omhoog en lekten uit naar het dak. De lucht was zwart.

Nick zag twee mannen met skimaskers op en kalasjnikovs op hun rug die het kantoor en de voorraadkamer links van de ziekenzaal besprenkelden met benzine uit jerrycans. Een derde man goot brandstof op een lap, stak hem aan en gooide toen de brandende doek op het houten dak, waarmee hij een vuurhaard veroorzaakte die razendsnel om zich heen greep.

Omar bracht de pick-up abrupt tot stilstand. Ghulam en Nick sprongen eruit, zonder op het vuur of de brandstichters te letten. De aanvallers waren naar de achterkant van het gebouw gegaan. Misschien hadden ze hen opgeschrikt, maar mogelijk hadden ze de komst van de auto niet opgemerkt. De bulderende vlammen overstemden elk geluid toen Nick en Ghulam naar het brandende gebouw renden, dat verduisterd werd door de rook. Nergens zagen ze een medewerker of patiënt.

Pas toen Nick bij de dubbele deuren van de ziekenzaal kwam realiseerde hij zich wat daarvan de oorzaak was. De metalen deuren van de zaal waren vastgezet met een breekijzer dat door de handgrepen was gestoken. Er waren geen ramen in de ruimte. De bedoeling van de brandstichters was duidelijk: iedereen die binnen was verbranden.

Nick greep de staaf beet, maar sprong achteruit van de pijn die werd veroorzaakt door het gloeiend hete ijzer. Omdat hij het niet kon aanraken, schopte hij ertegen. Plotseling stond Ghulam naast hem; ook hij trapte ernaar, maar de handgrepen zaten voor hen allebei te hoog om er een flinke trap tegenaan te kunnen geven. Het vervloekte ding wilde niet loskomen. Van binnen klonken gedempte kreten om hulp. De deur trilde doordat degenen die binnen opgesloten zaten er tevergeefs tegenaan bonkten.

Het enige waaraan Nick dacht was Aisha. Met zijn blote handen greep hij het withete ijzer beet, hield het stevig vast en trok er uit alle macht aan, zich niets aantrekkend van de hevige pijn die als een elektrisch schok door zijn armen schoot. De staaf gleed uit de handgrepen.

Nick liet van de pijn het hete ijzer vallen en viel ernaast op de grond neer. Zijn handen waren tot op de spieren verbrand. Hij rook naar verbrand vlees.

De deuren barstten open. Mensen stroomden naar buiten, over elkaar struikelend, stikkend in de dikke, giftige rook die door de ingang walmde. Toen de stormloop voorbij was krabbelde Nick op. Zonder tijd te nemen om naar zijn verschroeide handen te kijken stormde hij de dichte rook in, met Ghulam en Omar op de hielen.

Binnen was het een hete, vlammende hel. Het vuur had zich door het dak en de muren heen gevreten. De rook prikte in zijn ogen en verblindde hem zodat hij gedwongen was af te gaan op de verstikte geluiden om de patiënten te vinden die niet in staat waren zichzelf in veiligheid te brengen. Bij hen zou hij haar vinden.

'Aisha!' schreeuwde hij boven het gebulder van het vuur uit.

'Hier!'

Bij het horen van haar stem bleef Nick staan en tuurde door de dichte rook om zich heen.

'Help me met deze patiënten!'

Hij draaide zich in de richting waar de stem vandaan kwam en rende door een wirwar van naar beneden hangende dakspanten en vlam vattende beddenlakens. Hij trof haar samen met Vilashni aan. Ze probeerden een geamputeerde op te tillen, maar de man was voor hen te zwaar. Nick pakte hem onder zijn armen en droeg zijn volle gewicht. 'Ga weg!' schreeuwde hij. 'Het dak staat op instorten!'

'Nee, er zijn er nog meer!' zei Aisha vasthoudend. Ze liep verder de vlammen in.

Met grote moeite droeg Nick de bewusteloze patiënt door de zaal heen terwijl de draad van het infuus dat nog aan zijn arm vastzat over de met as bedekte vloer sleepte. Hij liep langs Ghulam en Omar. 'Aisha en Vilashni zijn binnen!' schreeuwde hij. 'Ga!' Terwijl hij de man naar de deur sjouwde, begonnen stukken van het brandende dak naar beneden te komen en neer te vallen op Nick en zijn menselijke last en werd de rook met de seconde dikker.

Eindelijk was Nick buiten. Aroon hielp hem de patiënt op veilige afstand van de brandende barak te brengen. Nick ging direct terug het inferno in, waarbij hij langs Omar liep, die een bewusteloze hindoevrouw aan haar voeten naar buiten sleepte. Na hem kwamen Aisha en Vilashni met een andere patiënt, net toen er een enorme dakbalk naar beneden viel en een regen van vonken veroorzaakte. Aisha bleef staan. 'Ghulam!'

De ziekenzaal was een oven. Het vuur woedde in alle hevigheid langs alle vier de muren en laaide door het dak heen. 'Ghulam is nog binnen!' schreeuwde Aisha, terwijl Vilashni en zij zich inspanden om de man in veiligheid te brengen. 'Hij heeft de laatste patiënt!'

Met zijn armen beschermend om zijn hoofd rende Nick de vuurzee in. Hij klauterde over vlammende brokstukken heen en tussen ziekenhuisbedden door naar de plek waar hij dacht dat de laatste patiënt zou zijn.

Hij trof Ghulam aan terwijl deze tevergeefs probeerde de man, die in brand was geraakt door een stuk van het dak dat naar beneden was gekomen, weg te slepen. Zijn haar, kleren en zelfs zijn huid stonden in brand. Nick greep een been van de man. Ze tilden hem op en schreeuwden het allebei uit van de pijn toen ze hem door een muur van vlammen heen sleepten.

Toen ze door de overblijfselen van de deurpost kwamen, stonden Ghulam en Nick allebei in brand. Ze lieten zich op de grond vallen en rolden heen en weer om de vlammen in hun kleren te doven. Nick durfde niet eens zijn ogen open te doen uit angst dat ze ook zouden verbranden. Pas toen er een plens koud water over hem heen werd gegooid, gevolgd door een tweede, en een derde, deed hij ze open en zag dat Aroon, Omar en de anderen lege emmers vasthielden.

Onmiddellijk keek hij rond of hij Aisha zag. Hij ontdekte haar bij de in brand geraakte patiënt die Ghulam en hij uit het vuur hadden gehaald. De kleren van de man waren van zijn lichaam geschroeid en zijn rood verbrande huid zat vol blaren. 'Je overhemd!' zei Aisha tegen Omar. Deze deed zijn kamiz uit, dompelde die in een emmer water en gaf hem aan haar. Ze begon het natte kledingstuk om het lichaam van de patiënt te wikkelen.

Opgelucht Aisha levend en ongedeerd te zien, zakte Nick naar adem snakkend neer op de grond. Ghulam lag op zijn buik rechts naast hem verbijsterd naar de brandende kliniek te staren, geschokt maar niet ernstig gewond. Versufte patiënten lagen verspreid over het terrein, met een wazige blik, met brandwonden en moeizaam ademhalend door de rook.

Plotseling weergalmde er een enorme dreun door de vallei. Het ziekenhuis stortte als een laaiende vuurbal in, het dak en de muren zakten in een werveling van sintels en vonken in elkaar.

Nick en de anderen gingen zo op in de verwoesting dat ze de drie mannen met de zwarte skimaskers niet zagen aankomen.

De twee aan weerszijden richtten hun kalasjnikov op de groep, klaar om de mensen neer te maaien.

De man in het midden, de kortere, stond met zijn armen langs zijn zij en zijn geweer op zijn rug. Zijn handen staken in handschoenen, zijn vuisten waren gebald alsof hij iets vasthield. Hij liep naar het midden van de groep, waar Aisha met haar rug naar hen toe op de grond geknield zat. Ze was bezig de verbrande man te verbinden met de van Omars natte kamiz gescheurde lappen. De mannen waren zo snel gekomen en iedereen was zo overweldigd door de situatie dat niemand eraan dacht een waarschuwing te schreeuwen. De patiënten en het personeel waren ongewapend en toch al niet in staat zich te verdedigen. De drie indringers zouden hen doden of niet. De dood had alle nieuwigheid verloren; ze waren het beu ervoor te vluchten.

De man liep recht naar Aisha toe terwijl ze aan het werk was. Hij wachtte even, alsof hij verbijsterd was over het gebrek aan reactie van de groep op zijn aanwezigheid.

'Hoer!' hoorde Nick de man binnensmonds zeggen. Hij greep Aisha bij haar haren en draaide haar zo gewelddadig om dat haar lichaam kantelde en haar voeten onder haar naar voren werden geduwd. De vrije arm van de man gleed langs haar gezicht en hals, eenmaal, tweemaal, driemaal, alsof hij een priester was die haar met wijwater inwreef. Het gebeurde zo vlug dat ze te verschrikt was om te gillen. Er was geen vuur, er kwam alleen maar rook van haar huid en er was een scherpe geur. Toen de gil eindelijk kwam was Nick er niet zeker van dat zij het was. Iemand die zo mooi was als zij kon niet zo'n geluid voortbrengen, zo dierlijk. Het paste niet bij haar, dacht Nick, om zo te gillen.

Maar ze was het wel.

Nick zag iets glanzen in de gehandschoende hand van de man. En het volgende dat hij wist was dat hij boven op hem zat en op hem insloeg, maar zijn verbrande handen waren zo van pijn verdoofd dat hij de botten en tanden onder het masker niet voelde breken. Toen kwam er een harde klap tegen zijn achterhoofd. Hij viel op de grond, met zijn gezicht naar de hemel. Hij hoorde geweerschoten en geschreeuw.

60

Kazim zag de rook van halverwege de bergkam. Hij viel op zijn knieën. Hij was nog ruim een kwartier van het ziekenhuis af en te oordelen naar de dichte rook was hij te laat.

Vervuld van wanhoop duwde hij zich met behulp van zijn wapen overeind en krabbelde de bergrug af. Hard rennend kwam hij beneden in de vallei aan en hij bad dat ze om een of andere reden niet binnen was. Misschien was ze in het dorp bij haar ouders. Of liep ze in haar eentje te wandelen langs de bedding van de rivier zoals ze zo graag deed toen ze jong was.

Met zijn laatste beetje energie stormde hij tussen de bomen door, sprong over rotsblokken en spetterende riviertjes door de vallei naar de rookkolom die bijna volmaakt recht omhoog opsteeg, als een pijl die uit het diepst van de aarde was afgeschoten.

Toen hij eindelijk aan de rand van de open plek van het ziekenhuis-terrein kwam bleef hij staan. Enorme vuurtongen barstten uit het dak van de kliniek en het gebulder van de vlammen weerklonk in zijn oren. Hij schudde wanhopig zijn hoofd. Niemand zou zoiets overleven.

Maar toen kreeg hij een sprankje hoop: een groep mensen, met be-roete gezichten. Ze lagen op een stuk grond uit de buurt van de woeste vuurzee. Verwachtingsvol rende hij naar hen toe, met zijn hoofd inge-trokken, onder dekking van de rij bomen.

Toen hij nog maar een paar honderd meter van de overlevenden was zag hij haar. 'Allah-o-Akhbar!' riep Kazim hardop, God lovend dat Hij haar had gespaard. Ze leefde nog!

Ze zat geknield bij een man, wiens lichaam rood en zwart verbrand was, en wikkelde zijn verschroeide vlees in lappen stof die ze met haar handen afscheurde. Kazim keek naar haar van een afstand, opgetogen.

Maar zo snel als hij in vervoering was geraakt, doken degenen achter wie hij aan had gezeten tussen de bomen op. Ze droegen maskers en kwamen snel dichterbij, bijna rennend, het geweer in de aanslag. De overlevenden scheen het niet te kunnen schelen, of ze merkten het niet eens. Kazim zette een sprint in. Al rennend zag hij dat een van de mannen nu bijna boven op Aisha zat en haar aan haar haren naar achteren trok. Ze gilde terwijl hij haar vasthield, met haar gezicht naar boven. Het was een angstaanjagende kreet, onmenselijk.

Een andere man, de Amerikaan die hij bijna twee jaar geleden naar Aisha's kliniek had gebracht, sprong op en haalde haar aanvaller neer. Hij bewerkte hem woedend met zijn vuisten tot een van de gewapende mannen hem met de kolf van zijn geweer neersloeg.

Er was geen tijd meer. Kazim viel op zijn knieën, die hij gebruikte om zijn geweer te steunen. Hij wankelde, te erg buiten adem om niet te trillen. Hij haalde diep adem en hield die in. Hij schoot.

Overrompeld liet Aisha's belager zijn geweer vallen. Hij stak zijn handen op alsof hij zich aan de hemel wilde overgeven en stortte neer op de grond. De gemaskerde aan de rechterkant, degene die de Amerikaan had neergeslagen, verdween achter de in elkaar gedoken ruggen van de anderen. Zijn geweer schoot in het wilde weg in de lucht toen ze hem onderuithaalden en hij worstelde om vrij te komen, en ze sloegen hem tot hij bewusteloos was.

Kazim sprong op en rende naar haar toe. Hij zag dat ze naar haar gezicht en hoofd greep. Haar gegil leek op niets wat hij ooit tijdens een van zijn gevechten had gehoord, erger dan de kreten van de stervenden en de verminkten, want het kwam van de enige van wie hij ooit had gehouden.

Toen hij eindelijk bij haar kwam trok hij haar handen van haar gezicht om te ontdekken wat de oorzaak was van haar vreselijke pijn, zodat hij kon proberen er iets aan te doen. Onder haar handen, achter de scherpe rook, brandde het en deed het pijn, maar er was geen vuur. Haar huid was weggevreten door niets. Verward probeerde hij haar stil te houden. Maar ze kronkelde en greep naar haar gezicht, in een poging de verschroeiende huid eraf te trekken. Toen zijn eigen handen begonnen te branden besefte hij wat het was.

'Water!' riep hij. 'Laat iemand water halen!'

Het leek eeuwen te duren voor iemand een emmer over haar hoofd leeggoot. Kazim wreef het water over haar gezicht en hals, terwijl de doordringende stank van verschroeid vlees en chemicaliën zijn ogen deed tranen. Er kwamen anderen bij, die haar gezicht en hoofdhuid met hun handen besprenkelden; allemaal probeerden ze de schoonheid te bewaren die eens aan Kazim – aan hen allen – had toebehoord en die nu voor hun ogen wegsmolt.

Toen het allemaal voorbij was en het zuur was opgehouden met branden, scheurde iemand zijn gewaad in stukken. Ze wikkelden Aisha's hoofd in natte lappen, terwijl Kazim geknield met lege ogen naar plukken verbrand haar zat te staren die hij in zijn handen hield, het enige wat er over was van haar ooit zijdeachtige lange haar dat hem als jongeman had verrukt. Hij huilde. Niemand merkte het, maar hij huilde echt.

Naderhand pakte hij zijn wapen en liep naar Abdul die, steunend op zijn ellebogen, verdoofd zijn verbrijzelde kaak vasthield. Zonder iets te zeggen schoot hij zijn vriend door het hoofd. Toen liep hij het bos in, nagekeken door de anderen.

Enkele minuten later klonk er nog een schot, één enkel, ver weg.

Epiloog

Er was anderhalf jaar voorbijgegaan sinds de dag dat de kliniek was afgebrand en Nicholas Sunder was nog steeds in Gilkamosh. Hij was niet van plan weg te gaan. Ook al had hij het gewild, hij kon nergens naartoe.

Drie weken na de brand bezocht een van de luitenants van kolonel Patel hem in het ziekenhuis in Leh, waar hij naartoe was gebracht voor de behandeling van zijn zware hersenschudding en brandwonden. Hem werd 'onofficieel' verteld dat India zou doen alsof hij nooit de Line of Control was overgestoken. Dus 'officieel' was helemaal niet bekend dat hij in India was; als de autoriteiten van Pakistan of enig ander land het ooit zouden vragen, zou de Indiase regering niets weten van ene Nicholas Sunder. Dat verhinderde hem niet te blijven, gaf de luitenant met zoveel woorden te kennen. Want het was voor iedereen mogelijk te 'verdwijnen' tussen de miljoenen mensen die over India's poreuze grenzen komen en gaan, of die elk jaar geboren worden en sterven zonder dat de regering ooit van hun bestaan heeft geweten – de onvermijdelijke anonimiteit van een volk dat meer dan één miljard zielen telt.

Wat Amerika betreft, was teruggaan voor Nick geen optie, althans niet voor de nabije toekomst. Al snel nadat hij uit het ziekenhuis was ontslagen, had hij een advocaat in New Delhi inlichtingen laten inwinnen bij de ambassade. Ze hadden hem verteld dat de Verenigde Staten hem waarschijnlijk zouden uitleveren om hem terecht te laten staan voor de moord op Akhtar, als Pakistan daarom zou verzoeken. In verband daarmee was een welwillende medewerker van de ambassade zo aardig hem officieus te adviseren geen vervangend paspoort aan te vragen. Hoe minder er over hem bekend was, hoe beter. Nick vermoedde dat de reden meer te maken had met politiek dan met rechtspleging. De Verenigde Staten hadden Pakistan nodig om terroristen binnen de grenzen van dat land te kunnen achtervolgen en konden zich een schending van hun uitleveringsverdrag met de staat die ze hun belangrijkste partner in hun oorlog tegen het terrorisme noemden, moeilijk veroorloven. Nick was per slot van rekening in zijn hachelijke toestand terechtgekomen nadat het islamitische Zuid- en Centraal-Azië, een gebied dat zo lang als onbetekenend was bestempeld, de oorsprong was geworden van gebeurtenissen die de geschiedenis een andere wending hadden gegeven. Het hoofdtoneel van wat sommigen graag een botsing van beschavingen noemden tussen het Westen en de islam. Begrijpelijkerwijs moesten er belangen worden gediend die duidelijk prevaleerden boven die van één enkele onbetekenende uitgewekene. Nadat hij er lange tijd moeite mee had gehad de realiteit te accepteren dat zijn land hem in de steek liet, kwam het Nick eigenlijk wel goed uit. Zijn leven speelde zich nu af in Gilkamosh. En hoewel het dorp zich er niet langer op kon beroemen het paradijs op aarde te zijn, hoorde hij er thuis.

Bijna twee maanden lang had Nick aan het bed gekluisterd gelegen in het militaire hospitaal in Leh. Er waren korte onderbrekingen geweest in de vorm van bezoekjes van zijn vrienden: Ghulam, Omar en Aroon – die laatste twee ondernamen samen de lange reis per jeep, per bus en te voet om hem op te zoeken. Maar Aisha niet. Hoewel hij ernaar verlangde haar te zien begreep hij het wel. Een heel nieuw scala van emoties was aan haar repertoire toegevoegd – angst, rouw, zelfmedelijden.

Toen hij genoeg hersteld was om de reis naar Gilkamosh te maken, vertelde Naseem hem dat Aisha sinds de brand het huis niet uit was geweest. 'Alstublieft,' zei Nick. 'Ik wil alleen maar met haar praten. Dat is het enige wat me interesseert.' Maar Aisha weigerde hem te spreken, zelfs door de dichte deur van de slaapkamer heen waarin ze vrijwel al haar tijd doorbracht.

Maar Nick gaf niet op. 'Zegt u alstublieft tegen haar dat ik morgen terugkom,' vroeg hij Naseem, die de betekenis van Nicks woorden afleidde aan de vastberadenheid in zijn stem. 'Ik kom elke dag tot ze erin toestemt me te zien. Het kan me niet schelen hoe lang dat gaat duren.'

En dus ging Nick elke dag naar het huis van de Fahads. Naseem en Fatima probeerden hem niet te ontmoedigen, omdat ze zelf absoluut niet wisten wat ze moesten doen en misschien vermoedden dat de toestand van hun dochter niet zou verslechteren als ze de vasthoudende buitenlander toelieten. Elke dag meldden ze Nicks komst door de dichte deur, en ze zagen hem met een ontmoedigde blik weer weggaan. Maar na verscheidene weken, toen iedereen dacht dat het hopeloos was, had Nick haar eindelijk vermurwd. 'Ze zegt oké,' meldde Naseem verrast. 'Maar... ze laat zelfs Fatima haar gezicht niet zien,' waarschuwde hij toen hij hem haar kamer binnenliet.

Ze zat in kleermakerszit op de vloer met haar gezicht naar het raam, van top tot teen gehuld in een zwarte boerka. De kamer was donker, afgezien van een enkele bundel zonlicht die op haar bedekte schouders en hoofd scheen en haar tot een schim maakte van de vrouw die hij ooit had gekend. Toen hij binnenkwam draaide ze zich niet om om naar hem te kijken.

'Aisha,' zei Nick van een afstandje achter haar.

Ze bleef zwijgen, volkomen inert. Ze kon net zo goed uit steen zijn gehouwen. Toen hij naar haar toe stapte om haar aan te kijken, boog ze haar gesluierde hoofd.

'Aisha?' zei hij weer smekend. Toen hij voor haar stond werd hij door de stilte verstikt. Alleen het zachte tikken van een klok herinnerde eraan dat de wereld nog doorging. 'Ik kan je niet zien. Alsjeblieft, kijk me aan.'

Uiteindelijk tilde ze haar hoofd op. Nick ving maar net een glimp groen op door de open spleet van haar boerka, het overtuigende bewijs dat de vrouw voor hem inderdaad Aisha was.

Hij boog zich naar haar toe, alsof hij het ultieme bewijs zocht. En toen hij haar eindelijk in de ogen keek, zuiver jade tegen de diepzwarte stof van haar boerka, voelde hij de lucht uit zijn longen stromen. Hij viel voor haar op zijn knieën. Haar bedekte vorm begon te schokken. Hij hoorde haar snikken.

Nick verlangde er hevig naar haar in zijn armen te nemen, de sluier van haar af te trekken en zijn lippen op elk stukje van haar lichaam te drukken, zelfs haar littekens. Maar hij wist dat als hij dat deed, ze hem voor altijd weg zou sturen. Het zuur had alleen haar huid verbrand, maar haar wonden gingen dieper en hadden haar van alles ontdaan behalve het verdriet. Ze wilde niet weten hoe sterk hij nog steeds naar haar verlangde. Ze kon het niet weten. Niet nu.

Langzaam, heel voorzichtig, legde hij zijn hand op haar wang. Hij liet hem daar, tegen de stof van haar sluier gedrukt, tot ze ophield met beven. Toen overwon ze haar schroom en nam ze zijn vingers in de hare.

Nick kon het gevoel waar Aisha onder leed met geen mogelijkheid bevatten. Haar schoonheid had, net als haar moed en mededogen, sinds haar kindertijd deel uitgemaakt van haar identiteit, en het besef dat die voor altijd was bedorven had haar hele gevoel van eigenwaarde aangetast. Het kostte dagen voor ze in staat was over haar verwondingen te praten.

Toen ze daar eindelijk toe bereid was, kon Nick het niet laten haar deelgenoot te maken van zijn mening dat ze haar aanvallers de overwinning had laten behalen door zich onder een sluier terug te trekken nadat ze dat haar leven lang, ondanks de dreigementen van Yusuf, Abdul en anderen, had geweigerd.

'Dat is precies waar ze op uit waren: je dwingen je aan hun wil te onderwerpen.'

'Het was alleen maar iets van Abdul. Hij heeft me altijd gehaat. Al sinds we kinderen waren en ik Kazim koos in plaats van hem.' Het klonk afwijzend.

'Je weet dat er meer achter zit dan dat,' antwoordde Nick. 'Jij was de ruggengraat van het dorp. Om de geest van Gilkamosh te breken, om het dorp te vernietigen, moesten ze jou verslaan. Als ze je hadden gedood, hadden ze een martelaar van je gemaakt. Je onverzettelijkheid zou zelfs na je dood nog mensen hebben verenigd. Toen je de brand overleefde besloot hij je te verminken, in de hoop dat je zou reageren zoals je nu doet… Begrijp je dat dan niet, Aisha? Door jezelf hier te verstoppen doe je precies wat ze willen.'

'Wat stel je dan voor, Nick? Iedereen laten zien hoe verschrikkelijk ik er nu uitzie, zodat ze allemaal kunnen delen in mijn schande?' Haar stem klonk verstikt van emotie.

'Je bekijkt het verkeerd, Aisha. Toon hun je geestkracht. Na de massamoord hebben ze zich achter je geschaard. Niet om hoe je eruitzag maar om wat je vertegenwoordigde.'

'Ik vertegenwoordigde niets dan arrogantie. Ik wist dat het gevaarlijk was de kliniek open te houden. Zelfs voordat Advani en Kazim me waarschuwden,' gaf ze toe en ze veegde een traan van spijt uit haar oog. 'Toch ging ik door. Ik drong er zelfs bij Advani op aan de veiligheidstroepen om te kopen zodat ik kon bewijzen hoe rechtschapen ik was. Nu is hij dood. En dit' – ze wees op het gewaad dat haar mismaakte gezicht bedekte – 'is mijn straf.'

'Jouw strijd, Aisha, was de strijd van het hele dorp – een en dezelfde – heb je ooit tegen jezelf gezegd. Je had de moed het te riskeren. De anderen zijn je gevolgd. Advani ook. Hij heeft daarvoor een rekening moeten betalen, net als jij. Maar je hebt hem niet gedood. Wat je hebt gedaan, deed je voor iedereen.'

'Nee! Wat ik heb gedaan, deed ik om hém uit te dagen. Kazim.'

De vernedering had Aisha zo diep getroffen dat zelfs de pogingen van de dorpsbewoners, die haar sinds ze een meisje was bij tegenslag hadden aangemoedigd, haar niet konden overhalen uit haar schulp te kruipen. Zodra het gerucht ging dat ze een bezoeker ontving, ook al was het alleen Nick, begonnen er ook groepjes dorpsbewoners te komen, om te proberen haar op te beuren, om de smaragd van Gilkamosh op te eisen, die ooit van hen allemaal was geweest. Maar de blijken van medeleven maakten het alleen maar erger. Dagenlang bleef ze in haar zelfgekozen afzondering, gedeprimeerd en zonder veel te eten. En ondanks Nicks pogingen om haar daartoe aan te moedigen liet ze nog steeds niemand haar gezicht zien. Uiteindelijk hielden de dorpelingen er helemaal mee op bij de Fahads langs te gaan, denkend dat dat beter was.

Tot ze op een dag, zonder enige verklaring, besloot dat ze er genoeg van had. 'Ik doe dat ding af,' kondigde ze aan, voordat ze de kap van haar boerka van haar hoofd haalde.

Het zuur had haar hele gezicht verbrand, zich langs de haarlijn gevreten en voor langs haar hals. De huid onder haar wangen zat vol blaren en was gerimpeld en kleurloos; van het fraaie donkere pigment waar ze ooit mee gezegend was geweest resteerden alleen nog wat vlekken. Maar haar ogen waren ongerept gebleven en door zich op hun schoonheid te richten kon Nick de schok die hij ervoer toen hij haar enorme verwondingen voor het eerst zag, temperen.

Aisha liet haar littekens eerst aan Nick zien, daarna aan haar familie. En toen, de volgende dag, aan het hele dorp.

Aanvankelijk staarden de mensen onbeschaamd naar het bleke verschrompelde littekenweefsel dat de legendarische schoonheid bedekte die ooit de trots van het dorp was geweest. Maar mettertijd begon Aisha te beseffen dat ze dat niet deden uit medelijden of afschuw, maar veeleer omdat haar littekens door hen allemaal werden gedragen. Haar littekens waren die van henzelf.

Muzzafar Khan werd een paar dagen na de brand gedood bij een insluitings- en schoonveegactie in de bergen boven Passtu. Daarna was er een luwte in de gevechten. Misschien voelden de veiligheidstroepen dat ze het dorp genoeg hadden gestraft, of dat Aisha voldoende schadevergoeding had geboden door de informatie te verschaffen die had geleid tot wat de Indiërs als een grote overwining op de terreur hadden aangeprezen. In elk geval maakten de veiligheidstroepen een paar weken later hun gevangenissen leeg en lieten de mannen en jongens vrij die ze zo lang hadden gegijzeld, met inbegrip van Khaliq en Nabir.

Met de terugkeer van Aisha's broers had de familie Fahad haar gewone samenstelling hernomen, maar het kostte, met Aisha's langzame herstel, enige tijd om geestelijk te helen. Ze bouwden een eigen huis voor Aisha, een paar percelen bij dat van Naseem en de rest van de familie vandaan; een bescheiden huis, gebouwd in de traditionele stijl, van lemen blokken en met een plat dak, en met een achterdeur die uitkwam op de velden van de Gilkamoshvallei en de rivier beneden. 's Ochtends scheen de zon op de galerij waar de Fahads in warmere maanden altijd bij elkaar kwamen om thee te drinken en vanwaar de besneeuwde toppen in het oosten zichtbaar waren. In september, wanneer de lucht naar rijpende appels en gewand graan geurde, schoten grote vluchten trekvogels op hun terugreis van de Tibetaanse hoogvlakte naar de meren in de Kashmirvallei als pijlen door de wolkeloze lucht.

Nick hielp Naseem op het veld wanneer hij niet in de nieuwe kliniek werkte, die ze deze keer in het centrum van het dorp hadden opgetrokken. Daar, hoopten ze, zou het veiliger zijn, en zouden zowel de veiligheidstroepen als de moedjahedien de kliniek hun gram besparen, zelfs als er af en toe een soldaat of rebel werd behandeld. De tragedie die de oorspronkelijke kliniek had getroffen, veroorzaakte beroering in de medische wereld van heel Noord-India. Door alle publiciteit werden ze overstroomd met bijdragen voor voorraden en zelfs subsidies. Daardoor waren ze in staat de kliniek te herbouwen en uit te breiden en eindelijk uiterst noodzakelijke apparatuur aan te schaffen. Toch koesterden ze, in een land met schaarse middelen, niet de illusie dat de stroom van liefdadigheid zou blijven doorgaan en ze wisten dat ze uiteindelijk op zichzelf zouden zijn aangewezen.

Ghulam kwam bijna elke maand vanuit Kurgan op bezoek. Hij reisde dan met zijn dochters naar Gilkamosh voor 'medisch onderzoek', en gebruikte de tocht als excuus om in ander gezelschap te kunnen verkeren dan dat van zijn vrouwen. Vreemd genoeg hadden zijn dochters zelden kwaaltjes die medische behandeling behoefden. Soms hobbelde hij ondeugend grijnzend op krukken door de ziekenzaal en plaagde Vilashni omwille van de goeie ouwe tijd. Een enkele keer bleef hij overnachten en zaten Nick en hij tot de vroege ochtend thee te drinken, te lachen en te praten. De conversatie liep onvermijdelijk uit op zwaardere onderwerpen, zoals zijn gewoonte was. Want als Ghulam Nick iets had geleerd, was het wel elke dag opnieuw over de mysteries van het leven na te denken. En het mysterie van Fidali, Nicks ongevraagde redder, bleef nog altijd voer voor Nicks verwarde geest.

'Wat Fidali heeft gedaan is me nog steeds een raadsel,' bekende Nick op een voorjaarsnacht toen de vogels, om de tuin geleid door het heldere maanlicht, in de abrikozenbomen die langs het erf stonden zaten te fluiten alsof het ochtend was. 'Net als ik denk dat ik er vat op krijg, ontglipt het me weer.'

'De betekenis van wat Fidali heeft gedaan is net als wolken die voorbij de bergtoppen drijven. Sommige mensen zien slechte djinns in de veranderende vormen, andere zien de Genadige. Alles in het leven — wat we zien en ruiken en proeven — is slechts illusie. Het is voor iedereen die het ziet weer anders,' antwoordde hij sussend. 'Goed vlees hoeft maar één keer gekauwd te worden, meneer Nick. Geniet ervan en slik het dan helemaal door.'

'Maar dat is het juist: ik kan het niet doorslikken. Ik weet niet hoe dat moet,' zei Nick. 'Weet u nog dat u lang geleden boos werd toen ik zei dat Fidali zijn leven had opgeofferd om de slechte dingen die hij in zijn leven had gedaan goed te maken? Nou, als dat niet de reden was, waarom heeft hij het dan gedaan? Hij moet er bewust voor gekozen hebben om te doen wat hij deed. Hij had tijd genoeg om na te denken voor hij me van die mijn afduwde.'

Ghulam schudde zijn hoofd, plukte aan zijn onverzorgde baard en probeerde zijn gedachten op een rijtje te krijgen. 'Misschien nam hij een beslissing zonder na te denken,' zei Ghulam ten slotte.

'Een besluit nemen vereist toch in principe enig nadenken, Ghulam,' antwoordde Nick. 'Al is het maar het besef dat er alternatieven zijn.'

'Ghulam gelooft niet wat u zegt,' wierp hij tegen. 'Door alle gedachten opzij te zetten kun je besluiten met *qalb* — het hart. De enig zuivere beslissing — de enig ware keus, onbedorven door de geest — wordt genomen met qalb alleen.'

Ghulam trok zijn knieën op naar zijn borst, in een compacte hurkende houding. Het leek erop dat hij, uit pure bescheidenheid, zijn best deed zijn lichaam zo klein mogelijk te maken, alsof hij zijn aanwezigheid in de wereld niet groter wilde laten zijn dan nodig was.

'Dus misschien zei Fidali's hart hem te doen wat de geest nooit kan afdwingen,' vervolgde Ghulam. 'Het zelf overgeven. Het heeft Fidali veel moeite gekost dat te leren. Maar hij liet Allahs uitdaging uiteindelijk niet verloren gaan, denkt Ghulam.'

De twee mannen bleven zwijgend zitten, in gedachten verzonken. De nachtlucht, de takken van de fruitbomen, de glanzende sterren, alles was onbeweeglijk. Maar Nicks geest was nog aan het piekeren.

'Dat geloof ik niet, Ghulam,' zei Nick hoofdschuddend. 'Als er geen gedachte was — helemaal geen analytische keuze — dan zegt u eigenlijk dat hij onbedachtzaam reageerde. Ik moet kunnen geloven dat Fidali's keuze weloverwogen was. Dat hij vrij was om te kiezen. Anders... is wat hij heeft gedaan minder waardevol.'

'Nee, meneer Nick. Het maakt het edelmoediger. U moet niet denken dat Fidali het ene leven voor het andere verruilde — het zijne voor het uwe,' zei hij.

'Waarom niet? Dat is precies wat hij heeft gedaan.'

'Omdat Fidali niet zo dacht.'

Nick dacht na. 'Nou, ik dacht zo — toen ik u die ochtend op de gletsjer boven dat gat vasthield. Ik bleef maar denken dat we allebei zouden sterven als ik niet losliet. En ik denk dat ik dat waarschijnlijk had gedaan, om mezelf te redden,' bekende Nick beschaamd. 'Als Fidali het touw een seconde later had gegooid, was u nu vermoedelijk dood geweest.'

Ghulam haalde zijn schouders op. 'Een mens moet alleen getuigenis afleggen, inshallah.'

'Maar het maakt het alleen maar erger,' zei Nick, 'dat Fidali deed wat ik niet zou hebben gedaan.'

Ghulam was niet van slag door Nicks bekentenis. Zelfs als hij een vermoeden had gehad van Nicks overweging die dag op de gletsjer, lag het niet in zijn aard zich te bekommeren om zaken die met het lot te maken hadden. Hij was eerder bezorgd vanwege Nicks gekwelde gezichtsuitdrukking. 'Ghulam kan zien dat meneer Nick erg piekert. Laat eens kijken of Ghulam kan uitleggen wat hij denkt. Dan kan meneer Nick zelf beslissen wat Fidali heeft gedaan.'

Ghulam staarde naar de bergen, die verlicht werden door het gele schijnsel van de maan, terwijl hij zijn gedachten liet gaan. Na een tijdje begon hij te praten. 'Fidali bestond niet op de manier zoals meneer Nick denkt. Ja, hij was van vlees en bloed en botten. Maar wat u zag waren alleen uw eigen gedachten over wie Fidali was. Voor Fidali zelf – nadat hij de moord op zijn familie had moeten doormaken en toen, als wraakneming, dat bloedbad had aangericht onder al die arme mensen, de families in de bus – was hij niet langer Fidali. Hij leefde, natuurlijk. Maar hij had elk idee van zijn zelf verloren.'

'Ik begrijp dat hij onzelfzuchtig heeft gehandeld. Maar dat betekent nog niet dat hij geen keuze heeft gemaakt.'

Ghulam schudde zijn hoofd. 'Meneer Nick begrijpt nog steeds niet wat Ghulam zegt. "Sterf voordat je sterft," heeft de Profeet gezegd, gezegend zij zijn naam. Ziet u, iemands idee van hoe hij is – dat zijn alleen maar gedachten, over ons verleden, onze toekomst. Het zit allemaal hier.' Hij tikte tegen zijn hoofd. 'Als we onze hoop vestigen op wat er in ons hoofd zit, zal dat ons vernietigen. Fidali beging de vergissing van de mens – hij vocht en moordde – waarvoor? Land, ras, vrijheid – het zijn allemaal maar ideeën, valse afgoden die de mens aanbidt in de hoop betekenis te geven aan het leven dat altijd een raadsel zal zijn. Zulke dingen nastreven, jezelf eraan wijden, is de weg van het verstand en dat leidt altijd tot lijden. Uiteindelijk leerde Fidali de enige echte manier om weerstand te bieden aan deze zonden van de geest – om de bron ervan te vernietigen. Hij stierf voor hij stierf. Door dat te doen heeft hij zijn ware pad gevonden – zijn *tariqah*.'

'Maar zelfs het beoefenen van zelfverloochening houdt denken over jezelf in, toch?' vroeg Nick, niet in staat zijn knagende twijfel te verbergen. 'Alleen al om weerstand te bieden aan genotzucht.'

Ghulam zweeg en draaide zich om. Hij staarde Nick aan met zijn donkere ronde ogen. "Goede vragen stellen is de helft van het leren," heeft de Profeet gezegd. Ziet u, meneer Nick, u stelt Ghulam slechte vraag. Fidali had geen "zelf" meer om te verloochenen. Hij was deel van de Ene,' zei hij, terwijl hij zijn handen opstak naar de hemel. 'En als u "beoefenen" zegt, bedoelt u dat Fidali een of andere gedragscode volgde om naar te handelen. Dat, mijn vriend, is een blijk van gebrek aan respect voor wat hij heeft gedaan – meer nog dan zeggen dat hij handelde zonder erbij na te denken, wat de reden is waarom het gerechtvaardigd was. Het is het verschil tussen plicht en liefde. Plicht is een vals pad dat door de mens is geschapen. Dat volgen betekent de weg van het zelf volgen. Maar handelen vanuit liefde, dat is Goddelijk. En liefde, meneer

Nick – echte Liefde, onaangetast door het denken – is nooit een offer. Het is een zegen.'

Op een andere avond, enkele maanden later, vertelde Ghulam Nick een verhaal dat hij toeschreef aan een soefileraar uit Kashmirs verre verleden.

'Een man werd door een tijger van een klif gejaagd. Hij viel, maar kon zich nog net vasthouden aan een tak. Twee meter boven hem stond de tijger te grommen en het speeksel droop van zijn kaken. Honderden meters onder hem kolkte de woelige zee rondom scherpe rotsen. Toen merkte hij tot zijn afgrijzen dat de tak waaraan hij zich vasthield door twee ratten bij de wortels werd doorgeknaagd. Beseffend dat hij ten dode opgeschreven was, riep hij uit: "Allah, red me alstublieft!"

'De man hoorde een stem antwoorden: "Natuurlijk zal ik je redden. Maar laat eerst de tak los."'

Het was de keuze die Nick die dag op de gletsjer niet had kunnen maken toen hij Ghulam vasthield boven het gat. Want hij had niet geleerd het zelf dat hem zo had teleurgesteld te accepteren, of om het te vergeten; het zelf dat gedoemd was tekort te schieten en zich had voorgedaan als verlangen naar Yvette, maar waaraan hij zich nog steeds vasthield als aan een gebroken tak. Misschien kon hij alleen maar hopen dat hij van Fidali's les, zijn geschenk aan Nick, had geleerd niet op zichzelf te vertrouwen, maar op zijn hart.

Bijna twee jaar na de noodlottige brand was Nick op een late zomermiddag alleen in het ziekenhuis. Hij gaf een schaapherder een injectie met antibiotica. De man had een paar tenen met een bijl afgehakt en had de wonden laten verrotten voor hij van de bergen naar beneden was gekomen om ze te laten behandelen. De voet was door koudvuur aangetast en de man zou hem hebben verloren als hij nog later was gekomen. Nick was net klaar met het verbinden van de wond en was naar buiten gegaan om wat instrumenten schoon te maken in de wasbak, toen er een vaag bekende stem vanaf de stoffige weg klonk.

'Nou, als dat geen voorbeeld is.' Het klonk schertsend, met een cockneyaccent.

Nick gluurde naar de indringer. Hij was gladgeschoren, langharig, had een versleten rugzak om en droeg ongewassen kleren. In eerste instantie kon Nick het gezicht niet thuisbrengen. Het zag er zo anders uit, zoveel frisser ondanks de afgedragen kleren, sinds hij het voor het laatst had gezien in de smerige gevangenis van Peshawar.

'Simon?' Nick liep naar hem toe en bleef op een afstand van enkele meters ongelovig staan staren. 'Je leeft nog.'

'Briljant opgemerkt, hoor. Typisch een Amerikaan.' Er heerste een lange stilte terwijl ze elkaar aandachtig bekeken. Nick opgelucht, maar tegelijkertijd in de verwachting dat Simon woedend op hem zou zijn, misschien zelfs geneigd was hem iets aan te doen. Simon, op zijn beurt, keek Nick scherp aan en deed geen enkele moeite Nicks ongerustheid te verminderen.

'Hoe heb je me gevonden?' vroeg Nick.

'Dat groentje van een rechercheur, die Shiraz, vertelde me dat hij vermoedde dat je door de bergen naar Kashmir was gevlucht en dat je niet was gepakt – in elk geval niet door de Pakistanen. Hij gaf je heel weinig kans om over de Line of Control te komen zonder in een gletsjerspleet te vallen of door de Indiërs gevangengenomen te worden. Maar het was genoeg om me nieuwsgierig te maken.'

'Shiraz?' Nick herinnerde zich het magere, intellectuele gezicht van de Pakistaan, de ondervragingen en de martelingen alsof het gisteren was.

'Weet je dat ik ben veroordeeld wegens de moord op Yvette?' vroeg Simon, een en al vijandigheid.

Nick keek hem met nietszeggende blik aan. Hij schudde zijn hoofd. 'Nee. Ik heb gelezen dat je bent aangeklaagd, maar ik ben nooit te weten gekomen wat de uitkomst van het proces was. Ze dwongen me ermee in te stemmen tegen jou te getuigen als voorwaarde voor vrijlating uit de gevangenis. Maar zodra ik eruit was, ben ik gevlucht.'

Simon lachte honend. 'Verwacht je dat ik je daarvoor ga bedanken? Je had een andere mogelijkheid. Je had hun de waarheid kunnen vertellen: dat ik absoluut niet in de buurt van de Stamgebieden was toen Yvette werd vermoord.'

'Je hebt gelijk,' zei Nick na een korte aarzeling. 'Ik heb alleen aan mezelf gedacht. En jou verdedigen betekende dat ik ervoor op zou draaien – zo niet voor moord, dan wel vanwege de drugs, en dan wachtte me een net zo vreselijk lot.'

'Klootzak,' zei Simon verbolgen, terwijl hij op Nick af stapte. 'Ze waren van plan me te executeren!'

Nick zette zich schrap, maar bleef afwachtend. Hij was er nu zeker van dat Simon was gekomen om verhaal te halen. Hoe dan ook, na alles wat hij had doorgemaakt, berustte hij bij voorbaat in elke mogelijke vergeldingsactie van Simon. Een moment later echter werd de blik in Simons ogen zachter.

'Toen ik ontdekte dat je tegen me zou gaan getuigen,' vervolgde Simon, 'haatte ik je. Ik bedoel... Ik wenste je echt dood. Toen, nadat je Peshawar uit was gevlucht en Akhtar had doodgeschoten, leek jij de schuldige. Zo schuldig als wat. Shiraz liet mijn executie uitstellen, haalde de rechters over om hem de zaak nog eens goed te laten bekijken voor ze me opknoopten. Prince was nergens te bekennen. Maar Shiraz wist een grenswachter bij de overgang naar de Stamgebieden op te sporen – een van de kerels die Prince had omgekocht om jou en Evvie door te laten op de dag dat ze is vermoord. Shiraz liet hem jouw foto zien en kreeg hem aan de praat. Hij identificeerde jou als de blanke vent die bij Yvette in de auto zat. Dus zo is het gegaan. Het kostte bijna drie jaar, maar ik werd onschuldig verklaard. Begrijp je, uiteindelijk is door jouw besluit om te vluchten – samen met het feit dat Shiraz integer genoeg was om zich erom te bekommeren – mijn leven gered.'

Nick dacht na, opgelucht dat Simon was vrijgesproken, maar tegelijkertijd vol schuldgevoel. 'Het spijt me, Simon, echt waar. En ik dank God dat je nog leeft. Ik zou willen... dat er iets was wat ik kon zeggen, wat een verklaring kon geven voor wat ik heb gedaan, of iets om het maar een beetje goed te maken. Maar in alle eerlijkheid: wat ik ook zou zeggen, het zou je alleen maar bozer maken.'

Er viel een lange stilte tot Simon weer begon te praten. 'In de gevangenis had ik heel veel tijd om na te denken. Uiteindelijk kan ik evenmin met zekerheid zeggen dat ik niet ook zou zijn gevlucht. Als ik de kans had gehad. Dat betekent nog niet dat ik het je heb vergeven, egoïstische klootzak,' voegde hij eraan toe.

Nick nam wat Simon zei ter kennisgeving aan en droogde zijn handen af aan een handdoek. 'Klinkt alsof ik nog steeds de hoofdverdachte ben voor de moord op Yvette.'

'Ik zou niet binnen afzienbare tijd naar Pakistan teruggaan, als ik jou was,' antwoordde Simon. 'Maar troost je, Shiraz is er niet van overtuigd dat jij haar hebt vermoord. Hij zei dat hij dacht dat je niet tot zo'n wreedheid in staat was: haar hoofd er bijna afhakken.'

Voor zijn geestesoog zag Nick de vreselijke aanblik van Yvettes lichaam: de akelige wond, de blauwe plekken, de onuitsprekelijke verspilling van leven. Hij keek in de verte en had moeite om zich te beheersen. 'Hoe heb je me uitgerekend hier kunnen vinden?'

'Ik kwam in de buurt van de Siachen een jager tegen, een nogal klein mannetje, dat me vertelde dat hij een Amerikaanse vriend had die hij elke maand opzoekt. Hij zag er een beetje Tibetaans uit.'

'Ghulam Muhammad.'

'Zo heette hij. Grappig kereltje. Hij deed heel afwerend wat jou betreft. Ik zei tegen hem dat ik een vriend was, maar hij wilde me niet vertellen waar je uithing. Toen ik mijn naam zei leek hij na te denken. Ik vond dat vreemd. Maar ik heb geen druk uitgeoefend. Hoe dan ook, hij bedacht zich en vertelde me dat ik je hier kon vinden.'

'Misschien herkende hij je naam van het artikel,' zei Nick en hij vertelde over de keer dat Ghulam hem tijdens hun tocht door de Karakoram had geconfronteerd met het krantenbericht over hen beiden. 'Logisch dat hij me aan je uitlevert. Ghulam gelooft er sterk in dat het waardevol is om je verleden onder ogen te zien.'

Nick bracht Simon naar het grasveld achter de kliniek dat uitkeek over de gerstvelden en de rivier beneden. Daar gingen ze aan de houten tafel zitten waar het personeel altijd de middagmaaltijd gebruikte. Nick zag dat Simon nog magerder was geworden sinds hij hem jaren geleden voor het laatst had gezien. Maar zijn gezicht had kleur en hij leek op de een of andere manier helder. Nick zag meteen dat hij geen drugs meer gebruikte.

'Waarom heb je de moeite genomen?' vroeg Nick, hoewel het antwoord hem steeds duidelijker begon te worden: Simons verdenking was nog niet verdwenen. 'Ik bedoel, we zijn niet bepaald als goede vrienden uit elkaar gegaan.'

'Meen je dat nou? Een stuk van mijn tand afgebroken en een gekneusde kaak, dat was anders een geweldig afscheid.' Simons humor maakte plaats voor somberheid. Hij nam een trek van zijn sigaret. Toen keek hij Nick strak aan.

'Ik zweer je dat ik het niemand zal vertellen. Vooral niet aan de autoriteiten. God weet dat mijn handen verre van schoon zijn. Ik wil alleen maar weten wat er is gebeurd, Nick. Ik kan niet doorgaan zonder het te weten. Jij was bij haar. Je weet iets.'

Nick zweeg nadenkend. Hij had dan wel bekend – eerst tegenover Fidali, later aan Aisha, Ghulam en zichzelf – maar misschien niet tegenover degene die er het meest behoefte aan had zijn verklaring te horen. Hij haalde diep adem, toen begon hij te praten. 'We hebben ruzie gekregen.'

'Ruzie?' vroeg Simon na een tijdje.

'Ze wilde heroïne kopen. Ik was ertegen. We kregen woorden, de zaak liep uit de hand. Ze werd bestormd door een bende stamleden en ze gooiden stenen naar haar.'

Simons mond zakte open. 'De blauwe plekken,' zei hij en hij bedekte zijn gezicht met zijn handen. 'O god... Het is mijn schuld. Sinds ik was weggegaan uit Rangoon had ik geprobeerd clean te blijven. Evvie bleef die laatste nacht bij me, smeekte me om ertegen te vechten... 's Ochtends was ik te zwak om me te bewegen,' vervolgde hij, stikkend in zijn woorden. 'Ik smeekte haar het te doen. Net genoeg om me op de been te houden tot ik uit Pakistan was. Ik beloofde haar dat ik daarna ergens naartoe zou gaan waar ik hulp kon krijgen.'

Nick sloot zijn ogen; zijn gezicht werd asgrauw. Toen de implicatie van wat Simon had gezegd tot hem doordrong, had hij het gevoel dat hij door zijn eigen blinde egoïsme met vernietigende kracht in de borst was gestoken. 'Probeerde ze... jou te helpen?' mompelde Nick.

De twee mannen bleven enkele minuten zwijgend zitten, met hun hoofd weggestopt in hun armen, hoewel er niemand was voor wie ze zich zouden moeten verbergen dan zijzelf.

'Ik heb haar de dood in gestuurd, Nick,' zei Simon ten slotte. 'Ik heb haar de dood in gestuurd.'

'Nee, Simon, het is mijn schuld!'

Simon keek op. 'Wat bedoel je?'

'Ik wist dat ze in gevaar verkeerde,' antwoordde Nick. 'En toch heb ik haar daar achtergelaten... Begrijp je, ik heb die snee dan wel niet veroorzaakt, maar ik heb haar evengoed vermoord.'

Geschokt keek Simon Nick in de ogen en zag dat het waar was. Hij schudde heftig zijn hoofd en liet het daarna op zijn borst zakken. 'Dat hebben we allebei gedaan.'

Lange tijd bleven de voormalige vrienden en rivalen zitten in de wrede stilte van twee mannen die verenigd waren door dezelfde diepe schuld, in de wetenschap dat ze, wat ze verder ook zouden zeggen of doen, zich nooit meer waardevol of compleet zouden voelen. Uiteindelijk begon Nick weer te praten.

'Een vriend uit Kashmir heeft ooit tegen me gezegd: "Wat je ook in je hoofd hebt, vergeet het. Wat je ook in je hand hebt, geef het. Wat je lot ook moge zijn, zie het onder ogen." Wat we doen blijft ons eeuwig bij. Voor altijd.'

Simon dacht even na en knikte toen. 'Voor altijd.'

Simon bleef die nacht in Gilkamosh. De volgende ochtend pakte hij zijn rugzak voor de lange reis naar Delhi. Voordat hij vertrok liepen ze naar de top van de hoogste bergkam, die uitzicht bood over de hele Gilkamoshvallei, die vanaf die hoogte een reusachtige strook kreupelbos leek van glanzend groen dat zich uitstrekte over het enorme amfitheater van majestueuze bergspitsen. Tussen de pieken door kon je naar het westen kijken, waar Yvette was gestorven, over de uitgestrekte gezaagtande bergen van ijs en rots die helemaal tot in Pakistan reikten. Boven op de bergrug was een weitje, te klein om voor vee te worden gebruikt.

Daar groeven Nick en Simon een gat en op de bodem ervan legden ze een foto die Simon had meegenomen. Op de foto stonden ze met z'n drieën – Nick, Simon en Yvette – toen ze elkaar, jaren geleden in Pushkar, net hadden leren kennen, met de armen in elkaar gehaakt ten teken van hun nieuwe vriendschap. In het gat zetten ze, boven op de foto, een zaailing van een jeneverbes, in de hoop dat knoestige levende wortels zich zouden hechten in de dunne laag aarde en dat de kans op een nieuw begin zou ontspruiten aan de onverbrekelijke band waardoor ze via hun beider lot met elkaar waren verbonden.

'Wat zijn nu je plannen?' vroeg Nick later, toen ze de aarde van hun handen veegden.

'Ik ben al zeven jaar niet meer in Engeland geweest. Nu wil ik alleen maar een tijdje clean blijven. Wat zelfrespect zien te krijgen. Misschien ga ik naar Frankrijk om Evvies moeder in Lyon op te sporen. Ze hadden geen contact. Maar je weet het nooit. Wellicht wil ze weten wat er is gebeurd. Dat zou ik zelf wel willen. Geen idee wat ik daarna ga doen. Uiteindelijk, dat weet ik zeker, zal ik weer gaan trekken. Ik blijf maar denken dat er na de volgende bocht iets komt wat alles zin geeft. Ik vermoed dat dat altijd wel zo zal blijven.'

Beide mannen schudden hun hoofd, onzeker hoe ze de gedachten zouden verwoorden die ze noodgedwongen moesten uiten.

'Weet je, Simon, ik was jaloers op je,' zei Nick ten slotte. 'Om een heleboel redenen. Maar vooral vanwege Yvette. Ik heb nooit begrepen waarom je bij haar bent weggegaan. Ik bedoel, dat had ik niet gekund. En daarna, toen je terugkwam... Ik veronderstelde, nou ja, dat je misschien echt van haar hield… Nu weet ik het antwoord. En dat maakt het alleen maar moeilijker.'

'Ja,' antwoordde Simon.

'Ik dacht ook dat ik van haar hield,' vervolgde Nick. 'Ik weet nu dat dat niet zo was. Op een of andere manier maakt dat het het moeilijkst. Al die waanzin die ik voor liefde aanzag, dat was alleen maar omdat ze voor jou had gekozen.'

Het bleef even stil, toen schudde Simon zijn hoofd. 'Nee, Nick. Ik zal je vertellen wat het moeilijkste is. Je zat ernaast. Ze heeft het me de avond voor haar dood verteld. Ze was van plan bij jou te blijven. Ze hield van jou.'

De oorlog woedde voort en de massamoord van Gilkamosh werd over-schaduwd door nieuwe gewelddadigheden van de kant van zowel de vei-ligheidstroepen als de rebellen. De moedjahedien bleven de Line of Control over trekken, terwijl Pakistan volhardde in zijn ontkenning van de gevolmachtigde oorlog die het sinds zijn ontstaan tegen India had ge-voerd. Er waren luwtes in de strijd, vooral wanneer er door een van beide partijen met een kernoorlog werd gedreigd. Maar uiteindelijk zouden voor de bevolking van Kashmir de gewelddadigheden voortdu-ren, zolang de invloedrijke naties van de wereld er niet in slaagden de wil op te brengen om met voldoende overtuigingskracht te bemiddelen.

Toch vonden Aisha en Nick te midden van deze woelige microkosmos van een groter, heftig conflict dat zich over de aardbol uitstrekte, bij el-kaar de kracht om door te gaan met hun strijd om de levens te redden die de mannen met ideeën probeerden te vernietigen. Het was een ver-bond van verzet en geestkracht, opnieuw bezegeld nadat Nick de laatste woorden had gereciteerd die op het moment dat hij Nick een tweede leven had gegund over Fidali's lippen waren gekomen: la ilaha illa Allah.

Uitgesproken tegenover twee getuigen, Ghulam Muhammad en Aisha. Twee mensen die een man volkomen hadden leren kennen — het kwaad dat hij had gedaan en het goede waartoe hij in staat was — en in plaats van te oordelen, hadden ze vertrouwen, zelfs voordat hij ver-trouwen in zichzelf kreeg. Woorden die hij uitsprak terwijl hij over de littekens van zijn geliefde heen door de vensters van haar smaragden ogen keek.

Dankwoord

Graag wil ik mijn redacteur, Colin Harrison, bedanken voor zijn buitengewone aandacht voor het manuscript en zijn inspirerende adviezen; mijn agent, Sloan Harris, voor zijn voortdurende betrokkenheid bij mijn werk en zijn diepzinnige, weloverwogen mening over de vele versies; en Alan Rautbort voor zijn enthousiasme en zeer gewaardeerde steun.

Ook wil ik mijn vrouw, Hope, bedanken voor haar inbreng en haar onuitputtelijke geduld tijdens het schrijven van deze roman, alsmede voor haar gezelschap en moed op onze fantastische maar vaak lastige reizen naar de afgelegen streken die de inspiratie vormden voor dit boek. Bijzonder dankbaar ben ik mijn levenslange vriend, medezwerver en verwante geest Ming-Tai Kuo, voor zijn aanmoediging; mijn zus en zwager Maria en André Jacquemetton en de rest van de Mastrasclan, inclusief mijn broer, mijn ouders en, natuurlijk, mijn twee geliefde dochters. Ook dank aan de familie Toffel voor de vele uren dat ze hebben opgepast terwijl ik op het manuscript zat te zwoegen.

Tot slot wil ik mijn dankbaarheid uitdrukken tegenover de talrijke vrienden en kennissen in Pakistan, India en Kashmir, die ik niet allemaal bij naam kan noemen, van wie velen me tijdens mijn reizen bij hen thuis uitnodigden en me de schoonheid van hun cultuur leerden kennen. Ik zal me jullie en de verbazingwekkende plaatsen die jullie me hebben laten zien altijd blijven herinneren. De oorspronkelijke versie van deze roman is geschreven op de Griekse eilanden Santorini en Folegandros en de Indonesische eilanden Lombok en Bali. Het personeel van de diverse pensions en strandbungalows waar ik werkte verleenden me grote gastvrijheid, zonder welke de taak om deze roman af te maken me zwaarder zou zijn gevallen.

De plaats Gilkamosh is fictief, hoewel geïnspireerd door verschillende dorpen en valleien aan beide zijden van de Line of Control.

Voor achtergrondinformatie over het conflict over Kashmir heb ik een aantal publicaties geraadpleegd, waaronder: *Pakistan: Eye of the Storm* door Owen Bennet Jones (Yale University Press, 2002); *War on Top of the World: The Struggle for Afghanistan, Kashmir, and Tibet* door Eric S. Margolis (Routledge, 2002); *Lost Rebellion: Kashmir in the Nineties* door Manoj Joshi (Penguin, 1999); 'Islamic Groups and Pakistan's Foreign Policy— Lashkar-e-Toiba and Jaish Mohammad' door Samina Yasmeen, in: *Islam and the West; Reflections from Australia* (USNW Press, 2005); 'Terrorists' Modus Operandi in Jammu and Kashmir' door N.S. Jamwal, in: *Strategic Analysis*, deel 27, nummer 3, juli-september 2003 (Routledge, in samenwerking met het Institute for Defense Studies Analysis, 2003). Ook raadpleegde ik de volgende bronnen met betrekking tot cultuurgeschiedenis, geografie, flora en fauna van de streek: *Kashmir as it was* door Francis Younghusband (1908, herdrukt door Rupa & Co., 2000); *Among the Mountains: Travels through Asia* door Wilfred Thesiger (Flamingo, 2000); *The Himalayas* door Alain Chenevière (Konecky & Konecky, 1998); *Karakoram Highway: The High Road to China* door John King (Lonely Planet Publications, 1998); *Islamic Sufism: The Science of Flight in God* door Wahid Baksh Rabbanni (A.S. Noordeen, 1990); en *What is Sufism?* door Martin Lings (Premier Publishing, 2000). De in de epiloog geciteerde soefiparabel is verschenen in de anthologie getiteld *Perfume of the Desert: Inspirations from Sufi Wisdom* door Andrew Harvey en Erik Hanut (Theosophical Publishing House, 1999), evenals talloze online verzamelingen. Noch de uitgegeven versie noch de online verschenen versies vermelden een auteur.

Over de auteur

George Mastras, afkomstig uit Boston, heeft gewerkt als criminaliteits-
onderzoeker in de pro-Deoadvocatuur, als juridisch adviseur in een
jeugdgevangenis en als litigator bij advocatenkantoren in New York en
Los Angeles. Na negen jaar in de advocatuur te hebben gewerkt nam hij
ontslag, verkocht zijn bezittingen en reisde een aantal jaren als rugzaktoerist over de wereld, waarbij hij door de Himalaya, de Karakoram en
de Hindu Kush trok. Sinds zijn terugkeer naar de Verenigde Staten heeft
hij voor verscheidene televisieseries geschreven, inclusief zeer recente-
lijk de dramaserie *Breaking Bad* op AMC, die lovende kritieken heeft gekregen. Hij is afgestudeerd aan Yale, UCLA Law School en Outward
Bound. In 2005 kreeg hij een beurs van de Walt Disney-ABC Creative
Writing Fellowship voor Drama toegekend. *Tranen over Kashmir* is zijn
eerste roman.